Dictionnaire du Web

Dictionnaire du Web

sous la direction de

Francis **Balle**
professeur à l'université Panthéon-Assas (Paris II)

Laurent **Cohen-Tanugi**
avocat au barreau de Paris

Noémie **Behr**
Olivier **Bomsel**
Émilie **Devriendt**
Philippe **Doucet**
Éric **Guichard**
François **Hurard**
Françoise **Laugée**
Gilles **Le Blanc**
Philippe **Levrier**
Sabine **Lipovetsky**
Michel **Moreau**
Audrey **Yayon-Dauvet**

31-35 rue Froideveaux - 75685 Paris cedex 14

Les auteurs

sous la direction de

Francis **Balle**

Docteur d'État ès lettres et diplômé de l'Institut d'études politiques de Paris, il est professeur à l'Université Panthéon-Assas (Paris II). Directeur de l'Institut français de presse (1976-1986), membre du Conseil supérieur de l'audiovisuel – CSA – (1989-1993), professeur invité à l'Université de Stanford (Californie), il est l'auteur de plusieurs ouvrages dont, récemment, Les médias *(Flammarion, 2000)* et Médias et Sociétés *(Montchrestien, 10e éd., 2001).*

Laurent **Cohen-Tanugi**

Ancien élève de l'École normale supérieure et de l'Université de Harvard, il est associé du cabinet d'avocats internationaux Cleary Gottlieb Steen & Hamilton, où il a participé à d'importantes opérations de fusion, acquisition et alliance dans le secteur de la communication en Europe. Membre de l'Académie des technologies, il est l'auteur de plusieurs essais, dont Le droit sans l'État *(PUF, 1985),* L'Europe en danger *(Fayard, 1992) et, dernièrement,* Le nouvel ordre numérique *(Odile Jacob, 1999).*

avec les contributions de

Noémie **Behr**

Doctorante au sein de l'équipe Économie numérique du CERNA. Sa thèse porte sur l'économie des marques et l'infomédiation.

Olivier **Bomsel**

Ingénieur civil des mines, docteur en économie, maître de recherche à l'École des mines de Paris et codirecteur du CERNA.

Émilie **Devriendt**

Élève de l'École normale supérieure, agrégée de lettres modernes, spécialisée en ingénierie linguistique.

Philippe **Doucet**

Journaliste, diplômé de droit public et de sciences de l'information et de la communication, chargé d'enseignement à l'Université Panthéon-Assas (Paris II).

Éric **Guichard**

Ancien élève de l'École normale supérieure de Saint-Cloud, agrégé de mathématiques. Il enseigne l'informatique littéraire à l'École normale supérieure (Ulm) et y anime un séminaire de recherche sur l'incidence d'Internet sur les pratiques des chercheurs, l'Atelier Internet.

François **Hurard**

Ancien élève de l'École normale supérieure, agrégé de philosophie, directeur du cinéma au Centre national de la cinématographie (CNC), maître de conférences associé à l'Université Panthéon-Assas (Paris II).

Françoise **Laugée**

Ingénieur d'études à l'Institut de recherche et d'études sur la communication (IREC), Université Panthéon-Assas (Paris II).

Gilles **Le Blanc**

Ancien élève de l'École polytechnique, dirige les recherches en économie des télécommunications au CERNA.

Philippe **Levrier**

Ancien élève de l'École polytechnique, ingénieur de l'École nationale supérieure des télécommunications, membre du Conseil supérieur de l'audiovisuel.

Sabine **Lipovetsky**

Avocat, cabinet Kahn & Associés, Paris, spécialisée dans le droit des nouvelles technologies et de la propriété intellectuelle.

Michel **Moreau**

Conseiller d'État, professeur agrégé à l'Université René-Descartes (Paris V), ancien recteur, directeur général du Centre national d'enseignement à distance (CNED).

Audrey **Yayon-Dauvet**

Avocat, cabinet Bird & Bird, Paris, spécialisée dans le droit des médias et des nouvelles technologies.

Avant-propos

Le *Dictionnaire du Web* est né d'une conviction forte : au-delà des effets de mode et des fluctuations économiques, la diffusion des nouvelles technologies de l'information et de la communication constitue un phénomène majeur de notre temps, qui affectera durablement tous les domaines de l'activité humaine.

En quelques années, Internet, symbole de ces nouvelles technologies, a pris les dimensions d'un univers, qui pénètre lentement tous les aspects de notre vie quotidienne. Et cela ne fait que commencer.

La crise actuelle de la « nouvelle économie » signifie en effet simplement que le « temps Internet » n'était pas, comme on l'avait cru, synonyme d'immédiateté, mais renvoyait au contraire au temps long d'une mutation profonde de notre environnement, qui offre ainsi à chacun la possibilité de s'y préparer. D'où le souci de livrer les clés de ce nouvel univers, à travers près de deux cents entrées qui font le point sur ses différents aspects techniques, économiques, juridiques, politiques ou socioculturels.

Qui dit univers dit langage, et tout langage appelle son dictionnaire pour en livrer le sens et en fixer les usages. Le *Dictionnaire du Web*, avec son alternance d'entrées brèves et d'articles de fond, se veut tout à la fois outil pratique et encyclopédie critique de la société numérique. Car le Web, application-phare d'Internet, sert naturellement ici de métaphore à la révolution numérique dans toutes ses dimensions.

Ouvrage collectif et pionnier, le *Dictionnaire du Web* s'efforce d'aborder, de manière à la fois pédagogique et critique, chacune de ces dimensions. Pour sa réalisation, nous avons bénéficié du concours de nombreux auteurs venus, chacun, d'une discipline de pensée – le droit, l'économie, la sociologie, la science politique ou la technologie – et convertis aux vertus d'une sage pluridisciplinarité. Qu'ils trouvent ici l'expression de notre reconnaissance la plus chaleureuse.

Les choix que nous avons effectués n'ont été guidés que par l'écoute et le respect des usages, principe de bon aloi pour rendre compte d'un univers largement façonné par les internautes eux-mêmes. D'où, par exemple, la décision d'inclure dans le *Dictionnaire* certains termes anglais d'usage courant – la révolution numérique est largement américaine –, en en donnant toutefois la traduction française, selon la nomenclature officielle figurant à la fin de l'ouvrage. Ou encore, le choix d'« Internet » – nom propre du réseau et d'emploi courant – plutôt que de « l'internet », peu usité en dehors des administrations.

Comme il se doit, le *Dictionnaire* est assorti d'un index, où sont recensés les mots clés, qu'ils fassent ou non l'objet d'une entrée particulière. Une bibliographie et une webographie complètent la plupart des entrées.

Ayant pour objet un univers en évolution et en expansion permanentes, ce *Dictionnaire* doit être conçu comme la première édition d'un projet en devenir. Nous sollicitons d'emblée l'indulgence du lecteur pour les partis pris et les oublis qu'une entreprise de ce type comporte inévitablement, en espérant qu'elle contribuera, si modestement que ce soit, à combler le « fossé numérique » au sein de nos sociétés et à l'échelle du monde.

Bonne navigation !

Francis BALLE
Laurent COHEN-TANUGI
Août 2001

Remerciements

Les directeurs de la publication remercient Stéphanie Beghe, Linda Blanchet, Patricia Cassini, Amélie Champsaur, David Cohen-Tanugi, Evelyne da Fonseca, Erik Lavarde pour leur précieuse assistance dans la réalisation de cet ouvrage.

A

@

Le signe @, élément caractéristique des adresses Internet, est devenu le symbole de l'univers numérique.

Ce signe sépare, dans le libellé d'une adresse électronique, le nom de l'internaute, ou ce qui en tient lieu, de celui correspondant au domaine de son serveur. Ainsi, l'adresse « dupont@free.fr » signifie-t-elle que M. Dupont, l'utilisateur, est hébergé par le fournisseur d'accès Free et qu'il dispose, chez celui-ci, d'une boîte aux lettres.

Selon le linguiste Berthold L. Ullman, le signe @ trouve son origine dans la fusion, opérée au VIe siècle par des moines copistes, du « a » et du « d » cursifs, formant le *ad* latin, le « d » s'enroulant autour du « a ». Au XIVe siècle, des imprimeurs français ont désigné ce caractère par le mot « arobase », qui résulte de la déformation de « a rond bas », ou minuscule (bas de casse dans le langage des imprimeurs). Avant de se répandre en Europe dans le latin dit « de chancellerie », à la première ligne de l'adresse des documents diplomatiques, l'abréviation symbolisait l'amphore, une unité de mesure ou de poids, au XIIe siècle, dans les comptes des marchands florentins, sous la forme d'un « a » stylisé.

En 1972, Ray Tomlinson choisit le signe @ pour désigner la boîte aux lettres vers laquelle le message contenu dans un ordinateur devait être expédié. L'ingénieur, qui contribuait à la réalisation du projet Arpanet, ancêtre d'Internet, avait écrit un logiciel de messagerie électronique qui permettait aux chercheurs travaillant sur le même ordinateur d'échanger des messages entre eux. Il eut alors l'idée d'envoyer des messages dans la boîte aux lettres d'autres ordinateurs, grâce à ce même logiciel appelé SNDMSG (pour *send message*). Afin de localiser le serveur et, à travers celui-ci, la boîte aux lettres d'un utilisateur, il choisit le signe @, non seulement parce qu'il désigne une destination – le *ad* latin ou le *at* anglais – mais surtout parce que ce signe, figurant déjà sur tous les claviers, ne figurait dans aucun nom et ne risquait donc pas de prêter à confusion.

Le plus souvent, le signe @ se prononce *at*, selon la formulation anglaise : il désigne indifféremment « à », « vers », « chez » ou « auprès ». Son nom français est arobase (qui s'écrit parfois arobace, arobas ou arrobase), tandis que la délégation générale à la Langue française recommande le terme arrobe, traduction française de l'unité de mesure espagnole *arrobe*. Alors que les Anglais parlent aussi de *at-sign* et que les Espagnols et les Portugais ont retenu *arrobe*, ce sont les métaphores animales (escargot, queue de singe, vers de terre...) qui, le plus souvent, ont permis de donner un nom à ce signe.

Acronyme

Forme d'écriture très répandue sur Internet et dans les messages SMS. L'acronyme, semblable à un sigle, est composé à partir des initiales des différents mots d'une phrase du langage courant, phrase le plus souvent assez courte. Les acronymes les plus utilisés sont les suivants : IMHO (*In My Humble Opinion*), FYI (*For Your Information*), ASAP (*As Soon As Possible*), FAQ (*Frequently Asked Questions*), B4 (*Before*).

ADSL (Asymmetric Digital Subscriber Line)

Technique de transmission numérique asymétrique permettant d'augmenter les capacités de transmission des lignes téléphoniques classiques en séparant en trois canaux distincts la liaison entre le central et l'abonné. Mise au point par AT&T en 1990, cette technique multiplie le débit de transmission vers l'usager par 20 ou 30, ce qui permet d'envisager la transmission de programmes vidéo avec une qualité équivalente à celle du VHS, voire du DVD.

Agent intelligent

Programme informatique dont l'objet est de simuler les compétences et les comportements humains, les plus courants sur Internet étant les outils de recherche. D'autres agents intelligents permettent d'informer l'internaute des mises à jour de pages web ou de modifier l'affichage d'une page en fonction du nombre de connexions sur un site.

Analogique

L'adjectif analogique qualifie les procédés de transmission et de stockage de l'information qui reposent sur des signaux continus et variant dans le temps proportionnellement à l'intensité de la grandeur physique à transmettre.

La réalité est d'abord portée par des phénomènes physiques directement perçus par le cerveau et les sens de l'homme. Lorsqu'on veut la représenter, indépendamment de la perception immédiate de l'homme, c'est-à-dire lorsqu'on veut capter la réalité sur un support donné, celle-ci doit être transcrite dans un système de signes (les mots, la peinture, le cinéma, etc.).

De fait, toute réalité, pour devenir un message et être transmise, doit être d'abord représentée, c'est-à-dire transformée. La plus ou moins grande ressemblance du message codé avec la réalité qu'il est censé exprimer détermine sa plus ou moins grande « iconicité », sa capacité à devenir une image, une icône.

Ainsi, les mots sont d'une nature très différente de la réalité qu'ils recouvrent et ne sont pas iconiques. La peinture, plus ressemblante à la réalité, l'est davantage, mais moins que la photographie et moins encore que l'audiovisuel. De fait, les artistes d'abord, puis les ingénieurs, ont pour la plupart cherché à restituer la réalité de la façon la plus fidèle possible, tendant vers une « iconicité » toujours plus grande. D'un sublime tableau de Giotto à l'hyperréalisme américain, de l'image fixe à l'image animée, du noir et blanc à la couleur, du 45 tours au CD, du 625 lignes à la pixelisation..., le son et l'image sont de plus en plus réalistes.

Cette recherche de la plus grande ressemblance possible avec la réalité est omniprésente dans le monde de l'audiovisuel et des nouvelles technologies de l'information. L'ingénieur cherche à inventer des systèmes de représentation donnant à voir et à entendre la réalité de la façon la plus fidèle possible ; puis il perfectionne les moyens de transmission, permettant ainsi le transport de messages toujours plus sophistiqués, pour reconstituer en bout de chaîne la représentation de la réalité de manière tout aussi fiable et réaliste que possible.

Toute situation de communication repose sur la transmission d'un message d'un récepteur à un émetteur. Cette transmission peut, de la façon la plus immédiate, se faire au niveau interpersonnel, c'est le cas de la voix, du geste, du regard, qui sont en quelque sorte des canaux naturels de transmission.

La représentation de la réalité prend valeur de message dès lors qu'elle entre elle aussi dans un processus de transmission d'un émetteur à un récepteur – humain ou machine. Pour être transportée, la représentation a besoin d'être transformée sous la forme d'un message codé, de telle sorte que celui-ci puisse être lu et interprété par les appareils de transport (fil électrique, fibre optique, onde, etc.). Les technologies employées sont appelées à être de plus en plus sophistiquées dès lors que le message à transmettre est lui-même plus complexe (suite d'images par exemple), et doit passer par un canal techniquement plus avancé (la ligne de téléphone, la fibre optique, etc.). Pour répondre à cette exigence, la chaîne de communication doit s'analyser selon trois étapes techniques bien distinctes : transformation de la réalité en une représentation plus ou moins iconique, puis transformation de cette représentation en un message susceptible d'être transporté et, enfin, réception du message et décryptage pour le restituer sous la forme de la représentation première.

Les principes techniques de la communication

Le message, porté par des phénomènes physiques directement perçus par les sens de l'homme, doit d'abord être traduit en une grandeur physique, le plus souvent électrique, dont les valeurs, en général variables dans le temps, expriment, le plus fidèlement possible, le contenu du message ou de la scène à représenter. C'est cette grandeur physique, ou signal de base, qui est transmise à distance, soit immatériellement au moyen d'outils utilisant les phénomènes de propagation à l'intérieur de certains milieux physiques, soit sur des supports matériels transportables.

A

PROCÉDÉS DE TRANSMISSION : EXEMPLE DU SON

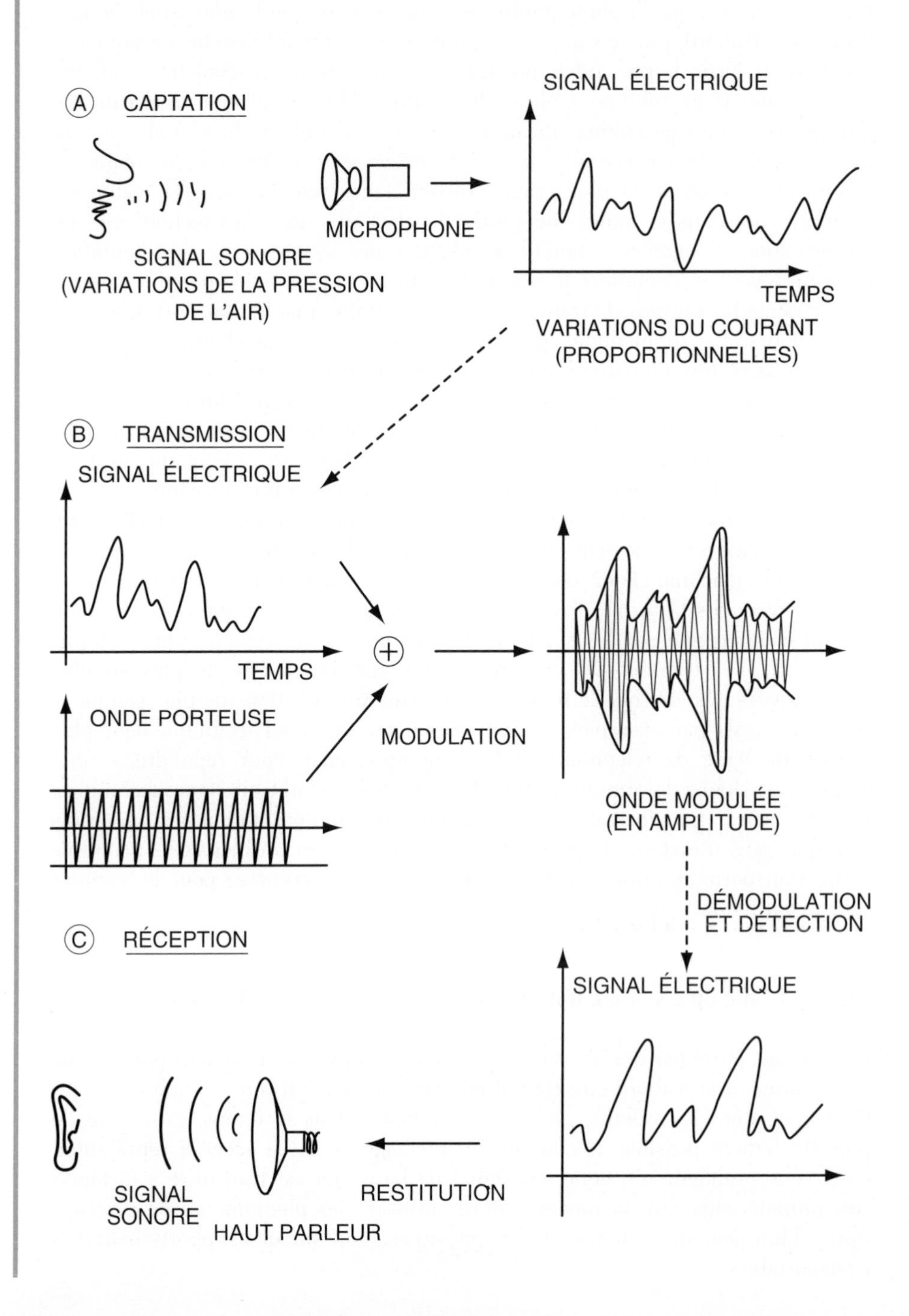

Enfin, la représentation proprement dite s'effectue grâce à des appareils qui retranscrivent le signal de base, en l'extrayant de son support matériel ou immatériel, et en reproduisant le phénomène physique d'origine ou tout au moins une partie suffisante de celui-ci pour donner l'impression d'une restitution vraisemblable de la réalité initiale.

C'est ainsi que la radiodiffusion sonore met en œuvre ces trois processus. Ce sont des variations locales et rapides de la pression de l'air qui, portées par celui-ci dans toutes les directions de l'espace, constituent le phénomène sonore. Le microphone transforme ces variations de pression en courant électrique, proportionnel à ces variations. Le courant ainsi créé peut être transmis sur des courtes distances, en l'état, sur de simples fils électriques, ou bien conservé sur un disque gravé, dans des sillons dont la taille varie en rapport avec l'intensité de ce courant. Pour des transmissions instantanées à longue distance, il faut utiliser un autre support, les ondes électromagnétiques. Leur amplitude (ou fréquence) est « modulée », c'est-à-dire modifiée proportionnellement au signal électrique à transporter. À la réception de ces ondes par une antenne, le courant de base est extrait de l'onde électromagnétique et utilisé, après avoir été amplifié, c'est-à-dire augmenté proportionnellement à sa puissance, pour mettre en mouvement une membrane rigide qui produit mécaniquement les variations de pression de l'air captées par le microphone.

Les hommes ont depuis l'origine cherché à transmettre à distance, et le plus rapidement possible, des messages porteurs d'information à d'autres personnes. Avant la découverte de l'électricité, ces méthodes sont restées très rudimentaires, les civilisations ayant acquis une culture de l'écrit devant se satisfaire d'un transport physique du support matériel des signes représentatifs du message. Les autres furent parfois plus ingénieuses : les signaux de fumée des Sioux, le tam-tam africain ou le « yoddle » des bergers tyroliens sont autant d'exemples des efforts déployés par l'humanité pour conquérir sa part d'ubiquité !

Les inventions successives de la pile électrique, de la dynamo, du microphone, du gramophone, du cohéreur de Branly, de la triode de Lee de Forrest, du tube cathodique ont permis de créer, à la fin du XIXe siècle et dans la première moitié du XXe, une multitude de machines à communiquer s'appliquant à reproduire le plus parfaitement possible à distance des scènes sonores ou visuelles ou des messages écrits.

Le monde analogique

Cet univers du téléphone, de la radio, du télégraphe, du tourne-disque et de la télévision est aujourd'hui qualifié d'« analogique », par opposition à l'univers numérique, né dans la seconde moitié du XXe siècle. Ces systèmes présentent en effet en première approche une caractéristique commune : les différentes transformations que le message subit au cours de sa transmission établissent des relations de proportionnalité directe entre les grandeurs physiques concernées.

Le courant électrique sortant du microphone est proportionnel à la variation de pression de l'onde sonore, l'amplitude de l'onde électromagnétique portant à distance le courant est proportionnel à ce courant, comme l'est le déplacement longitudinal de la membrane du haut-parleur.

A

Toutes ces grandeurs physiques sont, de manière quasiment instantanée (la vitesse de la lumière étant la limite supérieure de tous les phénomènes de propagation d'information), dans un rapport constant entre elles, chacune étant dans une relation d'analogie à la fois avec celle dont elle tient le message et avec celle à laquelle elle va le transmettre. Et chacune peut prendre toutes les valeurs possibles, de manière continue, entre un minimum qui est le seuil de sensibilité de la machine et un maximum qui est son seuil de saturation.

Les systèmes analogiques sont ainsi, en apparence, d'une grande simplicité. Ils ne nécessitent pas de codage du message, car le message originel étant lui-même une fonction continue, réelle, bornée et dépendante du temps, comme le signal électrique, une correspondance parfaite peut s'établir. Les appareillages inventés pour capter, traiter, détecter, amplifier les signaux électriques et électromagnétiques ayant le bon goût de pouvoir fonctionner naturellement de manière linéaire (en fait, ils ont été construits pour cela), ils conservent aisément la proportionnalité tout au long du processus.

Cependant, l'analogique présente l'inconvénient de subir les inévitables dégradations subies par le signal au cours de sa transmission, sous forme de bruit, de distorsions et d'interférences. Celles-ci sont évidemment intégralement et fidèlement reproduites et ne peuvent être éliminées en vertu du principe de proportionnalité. La perception subjective de ces altérations peut donc devenir gênante, mais la compréhension du message reste souvent possible, même à de très hauts niveaux de perturbation.

Bourdonnements, déchirures et rayures peuvent s'accumuler sur le microsillon, la voix de Berthe Sylva restera toujours reconnaissable et l'émotion naissant de ses inoubliables complaintes éternellement vivace. Et le 21 juillet 1969, cette silhouette blanchâtre, floue et tremblotante, c'était bien Neil Amstrong posant le pied sur la Lune.

La présence du numérique dans le monde analogique

Le paysage de la communication des années 1950 n'est cependant pas uniformément analogique. Déjà, le nombre (plus précisément le nombre entier, car le nombre au sens général est omniprésent dans l'analogique sous sa forme continue) est largement utilisé chaque fois que le message à transmettre n'est pas lui-même une fonction continue du temps.

Le premier exemple est celui du télégraphe, dont le but consiste à transmettre des suites de phrases, c'est-à-dire des suites de mots, donc des suites de lettres. Une lettre tracée en noir sur un papier blanc est une fonction définie sur l'ensemble de la feuille de papier (qui a deux dimensions d'espace) et qui prend en chacun de ses points soit la valeur « noir » soit la valeur « blanc ». C'est une fonction fort malcommode à traduire, telle quelle, en un courant électrique. Mais, heureusement, une lettre n'est pas que cela. C'est aussi un symbole universellement connu, donc connu du récepteur, et il en existe un tout petit nombre. La solution consiste donc à ne pas transmettre la lettre « a » tracée sur le papier mais simplement l'« idée » de « a » sous la forme d'un code pouvant être représenté par un courant électrique variable dans le temps. Le code Morse, par exemple, utilise deux symboles élémentaires, le trait « long » et le trait « court » (correspondant à la fermeture plus ou moins longue d'un circuit à intensité constante), pour coder, avec quelques symboles, toutes les lettres de l'alphabet. Le numérique a donc été inventé avant l'analogique. Depuis le code Morse, de nombreux codes ont été créés pour représenter l'écrit, y compris dans les ordinateurs d'aujourd'hui.

Le second exemple d'utilisation du nombre entier dans les systèmes dits « analogiques » est celui de la télévision. Une image animée est un objet très complexe. Si l'on se restreint à une portion d'image animée en noir et blanc, c'est une fonction qui possède deux dimensions d'espace (la hauteur et la largeur de la scène) et une dimension de temps, et fait correspondre à chaque point de cet espace tridimensionnel une valeur de lumière continûment variable entre le noir et le blanc, qui passe par toutes les nuances du gris. Un courant électrique unique ne peut évidemment pas transcrire cette fonction de manière proportionnelle. Il est donc nécessaire de simplifier l'image, avant de la transmettre, en tirant parti de certaines propriétés physiologiques de la vision. En effet, l'œil ne perçoit pas toutes les nuances spatiales et temporelles des scènes qui s'offrent à sa contemplation. La persistance rétinienne, cette trace fugitive que la lumière laisse dans le fond de l'œil, empêche l'homme de distinguer des images qui se succéderaient à un rythme trop rapide, quelques dizaines d'images par seconde apparaissent comme une limite à sa capacité d'absorption. De plus, la capacité de différencier des points trop rapprochés dans l'espace est, elle aussi, limitée, en raison du pouvoir séparateur de la vision, qui rend confus deux points distants de moins de deux dixièmes de millimètre vus à une distance d'un mètre.

Ainsi, il est inutile de transmettre toutes les valeurs de la fonction tridimensionnelle, car beaucoup des informations qu'elle semble contenir ne seront pas interprétées par le cerveau. La technique de sélection de ces informations pertinentes s'appelle l'échantillonnage. Il suffira de transmettre une image tous les 1/25e de seconde et de limiter le nombre maximum de points susceptibles d'être transmis, par exemple dans la dimension verticale. Plusieurs systèmes ont été exploités, mais c'est le système à 625 points verticaux qui s'est finalement généralisé en Europe dans les années 1960.

Le système de représentation de l'image est ainsi établi : d'abord prendre chaque seconde quelques dizaines de photographies de la scène, l'œil fera le fondu enchaîné entre chacune d'entre elles. Ensuite, lire chaque photographie avec un stylet qui les parcourt horizontalement, le long d'une ligne, à raison de quelques centaines de lignes par photo ; ce stylet mesure la luminosité de chacun des points qu'il analyse. Ensuite, transformer cette luminosité en courant électrique proportionnel.

La définition complète d'un système de télévision suppose ainsi le choix de plusieurs paramètres numériques à partir desquels sera construit un modèle d'échantillonnage transformant l'image « analogique » formée sur le capteur de la caméra en un reflet électrique transportable par une onde électromagnétique. La diversité des choix de ces paramètres a permis l'éclosion de nombreux systèmes différents, les différents pays ayant généralement mené des politiques de protection de cette industrie naissante.

La transmission d'une image en couleurs repose également sur l'exploitation des propriétés physiologiques de la vision : chaque couleur peut être représentée par une combinaison de trois couleurs fondamentales (le rouge, le vert et le bleu en synthèse additive). L'acuité, tant spatiale que temporelle, de l'œil est beaucoup moins grande pour la couleur que pour la lumière et sa capacité à saisir des contrastes est, elle aussi, plus faible pour la couleur que pour la lumière. L'échantillonnage de la partie colorée d'une image peut ainsi être réalisé avec un quadrillage moins serré que pour la lumière.

Les signaux correspondants ont pu être astucieusement mélangés avec le signal monochrome de base (différentes méthodes de mélange ont donné naissance aux différentes normes : le NTSC, le PAL et le SECAM) pour emprunter les mêmes canaux de transmission et assurer ainsi une très bonne compatibilité entre les appareils utilisés pour la couleur et ceux utilisés pour le noir et blanc.

L'ensemble de ces transformations aboutit à un signal électrique (appelé « vidéo ») qui porte les informations tirées de l'image elle-même mais aussi des informations de service (début et fin d'image, début et fin de ligne, séquence de transmission des couleurs), permettant au récepteur de reconstituer l'ordonnancement correct des informations utiles qu'il détecte.

En télévision, le signal électrique transmis est donc loin d'être « analogue » à l'image d'origine. Pour s'en convaincre, il suffit de le visualiser sur un écran d'oscilloscope placé à côté du téléviseur, et de constater qu'il est très difficile d'apercevoir, subjectivement, la corrélation qui existe entre ce signal et l'image qu'il représente. La même expérience faite avec un signal sonore donne des résultats plus convaincants, tout simplement parce que le signal analogique sonore est « davantage » analogique que le signal analogique visuel.

Cependant, la partie du signal représentant le profil de la ligne analysée présente, quant à elle, toutes les caractéristiques de l'analogique, en particulier l'impossibilité d'éliminer le bruit et les perturbations.

La transmission analogique

La première opération de conversion du message en un signal ainsi opérée pour l'écrit, le son et l'image, il s'agit ensuite de transmettre ce signal. Pour cela, il faut d'abord évaluer la quantité d'information contenue dans le message ; cette quantité est en relation directe avec la richesse de sens portée par le message. On perçoit spontanément qu'un film documentaire d'une durée d'une heure, comportant de nombreux témoignages et des images variées, contient plus d'informations qu'une simple dépêche d'agence.

Dans le monde analogique, cette quantité d'information s'exprime par la « bande passante » du signal, notion développée en application de la théorie de la transformation de Fourier, utilisée pour l'analyse des fonctions dépendantes du temps. Cette théorie mathématique établit que tout signal variable peut être décomposé en une somme finie ou infinie de fonctions périodiques élémentaires de forme sinusoïdale. Chacune de ces composantes est caractérisée par son amplitude et sa fréquence (nombre d'oscillations par seconde, exprimé en hertz).

Ainsi, par exemple, tout signal sonore audible est une combinaison de signaux périodiques élémentaires dont la fréquence s'étage entre 20 hertzs et 20 000 hertzs. Cette combinaison s'appelle le spectre du signal. La différence entre la plus grande et la plus petite des fréquences du spectre est la bande passante. Plus la quantité d'information à transporter est élevée, plus la bande passante doit être grande. Un signal vidéo représente ainsi une bande passante de plusieurs mégahertzs, plusieurs centaines de fois plus importantes qu'un signal audio.

La capacité du système de transmission se définit également en termes de bande passante, celle-ci devant être au moins égale à la bande passante du signal à transporter. Un canal de transmission sera alors apte à transmettre toutes les combinaisons élémentaires de signaux périodiques, pourvu que le spectre correspondant reste à l'intérieur de la bande passante du canal. Mais cette faculté n'est une vertu qu'en apparence. La plupart de ces combinaisons ne portent en effet aucune signification et seront perçues comme du bruit inintelligible.

La traditionnelle métaphore du singe placé devant une machine à écrire et tapant au hasard sur les touches s'applique ici. Il n'existe aucune chance que s'écrive, par cette méthode, ni la Bible, ni une pièce de Shakespeare, ni le Manifeste du parti communiste. De la même façon, si tout message porteur de sens peut être transformé en une combinaison de signaux périodiques élémentaires, toute combinaison de ces signaux n'est pas porteuse de sens. La proportion de celles qui le sont est d'ailleurs infinitésimale.

Les limites de l'analogique

L'amélioration de l'efficacité des systèmes de communication suppose donc la mise au point de processus capables d'opérer un tri entre les signaux signifiants et les autres. Progressivement inventées au cours des dernières décennies, ces méthodes s'appuient sur des calculs mathématiques requérant la mise en mémoire des informations.

Un exemple très simple illustre cette nécessité. Dans la télévision analogique en noir et blanc, chaque point de l'image peut prendre n'importe quelle valeur (appelée luminance) de lumière entre le noir et le blanc. Mais dans une image réelle, il existe une forte corrélation entre la luminance d'un point et celle de ses voisins, et également entre la luminance de ce point à un instant donné et sa luminance à l'instant immédiatement ultérieur. Un système de télévision doté de la capacité de garder en mémoire la luminance des points de l'image pourrait exploiter ces corrélations très simplement. Plutôt que de transmettre la luminance absolue du point, il suffirait de transmettre l'indication qu'elle a ou non changé par rapport à sa valeur précédente, et ne transmettre que la différence en cas de changement.

Malheureusement, les techniques analogiques efficaces pour le maniement en temps réel des signaux sont fort mal adaptées à leur stockage. Les calculateurs analogiques n'ont pas résisté devant la supériorité évidente des calculateurs numériques dans ce domaine.

Plusieurs tentatives ont été faites dans les années 1980 pour apporter de nouveaux perfectionnements aux systèmes audiovisuels tels que le microsillon, la radio haute fidélité, le son stéréophonique, la télévision en couleurs, le magnétoscope. Les solutions proposées, telles que le D2-MAC, norme qui se voulait européenne, ou les standards haute définition tels que le HD-MAC ou le système japonais MUSE, n'eurent que des destins éphémères.

Produits hybrides intégrant partiellement des procédés numériques permettant de pallier l'inaptitude de l'analogique à la mémorisation, ces systèmes ne pouvaient pas rivaliser sur le long terme avec les systèmes entièrement numériques dont le développement parallèle progressait à grands pas.

Condamnés en tant que norme du futur, les systèmes analogiques sont encore à la base de l'exploitation de nombreuses activités audiovisuelles dans le monde. Des centaines de millions d'appareils utilisant cette technologie fonctionnent aujourd'hui et resteront sans doute pendant de nombreuses années encore le lien principal entre les médias et leur public. Nul ne peut en effet affirmer avec certitude que ces récepteurs analogiques disparaîtront aussi vite que le disque vinyle a sombré face au disque compact. Le renouvellement complet du parc des téléviseurs est l'un des principaux enjeux des projets de numérisation de la distribution hertzienne terrestre de la télévision menés actuellement dans plusieurs pays. Il est vraisemblable qu'une mutation de cette ampleur prendra, à l'échelle de la planète, plusieurs dizaines d'années.

Bibliographie

Ouvrages :

- FLICHY (Patrice), *Une histoire de la communication moderne : espace public et privé*, La Découverte, Paris, 1997.
- SJOBBEMA (D.), *Ils ont inventé l'électronique : de la pile Volta à la TV numérique*, Publitronic, Paris, 1999.
- SORLIN (Pierre), *Les fils de Nadar : le siècle de l'image analogique*, Nathan, Paris, 1998.
- *Télécommunications et audiovisuel : convergence et collision ?*, Ouvrage collectif, Éditions de l'OCDE, Paris, 1993.

Revues et rapports :

- Les dossiers de l'Audiovisuel n° 89, *Internet et Audiovisuel : au-delà de la convergence*, La Documentation française, Paris, 2000.

Webographie

- france.internet.com
- mmedium.com
- news.com
- idcresearch.com
- cenelec.org
- cablemodem.com
- itc.org
- csa.fr
- art-telecom.fr

Agence nationale des fréquences (ANFR)

L'Agence nationale des fréquences a été instituée par la loi du 26 juillet 1996. Établissement public à caractère administratif, l'agence a pour mission d'« assurer la planification, la gestion et le contrôle de l'utilisation, y compris privative, du domaine public des fréquences radioélectriques ». Elle coordonne l'implantation des stations radioélectriques sur l'ensemble du territoire national afin de garantir leur utilisation optimale, et assure donc la gestion globale du spectre, tandis que les différentes administrations et autorités affectataires de bandes de fréquence en assurent la gestion particulière. L'ANFR est par ailleurs responsable de la gestion des taxes et redevances dues au titre de l'usage des fréquences. Elle est également chargée de coordonner l'action et de préparer la position de la France dans les négociations internationales sur les fréquences radioélectriques.

Créée à la suite du rapport du conseiller d'État Pierre Huet, qui préconisait un regroupement des moyens et des institutions jusque-là chargées de l'administration et de la gestion du spectre hertzien, l'Agence a rassemblé en un organisme unique des compétences jusque-là réparties entre plusieurs services et administrations, notamment au sein du ministère des Postes et Télécommunications (direction générale des Postes et Télécommunications, Service national des radiocommunications) et du ministère de la Défense. La création de l'ANFR a correspondu a un souci de meilleure maîtrise de l'ensemble de la gestion du spectre dans la perspective d'un développement et d'une diversification rapides de l'usage des fréquences hertziennes durant la seconde moitié des années 1990.

La structure de l'ANFR

Administrée par un conseil d'administration (représentants d'administrations affectataires de bandes de fréquence ou d'autorités indépendantes chargées de la délivrance d'autorisations d'usage de fréquences, comme le Conseil supérieur de l'audiovisuel ou l'Autorité de régulation des télécommunications), l'ANFR emploie 330 agents.

Elle s'appuie pour remplir sa mission sur les avis et travaux de plusieurs commissions consultatives : une commission de planification des fréquences (CPF), qui établit et met à jour le tableau national de répartition des fréquences (en répartissant les différentes bandes de fréquence) ; une commission exécutive de répartition des fréquences, qui tient un fichier national des fréquences et assure la coordination des fréquences entre utilisateurs français ; une commission des sites et servitudes, qui assure la coordination des implantations d'installations radioélectriques ; une commission de synthèse et de prospective en radiocommunications et une commission des conférences des radiocommunications qui prépare les négociations internationales dans le domaine des fréquences.

La commission d'assignation des fréquences (CAF) autorise l'utilisation des fréquences au niveau national en garantissant que toute fréquence assignée peut être mise en service sans qu'il n'en résulte aucune gêne ou brouillage aux autres assignations.

L'Agence nationale des fréquences s'inscrit donc dans le cadre complexe, tant sur le plan national que sur le plan européen ou international, de la gestion du spectre des fréquences radioélectriques.

En effet, sur le plan national, plusieurs administrations se partagent l'usage du spectre des fréquences : forces armées, intérieur, pour les usages liés à la sécurité civile et à la défense nationale, mais aussi les deux autorités administratives indépendantes compétentes pour l'affectation des fréquences, le Conseil supérieur de l'audiovisuel (CSA), pour les fréquences liées à l'usage d'un service de communication audiovisuelle, et l'Autorité de régulation des télécommunications (ART), pour les fréquences liées à l'usage d'un service de télécommunications. Ces deux autorités se voient en effet attribuer des bandes de fréquence qu'ils gèrent et dont ils peuvent autoriser l'usage par des opérateurs publics ou privés. L'Agence nationale des fréquences coordonne donc l'action des administrations qui sont attributaires de bandes de fréquence, sans pour autant intervenir sur les décisions de celles-ci en matière d'attributions de fréquences, bien qu'elle puisse également exercer une activité de gestion des fréquences des réseaux indépendants comme elle le fait avec l'ART dans le cadre d'une convention. Sont également affectataires de fréquences, pour des usages plus spécifiques, l'administration de l'aviation civile, le ministère chargé de l'espace, le ministère chargé de la recherche, l'administration de la météorologie, l'administration des ponts et de la navigation maritime.

L'affectation des bandes de fréquence

L'affectation des bandes de fréquence est répartie comme suit :

– la bande 9 KHz à 29,7 MHz dont l'ART (35,5 %), les forces armées (24,9 %) et le CSA (15,4 %) sont les affectataires principaux ;

– la bande 29,7 MHz à 960 MHz dont le CSA (45,5 %) pour la radiodiffusion en ondes moyennes et la télévision, les forces armées (33,2 %) et l'ART (14,9 %) sont les affectataires principaux ;

– la bande 960 MHz à 10 GHz affectée aux forces armées (43,5 %), à l'ART (35 %) et à l'aviation civile (9,2 %) ;

– la bande 10 GHz à 65 GHz affectée à l'ART (36 %), aux forces armées (31 %) et à l'espace (20,2 %).

L'Agence a pour charge d'assurer une utilisation optimale des sites disponibles pour les stations radioélectriques : ainsi autorise-t-elle les implantations de stations, en liaison avec la Commission consultative des sites et des servitudes (COMSIS). Le nombre de dossiers d'implantation et de gestion des sites avoisine les 10 000 chaque année.

L'Agence exerce aussi une fonction de coordination des fréquences qui consiste en particulier à contrôler l'usage des fréquences aux frontières, notamment pour éviter les brouillages. Il s'agit soit du respect et de la mise en conformité de la gestion des fréquences avec les accords passés avec les pays voisins dans le cadre de l'UIT (Union internationale des télécommunications), ou d'accords particuliers passés avec les pays voisins. La coordination concerne également l'usage des fréquences satellitaires. Les fréquences de réseaux à satellite font l'objet de procédures de coordination particulières visant notamment à éviter les brouillages de services étrangers.

La coordination des fréquences

La coordination des fréquences est assurée, au niveau européen, par la Conférence européenne des administrations des postes et télécommunications (CEPT) créée en 1959 et, sur le plan international, par l'UIT, créée en 1932.

La CEPT, qui regroupe 43 pays, a vocation à harmoniser la gestion du spectre hertzien dans l'ensemble de l'Europe, et dispose pour accomplir cette mission d'un Comité européen des radiocommunications (CER ou ERC) composé de deux groupes de travail principaux : l'un sur la gestion des fréquences et l'autre sur l'ingénierie du spectre. Le projet DSI (*Detailed Spectrum Investigation*) conduit par le CER depuis 1992 consiste à mener un travail de planification du spectre et de l'usage des fréquences en Europe, afin de parvenir à l'élaboration d'une table européenne des fréquences qui pourrait être adoptée par tous les pays membres du CEPT avant 2008.

Le CEPT peut édicter des recommandations à l'égard des pays membres ou encore des décisions qui ont vocation à devenir des directives européennes. Enfin le CEPT coordonne la position de ses membres pour les conférences internationales de l'UIT, notamment dans le cadre de la Conférence mondiale des radiocommunications (CMR).

L'UIT est une organisation intergouvernementale, intégrée à l'ONU depuis 1947, qui comprend 189 États membres et dont le siège est à Genève. Régie par une convention internationale, l'UIT a pour mission d'assurer la régulation du secteur des télécommunications dans le monde, de définir les standards et normes techniques de cette industrie et d'en favoriser le développement. Elle assure également la gestion internationale du spectre hertzien et des positions orbitales des satellites.

En France, la mise en place de l'ANFR a répondu au besoin d'une meilleure gestion du spectre hertzien dans un contexte de développement rapide de réseaux indépendants et d'une multiplication de l'usage des fréquences hertziennes de terre ou des réseaux à satellites.

L'ingénierie du spectre, dans un contexte ou les usages de celui-ci se diversifient, devient en effet un enjeu capital. Il convient d'en planifier le développement, d'en maximiser les usages et d'édicter des normes et des outils de contrôle. L'agence joue ainsi un rôle essentiel dans la perspective du développement de nouveaux services recourant à la technologie des réseaux hertziens : la boucle locale radio, l'UMTS ou encore la télévision numérique hertzienne terrestre (TNT).

Bibliographie

- GUILLOT (C.), THÉRY (B.), *L'agence nationale des fréquences*, Juris. PTT n° 50, 1997.

Webographie

- http://www.anfr.fr/

Antivirus

Programme informatique protégeant les micro-ordinateurs et les fichiers (données ou programmes) contre les virus informatiques. Les disquettes et Internet constituent les sources principales des virus.

Applet

Programme de faible dimension écrit en langage Java et intégré au sein d'une page web. L'applet permet, par exemple, une meilleure manipulation d'un texte ou l'affichage d'animations.

Arpanet

Réseau informatique de transmission de données construit entre 1959 et 1968 à l'initiative du Département américain de la défense par l'agence ARPA (*Advanced Research Project Agency*) afin d'assurer la sécurité des relations entre les centres militaires dans toutes les hypothèses envisageables, notamment la destruction d'une partie du réseau. Baptisé en 1969, l'Arpanet, premier « réseau de réseaux », permettait de relier entre eux une vingtaine de centres militaires, industriels ou universitaires. L'Arpanet est l'ancêtre d'Internet : ce dernier doit son essor, après 1982, à la gratuité de l'accès au réseau ainsi qu'à l'explosion de la micro-informatique.

ART (Autorité de régulation des télécommunications)

L'Autorité de régulation des télécommunications (ART), mise en place en janvier 1997, a été créée par la loi du 26 juillet 1996 sur les télécommunications, qui a fixé l'étendue de ses compétences, sa composition et le mode de désignation de ses membres.

La création d'une autorité indépendante dans le domaine des télécommunications répondait à une double exigence : instaurer une régulation du secteur des télécommunications en France au moment où, en application des décisions communautaires, ce secteur devait être ouvert à la concurrence à compter du 1er janvier 1998, et assurer l'indépendance et la neutralité de cette régulation.

La loi du 26 juillet 1996 a confié à l'ART la plupart des prérogatives et compétences qui étaient jusqu'à sa création exercées par l'administration des télécommunications, et en a créé de nouvelles, adaptées à la régulation du secteur des télécommunications dans un environnement concurrentiel. Ces compétences sont à la fois d'ordre technique (définition de normes, évaluation de matériels et équipements, établissement du plan de numérotation, attribution de ressources en fréquences), juridique (consultation et avis sur les textes relatifs au secteur des télécommunications, pouvoir d'autorisation d'ouverture et d'exploitation des réseaux indépendants, instruction des licences pour les réseaux ouverts au public, fonction de conciliation et de règlement des différends, pouvoir de sanction) et économique (avis sur les tarifs, évaluation du coût du service universel).

La loi a ainsi fixé comme objectifs à l'Autorité de favoriser « l'exercice au bénéfice des utilisateurs d'une concurrence effective et loyale », de veiller « à la fourniture et au financement de l'ensemble des composantes du service public des télécommunications » et au « développement de l'emploi, de l'innovation et de la compétitivité dans le secteur des télécommunications », et enfin de prendre en compte « l'intérêt des territoires et des utilisateurs dans l'accès aux services et aux équipements ».

L'ART est une institution jeune qui a dû, dans un temps extrêmement réduit, construire et inventer sur la base des orientations générales fixées par la loi du 26 juillet 1996 une pratique effective de la régulation du secteur des télécommunications dans un contexte nouveau d'ouverture à la concurrence sur des marchés très dynamiques et en croissance rapide.

Compétences de l'ART

Le législateur, sans transférer à l'ART la totalité des prérogatives de régulation du secteur des télécommunications, lui a cependant attribué une gamme de compétences larges qui lui permettent d'agir efficacement sur le développement à terme des infrastructures et services qui concourent à la mise en œuvre de la « société de l'information » en organisant les relations des opérateurs entre eux, et en visant aussi un objectif de satisfaction de l'usager-consommateur.

Il convient cependant de distinguer parmi les compétences de l'ART celles qui ne sont que d'ordre consultatif (le pouvoir de décision revenant au gouvernement ou au législateur) et celles que l'Autorité exerce en propre. En effet, la loi du 26 juillet 1996 a défini la fonction de régulation du secteur des télécommunications comme « indépendante de l'exploitation des réseaux et de la fourniture des services de télécommunications », mais a désigné à la fois le ministre chargé des télécommunications et l'Autorité de régulation des télécommunications comme dépositaires, chacun pour ce qui le concerne, de cette mission de régulation, qui est donc partagée selon les attributions respectives de ces deux autorités.

• Compétences d'ordre consultatif

La loi prévoit expressément la consultation systématique de l'ART sur les projets de loi, de décret ou de règlement relatifs au secteur des télécommunications. L'Autorité est également associée à la préparation de la position de la France dans les négociations internationales dans le domaine des télécommunications.

• Pouvoirs propres

L'ART se voit reconnaître un pouvoir de décision qui concerne notamment (art. 36-6 de la loi du 26 juillet 1996) : « les droits et obligations afférents à l'exploitation des différentes catégories de réseaux et de services » ; les « prescriptions applicables aux conditions techniques et financières d'interconnexion » ; « les prescriptions techniques applicables [...] aux réseaux et terminaux, en vue de garantir leur interopérabilité, la portabilité des terminaux et le bon usage des fréquences et des numéros de téléphone » ; et enfin « les conditions d'établissement et d'exploitation » des réseaux indépendants.

Pour les autres réseaux, l'ART instruit les demandes d'autorisation « pour le compte du ministre chargé des télécommunications ».

En matière économique, l'ART est également investie par la loi d'une mission de veille qui consiste notamment à proposer à l'autorité ministérielle compétente les montants des contributions au financement des obligations de service universel (le coût du service universel), à émettre un avis sur les tarifs et objectifs tarifaires pluriannuels du service universel, et à établir annuellement la liste des opérateurs exerçant une influence significative sur un marché pertinent du secteur des télécommunications (tout opérateur détenant plus de 25 % de part de marché). L'ART approuve également les tarifs et les conditions d'interconnexion proposés par les opérateurs de réseaux publics.

• **Compétences juridictionnelles**

En tant qu'organe de régulation du secteur des télécommunications, l'ART a une mission générale de contrôle des activités des opérateurs dans ce secteur et, en particulier, doit contrôler le respect par ceux-ci de leurs obligations légales et réglementaires.

Elle peut être saisie de différends portant sur l'interconnexion des réseaux, ordonner le cas échéant des mesures conservatoires, en cas d'atteinte grave et immédiate aux règles régissant le secteur, et peut rendre des décisions à l'issue de la procédure de règlement des différends qu'elle instruit. L'ART peut également, sur d'autres sujets de litige entre opérateurs, être saisie (par toute personne physique ou morale concernée, par une association d'usagers ou une organisation professionnelle, ou enfin par le ministre chargé des télécommunications) d'une demande de conciliation et, en cas d'échec, peut saisir le Conseil de la concurrence, si le litige relève de la compétence de ce dernier.

Son pouvoir de sanction à l'égard des exploitants de réseaux et des fournisseurs de services comprend (après mise en demeure préalable) soit la possibilité d'une suspension totale ou partielle de l'autorisation d'exploitation pour une durée déterminée, voire le retrait de celle-ci, soit le prononcé d'une amende dont le montant est proportionné à la gravité du manquement constaté et à l'avantage qui en est tiré. Ces amendes ne peuvent pas dépasser 3 % du chiffre d'affaires hors taxes de l'opérateur (5 % en cas de récidive).

Composition et mode de fonctionnement de l'ART

L'Autorité de régulation des télécommunications est composée d'un collège de cinq membres, et de services, placés sous la responsabilité d'un directeur général. Trois des membres sont nommés par le président de la République (dont le président de l'Autorité), les deux autres sont nommés respectivement par le président du Sénat et par le président de l'Assemblée nationale pour une durée de six ans. Les mandats ne sont ni renouvelables, ni révocables. Ce modèle de composition s'inspire en grande partie de celui déjà mis en place pour le secteur de l'audiovisuel avec le Conseil supérieur de l'audiovisuel, qui comprend néanmoins un collège plus large (neuf membres). Ce mode de nomination est destiné à garantir l'équilibre et la neutralité ainsi que l'indépendance des décision et avis de l'autorité, en particulier vis-à-vis d'acteurs industriels économiquement puissants et influents. La fonction de membre de l'ART est incompatible avec toute autre activité professionnelle, emploi public ou mandat électif. Afin de préserver leur totale indépendance, les membres de l'Autorité ne peuvent pas non plus détenir d'intérêts directs ou indirects dans une entreprise du secteur des télécommunications, de l'audiovisuel et de l'informatique.

L'Autorité s'est dotée de services chargés de préparer ses décisions et avis dans ses différents domaines de compétence. Le service juridique est chargé de préparer les avis et propositions du collège, ainsi que de conduire les procédures de sanction ou de règlement des différends que l'autorité peut instruire. Le service « Économie et concurrence » est chargé de l'observation des marchés et des études économiques, des relations avec les consommateurs, de l'observation des prix et de leur contrôle, de l'évaluation du coût du service universel, du contrôle des tarifs d'interconnexion des opérateurs. Le service « Interconnexions et nouvelles technologies » est chargé de la veille technologique sur le secteur des télécommunications, de la préparation de l'action de l'ART dans le domaine de l'interconnexion et du dégroupage, et de l'Internet, ainsi que des expertises techniques sur les équipements terminaux. Le service « Opérateurs et ressources » a pour mission de préparer les autorisations d'usage de réseaux indépendants, de préparer l'instruction des attributions de licences pour les réseaux ouverts au public, la planification des fréquences et leur attribution, le plan de numérotation et, enfin, l'observation de l'activité des opérateurs et le contrôle du respect de leurs obligations. Enfin, un service international est chargé des relations internationales de l'ART avec les régulateurs étrangers ou les institutions et organismes comme l'UIT, la CEPT, etc.

Les décisions de l'ART sont soumises au contrôle du juge administratif (Conseil d'État) ou judiciaire (cour d'appel de Paris) par voie de recours, selon le type de décision contesté, et l'Autorité est également soumise au contrôle du Parlement auquel elle est tenue d'adresser chaque année, ainsi qu'au gouvernement, un rapport annuel.

Bibliographie

Ouvrages :

- LASSERRE (Bruno), *L'Autorité de régulation des télécommunications*, AJDA, Paris, 1997.
- *Code de la communication*, Ouvrage collectif, Dalloz, Paris, 1999.

Revues et rapports :

- Rapport public d'activité, *Autorité de régulation des télécommunications*, La Documentation française, Paris, 2000/2001.

Webographie

- http://www.art-telecom.fr/

ASCII (American Standard Code for Information Interchange)

Code informatique qui permet une communication universelle entre tous les types d'ordinateurs. À l'origine, l'ASCII se fondait sur une séquence de 128 combinaisons, pouvant représenter une lettre, un chiffre ou un caractère spécial. IBM a augmenté par la suite la séquence à 256 combinaisons afin de prendre en compte certaines différences linguistiques comme les accents.

Assistant numérique personnel

Ordinateur portable de petite dimension offrant toutes les fonctionnalités d'un ordinateur de bureau. Relié à un téléphone mobile, ou combiné avec lui, il permet d'accéder à certains des services d'Internet. En se banalisant, le téléphone mobile rend plus incertaines les frontières entre l'ordinateur de poche et l'organiseur connecté.

ATM (Asynchronous Transfer Mode)

L'ATM est une technique de commutation utilisée pour le transfert de données informatiques sur des réseaux privés ou publics. Elle a pour objectif d'organiser la commutation de paquets en permettant d'optimiser sa gestion, par une affectation dynamique de la bande passante disponible pour chaque type de paquets, classés selon leur taille, les paquets de longueur fixe étant dénommés « cellules ». Il en résulte une plus grande rapidité d'acheminement des données, et une optimisation de la bande passante pour des transmissions à hauts débits (45 Mbps et plus).

Attrape-flammes

Message provocateur introduit au sein d'un groupe de discussion d'Internet, à la seule fin d'agacer ceux qui y participent, appelant ainsi de leur part des réponses également provocatrices. On dit aussi piège à flamme.

Autoroute de l'information

Le concept d'« autoroutes de l'information » appartient désormais à l'histoire des réseaux et des technologies de l'information. Une histoire certes récente, mais dont la particularité est d'avoir connu un déroulement rapide qui a vite dépassé les visions stratégiques et politiques élaborées dans la première moitié des années 1990. Celles-ci reposaient sur deux concepts clés : la convergence et les autoroutes de l'information. Tandis que la notion de « convergence » permettait de résumer les acquis de la numérisation et de la généralisation du protocole IP (à l'origine d'Internet) ainsi que la réunion des industries de l'informatique, des télécommunications et des médias audiovisuels, les « autoroutes de l'information » représentaient l'objectif d'une politique planétaire de rénovation des infrastructures sur laquelle reposerait, croyait-on, la société de l'information, garantissant l'accès du plus grand nombre à une multiplicité de services, de données et de contenus.

L'idée principale qui guidait l'emploi de l'expression « autoroutes de l'information » consistait dès l'origine à définir une architecture et une infrastructure uniques de réseaux sur le modèle des autoroutes, avec une large capacité de débit, une aptitude au transport de tout service multimédia, une desserte la plus universelle possible, et une technologie unifiée, ce qui n'apparaissait pas possible en l'état des infrastructures de réseaux existantes.

Plus qu'un concept donc, le terme d'« autoroutes de l'information » a donc initié une vaste réflexion sur le développement des réseaux du futur, leur technologie et leur plan de déploiement, ainsi que sur les investissements qui devaient leur être consacrés. Cela a donné lieu à un important travail de prospective dans la plupart des pays industrialisés et dans les formations internationales regroupant ces pays (G7, devenu G8 par la suite, Commission européenne), qui a abouti à la définition d'objectifs de politique publique, notamment en termes d'encadrement et de régulation des télécommunications, en particulier les décisions de déréglementation et d'ouverture à la concurrence prises à partir de la seconde moitié des années 1990. Là où le technicien et l'ingénieur parlaient de réseaux à large bande, de haut débit et de nouveaux services, les politiques évoquaient les « autoroutes de l'information ».

L'origine des « autoroutes de l'information »

C'est aux États-Unis qu'est né le concept des autoroutes de l'information, *information highways,* métaphore dérivée du projet nommé *National Information Infrastructure,* mais en fait portée dès 1992 par les candidats américains à l'élection présidentielle, Ross Perot et Bill Clinton, qui tous deux feront de l'idée d'un grand réseau d'information traversant le pays comme des autoroutes un vrai projet politique. C'est en particulier Al Gore, candidat à la vice-présidence, qui porte ce projet destiné à consolider l'Internet déjà en place. Cette initiative, qui aurait pu demeurer un programme de politique intérieure et d'équipement en télécommunications ne concernant que le territoire des États-Unis, devient pourtant très vite – dans un contexte de globalisation montante des enjeux du marché des nouvelles technologies de l'information (encouragée par la dimension mondiale d'Internet) et de tensions fortes entre les États-Unis et l'Europe autour des règles du commerce mondial (GATT puis OMC) – un enjeu de politique internationale.

C'est sans doute pour ce motif que les États-Unis, promoteurs des autoroutes de l'information sur leur territoire, proposent d'en faire dès 1994 l'un des thèmes de réflexion des sommets du G7.

Parmi les enjeux ouverts autour du thème des autoroutes de l'information figure d'abord la fin des monopoles sur les activités de réseaux, ce que la Commission européenne envisage de faire pour les réseaux de télécommunications et qui se traduira par l'obligation faite à tous les États membres d'ouvrir le secteur à la concurrence au 1er janvier 1998.

Aux États-Unis, l'initiative d'Al Gore va se concrétiser en février 1996 avec l'adoption du *Telecommunications Act,* destiné à stimuler la concurrence et à favoriser les investissements dans les réseaux, notamment par le décloisonnement des activités des opérateurs de télécommunication et de câble jusque-là strictement encadrées. Les opérateurs de télécommunication (Telcos) se voient autorisés à distribuer des services vidéos tandis que les câblo-opérateurs (MSOs : *Multiple System Operators*) sont, eux, autorisés à offrir des services de téléphonie. L'investissement dans les réseaux et notamment dans les infrastructures pour permettre l'augmentation des débits n'est donc encouragée qu'indirectement par un desserrement des règles pesant sur les investisseurs privés.

L'Union européenne s'oriente dans une direction similaire avec le « Livre blanc sur la croissance, la compétitivité et l'emploi » de décembre 1993 qui propose la construction de grands réseaux en Europe. En France, c'est le rapport de Gérard Théry, qui, à l'automne 1994, propose les choix politiques qui détermineront l'entrée du pays dans l'ère des « autoroutes de l'information ». En réalité, tous ces travaux oscillent en permanence entre deux options : celle clairement affichée par l'administration Clinton, qui trace un programme d'équipement en infrastructures mais détermine le rôle que les pouvoirs publics peuvent jouer, qui consiste seulement à déréglementer, option dont l'initiative européenne ne se distingue pas radicalement, et une approche plus colbertiste et technicienne qui est celle de la France et du Japon, qui dressent l'hypothèse d'un investissement massif des pouvoirs publics dans les nouvelles infrastructures, par l'intermédiaire de l'opérateur historique.

Les autoroutes : plan d'équipement et d'aménagement de la planète ou libéralisation des réseaux ?

Dans son rapport au Premier ministre de juillet 1994, Gérard Théry définissait les autoroutes de l'information comme des « infrastructures fixes » utilisant la fibre optique comme support quasi exclusif, assurant le transport de tous les types de signaux numériques et en mesure d'écouler de « très hauts débits numériques [...] dans les deux sens de transmission ». Estimant que les infrastructures de réseaux existantes (réseau téléphonique, réseaux câblés, réseaux hertziens terrestres et satellitaires, fixes et mobiles) ne sauraient à elles seules constituer « de véritables autoroutes de l'information, même au prix d'adjonctions supplémentaires » et jugeant que la technique ADSL n'aurait pas d'avenir et que les réseaux câblés pourraient difficilement évoluer vers le haut débit bidirectionnel, Gérard Théry affirmait que seul le développement de la fibre optique permettrait l'accès des utilisateurs aux services multimédias. La solution de l'architecture de réseau FTTH (*Fiber To The Home*) permettant tous les apports de la fibre optique jusqu'à l'abonné (fiabilité et sécurisation de la transmission, gestion de réseaux centralisée, absence de besoin d'amplification du signal et, bien sûr, capacité de transport très élevée) semblait être la solution la plus adaptée à l'objectif des « autoroutes de l'information » : « le déploiement de la fibre optique, en allant aussi près que possible de l'abonné, est donc incontournable pour déployer les autoroutes de l'information et offrir la capacité d'évolution vers l'ensemble des services multimédias ». Dans ce contexte, le rapport Théry recommandait également l'ouverture des réseaux aux différents offreurs de services, c'est-à-dire leur interconnexion et l'interopérabilité des terminaux d'accès.

La recommandation de Gérard Théry était de planifier sur quinze à vingt ans la mise à niveau des réseaux pour un coût estimé à 150 ou 200 milliards de francs ; mise à niveau dont l'un des acteurs principaux aurait été l'opérateur historique France Télécom, et qui devait s'appuyer non seulement sur la modification des réseaux filaires mais aussi sur le développement de l'ingénierie informatique des réseaux, et la généralisation de l'ATM (*Asynchronous Transfer Mode*). L'objectif était de mettre à disposition de tous les citoyens d'ici à l'an 2015 des accès aux autoroutes de l'information.

Ce plan n'a pas été suivi, mais le modèle proposé par Gérard Théry, qui a été aussi envisagé un moment par le Japon, a incarné pendant plusieurs années (de 1994 à 1997) l'idée des « autoroutes de l'information ».

Les autoroutes aujourd'hui : bilan rétrospectif, les réseaux à large bande

C'est sur un tout autre modèle que se sont finalement orientés la marche vers la société de l'information et le développement des échanges d'information par réseaux. Si bien que le terme d'« autoroutes de l'information » a perdu beaucoup de son sens et de son efficacité politique. Il a été remplacé par de nouveaux concepts traduisant une maîtrise sans doute plus assurée des capacités d'évolution des infrastructures et du développement des nouvelles technologies. L'universalisation du modèle Internet et de la technologie IP ont contribué aussi à réduire l'intérêt des politiques pour la problématique des infrastructures, le *World Wide Web* ayant pour ainsi dire fait la preuve – par son succès et l'engouement qu'il a suscité – de l'existence effective d'un « réseau mondial » capable de se renforcer et d'augmenter son trafic au fur et à mesure de l'augmentation des capacités de transport des infrastructures de réseaux et en fonction de leur mise à niveau progressive aux exigences d'un trafic nécessitant plus de bande passante et une plus grande rapidité des échanges.

De fait, l'option un peu rapidement écartée par Gérard Théry s'est avérée la voie empruntée par les opérateurs de réseaux, privés et publics, pour améliorer les débits des réseaux existants et améliorer leurs performances : le réseau téléphonique commuté voit son débit augmenté dans des proportions importantes par les technologies xDSL ; les réseaux câblés ont été eux aussi modifiés pour s'adapter aux exigences de l'interactivité ; la boucle locale radio permet d'offrir des solutions d'accès à haut débit alternatives aux réseaux filaires et les services mobiles de troisième génération (UMTS) permettront aussi des accès haut débit. Le satellite devient également une voie d'accès possible à Internet.

C'est donc à travers la mise à niveau des réseaux existants pour les infrastructures filaires, ou le développement de grandes artères et voies de transit primaires en fibre optique, et la mise en place de nouveaux accès, par une optimisation des ressources hertziennes, que se constituent aujourd'hui ce que l'on préfigurait au début des années 1990 comme les « autoroutes de l'information ».

Sans doute, le schéma de développement de ces autoroutes n'est-il pas unitaire, ni planifié, bien que régulé, et se déploie-t-il selon des orientations diverses qui laissent une part à la concurrence ou à la complémentarité des infrastructures sans privilégier un modèle unique. C'est donc, d'une certaine manière, le marché et les capacités réelles d'investissement des opérateurs qui ont pris le relais des politiques publiques pour préparer le développement de ce que l'on appelle maintenant, de manière plus pragmatique, les réseaux à haut débit.

Bibliographie

Ouvrages :

- COLOMBAIN (Jérôme), *Internet*, Milan, Toulouse, 1996.
- CURTIL (Cedric), *La carte française des inforoutes*, Hermès, Paris, 1996.

Revues et rapports :

- Rapport au Premier Ministre, *Les autoroutes de l'information*, THÉRY (Gérard), La Documentation française, Paris, 1994.

A

■ Rapport au secrétaire d'État à l'Industrie, *Réseaux à hauts débits : nouveaux contenus, nouveaux usage, nouveaux services*, BOURDIER (Jean-Charles), Paris, 2000.

Webographie

■ http.//www.telecom.gouv.fr

Avatar

Représentation virtuelle d'un joueur réel. Le joueur crée un personnage composé de caractéristiques physiques et morales. Ce personnage est l'interface du joueur dans un univers virtuel où il peut rencontrer d'autres avatars. Une des plates-formes les plus connues accueillant des avatars est, à la fin de l'an 2000, le « 2e monde » lancé par Canal+ Multimédia, dont l'environnement est la ville de Paris représentée en trois dimensions.

B

Backbone

Boucle mondiale du réseau Internet, également appelée « épine dorsale », qui relie entre eux l'ensemble des ordinateurs « hôtes » (utilisateurs finaux), à travers la boucle locale et les différents fournisseurs d'accès régionaux et nationaux.

Bande de fréquence

Portion du spectre hertzien ayant fait l'objet d'une affectation particulière (télécommunications, télévision, sécurité intérieure...). L'ensemble des contenus susceptibles d'être acheminés sur les réseaux multimédias (textes, sons, images ou données) sont transformés en fréquences mesurées en hertz (un hertz équivalant à un cycle par seconde), que cette transmission s'opère par la voie des airs (ondes électromagnétiques, transmises par l'usage d'un réseau hertzien terrestre ou satellitaire) ou par une technologie filaire (paire torsadée du réseau téléphonique commuté ou câble coaxial et fibre optique).

Les fréquences sont mesurées en milliers (kilohertz ou KHz), millions (mégahertz ou MHz) ou milliards (gigahertz ou GHz) de cycles par seconde. Cette transmission est rendue possible par une conversion des informations, quelles qu'elles soient, en un signal électrique qui peut être analogique (épousant les caractéristiques des données originales enregistrées par un microphone ou une caméra par exemple) ou numérique, c'est-à-dire converties en une suite de nombres, par codage binaire, composés de 0 et de 1.

Le spectre hertzien désigne l'ensemble des caractéristiques des ondes qui, dans l'atmosphère, permettent le transport d'un signal électromagnétique. C'est à l'intérieur de ce spectre que sont définies les bandes de fréquence correspondant aux allocations dévolues à chaque type de transmission hertzienne, en fonction des propriétés des ondes qui permettent la propagation dans l'atmosphère des signaux électromagnétiques.

Les signaux électromagnétiques peuvent en effet être transportés soit par des canaux de transmission filaires, comme la paire torsadée du réseau téléphonique commuté, soit par des câbles coaxiaux ou des fibres optiques (réseaux câblés) soit encore par la voie des airs (réseaux hertziens, satellites). Dans le cas d'une transmission par voie hertzienne ce sont les ondes radio qui transportent le signal.

Quel que soit le mode de transport du signal, celui-ci est composé d'une ondulation de base régulière appelée porteuse, qui fait l'objet d'un traitement appelé modulation. Il existe plusieurs formes de modulation : la modulation d'amplitude (qui, comme son nom l'indique, porte sur l'amplitude des oscillations), la modulation de fréquence (qui porte sur la fréquence des oscillations) et la modulation de phase (qui applique un signal binaire modulateur déphasant la périodicité de l'oscillation).

Les ondes électromagnétiques, quant à elles, se caractérisent par leur longueur d'onde (c'est-à-dire la distance mesurable entre deux ondes) qui a une incidence sur le type d'usage que l'on peut en faire et la quantité aussi bien que la qualité de l'information transportée ainsi que les distances de transmission.

Les bandes de fréquence sont en quelque sorte le catalogue raisonné de la division du spectre électromagnétique ou spectre hertzien en fonction des caractéristiques propres à chaque catégorie d'ondes hertziennes.

La division du spectre hertzien

La division du spectre hertzien en bandes de fréquence est opérée sur des bases de différenciation techniques à partir de normes internationales définies par l'Union internationale des télécommunications, puis administrées au niveau national par des agences compétentes. En France, c'est l'Agence nationale des fréquences qui effectue la répartition des bandes de fréquence entre différents organismes ou agences compétents pour administrer un segment du spectre : ministère de la Défense, Conseil supérieur de l'audiovisuel, Autorité de régulation des télécommunications.

On distingue ainsi :

– les très basses fréquences (*Very Low Frequencies* ou VLF) : 3 à 30 kHz ;

– les basses fréquences (*Low Frequencies* ou LF) : 30 à 300 kHz utilisées pour les communications marines et sous-marines et les systèmes de navigation, correspondant aux ondes kilométriques ou ondes longues ;

– les moyennes fréquences (*Medium Frequencies* ou MF) : 300 kHz à 3 MHz, utilisées pour la radio en modulation d'amplitude (ondes hectométriques ou ondes moyennes) ;

– les hautes fréquences (*High Frequencies* ou HF) : 3 à 30 MHz, utilisées pour les radios internationales (ondes décamétriques ou ondes courtes) ;

– les très hautes fréquences (*Very High Frequencies* ou VHF) : 30 à 300 MHz, utilisées à la fois pour les réseaux de télévision, de radio en modulation de fréquence et pour la téléphonie mobile (ondes métriques) ;

– les ultra hautes fréquences (*Ultra High Frequencies* ou UHF) : 300 MHz à 3 GHz, utilisées pour les réseaux de télévision, la téléphone mobile, les systèmes de transmission par micro-ondes de type MMDS (ondes décimétriques) ;

– les super hautes fréquences (*Super High Frequencies*) : 3 GHz à 50 GHz, utilisées pour les communications par satellite, la téléphonie mobile, les micro-ondes (ondes centimétriques et millimétriques).

Les principaux réseaux hertziens sont affectés à des usages bien définis en fonction des bandes de fréquence qu'ils utilisent et de leur bande passante. Historiquement ce sont les réseaux en modulation d'amplitude qui se sont développés les premiers, à partir des années 1920, pour les stations de radio émettant en ondes moyennes ou en grandes ondes, avec des émetteurs à longue portée capables de couvrir le territoire d'un pays et même d'être reçus au-delà de ses frontières. Après la Seconde Guerre mondiale, ce sont les réseaux en modulation de fréquences qui se sont développés, à la fois pour la transmission des signaux de télévision ainsi que pour les stations de radio émettant en modulation de fréquence. La faible portée géographique de ces émetteurs a nécessité la constitution de réseaux comportant de nombreux émetteurs et réémetteurs pour couvrir la totalité d'un territoire, la modulation de fréquence ne permettant qu'une couverture locale. Ainsi, en France, les autorisations d'usages de fréquence pour les radios privées en modulation de fréquence ont-elles été attribuées au niveau local, et non à l'échelle nationale. Enfin, ce n'est que plus tardivement que des bandes de fréquence ont été affectées à d'autres réseaux : diffusion satellitaire, réseaux de téléphonie mobile, diffusion par micro-ondes (technologie de la boucle locale radio), avec l'utilisation de gammes de fréquence au-delà des 3 GHz et des bandes passantes plus larges que celles correspondant à la diffusion métrique et décimétrique. Ainsi, la diffusion hertzienne en LMDS (*Local Multipoint Distribution Service*) qui permet des transmissions dans des fréquences très élevées offre une bande passante comparable à celle des réseaux câblés, c'est-à-dire très nettement supérieure à d'autres systèmes de transmissions hertziennes dans des bandes de fréquence moins élevées, ce qui désigne le LMDS comme un des segments possibles (notamment pour la boucle locale radio) des réseaux à large bande du futur, transportant voix, images et données. Le seul inconvénient de cette technologie demeure la portée très faible des émissions, qui fait des réseaux LMDS, des réseaux à vocation locale (5 km de portée environ).

La gestion des fréquences

Sur le plan juridique, il convient de noter que, dans l'ensemble des pays industrialisés, la gestion du spectre et l'allocation des fréquences sont menées en fonction d'objectifs prioritaires comme l'allocation de fréquences pour des besoins militaires et de sécurité civile, et sur une régulation de la rareté, les fréquences étant considérées comme un bien rare et inaliénable. C'est pourquoi la détermination des bandes de fréquence et l'autorisation de l'usage des fréquences a toujours été une prérogative des États, au niveau national, une coordination internationale des fréquences étant assurée par des organismes internationaux comme l'Union internationale des télécommunications (UIT).

La problématique de la rareté a peu a peu entraîné la recherche et la planification de nouvelles fréquences disponibles pour tous types de services et notamment les services multimédias ainsi que les services mobiles afin de constituer des nouveaux accès à haut débit. Toutefois la numérisation des données et des services a ouvert de nouvelles perspectives aux réseaux hertziens dont la bande passante était jusqu'à présent limitée, en permettant notamment la multiplication des canaux disponibles grâce à la compression des signaux transmis, moyennant la mise en place de décodeurs numériques sur les terminaux de réception.

La numérisation des réseaux hertziens terrestres permet ainsi le multiplexage des canaux disponibles pour les services de radio et de télévision (dont le nombre initial peut être au moins multiplié par quatre) et augmente notablement les capacités de transport des réseaux hertziens.

Webographie

- http://www.anfr.fr/
- http://www.itu.int/

Bande passante

La notion de bande passante concerne aussi bien la transmission par fil que la transmission hertzienne. La bande passante se définit comme la capacité requise par une information (ou un contenu en général : sons, images, données) pour être transmise par un réseau.

Un canal de transmission quel qu'il soit – paire torsadée du réseau téléphonique commuté, câble coaxial ou fibres optiques d'un réseau câblé, ondes radio – se définit donc par sa bande passante, c'est-à-dire la gamme de fréquence qui permet le transport d'un signal avec un rapport signal/bruit acceptable. Elle est exprimée en hertz et constitue le produit de la différence entre la plus haute fréquence (ou fréquence de coupure) et la plus basse fréquence que le canal transporte.

Les canaux de transmission, aussi bien que les services multimédias, sont catalogués et répertoriés en fonction de leur bande passante respective qui devient l'élément essentiel d'appréciation des potentialités d'un réseau, notamment dans la perspective de la convergence des services.

Bande passante et débit

La notion de bande passante, jadis utilisée pour mesurer les caractéristiques d'un signal, est désormais peu à peu, dans l'univers numérique, supplantée par la notion de débit.

Aujourd'hui la technique de compression numérique permet de faire varier sensiblement la bande passante exigée pour la transmission d'un signal électromagnétique correspondant à un certain type de données. De même la bande passante des différents types de réseaux peut, elle aussi, varier en fonction des technologies mises en œuvre.

Le débit se mesure en bauds (l'inventeur de cette unité de mesure est Emile Baudot) ou bits par seconde (Bps), unité de mesure la plus couramment utilisée dans l'univers numérique. La mesure du débit d'un canal consiste à dénombrer les modulations par seconde que le canal est apte à transmettre selon sa bande passante. Le débit introduit donc la variable temps dans la mesure des capacités de transport des réseaux, alors que la bande passante ne prend pas en compte cette variable, déterminante pour les services numériques.

Les bas débits, de 1 200 bauds (ou 1,2 Kbps) à 64 000 bauds, concernent essentiellement les services de téléphonie fixes ou mobiles et leurs services associés : téléphonie classique avec ou sans compression numérique de la voix, Minitel, fax et transmission de fichiers, ou accès à Internet.

Les hauts débits sont mesurés en mégabits par seconde ou millions de bauds. La télévision numérique, l'Internet rapide et les liaisons à hauts débits entre centraux et commutateurs mobilisent ces valeurs. Ainsi, une chaîne de télévision diffusée en numérique requiert un débit de 3,5 à 5 mégabits/seconde.

Aujourd'hui les caractéristiques comparées des réseaux prennent donc en compte les capacités de débit qui permettent d'envisager l'aptitude de ces réseaux à devenir des voies d'accès aux services nécessitant un haut débit, comme la vidéo à la demande.

Ces capacités de débit intègrent évidemment plusieurs variables, outre la bande passante du réseau lui-même, comme le terminal de réception à l'extrémité du réseau (modem). Ainsi le temps de transmission d'une minute de film numérisé au standard MPEG 2 (fichier de 10 mégabits environ) sera-t-il de 50 minutes sur le réseau téléphonique avec un modem fonctionnant à une vitesse de 28 800 bits par seconde, mais ne sera que de 20 secondes sur le même réseau téléphonique équipé d'un modem ADSL et de 9 secondes sur un réseau câblé avec un modem câble.

Bibliographie

Ouvrages :

- SUSBIELLE (Jean-François), *Internet multimédia et temps réel*, Eyrolles, Paris, 2000.

Revue et rapports :

- Rapport au secrétaire d'État à l'Industrie, *Réseaux à hauts débits : nouveaux contenus, nouveaux usages, nouveaux services*, BOURDIER (Jean-Charles), Paris, 2000.

Webographie

- www.telecom.gouv.fr

Bannière

Bandeau publicitaire inséré dans de nombreuses pages web qui renvoie l'internaute au site de l'annonceur d'un simple clic. La bannière prend la forme d'un rectangle de faible dimension, souvent situé en début de page web, qui peut être animé et sonore et vante un produit, un service ou un site.

Base de données

Ensemble de logiciels permettant la gestion d'informations de toute nature, leur mémorisation, leur modification, leur traitement ou leur suppression. Les bases de données connaissent une évolution fortement liée au développement d'Internet. Elles constituent en effet un élément clé de l'essor du réseau, étant appelées à constituer des sources d'information d'une ampleur et d'une richesse inégalées jusqu'ici.

La notion de base de données est conçue de façon relativement large dans la plupart des systèmes juridiques, où elle est susceptible d'inclure différents types de bases, tels que sites web, annuaires électroniques ou autres créations multimédias. Le droit communautaire considère ainsi qu'une base de données est un recueil d'œuvres, de données ou d'autres éléments indépendants, disposés de manière systématique ou méthodique, et individuellement accessibles par des moyens électroniques ou par tout autre moyen [1].

Les bases de données peuvent être protégées par le droit d'auteur, dès lors que les conditions légales de cette protection se trouvent réunies. Ainsi, le choix ou l'organisation des matières (tels que la mise en forme des données) figurant dans la base doivent être originaux et porter l'empreinte de la personnalité de leur auteur. Lorsque ces conditions sont réunies, le droit d'auteur protège alors la structure de la base, son architecture. Pour comparaison, les bases de données sont protégées aux États-Unis par le droit d'auteur dans la mesure où elles sont originales dans leur présentation ou leur arrangement. Cette protection exige que soit respecté le principe du *sweat of the brow*, consistant dans un effort physique, notamment de compilation.

Le droit communautaire [2] a en outre posé en 1996 le principe de leur protection par un droit nouveau, dit *sui generis*.

La protection des bases de données par le droit *sui generis* est autonome et s'exerce sans préjudice de la protection résultant du droit d'auteur. Les États-Unis et le Japon ont, quant à eux, adopté une position moins radicale, en se référant à la concurrence déloyale pour protéger les producteurs de bases de données contre toute appropriation de leurs bases.

Le droit *sui generis* tel qu'il existe dans la plupart des pays européens permet à son titulaire, le producteur (aussi appelé « fabricant ») de la base de données, d'interdire l'extraction, par transfert permanent ou temporaire de la totalité ou d'une partie substantielle du contenu d'une base de données sur un autre support, par tout moyen et sous toute forme que ce soit. Il peut également empêcher que soit réutilisée la totalité ou une partie du contenu de la base, par sa mise à la disposition du public. Cependant, certaines exceptions au droit *sui generis* sont prévues, telle que l'extraction d'une partie du contenu d'une base de données non électronique à des fins privées. La raison d'être de ce droit tient donc non pas à la création intellectuelle, mais à la préservation de l'investissement que représente la constitution d'une base de données : il s'agit de protéger le producteur (ou « fabricant ») d'une base de données contre l'appropriation des résultats obtenus de son investissement financier et professionnel. En effet, le producteur est la personne qui prend l'initiative et le risque des investissements correspondants lorsque la constitution, la vérification ou la présentation du contenu de la base de données atteste d'un investissement

B

1. La définition adoptée par le législateur américain est également extensive (*US Congressional bill* H.R.354).

2. Directive communautaire n° 96-9 du 11 mars 1996 relative à la protection des bases de données transposée en France par la loi n°98-536 du 1er juillet 1998.

financier, matériel ou humain substantiel. La protection par le droit *sui generis* est en conséquence acquise sur des critères essentiellement économiques, tels que les investissements substantiels ou les frais de promotion engagés par le producteur d'une base de données.

Le texte communautaire comprend une clause de réciprocité : la protection par le droit *sui generis* des ressortissants des États non membres de l'Union européenne leur est refusée si leur pays n'offre pas une protection des bases de données comparable à celle existant dans l'Union européenne. Or, tel n'est pas le cas par exemple de la plupart des pays en voie de développement, qui dénoncent la position dominante des pays industrialisés dans le domaine des bases de données.

Webographie

- http://www.droit-technologie.org/fr/
- http://www.legalis.net
- http://www.juriscom.net
- http://www.legifrance.gouv.fr
- http://cyber.lp.findlaw.com/ip/eu_database.html
- http://journal.law.ufl.edu/~techlaw/

Bit

Selon la définition mathématique, le bit désigne indifféremment l'un ou l'autre des deux chiffres (communément notés 1-0) du système de numération en base 2. Pour être transmise par les systèmes de communication numériques, l'information (image, son, texte) est codée en une suite de bits (1-0). Par extension, le bit est également assimilé à l'unité de quantité d'information. La notion d'information apparaît dès qu'il s'agit de repérer un élément précis dans un ensemble fini d'éléments. Apporter une information, c'est aider au repérage de cet élément en délimitant un sous-ensemble qui le contient. Shannon, père de la théorie de l'information, a défini l'unité de quantité d'information – qu'il a nommée le *logon* –, comme ayant la capacité de réduire de moitié l'incertitude du repérage d'un élément donné. On a fini par remplacer abusivement le mot *logon* par le mot bit, en vertu du premier théorème de Shannon qui établit que tout message apportant une quantité d'information égale à N *logons* peut être codé avec N bits. Le bit est aussi utilisé comme unité de mesure du débit de transport des réseaux (nombre de bits par seconde) ou la capacité de stockage d'une mémoire informatique (mesurée en nombre de bits ou, plus souvent, en nombre d'octets, l'octet, équivalant à huit bits, permettant de coder un caractère alphabétique ou numérique).

Bitmap

Mémoire servant à représenter tous les points d'une image graphique ou tous les pixels d'une image. La densité des points ou des pixels détermine la qualité de l'image, sa résolution. Lors d'un agrandissement de l'image, un effet d'escalier se produit, contrairement aux images vectorielles, décrites par leurs attributs (taille, angle, couleurs…) plutôt que par un ensemble de points seulement.

Boîte aux lettres électronique (BAL)

Lieu où sont stockés les courriers émis et reçus sur le micro-ordinateur connecté à Internet et sur le serveur du fournisseur d'accès.

Bookmark

En français, on utilise parfois le mot signet. Dans un navigateur web, le *bookmark* est une marque qui permet de conserver en mémoire la référence consultée (document, page ou site) afin d'y avoir rapidement accès la fois suivante.

Boucle locale

Techniquement, la boucle locale est le circuit physique à fils de cuivre (d'où l'appellation « paire de cuivre ») du réseau d'accès local qui relie les locaux de l'abonné au commutateur central ou à toute autre installation équivalente de l'opérateur téléphonique. La boucle locale correspond plus simplement à la dernière section du réseau téléphonique, qui a un intérêt stratégique puisqu'elle assure le raccordement de l'abonné au réseau global.

La boucle locale radio (BLR) est une infrastructure alternative au réseau téléphonique reposant sur les technologies LMDS et MMDS, qui permet une extension de l'offre de services à l'abonné.

Brick and mortar

Expression utilisée pour caractériser une entreprise traditionnelle, par opposition à une entreprise appartenant au monde de la « nouvelle économie ». L'expression évoque celles des entreprises fabriquant des biens matériels, ou offrant des services dont la production requiert l'usage de biens matériels. En français, on utilise très rarement, pour désigner ces entreprises, l'expression « briques et mortier ».

Bug

Défaut ou erreur dans un programme informatique, empêchant son bon fonctionnement. Le mot est apparu dès les premières années de l'informatique : alimentés par des lampes, les ordinateurs, à l'époque, attiraient les insectes (*bugs* en anglais), ce qui occasionnait des erreurs de programmation. D'où les expressions débugger, déboguer ou même désosser, pour désigner l'opération consistant à ôter d'un programme ses erreurs ou ses défauts. Le mot français bogue est très rarement utilisé.

Business angel

Investisseur individuel qui entre à titre privé dans le capital de sociétés à fort potentiel de croissance. Le terme d'investisseur providentiel est parfois employé. Le *business angel* est généralement un entrepreneur expérimenté qui espère dégager une plus-value à moyen terme et qui apporte au projet son expérience et ses connaissances. Les *business angels* ont investi massivement dans les *start-up* de l'Internet.

Câble

Le câble est l'une des plus anciennes infrastructures de télécommunication. Il a permis l'essor du téléphone dès la fin du XIXe siècle. Les premiers systèmes de réseaux câblés dédiés à la télévision sont apparus dès la fin des années 1940 aux États-Unis. La plupart d'entre eux se présentaient d'abord comme de simples relais par câble coaxial entre une antenne collective et des foyers recevant difficilement les signaux transmis par la voie hertzienne terrestre.

Les premiers systèmes sophistiqués de câble à vocation ouvertement commerciale, entrant en concurrence avec la diffusion hertzienne traditionnelle, reposaient sur deux caractéristiques spécifiques aux réseaux câblés : d'une part, une réception de meilleure qualité que celle soumise aux aléas de la diffusion par les airs du signal de télévision (bien que cet avantage ait été difficile à maintenir au fur et à mesure de l'extension des réseaux) ; d'autre part, une capacité de transport – et donc d'offre pour les foyers abonnés – largement supérieure à celle des réseaux hertziens, sujets à la rareté des fréquences disponibles sur le spectre.

C'est cette combinaison d'avantages ainsi que le développement rapide de la technologie des réseaux (ayant permis notamment d'accroître le nombre de canaux disponibles sur le câble), qui assura, dès la fin des années 1970, un essor extrêmement rapide des infrastructures de réseaux câblés et assura leur succès commercial aux États-Unis. Ainsi, les premiers réseaux câblés aux États-Unis étaient-ils initialement conçus pour la réception de six chaînes de télévision (locales ou nationales) dans les bandes de fréquence de 54 à 216 MHz. Peu à peu leur capacité de transport s'est considérablement accrue (35 à 50 chaînes en moyenne, jusqu'à 400 MHz) et désormais la norme est de 750 MHz, ce qui permet de dépasser la centaine de chaînes en numérique avec d'autres services associés (Internet rapide, etc.).

Le développement du câble a donc été conçu progressivement comme un moyen de démultiplier les capacités de l'offre télévisuelle en dépassant assez largement les capacités de transmission des services de télévision sur le spectre hertzien. Il n'a été possible aux États-Unis qu'au prix d'une déréglementation qui s'est faite par étapes, mais qui a permis à partir de 1984 (*Cable Act*), avec la libéralisation du prix des abonnements jusque-là sévèrement réglementé, un déploiement rapide des réseaux câblés sur l'ensemble du territoire américain.

C'est ainsi que l'on doit aux réseaux câblés le développement des télévisions dites « thématiques », reposant sur une économie bien différente de celle des chaînes hertziennes traditionnelles. C'est aussi sur le câble que sont apparues les premières chaînes de télévision payantes (chaînes de cinéma comme HBO aux États-Unis). Plus récemment encore, notamment depuis la fin des années 1980, où certains réseaux câblés se sont dotés d'infrastructures en fibres optiques, le câble est devenu – du fait de ses capacités de transport très supérieures à celles du réseau téléphonique et même de la diffusion hertzienne terrestre – l'une des préfigurations des réseaux multimédias à large bande du futur. Il est ainsi le support d'expérimentations (comme celle de Time Warner à Orlando en 1994) intégrant des services aussi divers que radio et télévision, mais aussi accès à la téléphonie, à Internet et à toutes sortes de services interactifs (vidéo à la demande, etc.).

La nouvelle vague de déréglementation intervenue outre-Atlantique en 1996 (*Telecommunications Act*), qui permet aux câblo-opérateurs d'offrir des services de téléphonie, a encore accentué la compétitivité des réseaux du câble dans la perspective de l'offre globale de services de communication sur des réseaux à haut débit.

Le câble est désormais le concurrent des autres infrastructures de réseaux, et la valorisation des réseaux câblés s'en est trouvée considérablement augmentée, ceux-ci faisant l'objet de nombreux mouvements d'acquisition au cours de la seconde moitié des années 1990. Les propriétaires de réseaux câblés (AT&T, Time-Warner, etc.) ont par ailleurs tissé des liens avec certains acteurs de la nouvelle économie : éditeurs de logiciels (Microsoft), activités de portail Internet, etc.

L'une des particularités des réseaux câblés est toutefois qu'ils ont connu un développement très inégal selon les pays. Pratiquement inexistants dans certaines parties du globe (où on leur a préféré les liaisons MMDS ou LMDS, par voie hertzienne), les réseaux câblés se sont surtout développés en Amérique du Nord ainsi que dans certains pays d'Europe septentrionale. Complémentaires des satellites de télécommunications dès l'origine (puisque les programmes et contenus véhiculés sur les réseaux étaient repris à partir des têtes de réseau pour être acheminés vers les foyers raccordés), le câble est devenu le concurrent du satellite de diffusion directe émettant des programmes numériques, qui offre des capacités de transmission assez similaires (150 chaînes de télévision), et une qualité comparable, sans toutefois représenter des coûts d'investissements dans les infrastructures du même ordre que ceux des réseaux câblés. Dans les prochaines années, la concurrence sera d'autant plus vive qu'elle portera non seulement sur les contenus des médias traditionnels, comme la radio et la télévision, mais également sur les services interactifs, favorisés par l'Internet rapide.

L'architecture et le fonctionnement des réseaux câblés

Les réseaux câblés sont pour la plupart conçus selon une architecture dite « en arbre » ou « en étoile ». Dans les deux cas, on distingue une tête de réseau, qui est généralement le lieu d'assemblage et de distribution des programmes qui vont être acheminés vers les foyers abonnés, et un système de distribution jusqu'à la prise individuelle de l'abonné.

La tête de réseau est équipée d'antennes paraboliques destinées à capter les signaux émis depuis les satellites qui diffusent les chaînes de télévision ayant vocation à être reprises sur les réseaux câblés, qu'il s'agisse de chaînes généralistes diffusées par voie hertzienne terrestre ou de chaînes exclusivement diffusées par satellite, ou encore les programmes des chaînes locales de télévision, captés par voie hertzienne.

C'est la tête de réseau qui compose, à partir des programmes reçus, l'offre et la succession des canaux offerts à l'abonné du réseau. La distribution se fait ensuite par le biais de câbles dont la capacité de transport est variable selon les différents segments du réseau, et d'amplificateurs destinés à assurer la qualité du signal transmis entre la tête de réseau et l'abonné quelle que soit la distance parcourue.

La plupart des réseaux câblés construits avant les années 1980 utilisent la technologie du câble coaxial, aérien (notamment aux États-Unis, pour des raisons de coût) ou souterrain. Le câble coaxial est composé de deux conducteurs métalliques séparés par un isolant, l'ensemble étant protégé par une gaine. Les signaux radioélectriques sont modulés sur le câble coaxial d'une manière comparable à celle utilisée en diffusion hertzienne. L'inconvénient principal du câble coaxial est que les signaux transportés doivent être amplifiés périodiquement (tous les 200 à 1 000 m) car ils s'atténuent avec la distance. L'architecture d'un réseau utilisant exclusivement le câble coaxial est donc composée de lignes de transport primaires et secondaires où sont installés des amplificateurs de signal.

Depuis les années 1990, la fibre optique, dont les capacités de transport sont très supérieures à celles du câble coaxial, a été choisie par les câblodistributeurs (tout comme elle est utilisée pour les réseaux de téléphone) pour équiper leurs infrastructures en totalité ou sur certains segments seulement (réseaux de transfert). La fibre optique est constituée d'un milieu cylindrique transparent à la lumière entouré d'une gaine transparente d'un indice de réfraction différent. C'est cette différence d'indice qui permet le guidage de la lumière. Avec la fibre optique, le signal transporté est un signal radioélectrique converti en signal optique aux deux extrémités de la fibre où se trouvent un émetteur de lumière (diode ou laser) et un récepteur. Les avantages de la fibre optique sont nombreux ; elle permet d'augmenter sensiblement la capacité de transport des réseaux : la capacité de transport maximale d'un câble coaxial est d'un gigahertz (1,5 à 2 gigabits par seconde) tandis que la fibre optique peut atteindre 25 térabits par seconde. La technologie de la fibre optique permet aussi de supprimer une partie de l'équipement d'amplification du signal rendue indispensable par l'usage du câble coaxial, et donc de faciliter la polyvalence des usages des réseaux câblés (médias traditionnels mais aussi nouveaux services interactifs). Enfin, elle permet une meilleure sécurisation du signal distribué ainsi qu'une plus grande protection à l'égard du parasitage.

L'architecture des réseaux câblés peut avoir une incidence non négligeable sur leur évolution, notamment sur l'offre de nouveaux services.

Les réseaux en arbre ou distribués font parcourir depuis la tête de réseau le signal émis par celle-ci à travers diverses ramifications, selon un schéma de distribution point/multipoint, où tous les signaux émis par la tête de réseau sont acheminés vers chaque usager. Les réseaux dits « en arbre » utilisent généralement du câble coaxial.

En revanche, les réseaux dits « en étoile » relient chaque abonné au centre de commutation par un câble individuel, permettant ainsi le développement de services diversifiés sur un même réseau câblé : services à condition d'accès, services

C

interactifs ou téléphonie vocale, qui requièrent la fonction de commutation assurée par l'infrastructure en étoile (*Star Network*).

La capacité de transport des réseaux câblés s'est considérablement améliorée au fil des années : tandis que les premiers réseaux câblés dépassaient à peine 100 MHz de bande passante, on peut maintenant atteindre 1 gigahertz (soit 1,5 à 2 gigabits/s), les systèmes à débit le plus faible offrant accès à une vingtaine de canaux de télévision, tandis que ceux à débit élevé permettent l'accès à 150 canaux.

Les réseaux sont désormais composés de manière hybride de câble coaxial et de fibres optiques. Ce sont les réseaux HFC (*Hybrid Fiber Coaxial)*. Les fibres sont installées pour les artères qui desservent plusieurs centaines de foyers, mais les raccordements individuels sont en câble coaxial. La fibre optique n'est pas d'un coût d'installation systématiquement plus élevé que le câble coaxial, mais les terminaux nécessaires pour la transformation du signal (optique/électrique) seraient en revanche trop coûteux à installer dans chaque foyer, de telle sorte que les fibres optiques n'équipent aujourd'hui que 15 % environ des segments de réseaux.

La solution la plus économique pour augmenter bande passante et débit des réseaux câblés, dans la perspective de leur permettre d'assumer les défis de la convergence sans les cantonner dans l'activité traditionnelle de télédistribution, réside donc dans un usage limité de la fibre optique pour certains segments des infrastructures de réseaux, tandis que les gains de débit et de bande passante sont recherchés dans les techniques de compression du signal et dans les terminaux installés chez l'usager.

Le câble, inégalement répandu, selon les pays

C'est incontestablement aux États-Unis que les réseaux câblés et les services qui leur sont associés, notamment les chaînes de télévision, ont trouvé une expansion continue et sont devenus l'un des premiers marchés de l'économie des médias, égalant presque celui des *networks* (réseaux de télévision traditionnels comme ABC, NBC ou CBS). En effet, près de 67 millions de foyers américains (soit 68 % des foyers équipés de télévision) sont aujourd'hui abonnés au câble. La numérisation des réseaux, ainsi que la perspective de l'offre de nouveaux services dont Internet, ont dynamisé encore l'industrie du câble et entraîné de nombreuses opérations d'acquisitions de réseaux, d'autant que le taux de raccordement au câble atteint 95 % des foyers : la progression de la pénétration du câble tiendra donc à la capacité des réseaux à offrir à de nouveaux abonnés de nouveaux services.

En Europe, les infrastructures de réseaux câblés sont assez différenciées d'un pays à l'autre. Cela tient à plusieurs facteurs, à la fois historiques et géographiques. Ainsi peut-on distinguer, dans l'Europe élargie, trois types de pays : ceux où la proportion de foyers équipés de télévision et abonnés au câble est majoritaire, voire largement majoritaire (c'est le cas de la Belgique, des Pays-Bas, du Luxembourg, de la Suisse, de l'Allemagne et de la Roumanie), ceux où la pénétration du câble est moyenne et varie entre 10 % et 45 % des foyers (Autriche, Danemark, Norvège, Suède, Finlande, Portugal, Royaume-Uni, Bulgarie, Hongrie) et ceux où la pénétration du câble est inférieure à 10 % (France, Italie, Espagne). Ces différences peuvent s'avérer déterminantes dans les stratégies de développement des réseaux à haut débit : selon les pays, c'est le câble ou au contraire d'autres infrastructures concurrentes du câble (ADSL sur le réseau téléphonique, systèmes satellitaires) qui fourniront les accès au haut débit.

En Asie, les réseaux câblés sont peu développés : au Japon, 5 % seulement des foyers équipés de télévision sont abonnés au câble. En Amérique du Sud, les foyers ayant accès au câble étaient estimés à 20 millions en 2000, à l'échelle de tout le continent.

L'économie du câble

Aux États-Unis, la quasi-totalité du territoire est couvert par les réseaux câblés et la propriété de ces réseaux fait l'objet de nombreux mouvements de capitaux, en particulier sur les marchés les plus porteurs. Ainsi a-t-on assisté ces dernières années à un important phénomène de concentration chez les opérateurs du câble (ou *Multiple System Operators* – MSO). Actuellement, les 10 premiers opérateurs concentrent ainsi 52 millions d'abonnés, soit 75 % des foyers abonnés. Le géant incontesté du câble est désormais AT&T, opérateur de téléphone ayant délibérément choisi de diversifier son activité dans le câble, à la faveur de la déréglementation issue de la loi de février 1996 (*Telecommunications Act*) qui a aboli les barrières légales séparant jusque-là les activités d'opérateur de téléphonie (longue distance dans le cas d'AT&T) et d'opérateur du câble. Le rachat successif, depuis 1998, de plusieurs grands opérateurs de réseaux du câble (TCI, puis Media One, cette dernière transaction ayant atteint 58 milliards de dollars) permettait à AT&T de totaliser, en 2000, environ 16 millions d'abonnés, soit un nombre encore inférieur au seuil de 30 % imposé comme limite aux concentrations dans ce secteur. Comcast, avec 13 millions d'abonnés et Time-Warner (6,5 millions d'abonnés), figurent respectivement au deuxième et troisième rang.

En diversifiant ses activités de la téléphonie classique (70 millions d'abonnés pour les services longue distance) vers le câble et la téléphonie mobile, AT&T est devenu en quelques années le premier opérateur du câble américain, mais aussi le premier opérateur mondial (notamment avec ses prises de participation chez les câblo-opérateurs UPC aux Pays-Bas et Telewest en Grande-Bretagne). Comme dans le cas des réseaux de Time-Warner qui, à l'issue de la fusion avec AOL (réalisée début 2001), ont vocation à assurer un accès à haut débit à Internet, AT&T s'est lancé avec @Home, dans la fourniture d'accès aux services haut débit, complémentaire de son activité d'opérateur de réseaux.

En France, c'est initialement l'opérateur historique des télécommunications qui a été chargé de la mise en œuvre du « Plan câble » en 1982, lequel fixait un programme ambitieux de câblage du territoire en fibre optique avec des réseaux en étoile. D'autres opérateurs, privés, comme la Lyonnaise des eaux ou la Générale des eaux, sont intervenus sur le marché du câble après l'abandon en 1986 du Plan câble, excessivement coûteux, et qui se heurtait à la très faible pénétration du câble dans les foyers raccordés, par manque de motivation d'abonnement à un moment où les programmes gratuits (La Cinq, M6) et payants (Canal Plus) se multipliaient sur les réseaux hertziens terrestres et où le satellite de diffusion directe était déjà annoncé (TDF 1 et 2). À la même époque, l'Allemagne qui avait fait le choix d'un câblage systématique du territoire (par l'opérateur historique Deutsche Telekom) sur la base de la technologie coaxiale, et avait cantonné le développement de l'offre de programmes nouveaux aux seuls réseaux câblés, connaissait une progression rapide des abonnements au câble jusqu'à ce que plus de la moitié des foyers équipés de télévision soient abonnés au câble, au terme d'une dizaine d'années.

Noos (26,2 % des abonnés au câble en 2000), France Télécom câble (25 %) et NC Numéricâble (23 %), sont les premiers opérateurs du câble en France, suivis par United PanEurope Communications (UPC, câblo-opérateur néerlandais) qui regroupe sur ses réseaux 13 % des abonnés. NTL France (filiale de l'opérateur britannique NTL), nouvel entrant sur le marché et repreneur en 2000 des parts de France Télécom dans Noos, totalise 2,6 % des abonnés sur ses réseaux implantés en région parisienne.

Le câble dans la « nouvelle économie »

Les mutations rapides et déterminantes que connaît l'industrie du câble aujourd'hui tiennent essentiellement à la mise à niveau technologique de ses réseaux. Cette mise à niveau s'est effectuée dans un premier temps par la numérisation des programmes de télévision et de radio proposés aux abonnés, ce qui a permis d'accroître notablement la quantité de programmes offerts, ainsi que leur qualité et leurs modes d'accès (navigateurs, guides électroniques de programmes).

La seconde étape de modernisation des réseaux du câble permet de mettre en valeur les capacités de débit de ces réseaux par rapport à leurs concurrents (réseau téléphonique, réseaux hertziens, terrestres ou satellitaires). *A priori*, les réseaux câblés sont en effet les systèmes de communication les mieux préparés à l'offre de services large bande aux foyers qui sont desservis par ces réseaux. Actuellement le câble est en effet la seule boucle locale à haut débit.

Cependant, les réseaux câblés doivent surmonter un handicap majeur pour se préparer à être pleinement des réseaux interactifs multimédias à haut débit. Les réseaux câblés ont été conçus pour la télédistribution, ce qui signifie, qu'à la différence des réseaux téléphoniques, ils ne comportent pas (sauf dans le cas des réseaux en étoile) de voie de retour et de fonctions de commutation, ce qui peut constituer un obstacle pour la fourniture de services interactifs comme la vidéo à la demande, qui suppose un minimum d'interactivité pour la prise de commande, ou plus encore pour l'accès à Internet. Il est donc impératif d'adapter les réseaux aux exigences de l'interactivité. Deux options techniques ont été explorées : celles d'une complémentarité entre le réseau câblé et le réseau téléphonique, la voie de retour étant assurée par la ligne téléphonique de l'abonné. Un modem câble assure donc la réception des données numériques par l'abonné (voie descendante), les données transmises en retour par celui-ci à la tête de réseau étant acheminées par le réseau téléphonique. Mais la transformation d'un réseau câblé en réseau à haut débit ne trouve son plein intérêt que par l'autonomie qu'il procure à l'abonné et par les avantages spécifiques qu'il offre par rapport à la technologie du réseau téléphonique : c'est-à-dire une connexion permanente (qui permet une facturation au forfait et non à la durée), la possibilité de disposer d'un terminal multifonctions (pour la télévision, la radio, la vidéo à la demande et Internet, ainsi que la téléphonie sous IP, c'est-à-dire utilisant les fonctionnalités du réseau Internet pour le transport de la voix et les conversations en temps réel).

La possibilité de modifier les réseaux afin que leur fonctionnement passe du mode « simplex » au mode « duplex » suppose donc la mise en service d'une voie de retour. Les modems câble à deux voies qui ont été commercialisés sur certains réseaux câblés aux États-Unis et en Europe depuis quelques années permettent d'offrir aux abonnés un forfait d'accès à l'Internet rapide illimité. Le réseau câblé fonctionne alors sur le modèle d'un réseau Ethernet, c'est-à-dire selon une architecture semblable à celle des réseaux informatiques, reliant chaque abonné aux autres abonnés (une carte Ethernet est d'ailleurs requise en complément du modem câble sur l'ordinateur personnel de l'abonné). Il s'ensuit parfois des problèmes de trafic qui ne peuvent être résolus que par le réagencement du réseau en sous-réseaux avec un nombre limité d'abonnés, et plus généralement par le renforcement de ses capacités de transport en introduisant la fibre optique, si le réseau en était dépourvu. C'est à ce prix – et par un investissement important dans la modification des configurations des réseaux traditionnels – que le câble peut s'avérer à terme un concurrent réel des technologies sur lesquelles les réseaux à haut débit vont se constituer : xDSL pour le réseau téléphonique commuté et boucle locale radio.

La crise du secteur des télécommunications affecte directement la capacité des opérateurs à réaliser cette mise à niveau des réseaux câblés, comme en témoignent les difficultés actuelles d'AT&T. L'avenir du câble comme première infrastructure de la convergence numérique n'est donc toujours pas assuré.

Bibliographie

Ouvrages :

- BALDWIN (Thomas F.), *Integrating Media, Information and Communication*, Thousand Oak, Ca. Sage, 1996.
- M. OWEN (Bruce), *The Internet Challenge to Television*, Harvard University Press, Cambridge, Mass., 1999.

Revues et rapports :

- *Lettre du CSA* n° 118, Conseil supérieur de l'audiovisuel, Paris, 1999.

CD-Rom (Compact Disc – Read Only Memory)

Disque compact servant de support à des données numériques correspondant à des textes, des images et des sons. Popularisé dès 1986, le CD-Rom (ou cédérom) est à la fois multimédia et interactif. Utilisé à l'origine comme mémoire auxiliaire de l'ordinateur, le CD-Rom est devenu le premier support de l'édition multimédia hors ligne, tant pour les professionnels que pour les particuliers. La capacité de stockage d'un CD-Rom peut correspondre à celle de 400 ou 500 disquettes.

Certificat électronique

Attestation délivrée par un tiers qui permet de lier certaines données informatiques à une personne dûment identifiée : l'attestation tient lieu de signature. Les certificats électroniques comprennent différentes informations telles que la signature électronique du prestataire de service de certification électronique qui délivre le certificat, les données de vérification de signature qui correspondent aux données de création de signature sous le contrôle du signataire, le nom du signataire ou un pseudonyme (qui doit alors être identifié comme tel), afin de créer un lien entre l'identité électronique et l'identité réelle. D'autres données doivent également être inscrites sur le certificat électronique, telles que le numéro de série des certificats ou l'indication du début et de la fin de leur période de validité.

Chat

De l'anglais « bavardage ». Service d'Internet permettant aux utilisateurs d'échanger des messages en direct, de façon parfaitement synchrone, comme dans une conversation.

Cheval de Troie

Programme informatique comprenant, en plus de ses fonctions officielles et connues, d'autres fonctions, inconnues de l'utilisateur, qui consulte à son insu les données inscrites dans les programmes de son ordinateur, pour les modifier ou pour les détruire. Ainsi, le programme *Star-exe,* dont l'exécution permet d'afficher le drapeau américain sur l'écran, a-t-il pour fonction cachée et réelle de saisir les mots de passe stockés dans la mémoire de l'ordinateur. Le cheval de Troie n'est donc ni un virus (il ne produit pas de répliques de lui-même), ni un ver (il ne consomme pas les ressources du système informatique où il se déplace), ni une bombe logique (dont l'action est toujours différée). Diffusé par des réseaux, le cheval de Troie peut atteindre un grand nombre d'ordinateurs.

Clic

Onomatopée correspondant au bruit que produit une pression rapide sur un des boutons-poussoirs (appuyé puis relâché) d'une souris d'ordinateur ou d'un autre dispositif. Il permet de sélectionner un objet quand le curseur pointe sur une fonction choisie, une icone, un lien hypertexte ou encore un menu d'options figurant sur l'écran d'ordinateur. De nombreuses opérations requièrent un double clic : l'utilisateur doit cliquer brièvement deux fois de suite sur un des boutons-poussoirs de la souris, afin généralement d'effectuer le démarrage d'une application.

Click and mortar

Expression apparue après celle, presque homonyme, de *brick and mortar,* et qui désigne une entreprise dite « traditionnelle » développant avec succès ses activités en ayant recours à Internet, et notamment au commerce électronique. L'expression française « clics et mortier » n'est jamais utilisée.

Client/Serveur

Un serveur ou hôte est un ordinateur dont certaines ressources matérielles ou logicielles (imprimante, modem, fichiers ou bases de données) sont partagées par les utilisateurs de micro-ordinateurs reliés au même réseau et, pour cette raison, appelés clients.

CNIL (Commission nationale de l'informatique et des libertés)

La CNIL a été créée par la loi « Informatique et Libertés » du 6 décembre 1978, avec le statut d'autorité administrative indépendante. Cette institution a pour objet de protéger le statut des données personnelles et le droit à la vie privée face aux risques croissants d'atteintes aux libertés résultant des moyens informatiques, notamment de l'établissement de fichiers individuels. La CNIL est appelée à jouer un rôle important dans la régulation d'Internet.

Commerce électronique

Dans une acception large, le commerce électronique peut englober l'ensemble des échanges économiques qui s'établissent par le biais des réseaux modernes de télécommunication ; de façon plus stricte mais plus fine, il convient de le limiter aux échanges impliquant au moins un professionnel du commerce, ce qui exclut du champ les relations ponctuelles entre particuliers et les échanges administratifs.

Le commerce électronique ou « e-commerce » (c'est-à-dire *electronic commerce* dans son appellation anglo-américaine) est une manifestation originale et symbolique de la mondialisation contemporaine. Plus qu'un produit de la communication et de la mode, il tend à devenir un levier économique puissant ainsi qu'une source de pratiques sociales nouvelles (ou en tout cas renouvelées) qui vont inéluctablement peser sur l'avenir des personnes et des sociétés.

Ce commerce ne peut se concevoir et se définir que par référence aux techniques numériques de communication et spécialement à Internet, qui offre à chacun où qu'il se trouve la possibilité, *via* un ordinateur, d'entrer en relation avec d'autres que son prochain immédiat. L'échange faisant partie de la vie sociale, il est logique que l'activité commerciale prenne ainsi toute sa place dans le monde virtuel et ouvert d'Internet.

Cette activité exubérante depuis 1995 n'est pas tout à fait sans passé : des pratiques comme la vente par correspondance ou l'enseignement à distance ont ouvert la voie aux relations virtuelles, sans face-à-face physique ; il faut, en outre, rappeler qu'avec ses limites techniques (celles d'un réseau fermé limité à la France), le Minitel a permis à 20 millions de Français d'accéder à un usage courant de nombreux téléservices dès le début des années 1980 ; il a aussi dégagé des bénéfices certains au profit des fournisseurs de services et de France Télécom (de l'ordre, au total, de 10 milliards de francs par an à la fin des années 1990).

Certes, la réalité actuelle du commerce électronique reste économiquement modeste par rapport aux chiffres globaux du commerce dans les pays développés et son développement se voit ralenti par la crise actuelle de la « nouvelle économie ». On se doit néanmoins de souligner la croissance exceptionnellement rapide de cette activité depuis 1996-1997, qui autorise des projections audacieuses à moyen et long terme, en raison du potentiel de croissance que recèlent les techniques numériques utilisées.

Déjà, il n'est plus question de se limiter à une mesure purement quantitative du commerce électronique ; le commerce national se distingue du commerce international, comme le commerce électronique des biens n'est pas celui des services ; quant aux activités commerciales innovantes, elles confirment leur originalité par rapport aux activités commerciales traditionnelles simplement rénovées par les techniques modernes de communication.

Conformément à sa nature, le commerce électronique est d'abord une activité économique dont l'ampleur prévisible et le caractère transnational appellent des choix stratégiques de la part des États et des entreprises. Il s'agit aussi d'une pratique sociale, avec des enjeux culturels, qui appelle une organisation juridique et technique propre à assurer la sécurité et l'équité que requièrent ces activités nouvelles dans un État de droit.

Aujourd'hui à travers le monde, le commerce électronique est devenu pour beaucoup d'entreprises, jeunes ou établies, un objectif majeur de développement. À l'égard des États, il se présente comme un facteur de croissance durable, un pilier de cette « nouvelle économie » appelée à régénérer les pays industrialisés.

Le commerce électronique au sein de la « nouvelle économie »

Vertus de la « nouvelle économie »

Plus que dans les principes qui l'animent, la « netéconomie » manifeste sa nouveauté dans ses fruits ; elle a réussi, d'abord aux États-Unis puis dans d'autres pays industrialisés, cette performance rare de créer de la croissance et de favoriser le plein-emploi sans engendrer d'inflation. Au sein de ce nouveau monde économique, le commerce électronique correspond à un ensemble d'activités de services qui prend progressivement sa place aux côtés de relations économiques plus classiques (de type fournitures) qui se sont développées à propos des matériels, des logiciels ou des réseaux de communication... L'émergence rapide et significative de ces relations commerciales virtuelles, mais professionnelles, aboutit aujourd'hui à une diversification du phénomène qui autorise les premières distinctions.

Le commerce peut être national ou international (les frontières étant fortement estompées par le Web) ; il porte sur des biens (vente à distance, par exemple) comme sur des services (éducation, tourisme, négociations en bourse...). On voit surtout se maintenir dans ce nouveau champ le clivage entre le commerce électronique entre entreprises (*business to business* ou B to B) et le commerce destiné aux consommateurs (*business to consumer* ou B to C).

Réalité du commerce électronique entre entreprises

Il est logique qu'il soit aujourd'hui le plus développé (80 % du commerce électronique total), ayant pris racine dans l'EDI (édition de documents informatisés) qui, depuis plus de dix ans, recourait à des réseaux « dédiés » (fermés) de communication pour la transmission de données d'affaires. Il a surtout été le premier bénéficiaire de l'équipement informatique des entreprises et des réseaux désormais ouverts et donc propices à la généralisation des échanges professionnels numérisés. Ainsi l'industrie automobile américaine, au sein de l'*Automobile Action Industry Group* (1 600 entreprises), développe-t-elle sur Internet avec ses fournisseurs une « place de marché », c'est-à-dire une sorte de plate-forme pour mieux coordonner leurs recherches et actions dans l'utilisation et la standardisation des techniques de communication et ainsi d'améliorer la productivité du secteur.

Dépassant leurs intérêts particuliers tout en restant concurrents, ces constructeurs automobiles renouvellent grâce aux réseaux leurs relations avec leurs fournisseurs. Le concept de « place de marché » constitue une nouvelle configuration qui permet par l'intermédiaire d'Internet d'organiser des flux importants de données entre des partenaires réguliers afin d'en augmenter la rapidité et d'améliorer la productivité des entreprises intéressées par de nouvelles pratiques de négociation à distance. Il restera à vérifier que, avec son extension prévisible, cette pratique ne contredira pas les règles protectrices de la concurrence. Il s'agit là d'un aspect récent mais original et significatif de la concentration des entreprises dans une compétition économique mondiale où le rapport de forces jouant fortement, il y a logiquement une course à la taille.

Au-delà de l'amélioration de la productivité ainsi recherchée, il y a plus profondément la volonté de mettre en place un dispositif de conquête de marché : les réseaux offrent en effet la possibilité, même entre professionnels, d'asseoir une position dans un secteur d'activité et surtout de pénétrer les champs d'action ouverts par la communication à distance, désormais rapide, interactive et multimédia. Le commerce électronique entre entreprises a sans nul doute des possibilités de croissance dont les limites résident, à moyen terme, moins dans la technique que dans le rappel inéluctable des règles de la concurrence actuellement peu visibles dans un marché en construction. Cette activité commerciale est en l'état une réalité irréversible en raison des équipements et des systèmes d'information dont les entreprises se sont dotées, à bon escient, dans un contexte économique mondial de multiplication des échanges internationaux qui requiert toujours plus de rapidité et de sécurité.

Pérennité du commerce électronique entre entreprises

Les États soutiennent le développement des réseaux de communication : ils y voient un moyen de renouveler les pratiques administratives et surtout d'attirer les entreprises, sources de richesses et d'emplois (cf. en ce sens la politique suédoise de câblage systématique du pays en fibre optique). Les investissements des entreprises dans le domaine des réseaux sont certes très différents (tantôt techniques, tantôt de contenus) mais ils convergent dans leur objectif : assurer des activités bénéficiaires dont l'expression exemplaire est le commerce électronique. Il existe une économie de la communication dans laquelle les entreprises d'outils et de contenus ont des intérêts imbriqués au point de relativiser de plus en plus l'idéologie coopérative, conviviale et gratuite qui a souvent servi à caractériser l'usage d'Internet.

Le commerce électronique au service des entreprises

Prévisions

Les prévisions de développement du commerce électronique sont d'abord originales en ce qu'elles sont sans cesse revues à la hausse : selon les experts américains, c'est plus de 1 800 milliards de francs de chiffre d'affaires que réaliserait le

« cybercommerce » mondial en 2002 ; pour la France seulement, on avance pour 2003 un chiffre d'affaires de plus de 200 milliards de francs pour 30 000 sites de commerce électronique (fin 1999, il y avait plus de 1 000 sites marchands en France). Il est vrai que la consommation très soutenue dans les pays industrialisés, l'entrée progressive mais très réelle de l'ordinateur dans le foyer familial, l'abaissement sensible du coût des communications et l'amélioration technique des réseaux (élargissement des bandes passantes pour accélérer les débits et transmettre des images animées, par exemple) viennent étayer des prévisions, qui restent malgré tout des pronostics.

L'idée ne peut être tout à fait écartée que cet enchaînement médiatique de prévisions toujours plus optimistes répond à un besoin de mobilisation des consommateurs, autrement dit à une préoccupation de marketing, tant il est vrai que dans le « e-commerce » comme dans le commerce traditionnel, il faut « attirer le chaland » ; or, venir consommer sur Internet suppose l'acquisition de pratiques nouvelles, au premier abord déroutantes, et qui, pour être assimilées, exigent une plus forte motivation des consommateurs. Le « B to C » a indiscutablement pris son départ, sans que l'on puisse encore dire qu'il est une réalité aussi bien installée dans la pratique que le « B to B ».

Diversité de la consommation électronique

En considérant l'éventail déjà très large des offres commerciales électroniques (achat de biens divers, tourisme, formation, informations relatives à la santé, assurances, placements en bourse...), on peut opposer les activités classiques régénérées par les réseaux (vente à distance) et les activités nouvelles suscitées par ce canal original de communication qu'est Internet (téléchargement de musique). Il est pourtant plus fécond de distinguer le commerce des biens et celui des services car seul ce dernier se suffit à lui-même.

La « société de l'information » s'analyse à juste titre comme une société de services ; si ces derniers consistent en des prestations intellectuelles, il est concevable d'imaginer un commerce électronique se déroulant entièrement sur Internet depuis la présentation de la prestation, la commande puis le paiement par le client et l'exécution par le professionnel. Ce commerce totalement virtuel se met en place dès lors que les réseaux de communication nécessaires mais suffisants pour satisfaire le client sont disponibles et bien maîtrisés. Il n'en va évidemment pas de même du commerce électronique des marchandises qu'il faut bien livrer matériellement chez le client qui a passé sa commande par les voies numériques. Le « commerçant du Web » retrouve alors des difficultés bien connues : livraison rapide d'un objet conforme à la commande ne présentant aucun vice. Le négoce virtuel n'a pas vocation, sauf s'il s'agit d'une entreprise classique de vente à distance, à posséder ce métier et la logistique lourde et complexe qu'il requiert ; il devient ainsi impératif de conclure des alliances avec des professionnels garantissant des livraisons rapides et de qualité dans le monde entier. Paradoxalement c'est donc dans le commerce virtuel que des sociétés privées (Fedex, UPS, DHL...), et publiques ou anciennement publiques (les postes nationales) vont de plus en plus trouver d'importantes marges de développement pour assurer ces fonctions essentielles dites de traçabilité. Dans une société consumériste, il est en effet inconcevable que la rapidité et la richesse des échanges numérisés ne trouvent pas leur prolongement immédiat dans la possession de l'objet désiré puis attendu : en stimulant l'envie d'acquérir des biens, Internet excite l'impatience de les recevoir.

L'évolution des stratégies commerciales

Dans le commerce électronique, il n'y a pas de clients s'il n'y a pas de visiteurs. Toute entreprise de ce secteur a donc intérêt à valoriser cette activité, à en vanter les avantages pour les clients et à insister sur l'exceptionnelle croissance à laquelle elle est indiscutablement promise. Mais cette clameur uniforme ne saurait suffire à assurer le salut de chaque commerçant virtuel ; il revient à chacun de créer un site (le magasin), de choisir un nom de domaine (l'enseigne), de le faire héberger sur le réseau, de le faire référencer auprès des grands moteurs de recherche qui, le moment venu, sont les « cicérones » des consommateurs. Chacun observe avec intérêt la diversification des accès au réseau à partir du téléphone mobile qui peut, avec les normes WAP, GPRS et UMTS, favoriser le développement d'un « m-commerce » opportunément ouvert à une clientèle beaucoup plus large.

L'objectif ultime est de transformer le visiteur en client et le taux de conversion ainsi obtenu est un signe révélateur de la réussite commerciale. Mais dans le commerce même virtuel, attirer le client ne suffit pas toujours à le connaître ; aussi apparaît-il précieux de profiter de la technique informatique et de sa capacité à stocker l'information pour recenser et analyser le comportement des visiteurs et clients qui se sont rendus sur un site. C'est désormais le rôle confié aux *cookies* (logiciel d'observation) de dessiner par approches successives le profil de celui qui a voyagé sur le net en y laissant ses traces. Toutefois, cette puissante technique de marketing devrait logiquement (et juridiquement) trouver sa limite dans le respect dû aux données informatisées d'ordre privé.

La jeunesse du commerce électronique s'accompagne d'un foisonnement d'initiatives souvent stratégiques qui donnent à ce secteur d'activité économique une image très rapidement changeante ; la croissance exceptionnelle des possibilités de communication offertes par la technique explique pour une bonne part cette effervescence, mais il faut aussi souligner la capacité d'invention des chefs d'entreprises et le jeu, plus classique, des rapports de forces qui poussent à la compétition, au développement ou à la disparition. L'exemple le plus significatif de ces transformations se trouve dans l'évolution commerciale et technique du site web destiné à capter la clientèle. La première génération d'entreprises de commerce électronique a eu le souci de faire sa place sur le Web en créant un site qui progressivement est devenu plus riche en services mais en même temps plus rapide, plus vivant, plus coloré. Dans un second temps (c'est-à-dire un an plus tard, vers 1998) est arrivée des États-Unis la notion de « portail » : il s'agit d'un service intermédiaire qui propose aux visiteurs un ensemble de sites répertoriés et organisés sous une même bannière ; ce portail plus visible par la forte publicité qu'il permet et la grande richesse des services offerts attire les clients éventuels, les guide et les « fidélise » en leur évitant de les noyer dans une information surabondante, mal organisée et de ce fait inutile, voire décourageante.

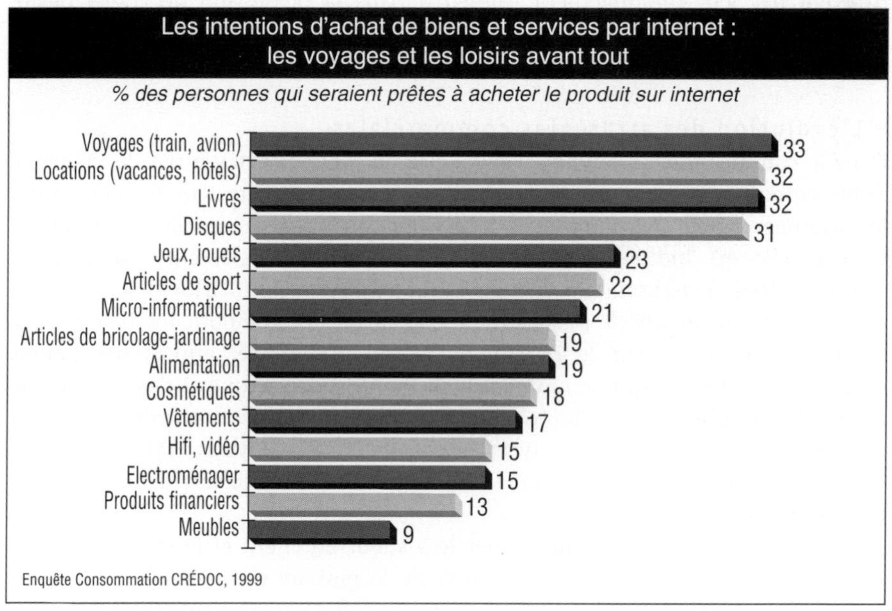

Source : CRÉDOC, *Consommation et modes de vie*, n° 145, septembre 2000.

- **Les perspectives économiques du commerce électronique**

Le présent éclaire sans doute l'avenir, sous cette réserve que la rapidité du mouvement n'a jamais favorisé la netteté des photos. Certaines activités s'ouvrent indiscutablement au négoce électronique. Même si l'on met à part pour le moment, comme le veut la pratique dominante, le secteur financier et bancaire (en dépit des banques en ligne), on relève pour le commerce avec les consommateurs : la formation (cours et exercices en ligne, tutorat, documentation, services divers tels que recherche de stages, séjours à l'étranger...), la vente de biens à distance, les voyages touristiques, l'assurance en ligne, l'information en ligne (droit, finance...). S'il est vrai que les pays industrialisés sont ici les premiers concernés, l'ONU a toutefois souhaité, en 1999, par le programme *Get up*, faciliter l'accès des pays en développement au commerce électronique.

Pour imaginer l'état du commerce électronique dans les années à venir, plusieurs indices méritent d'être relevés. L'extension du « B to B » sera sans doute très forte en raison de l'équipement croissant des entreprises en techniques numériques et de la nécessité dans laquelle elles se trouvent d'améliorer leur productivité pour résister à la concurrence. Or, les réseaux, parce qu'ils permettent d'accélérer et d'élargir les négociations avec les clients et fournisseurs, de réduire le nombre des échelons de décision dans l'entreprise, de veiller au respect d'une politique de qualité, de former les personnels sur leur poste de travail et de favoriser la communication interne, favorisent naturellement ce type de commerce électronique.

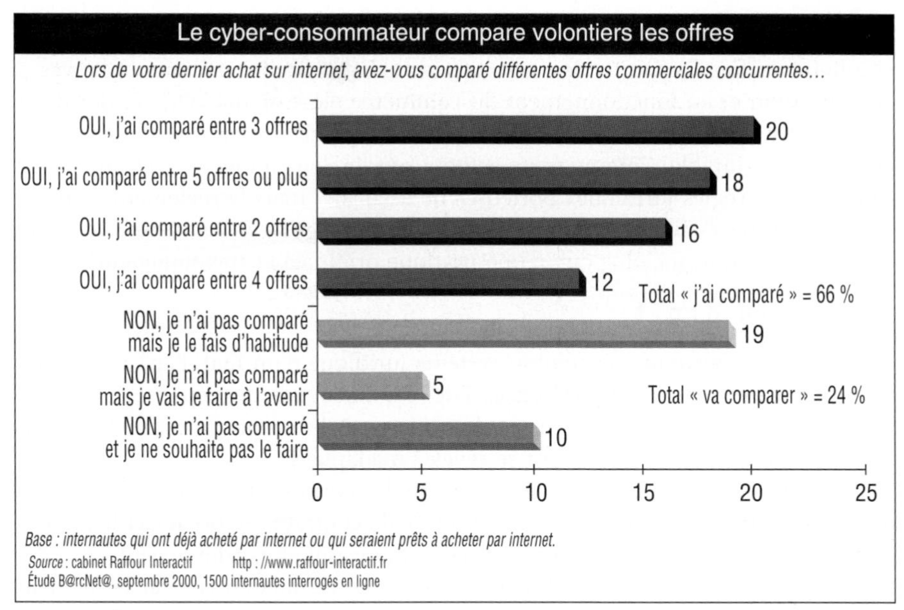

Source : CRÉDOC, *Consommation et modes de vie*, n° 145, septembre 2000.

Quant aux échanges virtuels avec les consommateurs, leur développement est certain sans que l'on puisse vraiment mesurer la place exacte qu'il occupera : Jeff Bezos, le fondateur d'Amazon.com (société américaine de vente de livres, de CD...) prétend que, dans son domaine, le commerce électronique peut occuper jusqu'à 20 % du marché. Pour être plus précis, deux phénomènes sociaux sont à considérer : d'une part, l'émergence de services commerciaux vraiment nouveaux, pour lesquels le commerce électronique n'a pas de concurrents ; s'ils correspondent à un besoin social, le succès sera acquis aux entreprises nouvelles les mieux préparées. D'autre part, dans les secteurs plus classiques, la réactivité des entreprises traditionnelles par rapport aux *start-up* sera déterminante ; or, après un démarrage spectaculaire, certaines *start-up* éprouvent des difficultés à réaliser ce qui est la clé du commerce durable, à savoir des bénéfices. Progressivement, en particulier dans la vente à distance, des entreprises traditionnelles vont réussir dans le commerce électronique, car elles maîtriseront mieux la clientèle d'un secteur déterminé grâce à leur expérience et la séduiront par un savoir-faire technique qu'elles auront souvent appris des « start-up » certes innovantes, mais plus ignorantes du marché.

Il se confirme ainsi que le commerce électronique sera de plus en plus une activité privilégiée par toutes les entreprises qui, cherchant à assurer leur développement, n'ont pas impérativement besoin d'être en face de leur client pour lui fournir la prestation attendue.

Faveur sociale pour le commerce électronique

Le commerce électronique est aujourd'hui une activité socialement bien considérée. Les autorités politiques des pays développés le soutiennent, dans leur action nationale et internationale, les entreprises s'y livrent de plus en plus et les consommateurs lui manifestent un intérêt plus marqué. Cette convergence de volontés explique sans les justifier les pronostics très optimistes de croissance qui occultent parfois la vérité des résultats actuels et les incertitudes relatives à l'organisation et au fonctionnement du commerce électronique. Or, ces dernières sont un obstacle à l'établissement de la confiance qui est à la base de toute relation commerciale durable. Comme toute activité sociale, le commerce électronique est soumis à des règles juridiques porteuses de sécurité ; mais la réglementation qui se dégage progressivement pour maîtriser ces échanges par les réseaux ne peut ignorer l'évolution sociologique d'une pratique originale et très mouvante.

L'état du droit

Le non-droit n'existe pas au sein du système juridique d'un État. Par l'application des principes généraux et la références à des cas analogues, des réponses sont ainsi apportées aux questions soulevées par le commerce électronique : elles ne sont pas toujours suffisantes, elles peuvent se révéler inadaptées.

En ce domaine où la part laissée à la liberté des parties est grande, les intéressés ont d'abord eu recours à la technique éprouvée du contrat pour organiser leurs relations. Les États soucieux du commerce électronique ont alors adopté deux attitudes politiques opposées : les États-Unis voient dans ce recours au contrat le meilleur instrument pour le développement de cette activité commerciale qui bénéficie ainsi d'une réglementation concrète et souple. À l'inverse, les Européens ont fait le choix, avec la directive 2000/31/CE du 8 juin 2000 sur le commerce électronique, d'un ensemble législatif spécifique destiné à favoriser le développement en Europe de ce type de commerce par la sécurité ainsi apportée aux commerçants et à leurs clients (cette directive poursuit aussi l'objectif d'unifier les règles juridiques des différents pays dans ce secteur). L'opposition entre flexibilité contractuelle et sécurité légale ne doit toutefois pas être exagérée : l'Europe fait toujours une large place aux contrats et les États-Unis comme la plupart des pays ont du adopter des textes nouveaux en particulier sur la signature électronique qu'imposent les transactions sur l'internet.

À l'image du commerce traditionnel, le droit du commerce électronique distingue les commerçants (avec la mise en place du dispositif commercial) et les opérations commerciales réalisées par le biais des réseaux avec les clients.

Les commerçants

• Insertion dans les réseaux

Les règles concernent en premier lieu la création de l'entreprise qui requiert, outre le financement et le montage de la structure juridique, la mise en place d'un dispositif technico-commercial spécifique : création d'un site web, hébergement sur un serveur, référencement du site, constitution éventuelle d'un portail... Les questions sont réglées par des contrats soumis au droit commun, avec des clauses particulières progressivement rôdées par la pratique qui deviennent courantes.

• Nom de domaine

Original et délicat est le choix du nom de domaine par l'entreprise ; les modalités d'attribution du nom de domaine (qui joue le rôle d'enseigne) sont déterminées de manière consensuelle par des organismes de droit privé à vocation mondiale (l'ICANN) ayant des relais nationaux (en France, l'AFNIC). Or, la tentation existe pour certains commerçants de « profiter » de la renommée d'une marque pour améliorer la notoriété du nom de domaine et de l'entreprise, ce qui peut semer le trouble dans l'esprit du consommateur. Les juges français qui ont été saisis de cette question donnent la priorité à la marque régulièrement déposée, mais la pratique commerciale internationale a suscité, près de l'Organisation mondiale de la propriété intellectuelle (OMPI) à Genève, la mise en place d'un Centre d'arbitrage qui se montre plus souple en considérant, outre les droits issus de la marque, la bonne foi du titulaire du nom de domaine et la réalité du préjudice causé.

Principes communs

S'agissant des entreprises établies, des règles générales relatives à leur activité s'imposent ou vont s'imposer progressivement, ainsi du respect de la libre concurrence, qui peut être affectée lors d'opérations de groupement à travers les « portails » ou plus encore par les « places de marché » (alors que les législations américaine, européenne et française, par exemple, sont sévères). Les puissantes possibilités de réunion de données permises par l'informatique posent aussi la question de la protection des données personnelles, assurée en France par la Commission nationale de l'informatique et des libertés (CNIL) et prolongée dans la Communauté européenne par une directive en cours de transposition. Il convient enfin d'organiser la gestion de la propriété intellectuelle, le site web diffusant des données susceptibles d'avoir le caractère d'une œuvre au sens juridique du terme. Ainsi, l'exploitant du site doit, à l'instar d'un éditeur, vérifier que ce qu'il diffuse ne contrefait pas l'œuvre d'autrui... et qu'il n'est pas contrefait par autrui, car si l'internet favorise la diffusion des œuvres, il en facilite aussi la reproduction illicite. Pour surmonter ces difficultés, les Quinze ont adopté en juin 2000 un projet de directive communautaire sur le thème « Droits d'auteurs et Internet ».

Comme le commerce traditionnel, les sites commerciaux d'Internet ne devraient pas échapper aux exigences juridiques de l'ordre public, qui s'imposent partout, même si elles varient d'un pays à un autre. La technique informatique avec la délocalisation des serveurs, offre toutefois des possibilités de contournement contre lesquelles les juges, comme le législateur, tentent de réagir. Des particularités nationales apparaissent à nouveau entre les États-Unis, constitutionnellement attachés à la liberté d'expression (Premier Amendement de la Constitution) et l'Europe, très soucieuse de lutter aussi contre la pornographie, les trafics de drogue ou de médicaments non autorisés, les atteintes à travers le commerce à des droits fondamentaux... A été ainsi posée aux juges, en France, puis au Parlement, la question de la responsabilité de l'hébergeur pour le contenu des sites qu'il accueille. Corrigé dans un sens libéral par une décision du Conseil constitutionnel du 27 juillet 2000, le législateur français vient de décider que « les personnes physiques ou morales qui assurent, à titre gratuit ou onéreux, le stockage direct et permanent pour mise à disposition du public de signaux, d'écrits, d'images, de sons ou de messages de toute nature accessibles par ces services, ne sont pénalement ou civilement responsables du fait du contenu de ces services que si, ayant été saisies par une autorité judiciaire, elles n'ont pas agi promptement pour empêcher l'accès à ce contenu. »

Les opérations commerciales

Le contrat reste l'instrument juridique naturel des échanges commerciaux. La vie des affaires connaît depuis longtemps les contrats conclus entre personnes présentes, mais avec le développement des moyens de communication les conventions entre personnes éloignées (entre absents) se sont multipliées : dans le commerce électronique, elles deviennent la règle.

Parce qu'ils sont conclus à distance et présentent souvent un caractère international, les contrats du commerce électronique sont assurément spécifiques ; ils ne sont pas pour autant « hors norme ». Leur formation et leur exécution sont régies par le droit commun des contrats, le droit des consommateurs, le droit de la vente à distance, le droit international des contrats... et, s'il le faut, par des textes nouveaux mieux adaptés à cette nouvelle vie contractuelle.

Formation des contrats

Le commerce électronique donne lieu à plusieurs types de contrat : outre ceux qui permettent l'insertion du commerçant dans les réseaux de communication, il y a principalement ceux qui réalisent les opérations (surtout de vente) sur les réseaux. Ces derniers sont souvent des contrats de masse (visant des consommateurs), dématérialisés, instantanés, conclus à distance par le biais de l'ordinateur et des réseaux, qui posent la question de l'identification des parties, de la réalité de leur consentement et de la preuve du contrat. Le débat sur la signature électronique a ainsi été très vite ouvert et parfois même tranché dans un certain nombre de pays dont la France (loi du 13 mars 2000 et directive n° 1999/93/CE sur le cadre communautaire pour les signatures électroniques) ; la signature électronique doit permettre à celui qui a recours à des informations via les réseaux de communication de déterminer l'origine des données et de vérifier si celles-ci n'ont pas été altérées. Dans le respect des certifications prévues, elle doit avoir une autorité équivalente à la signature manuscrite et pouvoir servir de preuve dans les procédures juridictionnelles.

Certes, le contrat en ligne reste, en principe, soumis aux règles organisant la publicité ou la protection des consommateurs (spécialement leur information préalable et le droit de rétractation), mais il est tout de même configuré par la technique qui suscite des pratiques commerciales spécifiques : le client peut acheter sur un site qu'il est allé spontanément visiter (méthode « *pull* »), il peut aussi être sollicité (méthode « *push* » qui s'analyse en un démarchage) ; plus délicat est le cas où le client, grâce à des logiciels d'intelligence artificielle, passe commande sur le réseau d'une prestation décrite avec précision : on peut craindre que sa protection en qualité de consommateur soit alors réduite. Mais à l'inverse, des logiciels récents (les *shop bots* par exemple) permettent aux consommateurs de comparer les prix sur plusieurs sites ou de se regrouper pour négocier l'achat d'un produit sur le réseau.

Il reste que le contrat électronique est un contrat et que sa formation requiert la rencontre d'une offre et d'une acceptation. L'offre, faite à partir d'un site web ou d'une galerie marchande virtuelle (regroupant des vendeurs ou des prestataires), doit pouvoir être acceptée en l'état et pour cela être expresse et ferme, claire et précise. L'acceptation de l'offre par le client emporte formation du contrat si elle est claire : elle peut prendre les formes habituelles de la correspondance ou être un simple clic de la souris. Le contrat est réputé formé lorsque l'acceptation est reçue par l'auteur de l'offre. Ces principes classiques ont été rappelés et précisés dans la directive communautaire n° 97/ du 20 mai 1997 sur la protection du consommateur en matière de vente à distance.

Exécution des contrats

C'est l'étape la plus concrète du commerce électronique : chaque partie attend son dû. Bien que le contrat soit par hypothèse électronique, son exécution peut se réaliser hors ligne s'il y a une marchandise à livrer au client ; le prix peut, en outre, être acquitté par des moyens de paiement habituels (chèque, par exemple). Mais le commerce électronique tirant son originalité et ses atouts des réseaux de communication, c'est plutôt l'exécution en ligne qui est favorisée.

Sans être simple, la fourniture d'une prestation immatérielle est tout à fait concevable. Il n'en va pas de même du paiement monétaire en ligne qui exige la parfaite sécurité pour que naisse la nécessaire confiance réciproque : chez le commerçant qui veut être payé, chez le client qui ne veut payer qu'une fois. Malgré les premières expériences de monnaie virtuelle (jetons non monétaires acquis à l'avance) et de porte-monnaie électronique, la carte bancaire est le moyen de paiement le plus utilisé au moyen de son numéro, plus rarement avec les indications contenues dans la « puce » ; le paiement peut aussi être assuré par un tiers mandaté par le client. L'avenir est lié à un recours plus important aux paiements en ligne sécurisés par la cryptologie, dont les règles naguère très strictes en raison de ses implications militaires ont été assouplies pour favoriser le chiffrement requis par les modes de paiement sécurisés et la signature électronique (cf. la loi française du 26 juillet 1996). Le commerce électronique n'a pas, à ce jour, mis encore au point un meilleur mode de paiement virtuel ; la place à des banques dans le dispositif à venir pourrait donner lieu à d'importants débats.

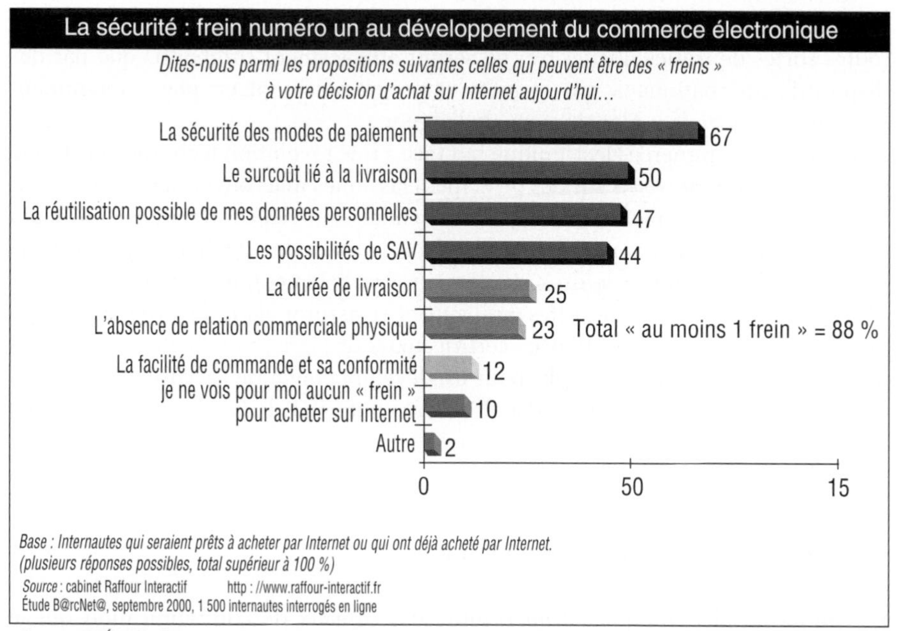

Source : CRÉDOC, *Consommation et modes de vie*, n° 145, septembre 2000.

C

Tout contrat peut donner lieu à un litige et c'est souvent le prévenir que de l'anticiper en prévoyant des procédures de règlement. Même s'il y a des précédents, en particulier dans le commerce international, il est frappant d'observer le développement dans le commerce électronique des règles de bonne conduite et des procédures de règlement amiable. Dans le droit du cyberespace, selon l'expression canadienne, une place est faite à ces nouvelles règles secrétées par les milieux intéressés et à la « cybermédiation » qui ajoute le juge virtuel au dispositif existant. La directive sur le commerce électronique va dans le même sens, notamment l'article 17 qui demande aux États membres de prévoir dans leur législation le règlement des litiges en ligne.

Le contrat électronique international

Internet, réseau trans-frontières, multiplie naturellement les contrats électroniques en direction de consommateurs qui peuvent désormais être confrontés à des contrats internationaux, plutôt réservés jusque-là aux professionnels. Les règles actuelles du droit international sont peut-être trop complexes pour cette activité juridique de masse ; elles ne sont, en outre, pas suffisantes pour garantir par exemple l'exécution d'une décision de justice dans des pays qui accueillent des serveurs par complaisance.

Des codes de bonne conduite vont donc continuer à se développer dans les relations entre professionnels, de même que dans les domaines techniques liés aux réseaux ; pour le reste, on ne fera pas l'économie de textes internationaux, la réglementation ne pouvant être abandonnée aux seules parties contractantes. C'est l'esprit qui anime la Communauté européenne, en particulier la directive précitée. En appelant à la réalisation d'un droit européen du commerce électronique dans lequel les contrats seraient, en principe, soumis à la loi du pays d'origine du site, elle pense proposer un système global (du moins pour l'Europe), simple et exemplaire de par la sécurité offerte.

La coopération internationale est tout aussi nécessaire dans la lutte contre la cybercriminalité ; le commerce électronique est, en effet, un canal efficace pour toutes sortes de trafics illicites qui ne seront efficacement combattus que par des dispositifs internationaux qui se mettent progressivement en place notamment pour lutter contre le « blanchiment de l'argent ».

Le droit du commerce électronique fait face à une révolution technique profonde et de surcroît rapide. Assis sur des principes classiques mais ouvert à la coopération internationale, il se précise et s'adapte, tout en laissant aux contractants dans leurs accords et aux milieux professionnels dans leurs codes de bonne conduite la possibilité de faire mûrir le droit de demain. Parallèlement, le monde des juristes doit faire sa place aux autorités qui auront à assurer dans le cyberespace les nouveaux métiers de la confiance : certificateurs de signatures électroniques, tiers de confiance (utiles, par exemple, pour un développement de l'accusé de réception électronique), les conservateurs d'archives, les autorités de labellisation des services électroniques, les cyberjuges... Au demeurant, ces tâches indispensables qui n'incombent pas toutes aux juristes peuvent pour partie être confiées à des autorités existantes, notamment les notaires.

L'évolution sociologique

Le commerce électronique vit au rythme des réseaux de communication qui le portent ; il bénéficie de leurs réussites, il souffre de leurs imperfections et des craintes qu'ils font naître. Dans une société de consommation nourrie par le marché, le commerce électronique est une activité innovante qui est socialement bien accueillie, mais encore mal cernée en raison de la méconnaissance de ses supports techniques jeunes et changeants.

• Une innovation bien reçue

Pour être progressive, l'insertion sociale du commerce électronique n'en est pas moins rapide et surtout bonne. Internet, réseau mondial de communication, a séduit les imaginations ; l'activité commerciale qu'il autorise vient satisfaire des besoins et en ce sens elle contribue à donner toute sa portée sociale aux investissements qui sont réalisés. S'il y a, en France et ailleurs, un large consensus pour développer le commerce électronique, chacun pourtant a ses raisons.

Les États trouvent beaucoup d'intérêt au commerce électronique ; il justifie les dépenses d'infrastructures qui ont pu être engagées pour étendre le réseau Internet et peut constituer un retour sur investissement tangible. Pour l'avenir, ce commerce peut inciter à un équipement plus complet des ménages, ce qui permettrait à l'État d'utiliser Internet pour l'accomplissement de ses propres missions et la rénovation des services publics. Ces activités commerciales nouvelles ont enfin un caractère politique voire stratégique, car elles sont une source de croissance économique durable qui se traduit par la stimulation de la consommation, la création d'entreprises innovantes et la naissance de nouveaux emplois. C'est ce que révèlent les déclarations des responsables américains depuis 1992 et le comportement des Européens, pressés de rédiger une directive sur le commerce électronique afin de donner à la Communauté européenne un avantage juridique susceptible d'attirer les entreprises.

Malgré des variations bien naturelles, les bourses montrent bien l'intérêt porté aux entreprises qui s'ouvrent au commerce électronique. Comme l'hypermarché en son temps, ce commerce virtuel ouvre le champ à de nouvelles pratiques, mais surtout à de nouveaux marchés qui vont être l'objet d'une très vive compétition. Dans une économie de marché qui se mondialise, le chef d'entreprise bénéficie de ces relations par les réseaux qui améliorent sa productivité, renforcent sa compétitivité et le portent vers de nouveaux clients.

En acceptant le commerce électronique, le consommateur fait un geste économique et envoie un signe social. Il surmonte les réserves que fait naître habituellement tout acte conclu à distance ainsi que les craintes qui entourent encore le paiement virtuel par la carte bancaire, pour découvrir grâce à Internet la richesse des offres commerciales qui lui sont présentées, une variété insoupçonnée d'échanges et la rapidité des transactions. Ce faisant, le commerce électronique diffuse subrepticement l'image de l'abondance matérielle et d'une sphère personnelle désormais sans limite : dans un premier temps, cela ne peut que séduire.

• Une activité mal cernée

La jeunesse du commerce électronique et, paradoxalement, la rapidité de sa croissance économique ne permettent pas de circonscrire avec netteté son rôle social dans les années à venir. Sur ce terrain aussi, les repères manquent, les incertitudes existent. Même courte, l'expérience récente montre pourtant qu'Internet, du fait de son audience mondiale et de sa puissance informatique, a un effet multiplicateur exceptionnel qui confère aux défauts inévitables du commerce électronique une ampleur inconnue dans les activités commerciales traditionnelles. La criminalité d'affaires avec le « cybercrime » et la culture corrodée par l'influence américaine en fournissent les premiers exemples.

Certes, la délinquance d'affaires est aussi ancienne que les affaires, mais aujourd'hui le commerce électronique lui ouvre des domaines nouveaux : grâce à Internet, il est bien plus facile d'esquiver les frontières, de trouver des pays de complaisance pour y installer des serveurs inféodés à la criminalité et de monter des opérations délictueuses, massives et instantanées qui seront délicates à élucider (comme la soustraction de numéros de cartes bancaires chez un opérateur du commerce électronique). Sans insister sur les trafics en tous genres que favorisent les réseaux de communication, il faut bien admettre qu'en parallèle de la croissance du commerce électronique, il existe un sérieux risque d'extension de l'industrialisation du crime qui mobilise déjà de nombreux États. Des agissements illicites mal réprimés pourraient en effet altérer le commerce électronique (en tout cas, son image) et miner ainsi la confiance sur laquelle il repose.

Une puissance économique par trop dominante n'est pas favorable à l'équilibre du commerce ; elle peut être aussi néfaste au respect des cultures, spécialement dans les pays les plus pauvres, donc les plus fragiles. Or, l'extraordinaire maîtrise des techniques numériques de communication acquise par les Américains, le succès indiscutable de leurs entreprises dans le commerce électronique et le poids économiques des États-Unis créent une position dominante qui a aussi son impact culturel. L'anglais, langue du commerce international, est aujourd'hui plus favorisé encore par le commerce électronique ; ses acteurs apprécient cette langue véhiculaire, présente très largement sur le Web, qui permet dans tous les points du monde de faire rapidement des transactions sans avoir la lourde charge des traductions. Cette évolution, si elle se confirmait, aboutirait à marginaliser peu à peu les autres langues, dont le français, et du même coup ouvrirait la voie à travers le monde aux produits culturels anglo-saxons.

Cette corrosion culturelle qui semble en partie favorisée par le commerce électronique est à bien des titres un danger : les États doivent y veiller et faire respecter leur culture. Cette mission correspond d'ailleurs à l'intérêt bien compris du commerce électronique dont le développement a besoin de confiance et de sécurité et s'accommoderait donc mal de réactions identitaires incontrôlées.

Bibliographie

Ouvrages :

- BOCHURBERG (Lionel, *Internet et commerce électronique*, Encyclopédie Delmas, Dalloz, Paris, 1999.
- KEVIN (Kelly), *New Rules For The New Economy*, Viking Press, New York, 1998.
- ROJINSKY (Cyril), LÉAURENT (Olivier), *Créer et exploiter un site Web*, Les Échos, Paris, 2000.

Revues et rapports :

- Cahiers français, p. 54 et suiv., *À la recherche de la « nouvelle économie »*, LE MERRER (Pascal).
- *Commerce électronique : une nouvelle donne pour les consommateurs, les entreprises, les citoyens et les pouvoirs publics*, LORENTZ (Francis), La Documentation française, Paris, 1998.
- *Consommation et mode de vie*, n° 145, 2000.
- e-commerce magazine n° 5, *L'Europe bientôt au zénith grâce au e-commerce ?*, 2000.

■ *Internet et commerce en magasin : les clés de la complémentarité*, CREDOC.
■ *La nouvelle donne du commerce électronique. Réalisations et perspectives*, LORENTZ (Francis), Les éditions de Bercy, Paris, 1999.
■ Le commerce électronique, *Les Cahiers français : « L'Internet »*, n° 295, p. 48 et suivantes, BOUCHARA (P.), La Documentation française, Paris, 2000.
■ L'économie de l'Internet, p. 38 et suiv., *Les Cahiers français : « L'Internet »*, n° 295, LELIÈVRE (F.), La Documentation française, Paris, 2000.
■ L'expansion, n° 612, *La Wahoo économie*, janvier 2000.
■ N° 2575 à 2823, *Droit de l'informatique et des réseaux*, Lamy, 2000.
■ Taylor Nelson Sofres Interactive, *Sur le commerce électronique mondial*, juillet 2000.

Webographie

■ http://www.internet.gouv.fr
■ http://www.finances.gouv.fr/cybercommerce/
■ http://worldwide.tnsofres.com/ger-« global e-commerce Report »-étude (gratuite)

Quelques chiffres

• **Sur la « nouvelle économie » :**

3 milliards de francs d'investissements publicitaires consentis en France par la netéconomie au 1er semestre 2000 au lieu de 1,6 milliard pour l'ensemble de l'année 1999. Les fournisseurs d'accès à l'internet sont les premiers investisseurs (808 millions).

Selon une étude publiée par Cisco en 1999, la « nouvelle économie » pesait plus de 300 milliards de dollars aux États-Unis (comparable au poids économique de la Suisse) et rivalisait avec les secteurs de l'énergie, de l'automobile ou des télécommunications.

• **Sur le commerce électronique**

■ France

7 % des internautes ont acheté en ligne au lieu de 27 % pour les États-Unis (juillet 2000).

700 000 internautes ont acheté en ligne pour 1,3 milliards de francs en 1999 (étude Benchmark Group) contre 400 millions en 1998. 80 % des acheteurs en ligne ont entre 25 et 44 ans ; ils acquièrent des livres (40 %), des CD (24 %), des logiciels (16 %) ; la dépense moyenne par cyberconsommateur est de 829 F, 51 % paient par carte de crédit (étude TMO juin 1999). À cela il faut ajouter un engouement français notable pour l'achat d'actions en ligne (étude Taylor Nelson Sofres Interactive, juillet 2000).

■ États-Unis

55 % des foyers américains ont fait au moins un achat en ligne ; 85 % sont satisfaits (étude précitée, juillet 2000).

Le commerce électronique représentait (en 1999) 1,2 % du commerce de détail soit 30 milliards de dollars (étude de Shop.org et Boston Consulting Group) ; selon une étude du Département du commerce et la société Forrester (1999), le commerce électronique double tous les 12 à 18 mois. Quant au commerce entre entreprises, il représentait en 1999 déjà 109 milliards de dollars.

■ Japon

(Livre blanc, ministère japonais des Postes et Télécommunications 1999)

11 % des foyers japonais étaient connectés à l'Internet et le commerce électronique avait déjà doublé entre 1997 et 1998.

■ Israël

(étude Netvision 1999).

Le commerce électronique représentait un million de dollars US par mois pour 600 000 internautes.

C

Communauté virtuelle

Utilisée pour la première fois en 1993 par l'informaticien Howard Rheingold, l'expression désigne un groupe d'individus ayant en commun le même intérêt ou la même inclination et communiquant les uns avec les autres, non pas en face à face mais en se connectant, par écran et modem interposés, à un réseau de communication et, plus particulièrement, à Internet. Ainsi, la communauté virtuelle et le réseau de communication se renforcent-ils l'un l'autre : ils sont à la fois l'effet et la cause l'un de l'autre. Le développement des communautés virtuelles est apparu aux États-Unis avec le partenariat conclu entre l'hébergeur de sites web Geocities et l'annuaire Yahoo !, en 1998. Construite à partir d'un site web, une communauté virtuelle réunit ou rassemble les membres d'une audience autour de services souvent gratuits destinés à faciliter les échanges : hébergement de pages web personnelles, fourniture d'une adresse électronique, création de forums de discussion. On distingue, d'un côté, les communautés ouvertes à tous les publics et, de l'autre, les communautés thématiques « identitaires » ou professionnelles. Dans tous les cas, celles-ci génèrent de l'audience et attirent des publicités diffusées vers une population au profil déterminé, ainsi que des partenariats commerciaux en adéquation avec les intérêts de la communauté.

Communication privée

Le droit à la vie privée permet à toute personne de se protéger contre une intrusion dans son intimité, dont les communications privées constituent un des aspects essentiels. Son application à Internet le lie étroitement au problème de la protection des télécommunications, qui recouvrent toute transmission, émission ou réception d'informations de toute nature (signes, sons, images, écrits, etc.).

Cette définition englobe aussi bien le téléphone que le fax et surtout, les courriers électroniques[1]. Cette approche semble être retenue par la Cour européenne des droits de l'homme qui interprète de façon extensive la notion de communication. Elle considère que toute personne a non seulement droit au respect de sa vie privée, de sa réputation, de son domicile, du secret de sa correspondance mais aussi au respect du secret de ses communications. Toutefois, seules sont couvertes par le secret, les communications qui ont un caractère dit privé, c'est-à-dire lorsque le message transmis est exclusivement destiné à une (ou plusieurs) personnes déterminées et individualisées. *A contrario*, les messages destinés au public en général ou à un ensemble d'individus indifférenciés ne bénéficient pas de la protection octroyée aux communications privées.

Les personnes soumises au secret sont notamment les personnes autorisées à établir un réseau ouvert au public et les fournisseurs de services de télécommunications. Si elles violent le secret des communications sur Internet (en les ouvrant, les supprimant, les retardant ou en les détournant), elles encourent des sanctions civiles et pénales. Cependant, une atteinte peut être portée au secret dans les cas de nécessité

1. Le courrier électronique est assimilé à un courrier et bénéficie à ce titre de la protection du secret des communications. Aux États-Unis, l'*Electronic Communications Privacy Act* de 1986 couvre également cette nouvelle forme de communication.

publique. En France, une loi [1] autorise sous certaines conditions l'interception, l'enregistrement et la transcription des communications en cas d'infractions présentant un certain degré de gravité dans le cadre d'une information judiciaire, en vue, par exemple, d'assurer la prévention du terrorisme et de la criminalité.

Les individus utilisant leur e-mail à des fins privées sont également confrontés à la question du régime des communications privées dans le cadre professionnel. En effet, l'employeur est susceptible d'intercepter des courriers personnels et risque alors de voir engagée sa responsabilité. En effet, prendre connaissance des courriers électroniques d'une personne sans son consentement constitue une atteinte à la vie privée, en particulier si ces courriers ne sont pas diffusés en grand nombre et sont personnalisés, auquel cas ils doivent être considérés comme privés et secrets. La plupart des réglementations se révèlent relativement protectrices des droits des individus, si ce n'est que certaines d'entre elles (notamment aux États-Unis) comprennent des exceptions à l'interdiction d'intercepter ou d'accéder à ces courriers électroniques. Ainsi en est-il quand la surveillance a trait à l'activité de l'entreprise et que l'employé a donné son autorisation aux interceptions.

Enfin, la confidentialité des communications s'avère techniquement difficile à garantir, quoique la cryptographie constitue, dans une certaine mesure, une solution adéquate face aux différentes violations du secret des communications. À cet égard, la plupart des pays ont recours à un système de codage qui limite l'accès à la lecture des informations afin de garantir la sécurité et la confidentialité des messages diffusés sur Internet.

Commutation

Technique permettant le transport de données grâce à leur aiguillage à travers un réseau de communication. La commutation peut être « de circuits », par l'établissement d'une liaison physique selon le modèle classique du téléphone, ou « par paquets », technologie sur laquelle repose le transfert de données sur Internet. Les informations groupées en « paquets » portent les adresses de provenance et de destination et peuvent ainsi emprunter les voies d'acheminement les moins encombrées et les plus rapides pour atteindre leur destinataire.

Compression

Traitement d'un fichier permettant d'en condenser les données numériques afin de faciliter leur transmission tout en évitant que le contenu, à l'arrivée, soit altéré trop sensiblement. Des algorithmes mathématiques opèrent le codage et le décodage des messages transmis. À ce jour, les techniques de compression permettent de compresser des images animées dans un rapport de 1 à 10 et de les restituer sans perte sensible de qualité, ce qui accroît dans les mêmes proportions les capacités de transmission des réseaux.

Contenu

Expression générique désignant les différents types d'informations et de services (écrits, sons, images, données multimédia) circulant sur les réseaux de distribution numérique (désignés sous l'appellation générique

1. Loi n° 91-646 du 10 juillet 1991 relative au secret des correspondances émises par voie de télécommunications, *JO* du 13 juillet 1991.

de « contenants »). L'offre de « contenus » riches et diversifiés (œuvres musicales et audiovisuelles notamment) est un élément clé de la compétition entre les opérateurs des nouveaux médias.

Convergence

Le concept de convergence est apparu dans les années 1990 à partir d'un constat simple qui tient pour l'essentiel au développement rapide de la numérisation des signaux (textes, images et sons) et des réseaux qui transportent et acheminent ces signaux d'un bout à l'autre de la planète. Dans l'univers analogique, les signaux électromagnétiques transportés par les réseaux (filaires ou hertziens) épousaient plus ou moins les caractéristiques des informations qu'ils étaient censés transmettre, la modulation du signal répondant à la complexité de l'information à transmettre, la numérisation consiste à revenir à un système beaucoup plus simple de codage du signal, qui repose sur des impulsions binaires (selon le principe déjà adopté pour le télégraphe) représentables sous forme de 0 et de 1 (*binary digit* ou bits). C'est ce code binaire qui circule dans les réseaux (à une vitesse que l'on peut mesurer en bauds ou bits par seconde), avant d'être décodé par un terminal qui la restituera sous sa forme analogique primitive. La numérisation concerne à la fois les signaux eux-mêmes et les réseaux qui transportent ces signaux.

Imposant une nouvelle norme de transmission des signaux, issue à l'origine d'un procédé de traitement et de stockage de l'information dans les mémoires des ordinateurs, le processus de numérisation a entraîné une uniformisation des modes de transport et de codages de signaux quels qu'ils soient. Chaque type de message nécessite, du fait de sa plus ou moins grande complexité, un codage et un processus de numérisation spécifiques, qui incluent la possibilité d'une compression du signal et donc d'une réduction du débit nécessaire au transport de ce signal, réduisant ainsi l'écart qui sépare les exigences de transmission d'un signal simple (une page de texte) et des signaux plus complexes et plus riches en information (une image de télévision).

Ce mode de transmission de l'information, hérité de l'informatique et de ses capacités de calcul, n'a pu vraiment se généraliser qu'à l'âge des microprocesseurs, de l'abaissement de leur coût de production et de leur miniaturisation. L'ordinateur est devenu non seulement un outil permettant le codage numérique, mais aussi un instrument de communication désormais intégré aux réseaux et déterminant leur fonctionnement. C'est pourquoi, même si le principe de la convergence de l'informatique et des télécommunications avait pu être préfiguré dès les années 1970, notamment avec les premières réflexions autour du concept de « télématique » (rapport Nora-Minc, 1978), ce n'est que plus tardivement, sous l'impulsion du développement rapide d'Internet et du protocole IP, que la convergence s'est vraiment affirmée comme un principe guidant les technologies de l'information et de la communication.

La Commission européenne, avec son Livre vert sur la convergence dans la société de l'information, a tenté une première définition de la convergence,

C

identifiée comme « la capacité de différentes plates-formes de transporter des services essentiellement similaires, soit, le regroupement des équipements grand public comme le téléphone, la télévision, et les ordinateurs personnels ».

La convergence, selon cette approche, est d'abord une convergence des réseaux et infrastructures d'accès à l'information : là où, dans l'univers analogique, les réseaux étaient conçus et configurés dans leur infrastructure même pour donner accès à un certain type d'information, limités par conséquent dans leurs fonctions, la convergence signifierait qu'à l'avenir les réseaux ont vocation à devenir polyvalents.

La convergence est aussi celle des services, offerts non plus séparément, selon leurs usages et les techniques et terminaux spécifiques qu'ils nécessitent, mais à partir d'une offre groupée accessible grâce à des terminaux multifonctions, abolissant les frontières existant entre les équipements actuels : téléviseur, PC, récepteur radio, téléphone, chaîne hi-fi, console de jeux, assistant personnel, etc.

La convergence s'analyse aussi et enfin comme la possibilité d'un rapprochement entre les acteurs industriels de la société de l'information devenus complémentaires et d'une certaine manière techniquement solidaires dans la production et la transmission ou la distribution de l'information, des contenus et des services : industrie informatique, industrie des réseaux, industrie électronique, producteurs de contenus et éditeurs de services, dont les activités étaient jusque-là cloisonnées – c'est la convergence des opérateurs et des acteurs industriels.

La convergence peut donc s'appréhender sous plusieurs angles : une convergence des réseaux, une convergence des services et une convergence des opérateurs.

La convergence des réseaux

À l'origine, les premiers réseaux de télécommunications ou de communication audiovisuelle, ont été conçus et adaptés aux fins qu'on leur prescrivait : c'était la fonction qui créait l'organe et déterminait la configuration tant technique que géographique des infrastructures.

Ainsi les réseaux filaires sont-ils liés à l'histoire de la téléphonie et à ses développements, tandis que l'organisation du spectre hertzien a d'abord été le privilège de ce que l'on appelait la « téléphonie sans fil », puis de la télévision, ces deux modèles étant eux-mêmes concurrencés par la technologie transversale et déjà plus polyvalente des réseaux câblés et des satellites.

Aujourd'hui les réseaux de la convergence répondent plutôt à l'idée d'une expansion infinie des connexions, des nœuds et des accès, ou d'une multiplication indifférenciée des services, accessibles par toutes sortes de voies d'accès. La spécificité des réseaux tend alors à s'effacer, et leur complémentarité s'affirme comme un des principes de leur valorisation et de la pérennité de leur usage, au prix cependant d'adaptations et de modifications importantes (bidirectionnalité et modem – câble pour les réseaux câblés, techniques xDSL pour le réseau téléphonique, etc.).

Les réseaux sont désormais évalués non seulement en fonction des marchés traditionnels dans lesquels ils s'insèrent mais aussi de potentialités futures qui sortent parfois du cadre traditionnel de leur fonction initiale : les réseaux téléphoniques dont les fonctionnalités ont d'ailleurs sensiblement évolué depuis les années 1980, offrent désormais la possibilité de d'accéder non seulement à des sons et à des données mais aussi à des images animées, ce qui est la clé de la transformation des usages traditionnels de ce type de réseau à terme et de leur compétitivité.

Pour les réseaux câblés, la perspective est inversement de permettre à leurs opérateurs d'offrir non seulement des services de radio et de télévision, mais aussi des services de nature interactive comme la téléphonie et le transfert de données, l'accès à Internet, etc.

Dans les deux cas, les obstacles tiennent à la configuration initiale des réseaux liée à leur fonction primitive : bande passante trop limitée pour les réseaux téléphoniques ; défaut d'adaptation à la fonction de commutation et à des communications bidirectionnelles pour les réseaux câblés. L'objectif est désormais d'adapter les infrastructures existantes en vue de leur interopérabilité et de leur interconnexion, la commutation (de paquets) devenant un concept clé de l'ensemble des réseaux, l'architecture des réseaux informatiques et leurs protocoles (ATM, Ethernet), voire la généralisation du protocole IP issu d'Internet, inspirant le mode de fonctionnement des réseaux à haut débit.

On peut ainsi recenser quatre types principaux de réseaux soumis aux processus de convergence : réseaux filaires traditionnels, réseaux câblés, réseaux hertziens « de terre » (eux mêmes subdivisés en catégories différentes selon la gamme du spectre utilisée – et le recours éventuel à la compression numérique) et réseaux satellitaires (parmi lesquels il faut distinguer les satellites positionnés en orbite haute, moyenne ou basse), représentant autant de routes possibles pour l'information et les données multimédias. L'effort technologique principal et la compétition entre les réseaux porte sur l'aptitude de chacune de ces technologies au transport ou à l'émission bidirectionnelle d'un maximum de données, ce qui n'est plus, numérisation aidant, qu'une affaire de débit et de bande passante.

Or l'histoire des réseaux et le legs des architectures mises en place (le plus souvent par les pouvoirs publics, dans les pays à forte tradition de service public, ou sous leur contrôle, pour des motifs stratégiques et d'intérêt du consommateur, dans les pays de tradition plus libérale) révèlent que le processus de convergence, sauf à envisager un investissement massif dans des infrastructures rénovées (la fibre optique généralisée, option trop coûteuse et trop longue à mettre en œuvre), doit être pensé comme un réarrangement et une adaptation de réseaux déjà existants, combinés à de nouveaux segments dont les capacités seront élevées aux exigences du transport en grand nombre et à grande vitesse de données numériques.

La convergence des services et des terminaux

On peut définir la convergence des services comme l'opportunité offerte à court terme d'offrir aux usagers sur une même plate-forme (c'est-à-dire la combinaison d'un système d'accès serveurs et terminaux, et d'un réseau) un ensemble de services qui ont en commun d'être des contenus numérisables (textes, sons, images fixes et animées), donc stockables sur des supports qui à terme pourraient être uniques (DVD ou DVD-Rom) et accessibles en ligne sur un terminal également unique.

Les expériences menées dans ce domaine, notamment l'expérience pilote conduite par Time Warner en 1994 dans 4 000 foyers du réseau câblé d'Orlando, transformé en réseau à haut débit préfigurant le *full service network* du futur, n'ont cependant pas été concluantes et la convergence des services et terminaux demeure plus complexe à envisager que celle des réseaux car elle n'est pas dépendante de contraintes seulement techniques mais aussi de la demande des consommateurs, de leurs usages domestiques ou autres et des évolutions que ceux-ci peuvent à terme connaître dans la société de l'information.

Aujourd'hui en effet, les stratégies d'offre de service peuvent comporter la multiplicité des modes d'accès à des contenus traditionnels de type programmes de télévision et de radio ainsi que des contenus à la demande, au delà de la fonction de programmation, c'est-à-dire l'accès à des catalogues d'œuvres cinématographiques ou musicales sur demande soit en téléchargement soit en diffusion en temps réel (*streaming*), ainsi que l'accès à des services interactifs relevant du commerce électronique (*e-business,* sous ses deux formes *business to business* d'entreprise à entreprise ou *business to consumer,* de l'entreprise vers le consommateur) ou de l'information, à des jeux en ligne, à l'administration en ligne, ainsi qu'aux services traditionnellement associés à la téléphonie (téléphonie vocale, messagerie et e-mails, fax, vidéoconférence, transfert de fichiers), ainsi que des services liés à la domotique pour les particuliers, etc.

En ce sens, la convergence des services consisterait à regrouper sur un même mode d'accès par un réseau unique (ou par deux réseaux conjugués, par exemple le satellite pour la voie descendante et le réseau téléphonique commuté pour la voie montante) une multiplicité de services jusque-là accessibles sur des réseaux différents, liés à des technologies différentes et supposant l'usage de terminaux ou d'équipements distincts : téléviseur (avec ses décodeurs), récepteur radio (fixe ou mobile), lecteurs de CD et de DVD, PC, combiné téléphonique, téléphone mobile, assistant personnel, *e-book,* console de jeux, etc.

S'agissant des services de communication audiovisuelle diffusés en mode numérique ou analogique, les terminaux qui aujourd'hui peuvent être raccordés à des réseaux haut débit, pourront aisément couvrir, au prix de légères adaptations, les mêmes fonctions que d'autres terminaux, puisque les réseaux eux-mêmes par leur débit deviendront des réseaux large bande. Ces derniers ont peu à peu changé de fonction, intégrant notamment des fonctions interactives, pour la télévision numérique, notamment à l'aide des boîtiers de télécommande. De même, le PC, qui à l'origine était plus une unité de travail qu'un terminal, devient de plus un terminal relié à un réseau privé ou public, notamment par la généralisation de la technologie IP. Ainsi des variantes de chaque type de terminal commencent à voir le jour. De même la compétition entre terminaux fixes et terminaux mobiles est-elle à l'ordre du jour.

Dans tous les cas la convergence a pour conséquence que les terminaux utilisent à des degrés divers des technologies similaires (cartes et puces informatiques) et remplissent des fonctions identiques adaptées aux caractéristiques du transport du signal sur les réseaux de la convergence : les fonctions de compression et de décompression, celles de modulation et de démodulation, la mise en paquets, le décodage et le décryptage, la gestion personnalisée des systèmes d'accès, etc.

L'ergonomie des terminaux, leurs caractéristiques intrinsèques et les usages, voire les attitudes qu'ils induisent, seront aussi déterminants. Ainsi, la télévision qui peut évoluer vers d'autres usages à travers des boîtiers décodeurs de plus en plus sophistiqués et adaptés à la diversité des services offerts sur les réseaux haut débit peut-elle évoluer sensiblement vers le terminal multimédia unique du foyer (comme avec Web-TV, terminal interactif, ou Open TV). De même, la télévision du futur devra intégrer non seulement ses fonctions traditionnelles de restitution du signal, mais aussi des fonctions de démodulateur et de décodeur, ou de système d'accès, en même temps qu'elle devra s'adapter aux exigences de la résolution des pages HTML, conçues pour l'Internet. Mais la télévision est généralement associée à une attitude de consommation passive et de perception distraite, et mal adaptée à un usage interactif. À l'inverse, l'ordinateur personnel, bien adapté aux usages professionnels, puis à des usages plus domestiques comme les jeux, l'éducation, le commerce électronique, mais associé à une attitude active attentive et réfléchie est moins associée à la consommation d'images et de musique, même si la taille des écrans évolue pour être finalement très similaire à ceux de la télévision. Il n'est pas improbable non plus – dans le cadre de l'usage domestique – que les consoles de jeux qui devront s'adapter à la pratique des jeux en ligne soient aussi à terme des terminaux de réseaux large bande, permettant une diversification de leur usage initial (les consoles Playstation II de Sony ou Dreamcast de Sega intègrent des fonctions Internet). Enfin, les terminaux mobiles et d'abord le téléphone portable va évoluer dans le sens d'une diversification de ses usages notamment avec les terminaux de téléphone mobiles dits de troisième génération ou « Webphones » (terminaux UMTS). Mais, tout comme les assistants personnels, ces terminaux, s'ils peuvent être connectés à des réseaux large bande (UMTS), auront pour avantage de permettre le nomadisme (et aussi d'offrir des services multimédias à une base d'abonnés désormais considérable de plus de 140 millions d'utilisateurs dans le monde), avec l'inconvénient majeur d'une faible adaptabilité à un usage autonome du fait de leur taille réduite d'écran et de clavier. Cependant ces terminaux mobiles sont plus adaptés à l'usage individuel que les terminaux fixes à usage domestique.

C'est en définitive l'évolution des usages qui déterminera l'évolution des services et des terminaux, et il est fort possible que l'on s'achemine vers la coexistence de terminaux distincts plus ou moins polyvalents mais liés à des usages ou à des conditions d'usage précis : par exemple le PC pour le chargement de musique selon le modèle déjà généralisé dans des conditions juridiques controversées par Napster sur Internet, ou la télévision équipée de décodeurs et de terminaux d'accès intégrés pour le téléchargement de films sur Internet, que l'on imagine mal regarder sur l'écran d'un PC.

De même, en termes de services, la convergence ne signifie pas tant que les nouveaux services multimédias interactifs vont supplanter définitivement les services plus traditionnels, selon la distinction que l'on peut faire entre les nouveaux médias et les médias plus anciens. Il n'est pas non plus exclu que les usages de médias anciens comme la télévision et la radio persistent sur le Web : soit sous la forme de services traditionnels accessibles sur d'autres réseaux et dupliqués sur le Web comme c'est déjà le cas actuellement ; soit selon le modèle de services spécialement conçus pour Internet (Webradios et WebTV) et touchant un public plus restreint (*one to many*, mais aussi *one to few* ou *one to one*).

La convergence des opérateurs

Depuis 1995 les mouvements de fusion et d'acquisition, ainsi que les prises de participation capitalistiques dans les différentes entreprises de secteurs différents et de métiers différents, mais qui ont tous en commun de participer aux technologies de l'information ou d'être producteurs de contenus, ont entraîné une série d'alliances ayant pour résultat de former des groupes de taille importante capables d'élaborer des stratégies mondiales et de rivaliser financièrement avec des entreprises industrielles d'autres secteurs.

Plusieurs groupes industriels dont le métier d'origine était hors des secteurs nouvellement liés par la convergence ont peu à peu orienté leurs activités vers la communication : ainsi les groupes Bouygues, Vivendi, Suez-Lyonnaise, en France, Mannesmann en Allemagne, et, plus récemment, Fiat en Italie, sans compter General Motors, aux États-Unis premier actionnaire du service de télévision numérique par satellite DirecTV.

Ce mouvement de diversification, de fusions et d'alliances qui a débuté dans les années 1990 a surtout mis en évidence la complémentarité et la proximité des métiers entre les différents secteurs des télécommunications (réseaux, équipements et terminaux), de l'informatique (logiciels et terminaux), de la radio et de la télévision, du cinéma et de l 'édition, de la presse et de l'industrie musicale (édition de contenus), de l'électronique grand public (matériels de réception), ainsi que des nouveaux métiers émergents liés au développement d'Internet (fournisseurs d'accès, hébergeurs, portails et moteurs de recherche).

On peut distinguer aujourd'hui principalement deux types de stratégies industrielles liées à la convergence des opérateurs.

• Les stratégies de concentration horizontale

La première catégorie d'alliances concerne les opérateurs de réseaux qui, depuis une dizaine d'années, outre la recherche d'une expansion internationale pour les opérateurs historiques qui affrontent une concurrence nouvelle sur leurs marchés traditionnels jadis captifs, s'orientent vers une diversification de leurs métiers à travers l'acquisition de nouveaux réseaux ou l'offre de nouveaux services. Si la téléphonie mobile fait partie intégrante du métier d'opérateur de télécommunications, avec une perspective de convergence entre les services fixes et les services mobiles (notamment avec l'apparition après 2001 de l'UMTS), les activités de fournisseurs d'accès à Internet ou d'opérateur de réseaux câblés en sont plus éloignées. Néanmoins, les différents mouvements d'acquisition observés dans le secteur des télécommunications semblent indiquer que, tout en demeurant fidèles à leur métier d'origine, les opérateurs de télécommunications n'hésitent pas à procéder à des acquisitions importantes sur le plan financier qui visent à s'attribuer la propriété, soit de nouveaux réseaux (téléphonie mobile, câble), soit d'un potentiel d'abonnés important y compris à l'échelle mondiale. Parmi les acquisitions les plus importantes et susceptibles d'entraîner une concentration des acteurs sur certains marchés, on peut citer l'acquisition de l'opérateur de téléphonie mobile allemand Mannesmann par l'anglais Vodafone en 2000 (177 milliards de dollars) qui en fait ainsi le premier opérateur de téléphonie mobile en Europe. De même à l'échelon national, Olivetti a réussi une OPA hostile contre Telecom Italia pour un montant de 57,9 milliards de dollars.

C

Aux États-Unis, à la faveur de la déréglementation issue du *Telecommunications Act* de 1996, le géant des télécommunications longue distance AT&T (70 millions d'abonnés aux États-Unis) est progressivement devenu le premier câblo-opérateur américain (16 millions d'abonnés) et même mondial après l'acquisition des réseaux de TCI en 1998 et ceux de Media-One en 2000. Cette diversification dans le câble consiste pour AT&T à se garantir un accès à la boucle locale dans la perspective d'une offre de service à haut débit. Parallèlement, AT&T investit dans la mise à niveau de ses réseaux câblés pour les rendre conformes à l'offre de services multimédias et prépare également cette offre en diversifiant ses activités à travers sa filiale @Home.

Certaines de ces opérations de fusion ou d'acquisition, qu'elles soient amicales ou hostiles, se heurtent parfois à l'opposition des autorités de la concurrence : ainsi les opérateurs de télécommunications américains Worldcom et Sprint ont-ils renoncé en juin 2000 à leur fusion en raison de l'opposition du Département américain de la justice et de la Commission européenne, dans le cadre du contrôle des concentrations.

- **Les stratégies d'intégration verticale**

Dans les perspectives ouvertes par la convergence des activités de réseaux, la deuxième forme d'alliance consiste à favoriser l'intégration verticale plutôt que la concentration horizontale. Des métiers qui sont à l'origine très différents se rassemblent dans une perspective d'offre globale et d'autonomie industrielle. C'est ce principe qui a guidé la fusion d'AOL – premier portail et fournisseur d'accès à Internet aux États-Unis (également implanté en Europe) fort de 20 millions d'abonnés – et du groupe Time-Warner, premier groupe mondial de communication, présent dans la production de contenus, la détention de réseaux câblés et de chaînes de télévision. L'alliance AOL-Time Warner a fait du nouveau groupe la première entreprise de communication du monde.

Cette fusion marque en outre la convergence de ce que l'on appelle les médias traditionnels (*old media*) – la télévision, la presse, le cinéma – avec les nouveaux médias (*new media*, les services du Net), désormais liés par une synergie numérique.

L'opération de fusion Vivendi/Canal+/Seagram, également réalisée en 2000, consacre elle aussi une intégration verticale, entre opérateurs de réseaux et de services de télécommunications et de communication audiovisuelle (Cégétel, SFR, Canal Plus, NC Numéricâble), d'une part, et producteurs de contenus (Havas, Studio Canal, Universal Music, Universal Studios), de l'autre.

Enfin les portails Internet connaissent aussi ces mouvements de concentration (bien que leur marché soit éclaté entre de nombreuses entreprises et en réalité détenu dans sa majorité par quelques-unes, comme pour l'industrie du câble) : USA Networks a ainsi racheté Lycos, @ Home (le portail d'AT&T) a racheté Excite pour un montant de 6,7 milliards de dollars, Disney a racheté Infoseek et AOL a racheté Compuserve (pour 4,2 milliards de dollars). Dans une économie de l'accès, ce sont non seulement les infrastructures (réseaux) ou les contenus (entreprises de production, catalogues de droits) qui trouvent acquéreurs, mais aussi les portefeuilles d'abonnés. Ainsi la valorisation des entreprises se calcule-t-elle en fonction de leur nombre d'abonnés : la fusion Vodafone-Mannesmann qui réunit 43 millions d'abonnés en Europe dans une quinzaine de pays a été calculée sur la base d'une valorisation de l'abonné de l'ordre de 80 000 F ce qui vient confirmer la loi énoncée par Robert Metcalfe.

D'une manière générale, le mouvement de concentration auquel on assiste dans le domaine des médias et des télécommunications rend les entreprises de l'audiovisuel et de la production de contenus plus vulnérables dans le cadre de ces stratégies d'intégration verticales compte tenu de la surface financière respective des entreprises de chaque secteur (télécommunications, informatique, audiovisuel). Toutefois, le domaine des médias et de la communication, soumis en Europe à des exigences de pluralisme et de diversité, est sujet à un contrôle étroit des autorités en charge de la concurrence, c'est-à-dire principalement la Commission européenne. De même, aux États-Unis, le contrôle des concentrations, et l'application du droit de la concurrence constituent parfois un obstacle sérieux aux stratégies d'alliances ou au maintien d'une position dominante sur un marché dès lors que celle-ci pourrait nuire à l'intérêt du consommateur, comme Microsoft en a fait l'expérience.

Les obstacles à la convergence

Cette convergence des opérateurs se heurte cependant à de nombreux obstacles, notamment à la difficulté de coordonner des métiers, des industries et des cultures d'entreprises qui sont parfois fort éloignées les unes des autres. Certains observateurs vont même jusqu'à parler de *people factor*, de facteur humain, pour évoquer les difficultés engendrées par des fusions d'entreprises dont les collaborateurs appartiennent à des horizons culturels et professionnels très éloignés comme ceux qui séparent le monde des télécommunications et celui des médias audiovisuels. Pourtant aujourd'hui plusieurs savoir-faire sont nécessaires pour assurer le succès d'une entreprise née de la convergence : marketing des réseaux (constitution des portefeuilles d'abonnés), marketing des services, talents pour réaliser et produire les contenus, génie informatique pour la technologie des réseaux et des services, etc. C'est une multiplicité de compétences que doivent réunir désormais les entreprises multimédias intégrées.

Les dispositifs anti-concentration constituent un autre obstacle de nature à compromettre des projets d'alliance de grande envergure : soit parce que des limites *a priori* s'y opposent, notamment sur la propriété des médias (comme en France le dispositif qui limite à 49 % l'actionnariat principal d'une chaîne de télévision, ou encore le dispositif qui limite la propriété de médias nationaux ; et aux États-Unis le dispositif qui encadre la propriété des réseaux nationaux de télévision – *networks* – et la propriété des réseaux câblés, limitée à 30 % du marché, etc.) ; soit parce que le contrôle *a priori* des concentrations entraîne une révision du périmètre des fusions et acquisitions (comme dans le cas AOL/Time Warner), voire leur abandon (Worldcom/Sprint).

Un autre obstacle majeur demeure le cloisonnement juridique qui sépare, en Europe tout au moins, le secteur des télécommunications, soumis à un droit spécifique et exonéré d'une réglementation du contenu qui ne serait pas applicable s'agissant de services qui relèvent de la correspondance privée. Au contraire les services audiovisuels, et les réseaux qui leur servent de vecteurs, sont soumis, en Europe à une réglementation des contenus qui s'expriment tant par des obligations de nature déontologique (protection des mineurs, pluralisme de l'information, droit de réponse, réglementation de la diffusion de la publicité, etc.) et à visée culturelle (obligations de diffusion de type « quotas », obligations de production). La question a été posée de cette persistance de deux régimes différents dans un contexte nouveau marqué par la convergence, notamment dans le Livre vert de la Commission européenne. La réponse a été donnée pour le moment sous la forme d'une adaptation aux nouveaux services de la convergence des régimes juridiques, afin de préserver la philosophie actuellement applicable, selon laquelle la nature du service doit déterminer le régime juridique approprié (par exemple, la vidéo sur Internet pourrait être soumise à des obligations du même type que celles qui s'appliquent aujourd'hui à la télévision hertzienne ou par câble), et non pas le support ou le réseau qui transporte ce service, selon le principe de neutralité des réseaux.

Bibliographie

Ouvrages :

- BALDWIN (THomas F.), *Convergence*, Thousand Oak, Sage, 1996.
- CASTELLS (Manuel), *La société en réseaux, tome 1 : L'ère de l'information*, Fayard, Paris, 1998.
- DU CASTEL (François), *La révolution communicationnelle. Les enjeux du multimédia*, L'Harmattan, Paris, 1995.
- RIFKIN (Jeremy), *L'âge de l'accès*, La Découverte, Paris, 2000.

Revues et rapports :

- *Livre vert de la Commission européenne sur la convergence dans la société de l'information*, 1996.
- Rapport du Commissariat général du plan, *L'infosphère : stratégie des médias et rôle de l'État*, La Documentation française, Paris, 2000.

Cookie

Le terme *cookie* est utilisé pour désigner un stock d'informations enregistré par un serveur à chaque clic de souris de l'utilisateur sur une page web, résidant en mémoire vive et éventuellement sauvegardé sur le disque dur pour une durée variable dans un fichier texte situé sur son ordinateur. Ces informations peuvent être relues et modifiées ultérieurement par ce même serveur. Un *cookie* est composé de variables échangées entre le logiciel client et le serveur lors de transactions HTTP, et qui sont stockées dans un simple fichier texte écrit et lu par le navigateur de l'utilisateur sur son ordinateur. Ce dernier peut y accéder mais aussi le rectifier, le détruire.

Véritable outil d'individualisation et d'identification des internautes, le *cookie,* appelé parfois mouchard en français, se rattache nécessairement à un nom de domaine et à un ensemble d'URL, afin que seule une requête issue du même serveur puisse y accéder. À titre d'illustration, les informations qui peuvent être contenues dans un *cookie* sont la date et l'heure de la visite de l'internaute, une réponse à un questionnaire rempli sur le site visité ou encore une information personnelle recueillie par le serveur.

Si les *cookies* présentent certains avantages, notamment en permettant de créer des profils de comportements individuels, et de développer l'aspect convivial d'un site web, leur développement suscite un véritable débat autour de la protection des données personnelles. Les informations collectées sur une personne donnée sont en effet utilisées par des sociétés d'études de marché, des compagnies d'assurance ou encore par les autorités de police.

On ne peut parler de vide juridique en matière de traitement automatisé d'informations personnelles, en raison de la réglementation existant en matière de protection des données personnelles. En France, les principes de collecte loyale des informations et de droit d'accès aux informations collectées ont conduit la CNIL à émettre des réserves sur l'utilisation des *cookies* qui suivent, voire « pistent », la plupart du temps l'internaute à son insu, alors que toute personne dont les données sont collectées par l'intermédiaire des *cookies* devrait en être préalablement informée.

La difficulté provient essentiellement d'un vide technique, voire déontologique, sur le problème des *cookies*. Si une personne avertie parvient à déceler et à éliminer les *cookies* du disque dur de l'utilisateur, elle peut en revanche difficilement déterminer leur origine, quand bien même ils seraient « signés ». Il est par conséquent difficile d'engager la responsabilité des émetteurs de *cookies*.

Webographie

- http://www.cnil.fr/
- http://europa.eu.int/ISPO/legal/
- http://www.cookiecentral.com

Copyright

Droit exclusif, pour un auteur ou pour son éditeur, d'exploiter une œuvre littéraire, artistique ou scientifique. Les références au *copyright* d'une œuvre sont signalées par le signe ©.

Courrier électronique

Le courrier électronique est un service informatique fournissant aux utilisateurs habilités les fonctions de saisie, distribution quasisimultanée et consultation différée de messages, écrits, graphiques ou sonores. Les messageries électroniques sont les systèmes techniques d'acheminement et de stockage des messages dans les boîtes aux lettres électroniques.

Nouveau mode de correspondance qui a l'avantage de permettre une réception instantanée, à la différence des services postaux, le courrier électronique est l'une des « *killer applications* » d'Internet dans la mesure où il a suscité une adhésion massive des utilisateurs.

L'usage a imposé l'expression anglaise *e-mail*, contraction d'*electronic mail*. Les mots « mél » et « courriel » n'ont pas été consacrés par l'usage, ni en France, ni au Québec.

Cracker

Pirate du réseau, le *cracker*, contrairement au *hacker*, exerce des activités informatiques illégales. Le mot est traduit, en français, par saboteur ou par pirate informatique. Ses intentions sont délibérément malveillantes, voire criminelles : s'introduire sur les réseaux par effraction en forçant les codes d'accès et créer des dommages sur les machines en essaimant des virus. Le *cracker* envoie ses programmes afin de détruire les systèmes informatiques, d'effacer les mémoires des ordinateurs. Le *cracker* peut aussi chercher à s'emparer des codes secrets afin d'obtenir des données confidentielles et les utiliser pour son propre compte. Les objectifs du *cracker* sont donc divers et parfois difficiles à identifier : curiosité déplacée, atteinte à la vie privée, vol, destruction ou modification de documents, inoculation délibérée de virus informatiques... Robert Morris est le plus ancien parmi ces « criminels informatiques » : en 1988, il réussit à infecter en quelques jours près de 15 % des 60 000 ordinateurs reliés à Internet. En 1994, Vladimir Levin, mathématicien de Saint-Pétersbourg, réussit à détourner 400 000 dollars en s'introduisant dans les réseaux informatiques de la Citibank. Kevin Mitnick, accusé d'intrusions informatiques et de vol de numéros de cartes bancaires, est en prison aux États-Unis depuis 1995 : ses admirateurs ont fait de lui un martyr et un bouc émissaire. Les *crackers* sont parfois dénommés *spiders* : comme les araignées, ils se cachent après leurs forfaits. Les conséquences de l'action des *crackers* peuvent être très dommageables, notamment sur le développement du commerce électronique.

Cryptographie

Ensemble de techniques modifiant des données informatiques afin de protéger la transmission et la réception des informations dont elles sont porteuses. Cette modification s'effectue à l'aide de codes secrets (appelés également « clefs » ou « conventions secrètes »), sans la connaissance desquels tout contenu chiffré ou « crypté » demeure inintelligible pour des tiers. Si les technologies de l'information rendent de multiples services aux individus comme aux personnes morales, elles créent aussi de nouveaux risques et des vulnérabilités susceptibles d'être exploitées par des personnes mal intentionnées. L'une des réponses à ces dangers est le recours à la cryptographie, science visant, d'une part, à assurer la sécurité et la confidentialité des informations et, d'autre part, à authentifier les utilisateurs, assurant ainsi la fiabilité et la reconnaissance de la signature électronique.

La cryptographie et la cryptanalyse (recherche visant à casser les méthodes de chiffrement en restituant un texte clair à partir d'un texte chiffré) constituent la cryptologie, d'après la définition de la direction informatique, unité Conseil et Évaluation technique de la Commission européenne. Selon la loi française du 29 décembre 1990, qui a rendu la cryptologie accessible au domaine privé, celle-ci se définit comme les « moyens qui visent à transformer à l'aide de convention secrète des informations ou signaux clairs en informations ou signaux inintelligibles pour des tiers ou réaliser l'opération inverse, grâce à des moyens, matériels ou logiciels, conçus à cet effet ».

Les techniques de cryptage

À l'origine essentiellement utilisée à des fins militaires, la cryptographie s'est diffusée dans les secteurs civils en raison de la croissance des échanges de données numériques et l'essor du commerce sur Internet. Elle se fonde sur une clef électronique construite à partir d'une chaîne de caractères ou, le plus souvent, de nombres. Son déchiffrement se fait par l'intermédiaire d'une clef de déchiffrement.

La cryptographie symétrique

La cryptographie recouvre divers procédés techniques de cryptage, dont la cryptographie symétrique, qui est un procédé simple basé sur une seule clef, utilisée pour le chiffrement et le déchiffrement des informations, entre deux personnes – l'émetteur et le destinataire du cryptogramme – et échangée par le biais d'un protocole d'accord d'échange de clefs. Cette méthode, employant des clefs identiques gardées secrètes, fait appel à un algorithme qui transforme un bloc de données de taille fixe en un bloc de même longueur. C'est pourquoi elle est également qualifiée de « cryptage par bloc » (*block cipher*). Le procédé le plus connu est le DES (*Data Encryption Standard*), développé en 1976 par IBM et adopté comme norme de cryptage par l'administration américaine en 1977, qui se fonde sur la transcription ou la substitution de caractères.

Toutefois, ce type de gestion de clefs pose problème dans la mesure où la multiplication du nombre des utilisateurs accroît considérablement le nombre de clefs secrètes à partager.

La cryptographie asymétrique

La cryptographie asymétrique, dite « à clef publique », est préférée à la cryptographie symétrique, dans la mesure où elle permet de chiffrer et de signer des échanges de messages entre deux personnes sans qu'il soit nécessaire de disposer de clefs secrètes communes, car les algorithmes de cryptage et décryptage sont eux-mêmes différents. La cryptographie asymétrique est souvent utilisée en raison de sa gestion simple et de sa plus grande fiabilité, notamment dans le cadre du commerce électronique sur Internet, espace dans lequel, la plupart du temps, les parties ne se connaissent pas.

La cryptographie asymétrique se divise en deux catégories :

• Les systèmes de cryptographie à clef publique, dans lesquels la clef chiffrante est publique et la clef déchiffrante est privée. Le plus répandu est le système RSA, du nom de ses inventeurs, Ronald Rivest, Adi Shamir et Leonard Adelman, et créé en 1977.

• Les systèmes de cryptographie à clefs mixtes, utilisés notamment par le protocole SET (*Secure Electronic Transaction*). D'une part, la clef publique, remise au destinataire, est destinée à vérifier une signature et à garantir que les données proviennent du bon émetteur. Elle peut être publiée par l'émetteur mais doit toujours rester intègre. D'autre part, la clef privée assure l'identité de l'émetteur du message – elle permet de générer la signature. De plus, seul l'émetteur peut y accéder, car la clef privée doit rester secrète. Cette technique de cryptage permet de réduire le nombre de clefs utilisées : une seule clef privée permet de lire tous les messages, alors que dans le cas du cryptage à clef secrète, celui qui reçoit le message doit d'abord identifier son émetteur pour savoir quelle clef utiliser pour le décrypter. Ainsi, le destinataire peut, à l'aide de la clef publique, vérifier que les deux clefs forment une paire de clefs complémentaires et cryptographiquement indissociables. En effet, les données ne sont accessibles qu'à l'aide des deux clefs combinées (ou « bi-clef ») apportées par chaque partie.

La datation, enfin, utilise le principe de la signature en aveugle (*blind signature*), inscrite sur un document par une identité qui n'a pas accès à son contenu, c'est-à-dire concrètement par un service de datation qui a recours à un cryptage asymétrique qui change à chaque instant et de façon aléatoire.

La cryptographie revêt une importance capitale dans le domaine d'Internet dans la mesure où elle assure la protection des données personnelles et la confidentialité des échanges. Cependant, le cryptage des données est aussi susceptible de favoriser le développement d'actes de délinquance et d'agissements criminels. En effet, le chiffrement peut faciliter la dissimulation de ces actes et menacer ainsi la protection des personnes et des biens, voire la défense nationale et la sécurité intérieure.

Vers une certaine libéralisation de la cryptographie

Le dilemme de la réglementation de la cryptographie a été résolu aux États-Unis par le recours au Second Amendement à la Constitution qui consacre le droit de détenir et de porter des armes, le cryptage des données étant considéré comme une arme dans de nombreux États. Cependant, alors que la majeure partie des logiciels de cryptage sont conçus aux États-Unis, leur exportation est strictement encadrée. Ainsi, les logiciels peuvent être exportés à la condition qu'ils soient limités à une certaine longueur de clefs (codées à 56 bits au plus, alors que les spécialistes de la cryptographie considèrent cette limite insuffisante pour empêcher les intrusions et le décryptage par des tiers bien « équipés »).

La position française a, quant à elle, récemment évolué vers une libéralisation de la cryptographie. Jusqu'à la fin des années 1990, la France prohibait le cryptage, considérant que seul l'État – par le biais de ses services d'espionnage et de contre-espionnage – avait le droit de crypter des données et informations confidentielles dont la divulgation nuirait à l'ordre public, voire à la sécurité de l'État. Un décret-loi de 1939 classe même les produits de cryptographie dans la catégorie des matériels de guerre de seconde catégorie [1]. Toutefois, la pression des utilisateurs d'Internet et surtout des entreprises (soumises à une concurrence internationale croissante et souhaitant se protéger contre l'espionnage commercial et industriel) a conduit les autorités françaises à libérer la cryptographie, considérée comme « un moyen essentiel pour protéger la confidentialité des échanges et la protection de la vie privée [2] ». La nécessité de protéger les données est d'ailleurs consacrée par les textes communautaires et notamment par la directive sur le commerce électronique du 8 juin 2000, qui vise à établir la confiance des individus et des entreprises à l'égard d'Internet, souvent suspecté (à raison) d'être un espace non sécurisé pour les données personnelles et qui permet à des tiers – par le biais de moyens d'espionnage électroniques – d'effectuer des intrusions illicites dans la vie privée des personnes.

En France, la libéralisation de la cryptographie n'a pas éliminé tout encadrement réglementaire. Si le seuil de la cryptologie dont l'utilisation est libre a été relevé en 1999 de 40 bits à 128 bits (niveau jugé élevé en termes de sécurité par les experts de la cryptographie), des formalités de déclaration préalable existent, notamment pour la fourniture de matériels ou logiciels offrant un service de confidentialité mis en œuvre par un algorithme dont la clef est d'une longueur supérieure à 40 bits mais inférieure ou égale à 128 bits. Certaines formalités

1. Décret-loi du 18 avril 1939 fixant le régime des matériels de guerre, armes et munitions.

2. Lionel Jospin, Comité interministériel pour la société de l'information, 19 janvier 1999.

d'autorisation sont même requises dans des cas spécifiques, quand la longueur de clefs est par exemple supérieure à 128 bits. Ces formalités doivent toujours être effectuées auprès de la direction centrale de la Sécurité des systèmes d'information (DCSSI). Cette autorité est chargée d'apprécier le degré de protection des systèmes d'information publics et de coordonner les développements et recherches sur la sécurité des systèmes d'information. Ceci concerne également les téléphones mobiles ou les lecteurs de DVD, dont la fourniture ou l'importation est libre, alors que d'autres matériels notamment d'authentification et de chiffrement de fichiers, sont étroitement contrôlés.

Enfin, la mondialisation des échanges notamment informationnels et la nécessaire protection des données n'ont pas seulement conduit les États à élaborer leurs propres textes réglementaires. Elles les ont également encouragés à coopérer entre eux, en particulier au sein de l'Union européenne (voir les différentes directives communautaires mentionnées ci-dessus) et d'autres organisations internationales. Ainsi, depuis 1996, la plupart des pays membres de l'OCDE (Organisation de coopération et de développement économique) sont membres de l'Arrangement de Wassenaar relatif au contrôle des exportations d'armes conventionnelles et de biens et techniques à double usage. Cet accord régit essentiellement les contrôles à l'exportation des produits et technologies de cryptographie

Une telle coopération internationale exige aussi la mise en œuvre de textes harmonisant (ou du moins, aménageant) les réglementations nationales afin de lutter plus efficacement contre la criminalité sur les réseaux et contre les trafics prohibés (drogue, pédophilie, blanchiment d'argent, etc.). La cryptographie oscille donc entre un régime de liberté ouvert aux citoyens comme aux entreprises, permettant de se procurer les moyens et techniques pour crypter leurs données et un régime de restriction, notamment pour l'accès à certains logiciels de cryptage plus difficiles à violer et qui demeurent réservés à l'usage des États. Autrement dit, une liberté surveillée.

Normalisation des outils de cryptage et protocoles de transactions sécurisées

Face au développement des réseaux, d'Internet et surtout du commerce électronique, d'autres fonctions de négociations supplémentaires sont aujourd'hui considérées comme essentielles pour sécuriser une transaction. Selon l'ISO, les outils de cryptage doivent désormais répondre aux cinq critères suivants :

1. L'authentification des parties en présence, qui doivent correspondre aux personnes effectivement connectées. Le cryptage d'un document par une clef asymétrique privée constitue une signature juridiquement acceptable de ce document si l'utilisateur s'engage à garder cette clef privée secrète.

2. Le filtrage d'accès, indispensable pour limiter et contrôler l'ensemble des utilisateurs possédant un droit d'accès à des informations ou à des données. Il peut notamment s'effectuer par un mot de passe.

3. La confidentialité des informations relatives aux consommateurs, les marchands et même les transactions, assurée par le cryptage.

4. L'intégrité des données, qui ne doivent pas être altérées accidentellement ou frauduleusement pendant leur transport : aucune partie du message envoyé ne

doit être modifiée entre le moment d'envoi par l'émetteur et le moment de réception par le destinataire. Un message autorisant un prélèvement d'argent (compte bancaire ou carte de crédit) doit ainsi porter la signature du client.

5. La non-répudiation d'un des deux acteurs, qui ne peut nier le dépôt ou la remise de l'information (ou du produit), ni le contenu de cette information (ou de ce produit).

Face à ces contraintes, plusieurs protocoles de transactions sécurisées perfectionnés sont apparus sur le marché ces dernières années. Parmi ceux-ci figurent :

• Le PGP (*Pretty Good Privacy*), inventé par le chercheur Phil Zimmermann, protège les fichiers, en local ou lors de leurs transports sur les réseaux. Gratuit, simple, efficace, et polyvalent, ce protocole est cependant soumis à d'importantes restrictions d'utilisation aux États-Unis comme en Europe.

• Le S-HTTP est une extension sécurisée du protocole HTTP conçu pour le Web. Conçu pour offrir les garanties de confidentialité, d'authenticité, d'intégrité et de non-répudiation, le S-HTTP peut employer différents algorithmes de cryptage. Il crypte un à un les messages envoyés et permet de leur adjoindre une signature.

• Le SSL (*Secure Socket Layer*) est un protocole développé par Netscape. Indépendant des applications, il lui-même se greffer sur d'autres protocoles, comme HTTP ou FTP. Il repose sur l'algorithme RSA (voir *supra*). Le SSL ne s'applique pas qu'aux communications effectuées au travers du Web, il permet aussi de rehausser la sécurité des applications Intranet.

• Le SET (*Secure Electronic Transaction*), développé conjointement par Visa et Mastercard, avec la participation de Microsoft, IBM et Netscape. Ce protocole, qui est dans le domaine public depuis 1996, est une spécification technique visant à assurer au meilleur coût les transactions par carte bancaire sur les réseaux ouverts comme Internet. Sa principale innovation est le principe de la « double signature » : l'acheteur envoie simultanément son offre au commerçant et les instructions de paiement à la banque.

Il présente cependant deux contraintes : les deux opérations sont mutuellement conditionnées et le contenu de la commande doit être caché à la banque, de même que les instructions de paiement doivent être cachées au commerçant. Par ailleurs, son fonctionnement est d'ordre strictement logiciel, d'où certaines faiblesses : pas d'identification fiable du client, pas de véritable principe de répudiation, et enfin une protection de l'utilisateur uniquement par mot de passe entré au clavier, d'où un risque de piratage. La norme C-SET (*Chip-Secure Electronic Transaction*) reprend tous les principes du protocole SET mais en les adaptant à un environnement sécuritaire physique (carte à puce). Elle nécessite des lecteurs agréés par le Groupement des cartes bancaires et sa compatibilité avec le SET est assurée par l'intermédiaire de traducteurs.

Bibliographie

Ouvrages :

- DUBERTRET (G.), *Initiation à la cryptologie*, Vuibert, Paris, 2000.
- SCHNEIER (Bruce), VAUCLAIR (Marc), *Cryptographie appliquée*, Magnard, Paris, 2000.
- STINSON (Douglas), *Cryptographie : théorie et pratique*, Magnard, Paris, 1999.
- ZEMOR (G.), *Cours de cryptographie*, Cassini, Paris, 1999.

Webographie

- http://www.weblmi.com/
- http://menardg.altasecu.com/
- http://www.pgpi.com
- http://www.rsasecurity.com/
- http://squaldesmers.multimania.com/
- www.cegptofractal.fr.fm
- http://www.cryptonline.com

CSA (Conseil supérieur de l'audiovisuel)

Le Conseil supérieur de l'audiovisuel (CSA) est une autorité administrative indépendante créée par la loi du 17 janvier 1989, dont la mission est de garantir l'exercice de la liberté de communication audiovisuelle dans les conditions définies par la loi de 1986 relative à la liberté de communication.

Composé de neuf membres nommés par décret du président de la République, le CSA exerce sa mission grâce à des attributions variées. Garant de la bonne application des textes, il assure l'égalité de traitement, garantit l'indépendance et l'impartialité du service public de la radiodiffusion et de la télévision, tout en veillant à favoriser la libre concurrence. Il peut prononcer des sanctions administratives à l'égard des radios et télévisions publiques et privées et émettre des avis à la demande du gouvernement, concernant des projets de loi sur l'audiovisuel ou la définition de règles applicables aux activités relevant de sa compétence. Le CSA délivre également des autorisations d'émettre aux radios de la bande FM et aux télévisions privées.

Aux termes de la loi du 30 septembre 1986, la communication audiovisuelle comprend « toute mise à disposition du public ou de catégorie du public, par un procédé de télécommunication, de signes, de signaux, d'écrits, d'images, de sons ou de messages de toute mesure qui n'ont pas le caractère d'une correspondance privée ».

C'est grâce à cette définition particulièrement large que les pages web ont été assimilées à un mode de consultation audiovisuelle et comprises dans le domaine de compétence du CSA.

Assimilé à un mode de communication audiovisuelle, Internet s'est ainsi trouvé dans le champ d'application du dispositif de la loi du 30 septembre 1986, qui soumet toute personne, entreprise ou administration mettant en œuvre un service de communication audiovisuelle à une obligation de déclaration auprès du CSA et du procureur de la République.

Cependant, l'obligation de déclaration des sites web ne tenait pas compte des spécificités d'Internet, environnement sans frontière dans lequel des sites apparaissent et disparaissent à tout instant. Méconnue ou inappliquée, cette obligation de déclaration des sites web a été supprimée par la loi du 1er août 2000 sur l'audiovisuel.

Le CSA a perdu là l'une de ses prérogatives principales dans le domaine de l'Internet. Il est désormais principalement chargé de contrôler les télévisions et radios ayant pour support Internet. Sa mission est cependant en cours de redéfinition.

S'il est clair qu'Internet est un phénomène beaucoup plus vaste et divers que la simple communication audiovisuelle, le CSA conserve un rôle à jouer dans sa régulation aux côtés d'autres autorités telles que l'ART ou la CNIL et des acteurs privés.

Webographie

- http://www.csa.fr

Cybermonde

Équivalent français de *cyberspace*, mot inventé par le romancier américain de science-fiction William Gibson et utilisé pour la première fois, en 1984, dans son livre *Neuromancer*. Il désigne tout à la fois l'infrastructure de réseaux qui relient des terminaux dans le monde entier, les informations échangées et les individus qui l'utilisent. Dans cet univers de communication, le cybermonde, les individus conversent, échangent des informations, travaillent, s'instruisent, commercent en temps réel et sans se rencontrer physiquement. Les internautes – ou cybernautes –, reliés les uns aux autres grâce aux réseaux interconnectés de communication, sont censés construire un monde nouveau, ayant ses propres règles d'organisation et de fonctionnement, son langage et ses valeurs qui n'appartiennent qu'à lui.

Cybersquatting

Occupation illégitime d'un nom de domaine. Le *cybersquatting* consiste à réserver un nom de domaine correspondant à une dénomination connue afin de le revendre à l'entreprise titulaire de la dénomination concernée. Le *cybersquatting* a déjà fait l'objet de nombreux contentieux.

C

Dégroupage

Ensemble des techniques qui permettent aux nouveaux opérateurs téléphoniques d'accéder aux seuls éléments du réseau dont ils ont besoin dans le cadre de leur stratégie d'offre de services de téléphonie et d'accès Internet concurrents de ceux de l'opérateur historique.

Le dégroupage concerne principalement la boucle locale et les services aux abonnés. Le règlement CE n°2885/2000 du 27 octobre 2000 sur l'accès dégroupé à la boucle locale impose aux opérateurs historiques européens de permettre aux opérateurs concurrents d'accéder à la boucle locale et aux prestations associées (informations et équipements nécessaires).

La régulation du dégroupage de la boucle locale est assurée en France par l'ART et le Conseil de la concurrence.

Le dégroupage de la boucle locale devrait être effectif en France au 1er janvier 2002.

Déréglementation

La déréglementation peut se définir comme l'abandon, total ou partiel, des prérogatives légales ou réglementaires que la puissance publique exerçait sur un secteur d'activité, au profit de son ouverture à la concurrence. La plupart des économistes estiment que l'acte fondateur du mouvement de déréglementation est le *Airline Deregulation Act* signé par le président Jimmy Carter en 1978. L'aéronautique civile américaine vivait jusqu'alors sous le régime du *Civil Aeronautic Act* de 1938 qui lui imposait une lourde tutelle économique : octroi de droits de trafic en fonction de la solidité financière et des capacités globales de transport des exploitants, contrôle des tarifs, des ententes et des fusions ainsi que des subventions. À partir de 1978, aucune autorisation n'est plus nécessaire pour créer ou exploiter une compagnie aérienne. La liberté des tarifs est totale. Si une ville américaine veut obtenir ou renforcer un service aérien, elle peut cependant avoir recours à un mécanisme d'appel d'offre pour accorder des subventions à un opérateur. Les conséquences de cette première déréglementation seront spectaculaires pour le consommateur : baisse générale des prix consécutive à la mise en concurrence des exploitants, multiplication des liaisons (réseaux *hubs and spokes*), restructuration de la profession, se soldant parfois par un fort retrait, voire, dans certains cas, la disparition des anciens opérateurs.

La deuxième grande étape dans le processus de déréglementation intervient en 1984 quand AT&T se voit contraint par le juge Harold Green d'abandonner son monopole d'exploitation sur le téléphone américain. Cette décision judiciaire aura pour conséquence le transfert de la gestion des réseaux locaux et régionaux à sept compagnies régionales indépendantes. AT&T ne conservera que la compagnie industrielle Western Electric, les Bell Laboratories, les réseaux à longue distance et se verra reconnaître en retour le droit d'intervenir dans l'informatique et les services à valeur ajoutée. Un régime de concessions géographiques complétera plus tard ce premier dispositif.

Le retour du marché

Transport aérien, mais aussi télécommunications, énergie, finance, la déréglementation des monopoles publics s'est poursuivie en Europe, et particulièrement en France, sous l'influence des directives communautaires. Elle s'est également diffusée dans les pays du bloc de l'Est, la désoviétisation entraînant l'introduction d'un régime de liberté économique, et dans les pays émergents d'Amérique latine et d'Asie du Sud-Est, contraints par la Banque mondiale et le FMI à de profondes réformes économiques. Dans une certaine mesure, la déréglementation s'inscrit dans une perspective inverse des thèses keynésiennes, qui conféraient des années 1930 à la fin des années 1970, un rôle important à l'État dans la régulation de l'économie. Les vingt dernières années sont marquées par un retour à des mécanismes de marché. La déréglementation est survenue dans un contexte de désinflation et de globalisation des échanges. Une de ses causes est sans doute les difficultés rencontrées par les grands monopoles publics, surtout européens, à s'ouvrir à l'international. Sureffectifs, corporatisme, résistance à l'innovation et aux mutations technologiques, les entreprises ont souffert du poids de leurs structures dans un marché devenu globalement concurrentiel.

En France, le monopole public sur les lignes téléphoniques, puis sur l'espace radioélectrique remontait au milieu du XIXe siècle et au début du XXe (décret-loi du 27 décembre 1851 et loi du 30 juin 1923). Pour la puissance publique, le contrôle de l'émission et de la réception des signaux radioélectriques se justifiait à l'époque par la rareté des fréquences hertziennes, l'inaliénabilité du domaine public, le respect des conventions internationales relatives à la répartition des fréquences, l'exercice de la souveraineté nationale et la sécurité du pays.

La déréglementation des télécommunications françaises interviendra par étapes à partir du milieu des années 1980. Son point de départ est la loi du 30 septembre 1986 sur la liberté de communication, qui comportait un volet « télécommunications » introduisant un régime de séparation entre les fonctions de réglementation et d'exploitation. La loi du 29 décembre 1990 va ensuite libéraliser la transmission de données. Quelques mois auparavant, la loi du 2 juillet 1990 relative à l'organisation du service public de la poste et des télécommunications avait créé deux personnes morales indépendantes : La Poste et France Télécom. Sept ans plus tard, le 1er janvier 1997, France Télécom sera transformé en société par actions, une partie de son capital étant mise sur le marché à la fin de cette même année. En 1996 (loi du 26 juillet), l'ensemble du secteur sera ouvert à la concurrence selon un calendrier précis, en 1998, tous les services de télécommunications (transmission de la voix, de données et d'images) seront libéralisés dans l'Hexagone, à l'exception de l'exploitation de la boucle locale (la partie entre l'autocommutateur et l'abonné). Ce dernier bastion du monopole détenu par l'opérateur historique sur les communications locales est tombé le 1er janvier 2001 : les télécommunications françaises, dans tous leurs aspects, sont désormais ouvertes aux opérateurs alternatifs.

Reconstitution de positions dominantes

La déréglementation a remis en question les grands services publics nationaux par un profond changement de leurs statuts, de leurs structures, et du régime de la concurrence. Reste à savoir dans quelles conditions celle-ci va s'exercer. Les télécommunications, comme toutes les industries de réseaux, se caractérisent par des rendements croissants importants : produire davantage, à partir d'un certain seuil d'investissement, ne coûte pratiquement rien, mais engendre des recettes importantes. Ce phénomène est favorable à la concentration, d'où le risque de reconstitution de monopoles, sous une forme différente de celle de l'exploitation publique. Dans le transport aérien, plus de vingt ans après sa déréglementation aux États-Unis, la concurrence est aujourd'hui menacée par les fusions et la formation d'alliances internationales. Dans un autre registre, la spéculation boursière en 1999/2000 sur les sociétés de télécommunications et celles du secteur Internet peuvent s'expliquer par une anticipation de croissance fondée sur l'espoir d'un effet de monopole sur les futurs réseaux de communications. La course à la taille, en particulier sur les nouveaux segments d'activité (téléphonie mobile et accès à Internet), peut aussi s'analyser comme une tentative de reconstitution de positions dominantes. Face à la menace de nouvelles atteintes à la concurrence, certains préconisent de transférer la régulation des réseaux à des autorités internationales.

Bibliographie

Ouvrages :

- CHAMOUX (Jean-Pierre), *Droit de la communication*, PUF, Paris, 1994.
- DERIEUX (Emmanuel), *Droit des médias*, 2e éd., Dalloz, Paris, 2001.
- SHAPIRO (Carl), VARIAN (Hal R.), *Économie de l'information, guide stratégique de l'économie des réseaux*, De Boeck Université, Belin, Bruxelles, 1998.
- STOFFAES (Christian), *Entre monopole et concurrence : la régulation de l'énergie en perspective historique*, FAU, 1994.
- TOUSSAINT-DESMOULINS (Nadine), *L'économie des médias*, PUF, Paris, 1996.
- TURPIN (Etienne), *La firme et le Net, Des télécoms à l'Internet : économie d'une mutation*, Eyrolles, Paris, 1999.

Revues et Rapports :

- Rapport du Sénat n° 331, *Des pyramides du pouvoir aux réseaux de savoirs : comment les nouvelles technologies de l'information vont aider la France à entrer dans le XXIe siècle*, TRÉGOUET (René), Commissions des Finances, 1997-1998.

Webographie

- http://www.idate.fr/maj/bienvenue.html

D

Didacticiel

Programme d'apprentissage inclus dans un logiciel. Il permet à l'utilisateur de comprendre les fonctions de base du programme grâce à des leçons simplifiées. De plus, une fonction d'aide est disponible à l'occasion d'un problème particulier. Contrairement au mode d'emploi du logiciel, le didacticiel est interactif et tient compte du contexte dans lequel le problème intervient.

Disque compact (CD)

Disque optique de faible dimension, amovible, d'un usage grand public ou professionnel, pouvant contenir une grande quantité d'informations.

12 centimètres de diamètre, 1,2 mm d'épaisseur, une piste en spirale de 5,37 kilomètres de long, 600 spires par millimètre et un pas de spire de 1,66 micron : le premier disque compact (CD audio, en anglais : *Compact Disc-Digital Audio*, CD-DA) est lancé en 1982. Il a été mis au point par Philips et Sony qui publieront dès sa mise sur le marché un « Livre rouge ». Cet ouvrage, qui livre les spécifications techniques du CD audio, sera à la base du développement de tous les autres types de disques compacts, déterminant ainsi un standard de fait.

Le CD audio, dont la capacité standard est de 601 mégaoctets (Mo) et la capacité maximale de 764 Mo, permet une durée maximale d'enregistrement, en qualité haute-fidélité, de 74 minutes (20 minutes avec un diamètre réduit à 8 centimètres au lieu de 12). Son agrément et sa facilité d'utilisation lui ont permis de supplanter le microsillon en vinyl dans le grand public en moins de cinq ans. Le CD audio a en effet offert dès son lancement une palette d'avantages innovants face aux précédents supports d'enregistrement, disques vinyl, mais également supports magnétiques (bandes et cassettes). Parmi ceux-ci :

– une restitution du son de très grande qualité (« son laser ») ;

– une grande résistance aux manipulations : le disque possède un revêtement métallique recouvert d'un vernis de protection ;

– une usure nulle, car la tête de lecture n'est pas en contact avec le support (lecture par faisceau laser) ;

– une dimension réduite permettant de constituer de vastes audiothèques dans des volumes réduits.

Le premier inconvénient du CD n'est pas d'ordre technique mais commercial. Il s'est révélé à la fin des années 1990 avec la diffusion de lecteurs-enregistreurs de disques compacts, cause d'un manque à gagner des éditeurs de programmes. Des « verrous » numériques ont été rapidement mis en place pour limiter, voire interdire, les possibilités de copies. Mais les systèmes mis en place à ce jour ne sont pas totalement efficaces.

La famille des CD va s'étoffer dans quatre directions : l'informatique (CD-Rom et CD-Rom-XA), le multimédia grand public (CD-I), la photo (Photo-CD), la vidéo (Vidéo-CD), qui va franchir une nouvelle étape avec le DVD. Au total, en comptant ses variantes et les CD spécialisés, on compte environ plus d'une vingtaine de types de disques compacts différents (cf. La grande famille des CD, p. 78).

La première évolution du CD audio est le CD-Rom (en anglais : *Compact Disc-Read Only Memory*), dont le nom officiel, en français, est cédérom. Conçu pour des applications informatiques, il est apparu en 1985. Ses caractéristiques techniques sont contenues dans un « Livre jaune » rédigé à nouveau par Philips et Sony. À la fin des années 1990, une version améliorée du CD-Rom, le CD-Rom-XA, pour *eXtanded Architecture*, est lancée pour favoriser le développement de nouvelles applications. En plus des données, le CD-Rom-XA gère les images et le son. Le CD-Rom va très vite investir l'ordinateur personnel. En France, moins de 50 000 micro-ordinateurs étaient équipés de lecteurs de CD-Rom en 1992. Ils seront environ 200 000 deux ans plus tard. Depuis les années 1995-1996, aucun ordinateur personnel n'est plus vendu sans lecteur de CD-Rom.

Temps d'accès, capacité : le CD-Rom subit la concurrence du disque dur

Le CD-Rom possède cependant plusieurs inconvénients. Le temps d'accès à l'information sur ce type de support, de nature optique, est beaucoup moins rapide que sur un support de nature magnétique (disque dur, par exemple) : plus de 100 millisecondes minimum, contre 6 à 60 millisecondes pour le support magnétique. Le taux de transfert (débit du lecteur), considéré comme un peu faible au départ par les utilisateurs, a été amélioré notamment par l'accélération de la vitesse de rotation.

La capacité et le faible coût de stockage permis par le CD, impressionnants lors de son arrivée sur le marché, au regard des systèmes de mémoires de masses magnétiques, apparaissent aujourd'hui comme beaucoup moins spectaculaires avec la continuelle amélioration de la taille des disques durs. Entre 1995 et 2000, celle-ci a été multipliée par 20, en moyenne, tandis que les prix de ces matériels ne cessaient de chuter. L'arrivée du *Digital Versatile Disc* (DVD) en 1996, de la même dimension que le CD, a toutefois permis au support optique de reprendre un certain avantage en termes de capacité : un DVD-Rom, pouvant également être lu par un ordinateur, équivaut à une trentaine de CD-Rom.

Le CD-I (*Compact Disc-Interactive*) est la deuxième évolution majeure du disque compact. Le CD-I apparaît sur le marché peu après le CD-Rom-XA, dont il se pose en concurrent. Philips et Sony, rejoints par Matsushita, ont défini ses caractéristiques dans un « Livre vert » dès 1987. Philips en sera son principal promoteur. L'industriel néerlandais, qui voit dans le CD-I une technologie donnant à l'utilisateur le moyen de s'affranchir de la chaîne informatique en matière d'applications multimédias, propose des consoles s'intégrant dans les chaînes vidéo et hi-fi grand public. Cette tentative ne sera guère couronnée de succès : le succès du CD-I sera paradoxalement plus important dans le monde professionnel.

Le DVD : aboutissement ultime du CD-Rom ?

En 1992, Kodak lance le CD-Photo, lisible par les lecteurs de CD-I et de CD-Rom. Il est décliné en plusieurs versions : professionnelle, pouvant contenir 25 images de haute définition, portfolio (800 images), catalogue (4 500 images) et même médicale, réservée au marché hospitalier.

Le CD-Vidéo est l'ultime aboutissement du CD. Il représente un enjeu d'importance : concurrencer la cassette vidéo. Face à celle-ci, le CD offre trois principaux avantages. Comme il ne possède aucun dispositif mécanique susceptible de s'altérer ou de se briser, sa manipulation est quasiment sans risque. Ensuite, il permet un arrêt sur image de grande qualité. Enfin, il permet un accès direct à un endroit précis du programme. Les premiers modèles ne seront pas de véritables CD car leur diamètre est de 20 centimètres (contre 12 centimètres pour le CD). Ils seront vite abandonnés. Philips et Sony, à nouveau, proposent un nouveau système (Vidéo-CD) pouvant être lu par des lecteurs de CD-Rom et de CD-I améliorés. Toujours soucieux d'établir un standard, les deux fabricants publieront ses caractéristiques techniques dans un nouveau « Livre », cette fois de couleur blanche.

Cette dernière innovation sera balayée par le DVD (*Digital Versatile Disc*) à la fin des années 1990, qualifié au départ de HDCD (*High Density Compact Disc*). Différentes alliances regroupant d'importants acteurs du secteur électronique-informatique tenteront chacune d'imposer leur standard pour ce nouveau type de disque de forte capacité. Mais un consensus mondial s'établira autour du consortium DVD. Le DVD, qu'il soit, à l'instar du CD, de type audio, ROM ou vidéo, a la même taille et le même aspect que son prédécesseur. Mais il s'en distingue par une capacité de stockage beaucoup plus importante : on parle de gigaoctets et non plus de mégaoctets. Le DVD-vidéo peut contenir un peu plus de deux heures de programmes, ce qui est suffisant pour contenir la majorité des films. Avec le recours aux techniques de compression numérique, un modèle double face peut contenir jusqu'à huit heures de vidéo. Un DVD-Rom a la même capacité que près de trente CD-Rom.

Les lecteurs de DVD, qui peuvent lire les CD, ont commencé à être installés à la place du lecteur de CD-Rom sur les ordinateurs de gamme moyenne à partir de la fin de 1999. Pour l'instant, ils voisinent encore sur ces appareils avec des graveurs de CD. Mais des graveurs de DVD sont amenés à les remplacer.

Le succès du DVD tient surtout à sa diffusion massive dans le grand public. Plus de deux millions de lecteurs domestiques, se branchant à la fois sur un téléviseur et un système haute-fidélité, ce qui assure une excellente restitution du son, avaient déjà été vendus dans le monde à la fin de 1997, année de leur commercialisation. Ces ventes importantes ont favorisé une spectaculaire baisse des prix, encore plus rapide que pour les lecteurs de CD-audio et les micro-ordinateurs. En 2000, sur le marché français, un lecteur de DVD domestique ne coûtait déjà plus que l'équivalent d'un bon magnétoscope, contre près du double un an auparavant. La richesse des programmes (plus d'un millier de titres étaient déjà disponibles dès son lancement) est également un autre facteur de succès du DVD sur le marché domestique.

La grande famille des CD

- **CD-Audio**

L'initiateur, lancé par Philips et Sony en 1982. Ses caractéristiques techniques sont définies dans le « Livre rouge », publié par ses inventeurs.

- **CD-Bridge**

Peut être lu sur un lecteur de CD-Rom-XA et sur un lecteur de CD-I. Exemple : le disque compact photo et le Vidéo-CD.

- **CD-Catalog**

Type de CD-Photo (mis sur le marché par Kodak en 1992) contenant environ 4 500 images.

- **CD-DA**

Nom anglais du disque compact audio (*Compact Disc – Digital Audio*, « sons numériques sur disque compact »).

- **CD-E (*Compact Disc – Enregistrable*)**

Type de disque réinscriptible.

- **CD-EB (*Compact Disc – Electronic Book*)**

Disque compact lisible sur les lecteurs Datadiscman de Sony. Ils ont un diamètre de 8 centimètres. Leur capacité n'est que de 210 millions d'octets, contre 650 millions pour le disque compact standard. Ils ne contiennent pas d'images animées.

- **CD+G (*Compact Disc + Graphic*)**

Disque compact développé et commercialisé par en 1984 par Warner New Media. Ces disques sont lisibles par les lecteurs de CD-Rom-XA et de CD-I.

- **CD-Hybride (*Compact Disc – Hybride*)**

Disque compact comprenant des fichiers au format ISO 9660 et au format HFS (*Hierarchical File Structure*, « structure de fichiers hiérarchique »), développé par Appel.

- **CD-I (*Compact Disc Interactive*, « interactivité sur disque compact »)**

Disque compact pouvant contenir des images fixes ou animées, du son, données et des programmes informatiques, et jusqu'à 72 minutes d'images. Ses caractéristiques techniques sont définies dans le « Livre vert », publié par Philips et Sony.

- **CD-I Ready (*Compact Disc – Interactive Ready*)**

CD-audio contenant également des images et des textes qui ne sont accessibles que lorsque le disque est lu par un lecteur de CD-I. Ce disque a été mis sur le marché juste avant la sortie de lecteurs de CD-I pour étoffer le catalogue naissant des disques CD-I.

- **CD-Mixed Mode (*Compact Disc – Mixed Mode*, « disque compact en mode mixte »)**

CD-audio contenant également des données.

- **CD-MO (*Compact Disc – Magnetical Optical*, « disque compact magnéto-optique »)**

Disque alliant les techniques magnétiques et optiques pour l'enregistrement et la lecture d'informations. Offrant de grandes capacités de stockage, ils sont bien adaptés aux sauvegardes.

- **CD-Multisession (*Compact Disc – Multisession*, « disque compact multisession »)**

Disque compact qui a été enregistré plusieurs fois. Les CD-Multisessions sont des disques réinscriptibles.

- **CD-Photo (*Compact Disc – Photo*)**

Disque compact photo lancé par Kodak en 1992. Son nom commercial est Photo-CD.

- **CD-Plus (*Compact Disc – Plus*)**

Disque compact audio peu coûteux sur lequel sont enregistrés des programmes informatiques, des textes, des images fixes ou animées, et compatible avec tous les types de lecteurs CD existant. Le CD-Plus a été mis au point par Philips et Sony, qui ont consigné ses spécifications techniques dans le « Livre bleu ». Microsoft a intégré les pilotes du CD-Plus dans Windows 95.

- **CD-Portfolio (*Compact Disc – Portfolio*, « disque compact portfolio »)**

CD-Photo contenant 800 images ou 72 minutes de son.

- **CD-Pro (*Compact Disc – Professional*, « disque compact professionnel »)**

CD-Photo contenant 25 images en haute définition.

- **CD-R (*Compact Disc Recordable*)**

Disque compact permettant l'enregistrement de sons en une seule fois. Les CD-R sont des disques WORMs (*Write Once Read Many*, « écriture unique, lecture multiple »).

- **CD-RW (*Compact Disc ReWritable*, « disque compact réenregistrable »)**

CD permettant l'enregistrement du son de manière illimitée. Plus cher que le CD-R, il nécessite un lecteur doté de la fonction « lecture multiple ».

• **CD-Rom (*Compact Disc – Read Only Memory*, traduction littérale : « mémoire morte sur disque compact »)**

Évolution du CD audio, le CD-Rom, dont le nom français est cédérom, a été conçu pour l'informatique. Ses caractéristiques techniques sont définies dans le « Livre jaune », publié par Philips et Sony. Les CD-Rom multisessions sont partiellement réinscriptibles.

• **CD-Rom-XA (*Compact Disc – Read Only Memory – eXtanded Architecture*, traduction littérale : « mémoire morte sur disque compact – architecture avancée »)**

Amélioration du CD-Rom destiné au monde multimédia.

• **CD-TV (*Commodore Dynamic – Total Vision*)**

Système de disque interactif mis au point par Commodore et destiné au grand public.

• **CD-Video (*Compact Disc – Video*), ou Video-CD**

Disque compact vidéo mis au point par Philips et Sony. Ses caractéristiques techniques sont définies dans le « Livre blanc » publié par les deux firmes.

• **DVD (*Digital Versatil Disc*)**

Disque compact de la même dimension que le CD-Audio, mais dont les capacités de stockage sont beaucoup plus élevées. Le DVD offre une grande qualité de restitution des sons mais également des images.

Source : Afnor ; FNAC ; *Dictionnaire de l'informatique et de l'Internet 2001*, Ed. Micro Application, 2000.

Bibliographie

Ouvrages :

- NOTAISE (Jacques), BARDA (Jean), DUSANTER (Olivier), *Dictionnaire du multimédia*, Afnor, Paris, 1996.
- *Dictionnaire de l'informatique et de l'Internet 2000*, Ouvrage collectif, Micro-Applications, Paris, 2000.

Webographie

- http://www.tc.umn.edu/~erick205/Papers/paper.html (CD)
- http://www.zdwebopedia.com/TERM/c/compact_disc.html (CD)
- http://www-eu.sv.philips.com/newtech/cd.html (CD)
- http://cui.unige.ch/OSG/info/MultimediaInfo/Info/cd.html (CD)
- http://www.cd-info.com/CDIC/Technology/Terminology.html (CD)
- http://www.ac-nancy-metz.fr/services/tec/cdrom.htm (CD et DVD)
- http://perso.wanadoo.fr/bdp.40/tic/choix_pc/glossaire.htm (CD et DVD)
- http://www.multimania.com/juliana/DEBUT1.html (DVD)
- http://mapage.noos.fr/critik_online/tekno/tekno.html (DVD)
- http://www.rueducommerce.fr/dvd/wizards/faq_dvd_lexique_bas.cfm (DVD)
- http://www.DVDforum.org

Domotique

Terme désignant les matériels et les services concourant à la gestion par des moyens électroniques, informatiques et de télécommunications, d'une habitation privée ou de locaux à usage professionnel. Les dispositifs mis en place peuvent fonctionner de manière autonome ou être commandés à distance. Ils peuvent répondre à une exigence collective (gestion technique centralisée (GTC), télésurveillance, téléentretien, contrôle d'accès) ou individuelle (systèmes de sécurité (alarme anti-intrusion), gestion des ouvrants (portes, fenêtres, garage), de l'éclairage ou des appareils électroménagers).

Dotcorp

Entreprise appartenant à l'économie dite traditionnelle, développant avec succès ses activités en ayant recours à Internet, et notamment au commerce électronique, afin de conserver ou de conquérir des positions avantageuses dans son secteur d'activité. Les *dotcorps* sont vite devenues des concurrentes redoutables pour les *dotcoms*.

Dot

Le mot *dot* (« point » en français) correspond à une unité élémentaire d'affichage ou d'impression de forme généralement arrondie ou carrée qui précède l'indication de nom de domaine dans une adresse *e-mail*. Il est couramment suivi du mot « com » (« dot-com » ou « point com ») pour désigner les entreprises de la Net-économie.

D

Droit à la vie privée

Le développement des nouvelles technologies et d'Internet en particulier influence de façon croissante le fonctionnement de la société et les relations entre individus.

Toutefois, si les avantages que chacun peut en retirer sont multiples, sous l'angle notamment du développement des communications, du commerce électronique et de la libre circulation de l'information, ce développement entraîne aussi une généralisation de la collecte et du traitement de données à caractère personnel sur Internet et par là même, comporte des menaces pour la vie privée des personnes.

Parmi ces risques, certains sont récurrents : le stockage des courriers électroniques et des bases de données d'adresses, la diffusion de données nominatives, la présence de cookies, l'enregistrement des activités sur Internet, l'insertion dans la technologie d'éléments d'identification, la surveillance de l'individu par le fournisseur de services ou par l'employeur, l'interception des communications, les attaques des systèmes informatiques, notamment par le biais d'applets, etc.

Le droit à la vie privée est la base juridique de toute défense contre ces menaces.

Évolution de la notion de vie privée

La notion de vie privée est couramment employée aujourd'hui et figure parmi les grands enjeux intéressant Internet. Elle est née il y a plus d'un siècle, avec le développement de la photographie et l'émergence de contentieux déclenchés par certaines personnes qui, photographiées, s'opposaient à la diffusion de leur image ou d'autres données sur leur vie privée.

Dans un traité de 1888, le juge américain Thomas Cooley évoquait le « droit d'être laissé en paix » (*the right to be let alone*) dans le contexte de la protection contre les atteintes à l'intégrité corporelle. Cette expression a été reprise deux ans plus tard dans un essai célèbre par deux grands juristes américains, Samuel D. Warren et Louis D. Brandeis [1]. Cet article relatif aux atteintes à la vie privée occasionnées par les images photographiques plaidait en faveur de la création d'un droit général à la protection de la vie privée, qui autoriserait chaque personne à empêcher la presse

1. Warren and Brandeis, « The Right to Privacy », 4 *Harvard Law Review*, 1890, 193 à 204.

d'utiliser sans autorisation des éléments appartenant à sa vie privée. L'analyse a été complétée quelques décennies plus tard par l'article du juriste américain William L. Prosser relatif au *right to privacy*, droit d'une personne à conserver son anonymat. Cet article distingue quatre comportements délictueux susceptibles de porter atteinte à la vie privée : l'intrusion dans l'intimité (*intrusion*), la publication de faits appartenant à la vie privée (*publicity of private facts*), la présentation d'une personne sous un jour défavorable ou trompeur (*false light*) et l'appropriation du nom ou de la ressemblance d'une personne (*appropriation*) [1].

Aujourd'hui, le droit à la vie privée est considéré comme un élément essentiel d'autres droits, tels que le droit à la vie, à la liberté et à la sécurité. Il concerne également la protection des données personnelles, le caractère privé des lieux qui entourent la personne, le droit de préserver sa propre identité, mais aussi le droit à l'image, de plus en plus appliqué à Internet. En effet, Internet permet non seulement l'accès à des informations écrites, mais également à des sons ou encore, à des images, qui font de plus en plus l'objet d'une exploitation commerciale.

Le respect du droit à la vie privée et du droit à l'image : une réelle nécessité sur Internet

Les instruments juridiques existant à l'échelle internationale consacrent le droit à la protection de la vie privée, considéré comme l'un des droits de l'homme fondamentaux. Ainsi en est-il pour le Pacte international relatif aux droits civils et politiques, la Convention européenne des droits de l'homme, l'*American Convention on Human Rights* et la Déclaration universelle des droits de l'homme, qui reconnaissent unanimement la nécessité de protéger la vie privée. La Déclaration universelle énonce ainsi que « nul ne sera l'objet d'immixtions arbitraires dans sa vie privée, sa famille, son domicile ou sa correspondance, ni d'atteintes à son honneur et à sa réputation. Toute personne a droit à la protection de la loi contre de telles immixtions ou de telles atteintes ». De telles dispositions prennent une dimension nouvelle avec le développement d'Internet, dans la mesure où par exemple, les communications privées (les courriers électroniques en particulier) sont susceptibles d'être interceptées par des « intrus » sur le réseau.

D'autres textes rappellent la nécessité de respecter le droit à la vie privée, tels que la directive communautaire du 24 octobre 1995 relative à la protection des données personnelles et à la libre circulation de ces données (images, sons, etc.), qui peuvent être collectées, transmises, manipulées ou communiquées sur Internet. Ainsi, le traitement des données personnelles est en principe interdit dès lors que ces données révèlent la santé, la vie sexuelle, l'origine raciale ou ethnique, les opinions politiques, les convictions religieuses ou philosophiques ou l'appartenance syndicale de la personne intéressée.

Enfin, le droit français prévoit que chacun a droit au respect de sa vie privée [2]. Cette notion n'a pas été définie par la loi, mais ses contours se sont formés avec la jurisprudence qui considère que la vie privée couvre l'ensemble du comportement « intime » de la personne, à savoir son identité (nom patronymique, adresse, numéro de téléphone), sa vie sentimentale, conjugale et sexuelle et ses convictions et ses pratiques religieuses. L'état de santé de la personne appartient également à la

1. Prosser, « Privacy », 48 *California Law Review*, 1960, 383 à 423.

2. Article 9 du Code civil.

vie privée et ne doit pas être divulgué, quel que soit le support, y compris sur Internet. En 1996, les juges français ont ainsi interdit la diffusion sur Internet de l'ouvrage du docteur Gubler, *Le Grand Secret*, qui révélait la maladie du président Mitterrand.

La plupart des régimes juridiques reconnaissent également l'existence d'un corollaire du droit à la vie privée, le droit à l'image, défini comme le droit de toute personne à s'opposer à la reproduction de son image sans son autorisation. C'est un droit négatif – droit à la non-reproduction de l'image –, comme l'est le droit à la vie privée, qui est un droit à la non-divulgation de sa vie personnelle.

Le droit à l'image connaît des développements différents selon les pays. Le droit anglais protège faiblement le droit à la vie privée et le droit à l'image, alors que les États-Unis reconnaissent à toute personne le droit d'interdire la diffusion non autorisée de son image. Les juges américains consacrent ce droit pour les personnalités publiques, à l'aide du concept du *right of publicity*, droit d'une personnalité publique de contrôler l'exploitation commerciale de son image. Ils appliquent par ailleurs aux personnes privées le concept de *right to privacy*, droit d'une personne à conserver son anonymat, analysé par William L. Prosser aux États-Unis en 1960, dans l'article précédemment cité.

En France, le principe posé par le droit à l'image est le suivant : toute personne peut s'opposer, si elle n'a pas donné son autorisation expresse, à la réalisation et la reproduction de son image, qui est considérée comme un droit exclusif et un attribut de sa personnalité. Souvent défini comme une composante de la vie privée, le droit à l'image interdit toute captation d'image (qui recouvre tous les types de représentation, de la photographie à la marionnette, au dessin ou encore au sosie) sans le consentement du sujet, sauf exceptions.

Qu'il s'agisse de photographies ou de toute autre captation d'images, le développement d'Internet entraîne également des conséquences en matière de droit à l'image, comme en témoignent certaines décisions de justice relatives à la publication sur Internet de photographies. Les tribunaux français ont ainsi condamné [1] la diffusion sur un site web de plusieurs clichés personnels scannés d'un mannequin, considérant que tout individu a sur son image et sur l'utilisation qui en est faite un droit absolu et que ce droit l'autorise à s'opposer à sa reproduction et à sa diffusion sans son autorisation expresse, quel que soit le support utilisé. De plus, les atteintes au droit à l'image sur Internet peuvent être sanctionnées par un tribunal national (par exemple, français), quand bien même la personne photographiée ne serait pas française et l'image prise hors du territoire français.

Les limites au droit à la vie privée et au droit à l'image

Aucun des droits relatifs à la vie privée n'est absolu. La Convention européenne des droits de l'homme autorise ainsi l'ingérence d'une autorité publique dans l'exercice du droit relatif à la vie privée, dans la mesure où cette ingérence est prévue par la loi et qu'elle constitue une mesure nécessaire à la sécurité nationale, à la sûreté publique, à l'intérêt économique du pays et à la prévention des infractions pénales, à la protection de la santé ou de la morale, ou encore à la protection des droits et libertés d'autrui.

1. Jugement du 9 juin 1998 rendu par le TGI de Paris et arrêt de la cour d'appel de Paris du 10 février 1999.

En outre, le droit à la vie privée connaît des exceptions. Certaines informations d'ordre intime ou privé peuvent être diffusées, notamment sur Internet, sans que la personne intéressée puisse s'y opposer. Il en est ainsi des données qui relèvent du droit à l'information [1] du public, droit ayant une valeur constitutionnelle. En effet, la Déclaration des droits de l'homme et du citoyen de 1789 reconnaît à tout citoyen le droit de parler, écrire et imprimer librement à condition de ne pas abuser de cette liberté.

Le droit à l'image doit également être tempéré. Si une personne est photographiée lors d'événements publics qui ont lieu dans des espaces publics, sa photographie est en principe licite, à la condition que cette photographie représente un groupe d'individus et ne cadre pas spécifiquement une ou plusieurs personnes, qu'elle n'est pas prise à leur insu ou ne permet pas de révéler des faits d'ordre privé sur celles-ci.

Les images des personnalités publiques, qui sont abondamment exploitées, notamment sur les sites web d'informations, font également figure d'exception : leur consentement tacite est admis à propos de la diffusion sur Internet de photographies prises dans le cadre de leurs activités publiques ou officielles. Ainsi, il est admis que si la prise de l'image est effectuée dans un lieu public et qu'elle est utilisée à des fins informationnelles, le droit à l'image est susceptible de ne pas s'appliquer.

Le développement d'Internet ne crée donc pas à proprement parler de nouveaux problèmes relatifs à la protection de la vie privée et du droit à l'image, mais il amplifie les risques traditionnels de façon considérable, chaque information ou donnée transmise étant accessible instantanément à l'échelle de la planète.

Bibliographie

Ouvrages :

- BERTRAND (André), *Droit à la vie privée et droit à l'image*, Litec, Paris, 2000.
- FABRE (Martine), GOURON-MAZEL (Annie), *Convention européenne des droits de l'homme*, Litec, Paris, 2000.

Webographie

- http://europa.eu.int/ISPO/legal/
- http://techlawjournal.com/
- http://www.cyberspacelaw.org/aoki/
- http://www.legalis.net
- http://www.juriscom.net
- http://www.un.org/french/aboutun/dudh.htm

Droit d'auteur

Le droit d'auteur est constitué de l'ensemble des droits que la loi et la jurisprudence accordent à l'auteur et à ses successeurs sur sa production littéraire et artistique. Il s'entend comme le droit exclusif accordé à son titulaire d'effectuer certains actes ou de les autoriser sur l'œuvre réalisée. Il comprend des droits de nature pécuniaire lui permettant de bénéficier d'un véritable monopole d'exploitation, mais aussi des droits moraux qui

1. L'information est comprise comme l'ensemble des messages informationnels communiqués par les différents médias sur tous supports y compris Internet.

visent la protection et la sauvegarde des intérêts moraux de l'auteur de l'œuvre, cette dernière étant perçue comme un « reflet » de sa personnalité.

L'univers d'Internet et les supports numériques apparaissent souvent comme des terrains propices aux violations de droits et aux atteintes illégales à des données protégées. Bien que les problématiques s'avèrent à bien des égards similaires à celles existant dans le monde « réel », l'ampleur prise par les réseaux numériques nécessite d'apprécier et d'adapter le droit d'auteur afin qu'il trouve un équilibre entre les différentes priorités qui lui sont traditionnellement assignées, telles qu'assurer la protection des œuvres et de leurs auteurs et garantir leur origine.

En dépit de nombreuses décisions de justice en Europe [1] et aux États-Unis qui font application des principes du droit d'auteur au réseau, le piratage des œuvres numériques se développe sur Internet pour plusieurs raisons, dont le faible coût des frais de reproduction et l'existence de techniques qui permettent d'agir anonymement. L'effectivité du droit est confrontée à la facilité de reproduction des œuvres numériques. En outre, les œuvres peuvent être conservées sans « encombrer » l'espace et consultées en effectuant de simples clics ou à partir de liens hypertexte. La consistance même de l'œuvre se transforme ; de simples parcelles peuvent en être extraites, modifiées, copiées, collées les unes aux autres à volonté et ce, en tout point du monde.

Historique du droit d'auteur

Le privilège de l'auteur n'a été consacré qu'au XVIIIe siècle en Angleterre, puis en France. Le droit d'auteur (*copyright* en Angleterre) revient alors à l'auteur et non plus au libraire, qui bénéficiait depuis le XVe siècle d'un privilège d'impression sur les créations littéraires. L'avènement de l'État moderne confirme et consacre l'existence d'un droit naturel et personnel de protection de l'auteur sur son œuvre, reconnu par la loi. Ainsi, l'auteur peut jouir toute sa vie des droits sur son œuvre, ainsi que ses héritiers pendant une période déterminée après laquelle l'œuvre entre dans le domaine public.

Si le droit d'auteur avait déjà dû par le passé s'adapter aux nouvelles formes de création – l'« œuvre de l'esprit » recouvre aujourd'hui les écrits littéraires, les compositions musicales mais aussi notamment les œuvres cinématographiques et les logiciels –, Internet a suscité une réflexion approfondie et entraîné une redéfinition de la notion de droit d'auteur d'une ampleur inégalée jusqu'alors. Cet instrument de communication et de transaction est porteur de nombreux défis tenant en particuler à la technologie numérique et aux acteurs d'Internet.

Les législations ont tenté dans un premier temps d'appliquer au réseau des réseaux des textes généraux. Cependant, si certains de ces textes répondent partiellement aux problématiques soulevées par Internet, la spécificité des réseaux numériques et en particulier la facilité et la rapidité de reproduction des œuvres a nécessité une réflexion adaptée.

En 1886, la Convention de Berne [2], qui donne pour la première fois une dimension internationale au droit d'auteur, prévoit principalement que la protection des œuvres provenant d'un pays membre de cette union internationale doit être la même que celle accordée aux œuvres dont les auteurs sont ressortissants du pays où la protection est revendiquée (règle de l'assimilation de l'unioniste au national). Elle

1. Cf. Jugement du 5/05/97 rendu par le tribunal de grande instance de Paris, relatif à la mise en ligne sans autorisation d'une œuvre de Raymond Queneau.

2. Élaborée sous l'impulsion de l'Association littéraire et artistique internationale (ALAI) et d'écrivains français, dont V. Hugo et A. Dumas, d'éditeurs et de musiciens.

établit également plusieurs principes relatifs à la reconnaissance des droits patrimoniaux et moraux des auteurs.

L'application du droit d'auteur à Internet soulève des questions de droit international privé auxquelles ce texte a en partie permis de répondre : quel droit appliquer sur Internet en cas de copie illicite ou de contrefaçon d'une œuvre ? Comment déterminer le pays d'origine d'une œuvre sur Internet ? Des solutions « classiques » sont appliquées en pratique, telles que celle figurant dans la Convention de Berne : la loi applicable et le tribunal compétent sont ceux du pays où la protection est réclamée. En conséquence, le droit français est appliqué quand une information portant atteinte au droit d'auteur est accessible en France.

En France, la loi de mars 1957 a pour ambition de répondre aux besoins de protection des auteurs tout en intégrant les conditions techniques et économiques nouvelles qui se sont développées depuis l'époque de la Révolution française. Elle est suivie en 1985 par une loi qui adapte le droit français au développement de l'audiovisuel et en particulier aux diffusions d'œuvres par satellite et par câble. Ce texte consacre aussi l'existence des droits voisins, c'est-à-dire les droits bénéficiant aux auxiliaires de la création de l'œuvre qui sont les artistes-interprètes, les producteurs de phonogrammes et de vidéogrammes ainsi que les organismes de radiodiffusion. Ces auxiliaires concourent non pas à la création des œuvres, mais à leur diffusion. En raison du développement du piratage d'œuvres musicales sur Internet lié à la technique du MP3, ainsi que du téléchargement vidéo, les titulaires de droits voisins sont également amenés à lutter pour faire respecter leurs droits sur le réseau.

La circulation des œuvres sur le réseau, sans limite de frontières, a également suscité des initiatives internationale et communautaire de protection des droits de propriété intellectuelle.

En premier lieu, il convient de retenir que la création de l'Organisation mondiale du commerce (OMC) en 1994 a été complétée peu de temps après par l'accord dit ADPIC, relatif aux aspects des droits de propriété intellectuelle (droit d'auteur mais aussi droit des marques, des indications géographiques, des brevets, des dessins et des modèles, des obtentions végétales, des secrets commerciaux, etc.) qui concernent le commerce, y compris électronique. Cet accord comprend le principe de l'égalité de traitement, c'est-à-dire l'engagement par tous les pays signataires d'accorder la même protection des œuvres au titre de leur droit d'auteur national aux ressortissants des autres pays partenaires.

En outre, deux traités adoptés le 20 décembre 1996 par quelque cent pays membres de l'Organisation mondiale de la propriété intellectuelle concernent les droits d'auteur, d'une part, et les représentations/exécutions et les phonogrammes, d'autre part. Ces traités ont pour objet la consécration de la protection du droit d'auteur et des droits voisins sur des œuvres littéraires et artistiques, utilisées, créées et diffusées en ligne et l'harmonisation des législations des États qui auront signifié leur adhésion.

De plus, l'Union européenne a adopté une directive « sur l'harmonisation de certains aspects du droit d'auteur et des droits voisins dans la société de l'information », qui vise à garantir l'existence d'un marché intérieur dans les domaines du droit d'auteur et des droits voisins. Cette directive vise également à protéger et à stimuler la créativité et l'innovation dans l'Union européenne tout en complétant les régimes juridiques actuels afin de les adapter à Internet et plus généralement, aux nouveaux produits et services comprenant des éléments relevant du droit d'auteur, qu'ils soient offerts en ligne ou sur des supports physiques (tels que les CD-Rom).

Droit d'auteur et copyright

La France, comme la plupart des pays de tradition civiliste tels que l'Allemagne, l'Espagne, la Belgique, les pays scandinaves et l'Italie (opposés par souci de simplification aux pays de *common law*, tels que les États-Unis, l'Australie, la Nouvelle-Zélande et la Grande-Bretagne) [1] reconnaissent en général que l'œuvre de l'esprit confère à son auteur un droit de propriété incorporelle exclusif et opposable à tous, du seul fait de la création.

Ce droit permet à l'auteur d'autoriser ou d'interdire toute sorte d'exploitation de son œuvre. La protection est cependant offerte à condition de respecter certains principes fondamentaux et en particulier la condition d'originalité. Toute œuvre doit ainsi porter l'empreinte de la personnalité de son auteur (ou un degré minimum de créativité comme le droit allemand le préconise), alors que les pays de *common law* sont moins exigeants et conçoivent l'originalité avant tout par rapport à l'absence de copie, tout en requérant un minimum d'effort intellectuel et d'activité créative.

En principe, la protection par le droit d'auteur ne bénéficie pas à de simples idées, qui doivent demeurer libres et non appropriables, mais elle couvre la forme de l'œuvre dans laquelle les idées sont exprimées, ce, quels qu'en soient le genre, la forme d'expression, le mérite ou encore la destination.

La protection par le droit d'auteur est octroyée dans les pays de tradition civiliste du seul fait de la création sans que soit requis l'accomplissement de formalités, ce qui contraste avec le système existant aux États-Unis où l'auteur d'une œuvre doit accomplir certaines formalités auprès des organismes officiels afin d'être protégé.

En outre, les pays de tradition civiliste consacrent non seulement les droits proprement économiques des auteurs, dits « patrimoniaux », mais aussi l'existence de droits moraux perpétuels, inaliénables et imprescriptibles qui permettent à l'auteur et à ses successeurs de sauvegarder les intérêts moraux relatifs à l'œuvre.

À l'inverse, le droit d'auteur anglo-saxon, le *copyright*, est essentiellement protecteur pour l'investisseur, celui qui prend le risque économique en commercialisant un « produit », c'est-à-dire l'œuvre. L'acte créatif est un acte d'investissement, dont le régime juridique protège essentiellement celui qui prend le risque économique de commercialiser l'œuvre, et non pas celui qui a créé l'œuvre de l'esprit. En conséquence, c'est bien l'investisseur qui se voit attribuer les droits patrimoniaux sur l'œuvre, alors que le droit moral de l'auteur, tel que décrit ci-après, se trouve réduit à une portion congrue, bien que quelques prérogatives de droit moral soient reconnues à l'auteur dans certains pays de *common law*. Le droit anglais reconnaît en effet le droit au respect de l'œuvre et le droit à la paternité de l'auteur, dont l'exclusion par une stipulation expresse au sein d'un contrat reste possible. En revanche, le *copyright* aux États-Unis ne comprend qu'un droit moral restreint en dépit de l'adhésion récente des États-Unis à la Convention de Berne, laquelle accorde à l'auteur le droit de revendiquer la paternité de l'œuvre et le droit au respect de l'œuvre. Le droit moral aux États-Unis est prévu par une loi fédérale limitée aux œuvres plastiques,

1. Certains pays comme le Canada sont de tradition juridique mixte et relèvent de ces deux grands systèmes de droit du monde occidental.

D

par certaines lois étatiques et a été esquissé par une jurisprudence dans le domaine du droit des marques.

Les conséquences de la distinction entre droit d'auteur et *copyright* sur Internet sont réelles, bien qu'elles ne doivent pas être surestimées. Bien que le droit d'auteur ait toujours été privilégié au niveau de la plupart des réglementations européennes et internationales (cf. la Convention de Berne, susmentionnée), le système du *copyright*, plus pragmatique que le droit d'auteur, est souvent jugé « plus adapté, favorable à l'investissement et libre d'obstacle à l'essor de la technique ». Toutefois, comme le mentionne Gabriel de Broglie, l'avenir du droit applicable sur Internet doit davantage se concevoir en termes d'adaptation du droit qu'en termes de « bouleversement ou de fusion » du système de droit d'auteur avec le système de *copyright*.

Les droits patrimoniaux

Les droits pécuniaires – ou patrimoniaux – de l'auteur sur son œuvre consistent en un monopole d'exploitation accordé à l'auteur et à ses successeurs. La classification des droits exclusifs et temporaires, qui permettent à l'auteur de tirer profit de l'exploitation de son œuvre, varie selon les pays, en particulier entre les régimes de tradition civiliste et ceux de *common law*. La directive 2001/29/CE du 22 mai 2001 précitée concerne le droit de reproduction, le droit de communication au public et le droit de distribution. Les droits patrimoniaux comprennent actuellement en France le droit de représentation et le droit de reproduction. Échappent cependant au monopole de l'auteur, les copies ou reproductions strictement réservées à l'usage privé du copiste et non destinées à une utilisation collective.

La durée de protection des droits patrimoniaux prend fin soixante-dix ans après le décès de l'auteur, l'œuvre tombant alors dans le domaine public. Aux États-Unis, la protection par le *copyright* se prolonge également soixante-dix ans après le décès de l'auteur, mais seulement depuis l'adoption en octobre 1998 du *Sony Bono Copyright Term Extension Act*[1].

Le droit de reproduction est le plus souvent perçu comme le droit exclusif pour l'auteur d'autoriser ou d'interdire la fixation matérielle de l'œuvre par tout procédé permettant de la communiquer au public en totalité ou seulement en partie, de manière directe ou indirecte, provisoire ou permanente, par quelque moyen et sous quelque forme que ce soit. De même, les titulaires de droits voisins, tels que les artistes-interprètes ou exécutants et les producteurs de phonogrammes peuvent autoriser ou prohiber les reproductions de leurs fixations et de leurs copies. Mais le terme « droit de reproduction » ne recouvre pas les mêmes prérogatives selon les différents systèmes juridiques ; le droit américain considère par exemple qu'il concerne non seulement le droit de reproduction *stricto sensu*, mais aussi le droit d'adaptation et le droit de distribution.

La jurisprudence et la doctrine françaises ont admis, dans de nombreuses affaires, que la numérisation peut être considérée comme un acte de reproduction. Il avait été jugé, par deux ordonnances de référé du 14 août 1996 du tribunal de grande instance de Paris, que la mise à disposition d'œuvres de Jacques Brel et de Michel Sardou sur un site web constituait une reproduction et une utilisation collective de ces œuvres. D'autres décisions sont intervenues pour faire respecter le droit de

1. S 505, P.L. 105-298, 11 Stat. 2827.

reproduction d'une œuvre sur Internet, qu'il s'agisse de la reproduction d'écrits littéraires, de logiciels, de CD-Rom ou de sites Internet.

La numérisation est donc considérée comme un acte de reproduction. Toutefois, certaines exceptions à ce droit de reproduction ont été consacrées, notamment par la directive communautaire du 22 mai 2001, pour ne pas nuire à la transmission des données sur Internet. Ainsi, certains actes de reproduction transitoires ou accessoires, tels que le *browsing*, sortent du champ d'application de ce droit, dans la mesure où son seul but est d'assurer le bon fonctionnement du site concerné.

Le droit de représentation est défini comme la communication au public de l'œuvre par tout procédé. Il exige l'existence potentielle d'un public pour l'œuvre, que celui-ci se trouve dans une salle de théâtre, une salle de cinéma ou devant un écran d'ordinateur. Appliqué à Internet, environnement où le support est largement dématérialisé, il est souvent assimilé au droit de reproduction. De plus, le droit communautaire utilise le terme de « droit de communication au public » pour signifier que l'auteur jouit du droit de mettre son œuvre à la disposition du public sur demande, les titulaires de droits voisins bénéficiant également de ce droit adapté à leurs situations respectives.

La directive déjà citée a précisé les contours de cette notion et mis fin au débat sur la notion de « public » à retenir pour l'application du droit d'auteur. Le texte précise en effet que le droit de communication comprend « la mise à disposition (des) œuvres de manière que chacun puisse y avoir accès de l'endroit et au moment qu'il choisit individuellement ». Cette définition dispose donc que le fait pour les membres du public de pouvoir accéder à une œuvre de manière individualisée ne retire pas pour autant à la représentation son caractère public. Donne ainsi prise au droit de communication au public l'accès individuel des internautes aux œuvres transmises sur le réseau.

Ces droits font l'objet d'exceptions, telle l'exception dite de copie privée, dont la portée sur Internet ne peut être définie avec exactitude et selon laquelle un auteur ne peut empêcher les copies ou les reproductions qui seraient strictement réservées à l'usage privé du copiste. Cependant, la numérisation sans autorisation ne peut être légitimée dans le cadre de l'exception dite de copie à usage privé lorsque toute personne connectée à Internet peut consulter les pages privées sur lesquelles l'œuvre protégée est mise en ligne. Les juges s'interrogeront sur l'intention de l'auteur de la mise en ligne d'une œuvre protégée et sur le contexte technique pour déterminer s'il y a contrefaçon. Chaque situation devrait être appréhendée différemment selon que l'œuvre est diffusée via le courrier électronique, sur un forum de discussion, sur un site web dont les serveurs sont en libre accès ou au contraire en espaces privatifs.

Le caractère privé d'une copie est cependant parfois difficile à apprécier sur Internet. Ainsi, dans une affaire du 10 juin 1997, le tribunal de grande instance de Paris a considéré que la reproduction d'œuvres de Raymond Queneau sur le réseau Intranet d'un laboratoire (le Laboratoire d'automatique et d'analyse des systèmes) pourtant relié à Internet constituait une copie privée. Le tribunal a relevé que la défense avait prévu « de conserver au programme son caractère privé » en restreignant la consultation du serveur du laboratoire et que la possibilité de s'y connecter par Internet était due à des « défaillances techniques ».

Des mesures sont venues encadrer ce phénomène. Compte tenu de la multiplication des copies privées et des nouvelles capacités offertes par l'univers numérique, la Commission de la copie privée instituée par la loi Lang du 3 juillet 1985 a été reconstituée par arrêté du ministre de la Culture et de la Communication en date du 13 mars 2000 afin de déterminer la rémunération à laquelle ont droit les auteurs, artistes interprètes et producteurs de phonogrammes ou de vidéogrammes au titre de la reproduction de leurs œuvres pour un usage privé. Si cette rémunération était applicable aux cassettes audio et vidéo, les nouveaux supports d'enregistrement qui se sont progressivement imposés au cours de la deuxième moitié des années 1990 y échappaient encore. Cette Commission a ainsi institué une rémunération au titre de la copie privée applicable depuis le 22 janvier 2001 sur les supports d'enregistrement numériques amovibles. La Commission a également envisagé une rémunération portant sur les disques durs des ordinateurs.

Les droits moraux

Les droits moraux sont principalement composés du droit de divulgation, du droit à la paternité, du droit au respect de l'œuvre et du droit de repentir.

Le droit de divulgation permet à l'auteur de décider s'il porte son œuvre au public et dans ce cas, d'en choisir le moment et le mode de communication. Appliqué à Internet, ce droit ne pose pas de problème particulier : l'auteur reste toujours la seule personne à décider de diffuser ou non son œuvre.

Le droit à la paternité et au nom de l'auteur permet à l'auteur de signer son œuvre et d'en revendiquer la paternité. Dès lors qu'une œuvre est mise à disposition sur Internet, le nom de l'auteur devra être indiqué. Celui qui établit des liens hypertexte pourrait voir sa responsabilité engagée si les pages auxquelles les liens permettent d'accéder contiennent des œuvres protégeables par le droit d'auteur sans que le nom et la qualité de l'auteur ne soient précisés. Toutefois, la facilité d'effectuer des reproductions identiques ou partielles de l'œuvre entraîne le développement de copies qui ne mentionnent pas forcément l'identité de l'auteur de l'œuvre.

Le droit au respect de l'œuvre offre la faculté à l'auteur de s'opposer à toute mutilation ou à toute déformation de sa création. Un tiers ne peut ainsi porter atteinte à l'œuvre sans l'autorisation de l'auteur. Dans la mesure où tous les « outils » nécessaires sont offerts au public pour qu'il puisse copier, coller, modifier, s'approprier ou détourner une œuvre en toute liberté, la reproduction d'œuvres par numérisation permet difficilement de préserver l'intégrité de l'œuvre. Le fait d'établir un lien hypertexte vers une page est également susceptible de donner une image fausse de l'œuvre contenue sur cette page et pourrait constituer une atteinte au droit à l'intégrité dont bénéficie l'auteur. La pratique du lien hypertexte avec cadrage du site visé n'est pas sans risques d'atteintes au droit à la paternité et à l'intégrité d'une œuvre puisque le nom de l'auteur d'une œuvre ainsi que certaines des informations qu'il désirait voir figurer sur son site web peuvent être occultés.

Enfin, le droit de repentir autorise l'auteur, postérieurement à la publication de l'œuvre, à modifier l'œuvre ou à en arrêter la diffusion, et ceci nonobstant la cession de son droit d'exploitation. Ce droit est néanmoins menacé par la reproduction à grande échelle des œuvres sur Internet : en pratique, à compter du moment où l'œuvre est numérisée et disponible sur Internet, il semble impossible à l'auteur d'obtenir effectivement le retrait de son œuvre.

Quelles sont les techniques de protection du droit d'auteur ?

L'exposé qui précède relatif aux différents droits dévolus aux auteurs permet de cerner leur difficulté d'application sur Internet. C'est pourquoi plusieurs techniques ont été développées afin de garantir au mieux le respect de ces droits.

Parmi les systèmes de protection des droits d'auteur, les techniques de signature électronique, de conteneurs électroniques ou de marquage technique de l'œuvre sont fréquemment utilisées. La signature électronique est un moyen permettant de s'assurer de l'authenticité de l'expéditeur d'un document et de l'intégrité du document numérique reçu. Les conteneurs électroniques sont des systèmes protégeant l'accès au contenu au moyen de techniques de chiffrement fort, tel que le système « cryptolope » d'IBM. Tout individu désirant ouvrir le conteneur afin d'accéder au contenu doit établir une connexion avec le serveur central pour s'acquitter des droits nécessaires. Une telle technique permet de prévenir des actes de contrefaçon.

En outre, le marquage numérique de document (appelé *watermarking*), qui inscrit sur l'œuvre une sorte de tatouage numérique, permet de prouver la violation du droit d'auteur, mais aussi la paternité d'une œuvre et la détection des sources de duplication illicites.

Enfin, le système international d'identification des œuvres (appelé IDDN, *Inter-Deposit Digital Number*) propose aux titulaires de droits de protéger et de revendiquer des droits sur toute création numérique. En France, c'est l'Association pour la protection des programmes (APP) qui est particulièrement chargée de la mise en œuvre de ce système.

En pratique, la protection par le droit d'auteur fait l'objet d'âpres discussions et de décisions de justice dans deux domaines particuliers, qui illustrent les difficultés d'application du droit d'auteur à Internet : les œuvres musicales et les articles de presse.

MP3

La reconnaissance du droit d'auteur et des limites de l'exception de copie privée (ou plutôt de son « équivalent » en matière de *copyright*) est particulièrement frappante concernant le MP3 (*Motion Picture Experts Group, Audio Layer 3*), format de compression permettant de coder des données sonores tout en limitant l'espace d'enregistrement, cela dans des délais relativement limités. Cette technique peut être utilisée pour encoder des enregistrements préexistants distribués de manière usuelle chez les détaillants traditionnels, et à les mettre à disposition du public, *via* Internet.

Des autorisations préalables des auteurs-compositeurs, des artistes-interprètes et des producteurs sont nécessaires, mais sont (ou plutôt, depuis les dernières décisions de justice, ont été) rarement sollicitées ou obtenues. Ces exploitations constituent alors un acte de contrefaçon et sont condamnées par les tribunaux.

Un site web américain mettant à la disposition du public des copies de CD édités par les majors de la musique a ainsi été sévèrement condamné en avril 2000 par un tribunal fédéral saisi par la *Recording Industry Association of America.* Reconnu coupable de diffuser de la musique en contrefaçon du *copyright* détenu par les labels, ce site est parvenu à un accord amiable avec les maisons de disque concernées. Il peut désormais utiliser la plupart de leurs catalogues musicaux contre versement d'une somme forfaitaire annuelle correspondant aux droits d'auteur des catalogues qu'il diffuse sur Internet.

Dans le même sens, afin de lutter contre les pratiques de copie illicite sur Internet, la plupart des législations des pays industrialisés développent des systèmes de redevances forfaitaires payées par les fabricants ou les importateurs et qui pèsent sur le prix d'achat de différents supports de reproduction, tels que les CD enregistrables et les supports numériques.

Journalisme en ligne

Autre illustration des litiges relatifs au droit d'auteur sur Internet : les droits des journalistes sur leurs articles. Ceux-ci peuvent-ils s'opposer à une nouvelle exploitation de leurs œuvres et en particulier, à leur diffusion sur Internet ? Les tribunaux répondent par l'affirmative en considérant que la diffusion sur Internet est une nouvelle publication qui doit être autorisée par le journaliste et rémunérée en conséquence. Une juridiction française a ainsi interdit dans un arrêt rendu le 10 mai 2000 à un quotidien national d'exploiter sur Internet des articles issus d'anciens numéros sans l'autorisation préalable de leurs auteurs.

Suite à ces litiges, des solutions négociées sont apparues, afin de limiter le recours aux instances judiciaires. Ainsi, le Groupement des éditeurs de services en ligne (GESTE) a élaboré une charte pour lutter contre les reproductions abusives et illicites des titres de presse sur Internet. Cette charte prévoit notamment que l'éditeur en ligne garantit qu'il bénéficie du droit de diffuser sur son site les informations qu'il propose. De même, l'utilisateur du site s'engage à ne pas reproduire sans autorisation préalable de l'éditeur toute information pour un usage autre que privé et à ne pas créer de lien hypertexte avec tout autre site web.

Si les rapports entre Internet et le droit d'auteur sont essentiellement perçus aujourd'hui comme des risques d'atteinte à la protection des droits des créateurs sur leurs œuvres, il ne faut toutefois pas minimiser l'immense atout que constitue Internet pour le développement des échanges culturels au niveau international.

À ce titre, le droit d'auteur tel qu'élaboré par le législateur et interprété par les tribunaux doit s'adapter, comme il l'a déjà fait depuis sa reconnaissance internationale au XIXe siècle suite à la naissance d'autres techniques. Il peut aussi s'articuler à d'autres sources de règles telles que l'autorégulation ou les codes de bonne conduite, plus souples et rapides à mettre en œuvre par les acteurs d'Internet. Ces types de régulation non étatiques existent déjà, illustrés notamment par les accords de septembre 2000 unissant au sein de la CISAC (Confédération internationale des sociétés d'auteurs et compositeurs), qui couvre déjà 165 organisations répartis dans environ 90 pays, les principales sociétés de gestion collective des droits des auteurs – américaine, française, allemande, anglaise et néerlandaise – ou encore par la création d'un réseau mondial de données visant à garantir une information fiable relative au droit d'auteur et plus précisément à l'identification des œuvres.

Bibliographie

Ouvrages :

- BERTRAND (André), *Le droit d'auteur et les droits voisins*, Dalloz, Paris, 1999.
- DE BROGLIE (Gabriel), *Cahier des sciences sociales ; Le droit d'auteur et Internet*, PUF, Paris, 2001.
- DESBOIS (H.), *Le droit d'auteur en France*, 3e éd., Dalloz, Paris, 1978.
- LUCAS (André et Henri-Jacques), *Traité de la propriété littéraire et artistique*, Litec, Paris, 2001.
- MALAURIE (Philippe), AYNÈS (Laurent), GAUTIER (Pierre-Yves), *Droit civil*, t. VIII : *Les contrats spéciaux*, 13e éd., Cujas, Paris, 1999.

Webographie

- http://www.legalis.net
- http://www.juriscom.net
- http://www.legifrance.gouv.fr
- http://www.wipo.org
- http://europa.eu.int/ISPO/legal
- http://techlawjournal.com/
- http://www.sacem.fr

DVD

Disque numérique dont les importantes capacités de stockage (3,9 à 17 giga-octets, soit 6 à 26 fois supérieures à celle d'un CD-Rom) en font un support de très haute qualité, aussi bien pour le son que pour la vidéo et le multimédia. Avec l'arrivée des graveurs, il pourrait se substituer à terme aux supports audio, vidéo et multimédia actuels.

e

À l'origine abréviation anglaise de l'adjectif « électronique » dans l'expression *e-commerce* (commerce électronique), le préfixe « e » est désormais utilisé de manière générique pour désigner Internet, la nouvelle économie ou l'univers numérique en général (par exemple, dans les expressions « *e-business* », « *e-solutions* », « *e-book* », etc.). On utilise parfois en français le préfixe« i ».

e-book

Ordinateur dédié à la lecture, le *e-book*, livre électronique selon la terminologie française, permet non seulement de télécharger des livres et de les stocker dans sa mémoire, mais également de les visualiser, grâce à un écran tactile à cristaux liquides assorti d'un stylet.

Les livres électroniques n'ont pas tous la même taille ni le même poids : depuis la dimension d'un livre de poche jusqu'au format A4, leur poids varie entre 300 grammes et 2 ou 2 kilos et demi. De la même façon, les *e-books* n'offrent pas tous les mêmes possibilités : écran tactile, capacités de stockage plus ou moins grandes, marque-page, surlignage, choix de la typographie, hyperliens avec un dictionnaire, possibilité d'annotations à la main, agenda, carnet d'adresses, accès aux documents multimédia, aux filières MP3 de musique, à Internet... À mesure que ses fonctionnalités se multiplient, le livre électronique se rapproche de l'ordinateur portable.

Le livre électronique ne désigne pas seulement l'appareil : par extension, à l'instar du mot presse, il désigne également l'édition sous forme numérique, pour l'usage, exclusif ou non, des ordinateurs, qu'ils soient portables ou non. Ainsi, le livre électronique se définit-il par opposition au livre imprimé. La diffusion des équipements électroniques permettant la lecture « nomade » ne peut manquer de favoriser l'édition électronique de livres qui, pour des raison économiques, ne seraient pas imprimés. L'un des maîtres américains du roman à suspense, Stephen King, a tenté de vendre *The Plant*, au printemps 2000, par téléchargement depuis son propre site, court-circuitant ainsi son éditeur habituel. Un an auparavant, celui-ci avait déjà commercialisé sur le Web le précédent roman de Stephen King. Les résultats de ces deux expériences n'ont pas été à la hauteur de ce que les uns et les autres craignaient ou espéraient. L'enseignement que l'on a tiré de cette expérience est double : d'un côté, le livre électronique ne remplace pas le livre imprimé ; de l'autre, la publication en ligne ne remet pas en cause la fonction ni le professionnalisme de l'éditeur, même si elle est appelée à modifier très sensiblement les modèles économiques de ce secteur d'activité.

ETSI (European Telecommunications Standards Institute)

Organisme à but non lucratif ayant pour mission de définir les normes de télécommunication qui seront utilisées par les acteurs économiques présents sur le marché européen. L'ETSI fonctionne comme un forum ouvert réunissant plus de 720 membres, originaires de 51 pays, représentant des fabricants, des opérateurs de réseaux, des administrations, des fournisseurs de services, des organismes de recherche et des utilisateurs.

L'organisation a joué un rôle décisif dans l'évolution récente du secteur des télécommunications, marquée par la généralisation de la concurrence, la mondialisation, la convergence des technologies et la réduction des interventions publiques. Les normes ne sont plus utilisées comme des moyens de protection des marchés nationaux, mais comme l'un des facteurs favorisant le libre jeu de la concurrence dans le respect de l'intérêt du consommateur. En l'occurrence, l'ETSI agit davantage comme l'organisateur d'un processus de production de normes reposant désormais largement sur un mécanisme d'autorégulation de l'industrie, que comme une institution normative *a priori*.

L'objectif de l'ETSI est d'élaborer des normes ayant vocation à être utilisées dans le monde entier. Des résultats très importants ont été obtenus à cet égard : des normes telles que le GSM (système de communication mobile), le DECT (système avancé de télécommunication numérique sans fil), l'UMTS (système universel de télécommunications mobiles) ou encore le DVB (système de distribution de la télévision numérique) ont rencontré un grand succès sur la scène mondiale.

Fibre optique

Câble composé de silice ou « fibre de verre » capable de véhiculer de très grandes quantités de signaux sous forme lumineuse, par opposition aux câbles métalliques (« paire torsadée » du téléphone ou « câble coaxial » pour la télévision classique).

Firewall

Unité matérielle et logicielle gérant les communications entre un réseau local privé, le plus souvent de type Intranet, et le réseau Internet. En français, on utilise parfois les mots pare-feu ou coupe-feu. Le *firewall* a pour fonction d'assurer la sécurité du réseau local et la confidentialité des données qui y circulent. D'un côté, il exerce une fonction de contrôle : il ouvre l'accès, pour les utilisateurs de l'Intranet, aux seuls services d'Internet pour lesquels une autorisation leur a été donnée. D'un autre côté, il a une fonction de protection : il empêche toute intrusion non souhaitée venue de l'extérieur et peut également interdire l'entrée du réseau local à certains fichiers suspectés d'être infectés par un virus.

Flooding

Technique consistant à faire converger au même moment vers un serveur un grand nombre de requêtes en vue d'entraîner sa défaillance. En français, on remplace parfois l'anglicisme par raz-de-marée.

Foire aux questions

Traduction de l'anglais *Frequently Asked Questions (FAQ)*. Rubrique des sites Internet proposant des réponses aux questions les plus fréquemment posées sur le site, pour la commodité des visiteurs.

Forum

Équivalent de l'anglais *newsgroup*, également appelé « groupe de discussions » ou « babillard électronique ». Site de discussion en ligne où les visiteurs échangent leurs opinions sur un sujet donné. Les utilisateurs peuvent lire tous les messages rédigés par d'autres abonnés du forum et leur répondre soit collectivement, soit par le biais de leur messagerie personnelle.

Forum des droits sur l'Internet (FDI)

Association française créée en mai 2001 à l'initiative de l'État, ayant pour vocation de formuler des recommandations sur toutes questions d'ordre juridique relatives au Web. Simple observatoire ou lieu de discussion, il se réunit de sa propre initiative, sur saisine du gouvernement ou d'autorités administratives indépendantes telles que le CSA, l'ART ou la CNIL. Le Forum rassemblait, à sa création, outre quelques experts, l'Association des internautes médiateurs (ADIM), le chapitre français de l'*Internet Society* (ISOC), Wanadoo, le Centre national d'enseignement à distance (CNED), ainsi que la Sacem, Bouygues Télécom, Yahoo !, Noos et IBM. L'Association, qui n'a pas vocation à se prononcer sur des cas particuliers, satisfait les partisans de l'« autorégulation », qui prônent l'édiction des règles par les intéressés de préférence aux dispositions législatives ou réglementaires.

Fossé numérique

Expression désignant l'écart existant entre pays développés et pays en voie de développement, ainsi qu'au sein même des sociétés développées, en matière d'accès aux technologies de l'information. L'expression « fracture numérique » est également employée. Actuellement, Internet reste un instrument d'échange et de communication principalement réservé aux pays de l'OCDE, la grande majorité des transactions par Internet s'effectuant entre clients et fournisseurs de ces pays. L'OCDE estimait que 95,6 % des 94 millions d'hébergeurs existant à travers le monde se trouvaient, fin 2000, dans les pays de l'OCDE.

Fournisseur d'accès

Prestataire équipé de serveurs et de modems qui procure un accès à Internet aux utilisateurs finaux moyennant un abonnement mensuel ou sans abonnement, l'utilisateur n'ayant alors à acquitter que le prix de la communication téléphonique. Les fournisseurs d'accès offrent généralement une gamme de services en ligne, une ou plusieurs adresses électroniques, ainsi qu'un service d'hébergement. Ils sont souvent eux-mêmes clients de grandes entreprises de télécommunications auxquelles ils achètent en gros de la bande passante sur Internet.

Freeware

Logiciel d'exploitation libre et ouvert, téléchargeable gratuitement et susceptible d'être modifié ou amélioré en permanence par ses utilisateurs. Les logiciels libres constituent une alternative aux logiciels payants et « propriétaires ».

FTP (File Transfer Protocol)

Protocole utilisé par certains logiciels spécifiques pour transférer des fichiers à partir d'un serveur vers un ordinateur personnel ou inversement. Ces logiciels permettent de télécharger des programmes à partir d'Internet ou de mettre à jour une page web hébergée sur un serveur distant.

Gateway

Le *gateway* (en français, système d'entrée) est un dispositif logiciel ou matériel (dans ce cas, il s'agit en général d'un ordinateur qualifié d'« interprète ») qui permet de convertir le protocole ou le système d'adressage d'un réseau afin qu'il devienne compréhensible par celui d'un autre réseau ou d'un système informatique. Le *gateway* est nécessaire, par exemple, pour échanger des données traitées selon les protocoles TCP/IP, en usage sur Internet, et celles gérées par les réseaux ou les équipements fonctionnant sous SNA (*System Network Architecture*), l'architecture générale de communication définie par IBM pour ses ordinateurs. Le *gateway* ne doit pas être confondu avec le « pont » (angl. : *bridge*), dispositif reliant entre eux des réseaux locaux élémentaires, avec pour objectif soit de les agrandir, s'il s'agit d'un réseau intra-établissement (LAN, *Local Area Network*), soit de constituer un réseau étendu multi-établissements (WAN, *Wide Area Network*).

Global Business Dialogue (GBD)

Instance d'autorégulation internationale créée en janvier 1999, à l'initiative du commissaire européen Martin Bangemann, afin de faire des propositions aux gouvernements nationaux et aux instances internationales pour la régulation d'Internet. Le groupe est piloté par un comité composé de 24 entreprises représentant à égalité les trois continents : Amérique, Europe et Asie.

GPRS (General Packet Radio Service)

Norme de téléphonie mobile intermédiaire entre le GSM, dont il est issu, et les terminaux de troisième génération (UMTS), le GPRS permet la réception de données (messagerie instantanée, jeux, informations) et l'accès à Internet. Il est opérationnel depuis la fin 2001.

Groupe fermé d'utilisateurs (GFU)

Désigne, pour un site web, la possibilité pour les membres d'un groupe dont les centres d'intérêts sont communs, de dialoguer les uns avec les autres, grâce à un code d'accès.

GSM (Global System for Mobile Telecommunications)

Norme européenne de radiocommunication numérique utilisant une fréquence de 900 MHz. L'adoption de cette norme par la plupart des pays européens a permis le développement international de la téléphonie mobile, les États-Unis utilisant des normes incompatibles (AMRT, AMRC et AMPS).

Hacker

Désigne un informaticien qui utilise ses connaissances pour démonter des programmes informatiques. Le mot vient du verbe anglais *to hack*, qui signifie « hacher », « tailler quelque chose en pièces ». Improprement qualifiés de « pirates », les *hackers*, passionnés d'informatique, sont des experts du réseau et leur motivation n'est pas délictueuse. S'ils déjouent les systèmes de sécurité les plus pointus, c'est pour en révéler les failles. Ils ne forcent pas un système et n'utilisent pas de mot de passe frauduleusement acquis. Leurs actions ont souvent pour but de déjouer les systèmes de sécurité des organisations ou des groupes mondiaux afin de défendre un réseau ouvert où règnent la liberté d'expression et la décentralisation. Souvent en désaccord avec les autorités, les *hackers* sont disposés à partager, à enseigner leur savoir. Depuis les premiers « bidouilleurs » qui, dans les années 1970, pratiquaient le *phreaking* – piratage des centraux téléphoniques pour appeler gratuitement –, les *hackers* ne jouent pas, pour la plupart, à défigurer des pages web, mais ils s'emploient surtout à dénoncer les failles des grands logiciels commerciaux, à militer pour le logiciel libre et à éditer leurs propres outils pour les partager gratuitement. Ainsi, le Finlandais Linus Torvalds a créé, dans l'« esprit hacker » du « progrès partagé », un système d'exploitation libre de droits dénommé Linux, concurrent du système Windows de Microsoft : son système est devenu l'outil de tous les hackers. Un groupe hacker des plus influents, *The Cult of the Dead Cow*, a mis au point « Back Orifice 2000 », un logiciel qui permet de prendre le contrôle à distance d'un PC sous Windows. Depuis 1989, tous les quatre ans, certains *hackers* se rassemblent pour des manifestations de trois jours afin d'évoquer les aspects à la fois techniques et politiques d'Internet. Leur manifestation la plus récente s'est tenue sur le campus d'une université des Pays-Bas, en août 2001, avec près de 3 000 participants, sous l'emblème HAL 2001, *Hackers at Large*. Les hackers accompagnent le développement d'Internet depuis ses origines et ce n'est sans doute pas un hasard si l'industrie a parfois besoin de faire appel à eux pour tester ses produits.

Hacktivisme

Né de la contraction de *hacker* et d'activisme, le mot désigne l'utilisation d'Internet pour défendre une cause. Les moyens utilisés sont variés, depuis l'envoi simultané de nombreux courriers à une même adresse, pour submerger le site de l'adversaire, jusqu'au crackage de celui-ci, le piratage de ce qui est stocké dans son ordinateur, en passant par le *flooding*, la convergence de requêtes vers un site afin d'entraîner son dysfonctionnement.

Hardware

Ensemble des composants matériels d'un ordinateur (carte mère, disque, boîtier, périphériques). *Hardware* s'oppose à *software*, qui désigne les logiciels ou les composants immatériels de l'ordinateur, comme le système d'exploitation, les interfaces graphiques ou les programmes d'application.

Haut débit

Expression désignant une vitesse élevée de connexion à Internet grâce à une bande passante large (*broadband*), par opposition à la liaison à bas débit (*narrowband*) qui caractérise la connexion classique par modem sur la ligne téléphonique de l'utilisateur. Une liaison à haut débit peut être de type câble, DSL ou hertzien.

En particulier, l'ADSL (*Asynchronous Digital Subscriber Line*) permet de convertir une ligne téléphonique ordinaire constituée d'une paire torsadée en une ligne numérique de transmission de données à grande vitesse, ce qui assure un accès ultra-rapide à Internet, de l'ordre de 8 Mbits/s.

Hébergement de sites

Service consistant pour un site à accueillir les pages web personnelles de personnes privées ou de petites entreprises et de leur offrir ainsi une plus large visibilité, puisque tous les visiteurs du site hébergeur y ont accès. Les fournisseurs d'accès proposent généralement ce service au sein de leur gamme, mais certains sites, tels Multimania, sont spécialisés dans l'hébergement.

Hôte

Dans un réseau, nom donné au serveur principal qui fournit du temps de calcul et des données aux autres ordinateurs qualifiés d'« esclaves ». Cet ordinateur est souvent plus puissant et possède une grande capacité de stockage.

HTML (Hypertext Mark-up Language)

Langage de programmation des pages web, composé d'une suite de signes ASCII dans laquelle sont incluses les commandes concernant le « formatage » des pages et des images et la définition des liens hypertexte.

HTTP (Hypertext Transfer Protocol)

Protocole de communication utilisé pour transporter des pages programmées en HTML sur le Web.

Hypermédia

Adjonction à l'hypertexte de documents autres que des écrits. Un hypermédia est originellement un hypertexte multimédia. Des données de toutes origines (textes, chiffres, images fixes, graphiques, images animées et sonorisées, séquences sonores) sont traduites dans un même langage, grâce à la numérisation, ce qui permet de les rassembler sur un même support. L'établissement de liens sémantiques entre ces différentes données permet de circuler, de naviguer, à l'intérieur du document et de visualiser, simultanément, des objets divers : textes, images, séquence sonores. Ce terme est finalement peu usité et on lui a préféré le terme « multimédia ».

Hypertexte

Le lien hypertexte permet d'atteindre les différentes occurrences d'un mot à l'intérieur d'un texte donné. Il permet aussi de passer d'un site à un autre du Web grâce à un simple clic de souris. Les données textuelles rassemblées ne sont pas organisées selon un ordre séquentiel traditionnel, mais elles sont reliées entre elles par un système de liens sémantiques qui permet de parcourir les textes au gré des associations d'idées qui surgissent en cours de lecture. Ce système repose sur l'utilisation de logiciels sophistiqués qui doivent gérer plusieurs fonctions : gestion des fichiers de données, systèmes de formatage et de marquage des documents (SGML, *Single generalized Mark-up Language*, HTML, *Hypertexte generalized Mark-up Language*), multifenêtrage des écrans, et systèmes de gestion de bases de données.

L'idée de l'hypertexte trouve son origine dans les travaux d'un mathématicien américain, Vannevar Bush, qui conçoit, en 1945, un système de gestion et d'accès aux connaissances dénommé Mémex, système où les connaissances sont reliées par des « chemins associatifs ». Il envisage le stockage des livres et documents sur des bandes magnétiques et la mise au point d'une méthode d'indexation « associative » reposant sur l'utilisation de liens entre informations, liens logiques et sémantiques établis à partir d'associations d'idées.

Cette voie fut poursuivie par Ted Nelson, qui conçoit en 1965 un projet de bibliothèque « démocratique et universelle », Xanadu, à l'intérieur de laquelle il serait possible de circuler en utilisant des liens hypertexte. C'est lui qui utilisa pour la première fois le mot hypertexte, tandis qu'il présentait son projet. Il développa ultérieurement les thèses issues de cette notion, notamment dans *Dream Machines*, en 1971, et dans *Computer Lib*, en 1974. C'est seulement après trente années d'efforts que Ted Nelson finit par renoncer à son projet de bibliothèque universelle.

En décembre 1968, Douglas Engelbart, chercheur au Stanford Research Institute, donna une conférence à San Francisco où il présentait, pour la première fois, les différents éléments de la future micro-informatique pour les particuliers : en plus de l'hypertexte, la souris de l'ordinateur et la programmation orientée objets. Développées à son initiative dans le cadre du centre de recherche de Xerox, à Palo Alto, ces technologies nouvelles seront à l'origine du célèbre Macintosh, en 1984, trois ans après le lancement commercial des premiers PC d'IBM.

En 1989, deux ingénieurs du CERN de Genève (Centre européen pour la recherche nucléaire), Timothy Berners-Lee et Robert Cailliau, eurent l'idée d'utiliser les liens hypertexte pour permettre la consultation simultanée de tous les sites serveurs d'Internet : par convention, cette date marque la naissance du *World Wide Web*. En 2000 existaient déjà 2 milliards de pages web, ayant chacune une moyenne d'une cinquantaine de liens hypertexte. Le lien hypertexte est ainsi devenu le moyen principal pour naviguer sur Internet. Les documents entre lesquels on peut naviguer grâce aux liens hypertexte sont écrits en langage HTML.

ICANN

L'ICANN (*Internet Corporation for Assigned Names and Numbers*) est une organisation de droit privé à but non lucratif créée en novembre 1998 et chargée de la gestion des noms de domaine d'Internet au niveau mondial. Elle a succédé à l'IANA (*Internet Assigned Numbers Authority*) dans laquelle le gouvernement américain jouait un rôle prépondérant, et qui était notamment chargée de superviser la gestion du DNS (*Domain Name System*), essentiellement utilisé pour les noms de domaine, l'adressage IP et le contrôle de la réception des courriers électroniques et des paramètres du protocole IP.

L'ICANN est composée d'un conseil d'administration et de trois organisations de soutien qui sont des organismes d'autorégulation de droit privé :

– DNSO (*Domain Names Supporting Organisation*), chargée des questions relatives aux règles de nommage ;

– ASO (*Adress Supporting Organisation*), gérant les problèmes d'adressage ;

– PSO (*Protocol Supporting Organisation*), s'occupant des différents problèmes concernant le protocole Internet.

Le conseil d'administration regroupe une moitié de membres élus par ces organisations et l'autre, par les utilisateurs d'Internet.

Outre sa mission de gestion du système des noms de domaine et de l'adressage IP sur Internet, l'ICANN accrédite les *Registrars*, qui sont les sociétés habilitées à enregistrer des noms de domaine selon le principe « premier arrivé, premier servi ». L'ICANN réfléchit aussi aux extensions possibles de noms de domaine internationaux, afin de gérer au mieux la croissance d'Internet et des noms de domaine. Le 16 novembre 2000, elle a ainsi présélectionné sept nouveaux domaines de premier niveau [1]. Elle a également élaboré des règles de résolution des conflits de noms de domaine qui s'appliquent aux litiges de type « cyberpiratage », relatifs notamment aux appropriations frauduleuses des droits appartenant à des tiers, tels que les marques. Depuis son instauration, fin 1999, cette procédure, qui n'empêche pas de recourir aux instances judiciaires, connaît un succès considérable, dans la mesure où elle permet à des titulaires de marques déposées de récupérer les noms

1. Cette présélection regroupe les domaines suivants : .aero ; .biz ; .coop ; .info ; .museum ; .name et .pro.

de domaine correspondants réservés par des tiers.

Webographie
http://www.icann.org/

Icone

Image ou pictogramme permettant de représenter visuellement des informations ou des instructions sur l'écran d'un ordinateur. En passant de la religion à l'informatique, l'icone a perdu son accent circonflexe. Visuelles ou sonores, les icones de l'écran d'ordinateur sont des symboles, plutôt que des signes, puisqu'elles entendent procéder par analogies ou par associations d'idées : la poubelle pour supprimer un document, l'avertissement musical pour signaler le démarrage d'une opération. Ainsi, une icone symbolise-t-elle un fichier ou un répertoire, ou bien l'accès à un logiciel ou à une fonction précise de ce logiciel. Dans ce dernier cas, les icones font double emploi avec les instructions que fournissent les menus déroulants.

Infographie

L'infographie désigne le traitement graphique d'un document ou d'une information par composition informatique de cartes, de schémas ou de toute autre représentation graphique. Ce terme a été utilisé pour la première fois par le quotidien *USA Today* en 1982 : en l'occurrence, le journal américain accorde une grande place aux graphiques et aux dessins d'information. Dans un journal, la conception de l'infographie relève de la rédaction ; sa réalisation dépend du département d'infographie. Pour une œuvre multimédia, le scénariste, en relation avec le réalisateur et le directeur artistique, conçoit le *story-board* à partir duquel seront réalisés les écrans et les animations. L'infographie comprend deux univers : d'un côté, le traitement d'images préexistantes, qui les éloigne de la réalité qu'elle étaient censées représenter ; de l'autre, les images entièrement réalisées à partir d'éléments issus du traitement informatique, ce qui correspond mieux à ce que l'on appelle les images de synthèse ou les images virtuelles. Les images sont, dans les deux cas, soit en deux, soit en trois dimensions (2D ou 3D). Les applications de l'infographie sont très diverses : médecine, sciences de la terre, publicité, cinéma, télévision... L'infographie est utilisée, notamment, pour remplacer les maquettes, dans l'architecture ou l'urbanisme.

Infosphère

Mot parfois utilisé pour désigner l'ensemble des contenus ou des documents numérisés (textes, sons ou images), qu'ils soient accessibles grâce à des réseaux de communications ou disponibles sur des supports autonomes. Il est utilisé par les économistes attentifs aux stratégies des entreprises appartenant aux secteurs des médias, de l'informatique et des télécommunications, plutôt que par les sociologues ou les philosophes, qui préfèrent le mot cybermonde.

Intelligence artificielle

L'expression « intelligence artificielle » (IA en français, AI en anglais) peut être dite oxymorique, au même titre par exemple que celle de « réalité virtuelle ». En effet, l'intelligence, généralement opposée à l'instinct, se définit traditionnellement comme la capacité de résoudre des problèmes par la pensée ou, selon Auguste Comte, comme « l'aptitude à modifier sa conduite conformément aux circonstances de chaque cas. » Bref, suivant cette définition classique et commune, il n'y aurait d'intelligence que du vivant, chez l'homme à l'évidence, ainsi que chez d'autres animaux dits « supérieurs ». Comment dès lors parler d'intelligence artificielle, c'est-à-dire d'une intelligence non plus faculté inhérente à certains organismes vivants, mais produite, fabriquée par des humains et « conférée » à une machine ? C'est pourtant ce terme que choisirent les inventeurs de cette discipline scientifique aujourd'hui établie sur le plan académique comme sur le plan économique : l'intelligence artificielle.

La conception la plus répandue de cette discipline est directement issue de ses efforts pour doter un ordinateur de capacités habituellement attribuées à l'intelligence humaine (acquisition de connaissances, raisonnement, prise de décision, perception...). L'IA peut aussi, de façon complémentaire, relever d'une démarche cognitive, en tant qu'elle s'intéresse à l'étude des mécanismes de l'intelligence, l'ordinateur constituant en ce sens un outil de simulation destiné à tester un modèle ou une théorie.

L'IA et l'informatique apparaissent ainsi dans un rapport d'étroite dépendance : la première utilisant les techniques et ressources de la seconde, celle-ci, en retour, assimilant progressivement les acquis de celle-là.

Après en avoir retracé brièvement l'historique, il conviendra de définir les principes et les domaines d'application de l'IA. Ces rappels devraient permettre de mieux saisir les enjeux aujourd'hui attachés aux présupposés inscrits dans le concept d'intelligence artificielle depuis son origine.

Origines et développement de l'IA

On situe généralement la création de l'IA en 1956 : le terme fut forgé lors d'une université d'été tenue à Dartmouth College (États-Unis) qui réunissait un ensemble de scientifiques de haut niveau (logiciens, électroniciens, psychologues, cybernéticiens, économistes) désireux d'étudier la possibilité de réaliser des programmes d'ordinateur doués d'intelligence. Parmi eux se trouvaient John McCarthy, Marvin Minsky, Claude Shannon, Allen Newell et Herbert Simon. La même année, ces deux derniers mirent au point une machine capable de démontrer des théorèmes non triviaux de logique mathématique, le *Logic Theorist*, ainsi qu'un programme de jeux d'échecs.

Reste à l'évidence que la discipline n'est pas née d'un coup : bon nombre d'expériences antérieures la préfigurent et rendent possible son éclosion en 1956. Que l'on songe par exemple aux développements théoriques et pratiques sur les automates : dès 1833, Charles Babbage construit une machine à calculer ou machine à différence, effectuant automatiquement des calculs d'exponentielles à l'aide de quelques additions. En 1936, suite aux travaux de Alan Turing, est mise au point la machine universelle, machine rudimentaire possédant uniquement quatre instructions élémentaires, mais sur laquelle tous les programmes informatiques fondés sur une machine à états discrets peuvent fonctionner. La cybernétique (créée vers 1948 par Norbert Wiener), a mis en évidence l'importance des phénomènes de rétroaction dans le traitement d'informations par le cerveau.

Décisive aussi fut l'avancée des travaux en logique mathématique : travaux de Leibniz, Boole, Hilbert et enfin Gödel et Church, vers 1930, démontrant l'existence de classes de problèmes dont la solution n'est pas algorithmique (sa forme n'est pas celle d'une suite finie d'opérations à effectuer dans un ordre déterminé).

Toutefois, le véritable catalyseur fut probablement l'apparition des ordinateurs, vers 1945. Dès cette époque, quelques pionniers ont abordé le problème de l'intelligence des machines, dont Alan Turing qui, dans un article de 1950, en propose cette définition: « est intelligente une machine qui fait illusion et passe pour intelligente aux yeux des hommes. » Il est d'ores et déjà intéressant de noter que cette définition ne fait pas appel aux propriétés intrinsèques des machines, et qu'ainsi elle ne recourt pas non plus à une définition de l'intelligence en général. Il ne s'agit pas ici de savoir si une machine est effectivement intelligente, mais si elle peut nous apparaître telle (Ganascia, 1993).

L'historique de l'IA peut être fait en fonction de quatre périodes. Son évolution est marquée par une restriction de ses buts premiers mais aussi par une ouverture à des champs scientifiques connexes.

• La fin des années 1950 est marquée par l'optimisme prophétique : l'IA allait transformer le travail, changer la vie. En 1957, Herbert Simon et Allen Newell annonçaient la victoire future des machines sur les champions du monde d'échecs et prévoyaient la découverte de théorèmes mathématiques importants et des avancées prodigieuses des théories psychologiques produites par ordinateur... Toutefois, l'échec d'un grand projet de traduction automatique né avec la Guerre Froide et abondamment financé par les États-Unis jusqu'en 1966, sans rapport direct avec l'IA, contribua pourtant à saper la réputation de la nouvelle discipline.

• Les travaux en IA continuèrent pourtant, mais leurs prétentions étaient devenues plus modestes. Ainsi, les programmes d'intelligence artificielle furent appliqués à des domaines de savoir étroitement circonscrits pour aboutir, au milieu des années 1970, à la notion de système expert, objet d'un engouement exceptionnel, qui caractérisera l'orientation de la période suivante.

• La décennie 1980 (que l'on pourrait qualifier de période « systèmes experts ») correspond à l'entrée de l'IA dans la vie économique. Les résultats obtenus dans divers domaines (système de diagnostics de maladies infectieuses, découverte d'un gisement de manganèse etc.) à la fin des années 1970 attirèrent les investisseurs. L'IA prend alors son essor et commence à s'imposer aux industriels comme au grand public.

• La quatrième période du développement de l'IA constitue une période de compromis. Désormais institutionnalisée, la discipline cherche à unifier différentes approches informatiques pour ouvrir de nouvelles possibilités. Ainsi, l'IA peut être à l'origine de recherches fructueuses dans d'autres domaines de l'informatique : par exemple, les écrans graphiques des ordinateurs personnels ont été initialement conçus pour favoriser la programmation des techniques d'IA. Plus largement encore, les modèles fournis par l'IA permettent de rassembler et peuvent valider empiriquement les connaissances que l'on a sur divers phénomènes d'ordre physiologique ou cognitif. Les sciences de l'homme et du vivant tendraient ainsi à recourir aux sciences de l'artificiel, et inversement...

Domaines d'application et principales caractéristiques de l'IA

Les domaines d'application majeurs de l'IA pourront être présentés de façon plus systématique :

- le traitement du langage naturel écrit. Ce domaine recouvre des activités variées : accès à des bases de données ou à des services, interprétation ou génération de phrases dans un dialogue homme-machine, traduction assistée, élaboration automatique de résumés de textes, etc. ;

- le traitement automatique de la parole. Ce domaine est à l'évidence proche du précédent, mais le traitement est rendu plus difficile par la nature du signal vocal (grande variabilité acoustique). Il comprend deux aspects majeurs : la reconnaissance (se faire comprendre de la machine) et la synthèse (faire parler la machine). Certains logiciels commercialisés aujourd'hui sont théoriquement capables de reconnaître la voix humaine et d'écrire sous la dictée, mais ils demeurent bien peu fiables et nécessitent un temps d'apprentissage (de la machine comme de l'utilisateur) assez long ;

- la robotique. Ce domaine regroupe l'ensemble des activités d'automatisation des tâches, notamment dans l'industrie. Les travaux en IA ont en effet permis la mise en place de nouvelles générations de robots, dotées de capacités « intelligentes » de perception de leur environnement (vision et interprétation d'images), et de planification de leur activité ;

- les jeux. Dès les débuts de l'IA, ce domaine a été exploré : jeux d'échecs mais aussi jeux de dames, go, backgammon... Les systèmes sont généralement assez compétents, même si les prédictions de victoire de l'ordinateur sur les champions d'échecs ont attendu 1999 pour se réaliser (Big Blue, IBM) ;

- les systèmes experts peuvent être considérés comme un domaine de l'IA à part entière, aux multiples applications. Il s'agit de systèmes à base de connaissances, qui visent à atteindre les performances d'experts humains dans des domaines spécifiques, pour des tâches aussi variées que le diagnostic, le conseil, la planification, la conception. Les connaissances utilisées par le système ont été acquises au préalable auprès d'experts vivants, formalisées et introduites dans une base de connaissances. Différents types de systèmes experts s'appliquent ainsi à des domaines très divers : l'aéronautique (aide au pilotage, planification du trafic aérien...), la finance, la banque, l'assurance (diagnostics d'entreprises, aide au placement...), le droit (aide à la rédaction d'actes, liquidation de dossiers de retraite...), l'électronique (diagnostic de pannes de circuits...), l'enseignement et la recherche (aide à la constitution d'une édition savante...), etc.

À des fins de synthèse, il sera utile de dégager trois caractéristiques au principe de l'IA :

- contrairement à l'informatique « classique » qui manipule essentiellement des nombres, l'IA manipule essentiellement des informations symboliques (concepts, règles, faits, etc.) telles que celles prises en compte par un être humain lorsqu'il effectue un raisonnement. Il ne suffit pas en effet que la machine sache reconnaître et manipuler un langage formel donné : encore faut-il qu'elle puisse interpréter ce langage, qu'il ait un sens pour elle. C'est dans ce but qu'entrent en jeu les systèmes symboliques (qui partent d'axiomes pour construire des théorèmes à l'aide de règles de dérivation). Grâce à ces systèmes, issus des mathématiques, on peut construire des objets informatiques complexes, objets non formels comme le langage naturel, les jeux, etc. Les axiomes correspondent à la description des éléments d'information propres au domaine considéré, les règles de dérivation à des bribes de raisonnement qui pourront s'enchaîner les unes aux autres. En constituant ainsi des théorèmes, les ordinateurs peuvent donc simuler des raisonnements qui ne sont pas d'ordre mathématique, mais qui ont trait à des champs étroits du savoir. Toutefois, la mise en œuvre de tels systèmes se heurte au problème du « mur combinatoire », les combinaisons possibles calculées par l'ordinateur devenant vite « exponentielles » ;

- c'est ce qui explique le recours, en IA, à la notion d'heuristique. Les heuristiques constituent des méthodes d'aide à la découverte en permettant de discerner les dérivations qui ont le plus de chances d'aboutir au succès. L'heuristique s'oppose à l'algorithme en ce qu'elle constitue une méthode de résolution des problèmes qui emprunte des voies non déterministes et dont le résultat n'est pas toujours garanti. Lorsqu'elle aboutit en revanche, le gain en temps de calcul est souvent considérable ;
- il arrive, dans certains cas, que le référent du système symbolique, ce qu'il doit désigner, ne puisse être réductible à une quelconque expression littérale. La modélisation des objets au principe de tout système symbolique peut s'avérer limitée. L'IA se tourne alors vers la reproduction analogique du comportement cognitif de l'homme (Ganascia, 1993). Ainsi, pour faire un ordinateur « médecin », il suffira de mimer le comportement du médecin, plutôt que de systématiser une symbolisation du corps humain ou de la santé. Cette dimension, essentielle pour comprendre le fonctionnement de l'IA, met directement en jeu la notion de connaissances, que l'on a déjà abordée avec celle de systèmes experts ou systèmes à base de connaissances. Elle nous interroge en effet sur le sens de la notion de connaissance des machines, sur la nature du lien entre les connaissances et leur symbolisation. Outre son recours aux techniques informatiques avancées (langages de programmation, syntaxe), l'IA est donc aussi nécessairement proche des recherches en psychologie cognitive (représentation des connaissances, raisonnement).

« Agents intelligents » et informatique « grand public »

Les principes de l'IA étant définis, ses domaines d'application schématiquement circonscrits, on peut à présent s'attacher à l'extension actuelle du concept d'intelligence artificielle, pour mieux rendre compte de ses implications dans le domaine plus large de l'informatique « grand public ».

Si l'IA conçoit ou pratique la programmation informatique de manière spécifique, en fonction des problématiques qui lui sont propres, apparemment elle ne détient pas le monopole de l'illusion d'« intelligence » que toute machine serait susceptible de créer. Car tel est le phénomène auquel on assiste : vulgate héritée de la diffusion des travaux en IA aboutissant souvent à la diffusion de techniques informatiques pour le grand public, ou caractéristique de notre pensée de l'ordinateur, tout se passe comme si nous nous représentions les productions de l'ordinateur comme intelligentes.

Il est important de s'arrêter un instant sur le concept d'agent. Les agents, qui ne sont rien d'autre que des programmes informatiques, sont bien connus des théoriciens et des programmeurs (essentiellement en IA), alors que l'utilisateur de base, rompu ou non au maniement des ordinateurs, n'en connaît peu ou prou que les manifestations externes sans d'ailleurs savoir qu'elles sont produites par des agents dits « d'interaction ». Lorsque s'ouvre une fenêtre de dialogue lui expliquant, par exemple, que la batterie de l'ordinateur est presque déchargée, l'utilisateur ne sait pas qu'un agent d'interaction est responsable du message pour l'avertir de l'état interne de la machine. Reste que la fonction de simulation de tels agents est bien prise en compte par l'utilisateur, et contribue à renforcer l'impression d'un véritable « dialogue » homme-machine. Telle est la première simulation de l'« intelligence » des ordinateurs pour le grand public.

Les agents d'interaction ne sont pourtant pas, à proprement parler, des « agents intelligents ». Ces derniers sont les plus évolués des « agents » en ce qu'ils sont directement issus des techniques de programmation propres à l'IA. Les agents intelligents sont ainsi censés simuler les compétences humaines de façon plus fine que les autres programmes d'interaction homme-machine, et ce grâce à deux fonctions essentielles et interdépendantes : leur fonction d'apprentissage et leur fonction d'adaptation.

En tant que tels, les agents intelligents sont beaucoup plus malléables que les systèmes experts traditionnels nécessitant le concours d'hommes de métiers pour constituer la base figée de leurs connaissances. Or l'ensemble des programmes (ou connaissances) qui meuvent les agents « intelligents » ne saurait se restreindre à un lot d'informations figé (Ganascia, 1999). Les agents intelligents peuvent donc accumuler leurs diverses expériences et les mettre à profit pour aborder les nouvelles situations rencontrées.

Si à l'origine, la fonction première des agents est d'aider le programmeur en IA à repérer efficacement les diverses fonctions d'un programme, les versions simplifiées des agents intelligents aujourd'hui disponibles, essentiellement sur Internet, visent à faciliter la navigation des utilisateurs de base et leur repérage personnalisé dans l'ensemble des données disponibles *on-line*. L'exemple le mieux connu est celui du domaine documentaire (il s'agit d'ailleurs du domaine d'application majeur des agents intelligents à l'informatique « traditionnelle »). L'adjonction d'agents intelligents à un moteur de recherche est censée lui permettre de consulter les bases de données les plus pertinentes en fonction des centres d'intérêt de l'utilisateur, de la nature des requêtes précédentes de ce dernier et de ses publications personnelles (Weissberg). La constitution de tels programmes destinés au grand public suppose donc qu'ils aient accès à des renseignements sur l'utilisateur, notamment sur ses habitudes, sans la moindre intervention de sa part (ce qui les distingue des systèmes experts). Ainsi, les recherches actuelles s'attachent par exemple à améliorer les conditions d'accès des programmes « intelligents » aux disques durs des ordinateurs personnels, qui contiennent de nombreuses informations (agenda, comptes, coordonnées des interlocuteurs, travaux professionnels, etc.) et aux gestionnaires de courrier électronique.

Parmi les types de programmes « intelligents » disponibles sur Internet aujourd'hui et dérivés des techniques de l'IA, peu sont encore véritablement performants. En revanche, il paraît intéressant ici de mentionner un second exemple de leur application à (et sur) Internet : celui de l'« intelligence économique ». Ce domaine constitue un instrument de recherche de l'information sur Internet, directement issu du renseignement militaire américain. Les offres de services aux entreprises et les outils logiciels se multiplient, rendant accessible la recherche systématique d'une information de plus en plus ciblée. On citera quelques-unes des fonctionnalités des logiciels existants (mais, à l'évidence, peu diffusés hors du monde des entreprises) : recherche de noms propres, de lieux, de sociétés dans le but de construire des index ciblés, des liens hypertexte entre index, des résumés ; localisation de données sensibles à l'intérieur d'une entreprise, à partir d'une analyse des besoins et de la culture de celle-ci, le tout fonctionnant en langage naturel, domaine d'application propre à l'IA.

L'exemple de l'« intelligence économique » contribue à mettre en évidence une caractéristique essentielle de l'extension non technique du concept d'intelligence artificielle. En effet, dans ces applications dérivées, le terme intelligence revêt un sens spécifiquement anglo-saxon : celui de « renseignement(s) », d'« information(s) », tel qu'on le retrouve dans le nom CIA (*Central Intelligence Agency*, vouée à la surveillance du territoire). Dans cet esprit, le français pourrait remplacer l'expression d'« agent intelligent » par celle d'« agent de renseignements » : on peut toutefois douter du succès grand public d'un outil ainsi dénommé...

Qu'il suffise ici de souligner à quel point, en définitive, le concept d'intelligence artificielle dans son acception « généraliste » est susceptible d'être rattaché à certaines formes d'idéologie. Comme tel, il tendrait d'ailleurs à se confondre avec une certaine conception de l'informatique largement diffusée au sein du grand public.

Présupposés idéologiques de l'IA

L'origine de l'IA en tant que discipline partage avec celle de l'informatique un point commun important : toutes deux se rattachent à la cybernétique, discipline apparue vers la fin des années 1940, comme on l'a vu, et ayant fourni le cadre conceptuel nécessaire au développement de la robotique. La cybernétique est aussi à l'origine de la vision du monde qui sous-tend l'IA comme l'informatique, vision liée à son principe de comparaison entre le vivant et les machines. Pourtant, cybernéticiens et informaticiens se sont opposés dès le début sur la question de l'« intelligence ». John Von Neumann conçut explicitement l'ordinateur sur le modèle du cerveau humain, dans le but de pouvoir réaliser un « cerveau artificiel » comparable en performance au cerveau humain « naturel » (Breton & Proulx, 1996). À l'opposé, le cybernéticien Norbert Wiener considérait essentiellement l'ordinateur comme une machine communicante. Historiquement, on sait que l'ordinateur s'est imposé en tant que technique de communication, et que l'hypothèse de l'identité du cerveau et de l'ordinateur a fait long feu.

Pourtant, cette hypothèse, que l'on sait fausse depuis près de cinquante ans, a donné naissance à une forme de vulgate destinée au grand public : la pensée humaine y est réduite à l'intelligence, elle-même identifiée à l'intelligence artificielle de l'ordinateur. D'autre part, et contrairement à ses origines, la fonction de communication de l'ordinateur révélée au grand public par le succès du Web au début des années 1990, semble avoir rejoint cette vulgate en renforçant l'illusion d'une communication intelligente entre l'homme et la machine.

Dans les discours ambiants, l'ordinateur tend dès lors à incarner toutes les vertus scientifiques et techniques, qui seraient à l'image de notre intelligence. Comme telle, l'assimilation abusive de la pensée à l'ordinateur favorise la réduction des choix politiques à des « choix » technologiques (Lacroix, 1997). Cette idéologie qui assimile progrès scientifique et progrès social est mieux connue sous le nom de « déterminisme de l'innovation ».

Par là même, la vogue des agents intelligents dérivés de l'IA et cherchant à se diffuser au sein des applications généralistes (malgré leur peu d'efficacité) s'explique peut-être plus clairement en termes sociologiques. À l'origine en effet, l'agent d'interaction ou l'agent intelligent ne sont rien d'autre que des automates. Or, personne n'a jamais songé à qualifier d'intelligente une chasse d'eau mécanique, présentant pourtant les mêmes fonctionnalités de régulation que ces agents, relevant du même principe de rétroaction issu de la cybernétique. Certes, l'analogie semble plus probante lorsqu'il s'agit des agents intelligents à l'œuvre dans des logiciels sophistiqués, mais seuls le degré de complexité et les matériaux employés varient fondamentalement d'un type d'automate à l'autre. Avec l'intelligence artificielle, on a bien affaire à des innovations relevant d'une forme évoluée de technique informatique. Il ne reste donc plus qu'à confondre les vertus du progrès technique et leurs prétendus corollaires sociaux, grâce à l'illusion d'« intelligence » que créeraient les ordinateurs du fait de leur seule complexité technique, et le tour est joué.

Mais qui peut croire aujourd'hui que l'avenir de l'humanité puisse être de déléguer sa faculté de raisonner à des ordinateurs, en utilisant des logiciels à fonction « humaine » de plus en plus standardisés ?

Étrange renversement qui ferait de l'intelligence naturelle (tellement plus riche que l'intelligence uniquement rationnelle) une forme artificielle et uniformisée d'intelligence, sous la seule injonction illusoire de machines bel et bien programmées par des humains.

Bibliographie

Ouvrages :

- BRETON (Philippe), PROULX (Serge), *L'explosion de la communication*, La Découverte, Paris, 1996.
- GANASCIA (Jean-Gabriel), *L'Intelligence artificielle*, Flammarion, Paris, 1996.
- GANASCIA (Jean-Gabriel), *2001, l'odyssée de l'esprit à l'ère des sociétés de l'information*, Flammarion, Paris, 1999.
- HATON (J. P. et M. C.), *L'intelligence artificielle*, PUF, Paris, 1998.
- LACROIX (G.), *Le Mirage Internet. Enjeux économiques et sociaux*, Vigot, Paris, 1997.

Webographie

- http://www.mines.u-nancy.fr/~gueniffe/CoursEMN/I41/ia-url.html

Interactivité

Le terme « interactivité » apparaît dans les multiples discours sur l'informatique, Internet et le multimédia en général, sans jamais être défini. L'emploi de ce terme semble relever d'un véritable phénomène de mode, censé correspondre à un fait de société, dû à une transformation technique d'importance. Il est impossible de ne pas noter le flou de la plupart des définitions qui ont été données de l'interactivité, tant dans les dictionnaires usuels que dans des ouvrages plus spécialisés. On s'y accorde généralement à parler de « dialogue », mais ce renvoi est problématique : le dialogue entre un individu et une machine, voire une « information » est loin d'aller de soi. D'autre part, l'extension extrêmement générale que revêt cette notion dans la presse écrite, à la télévision, dans le commerce, contribue à la rendre démesurément élastique. Or, paradoxalement, l'exemple le plus représentatif d'application interactive demeure souvent restreint au seul domaine des jeux multimédias.

Une brève mise au point technique s'avère donc nécessaire pour tenter de préciser ce que serait, à strictement parler, l'interactivité et comment cela fonctionne.

Pour les informaticiens, la première définition de l'interactivité est donnée par la possibilité d'intervenir sur un programme en cours de fonctionnement, le plus souvent en l'interrompant. Ainsi, le « Control-C » d'Unix et le « Control-Alt-Del » de DOS et Windows sont les manifestations premières de l'interactivité : une machine tient compte de l'intervention humaine alors qu'elle accomplit une tâche. Il convient de s'arrêter d'abord sur les producteurs d'interactivité que sont les ingénieurs, car la difficulté d'une approche correcte de cette notion vient pour l'essentiel de ce que les discours qui prétendent en traiter ne présentent pas de relation avec le monde de ceux qui la conçoivent : ces discours appartiennent à d'autres sphères de l'activité sociale liées aux technologies (médias, éducation) et adoptent donc le point de vue de l'utilisateur plutôt que celui du technicien ou du programmeur. Cette posture est légitime, à l'évidence, et il faudra y revenir, mais elle demeure partielle et ne suffit donc pas à définir précisément cette réalité technique qu'est l'interactivité.

L'« interactivité technique » des informaticiens

Le terme « interactivité » est assez récent, son apparition étant liée aux progrès de l'informatique notamment dans la conception des ordinateurs personnels. Il est donc porté par un préjugé favorable, lié au concept de convivialité. Cependant, il n'est pas vrai que les logiciels dits « interactifs » soient désormais devenus la norme, en remplaçant les logiciels « non interactifs » des ordinateurs d'autrefois (utilisant par exemple des cartes perforées). Ce type d'historicisation est erroné, et l'on peut le prouver en mentionnant un autre type d'erreur souvent commise : nombreux sont les ouvrages qui opposent les logiciels « interactifs » aux programmes de fond (*background programs*) ou BATCH, sous prétexte que ces derniers tournent sans participation directe de l'utilisateur. Or, du point de vue de l'ingénieur ou du programmeur, une telle distinction n'est plus pertinente : si, historiquement, le BATCH était une série d'instructions (sur cartes perforées) dont l'auteur ne savait pas à quel moment elles seraient transmise à la machine, aujourd'hui, les programmes de fond sont réalisés à des horaires choisis par l'informaticien. En fait, il existe une tension essentielle entre l'informaticien et l'utilisateur : le premier cherche à minimiser ses interventions dans le déroulement d'un programme alors que le logiciel « interactif » vise à maximiser celles du second. Un bon exemple de cette opposition est donné par la production d'images animées : en fonction de sa culture technique, l'auteur automatisera la tâche ou au contraire, transmettra des milliers de commandes, limitant ainsi ses possibilités de reproduire son travail (pour réaliser et associer 100 cartes, au moins 1 500 interventions quasi identiques sont nécessaires pour un expert en logiciels « interactifs » quand un programme de 30 lignes produit le même résultat).

Il semble donc utile de rappeler ici le principe de base du fonctionnement d'un ordinateur :

1) l'opérateur humain transmet un *input* (entrée) à la machine ;

2) la machine produit (pendant une durée variable) un *output* (sortie) correspondant au résultat de l'exécution des instructions transmises en 1), ou un message d'erreur (*error*, distinct de l'*output*).

Or ce fonctionnement, comme le mode d'utilisation de l'ordinateur qu'il implique, constitue un schéma primitif de communication entre l'individu et la machine qui est à la base même de la notion d'interactivité. En cela, un programme où l'ordinateur enchaîne automatiquement les tâches programmées spécifiées par l'opérateur est interactif. Donc tout programme est intrinsèquement interactif.

Il faut examiner à présent les conditions de mise en œuvre des *inputs*, c'est-à-dire les « interfaces » qui assurent la transmission des instructions à l'ordinateur. Pour plus de simplicité, on considérera deux grands types d'interfaces utilisateur : les interfaces « logicielles » et les interfaces « matérielles » (ces caractérisations sont employées dans un sens large, non technique).

• Au niveau matériel, on pourra citer la souris, le *joystick*, le clavier, l'écran. L'écran (qui bien sûr sert aussi à la visualisation des *outputs*), est une interface essentielle car il est le représentant de l'interface graphique, apparue dans les années 1970, qui caractérise l'originalité des ordinateurs personnels. L'écran peut être tactile ou non. On pourra aussi citer les périphériques servant à la reconnaissance de formes, vocales ou graphiques, ainsi que les périphériques employés dans les applications de réalité virtuelle (gant de données, visiocasque, etc.).

• Au niveau logiciel « visible », trois formes de langages peuvent constituer des interfaces (ou outils d'interactivité), indépendamment du niveau où l'on se situe (système d'exploitation ou logiciel).

- Les commandes. Souvent associées à des systèmes d'exploitation étiquetés « non-conviviaux » (Unix, DOS, etc.), on a vu qu'elles sont la manifestation première de l'interactivité. Aux commandes, on peut associer les langages de programmation évolués (Pascal, C, Perl, etc.). Les commandes sont disponibles sur tout système d'exploitation, même si leur accessibilité est parfois restreinte à un petit nombre d'experts. On notera que la plupart des logiciels acceptent eux aussi de telles commandes ou langages, notamment les tableurs et les gestionnaires de bases de données.

- Le langage iconique (incluant menus déroulants, fenêtres de dialogue, etc.), dont le développement a fait le succès de certains systèmes d'exploitation (Macintosh, Windows, NeXT, etc.). Aujourd'hui, tous les systèmes d'exploitation possèdent des langages iconiques plus ou moins développés, non pas en fonction de leur raffinement ou aboutissement présumé, mais en fonction de la demande de leurs utilisateurs.

- Les raccourcis clavier. Ces gestes, trop peu souvent évoqués, constituent un élément essentiel de la communication entre l'homme et la machine, même s'il l'on est tenté de les rapprocher des commandes, principalement à cause de l'interface utilisée, le clavier, qui n'a rien de « moderne ». Passerelle entre les commandes et les icônes, ils témoignent de la fausse opposition entre logiciels interactifs et logiciels non-interactifs. Un néophyte utilisera un menu déroulant pour connaître la taille d'un fichier, puis sera heureux d'apprendre le raccourci clavier correspondant, et finira par désirer connaître la commande permettant d'afficher la taille de tous les fichiers d'un répertoire donné.

En première conclusion, on est tenté d'interpréter le concept généraliste d'interactivité comme étant attaché non pas à une association entre une action de l'utilisateur et une réponse de la machine, mais à l'interface qui lui est attachée : est interactif ce qui met en jeu des objets modernes, donc valorisés, comme l'écran et la souris ; ne l'est pas ce qui implique l'usage du clavier désuet. Ceci constitue un premier piège pour l'utilisateur non averti, puisque celui-ci est très vite obligé de multiplier les interventions répétitives, qui peuvent se chiffrer à des milliers de clicks souris, pour obtenir de la machine un résultat souvent assez primitif.

• Reste le niveau du « logiciel invisible », où un nouveau concept, celui d'agent, apparaît, avant d'être lui aussi détourné de son sens initial. Les « agents intelligents » d'Internet, censés nous simplifier la vie ou nous transmettre chaque matin des informations correspondant à nos centres d'intérêt, ne sont jamais que des logiciels résidant sur une machine donnée et accomplissant une série précise de tâches.

Les théoriciens utilisent le concept d'« agent » pour traduire la complexité des processus matériels qui activent l'ordinateur (Ganascia, 1999). Qu'est-ce à dire ?

Les informaticiens distinguent les programmes des données : les données sont des séquences de nombres qui demeurent inertes tant que les processus engendrés par les programmes (eux-mêmes engendrés par les séquences d'instructions transmises par le programmeur) ne les transforment pas. Pour faciliter le travail de création et de relecture des programmes, on a appelé « objets » les formes d'association des données et des programmes qui les manipulent. Puis on les a perfectionnés en les faisant communiquer entre eux (on les appelle alors « acteurs »). Ainsi, pour activer un processus comme pour modifier une donnée, il suffit de transmettre une instruction à l'acteur contenant celle-ci, ou à l'acteur contenant le programme correspondant à celui-là. Ces acteurs permettent à l'informaticien de « voir » de façon imagée les fonctions des parties des programmes. Ce ne sont pourtant rien d'autre, rappelons-le, que des suites d'instructions associées à des données, que l'informaticien peut ainsi relire de façon plus aisée. Pour faciliter encore cette reconnaissance structurelle, on a programmé les acteurs de telle sorte qu'ils puissent simuler des « agents rationnels », c'est-à-dire possédant des buts, des connaissances et susceptibles d'agir sur leur environnement : ce sont les « agents informatiques ». Tels quels, ils sont compris des informaticiens mais demeurent insaisissables pour l'utilisateur non expert : aussi leur a-t-on associé une apparence externe qui traduise leur « état » interne et soit donc visible à l'écran (ou audible). On rejoint ici les interfaces logicielles évoquées plus haut. Les agents envoient en effet des images à l'écran, comme un visage souriant ou encore une suite de conseils (fenêtre de dialogue), des alertes (jouxtant souvent l'image d'une bombe et parfois agrémentées d'un signal sonore), des courriers électroniques, etc. Inversement, certains messages émis par l'utilisateur sont envoyés à l'agent et interprétés, ainsi des « agents d'interaction » (comprenant agents logiciels ou *soft bots*, agents tâches ou *taskbots*, agents utilisateurs ou *user bots*, etc.). S'ils revêtent une apparence physique, ils n'en demeurent pas moins des programmes informatiques. D'autres agents, dits « intelligents » ont également été mis au point, non plus en utilisant la programmation classique (procédurale), mais la programmation dite « à base de connaissances » propre au domaine de l'intelligence artificielle.

À ce point, on pourra donc suggérer que le concept d'interactivité désigne, au sens strict, le mode de fonctionnement de base de tout ordinateur, relié ou non à un réseau, et considéré dans ses constituants physiques (interfaces matérielles) comme logiques (interfaces logicielles). En tant que telle, l'interactivité suppose que l'utilisateur (programmeur ou simple utilisateur) ne poursuive pas d'autre but que celui de faire fonctionner la machine, c'est-à-dire d'obtenir le résultat adéquat au processus déclenché par la mise en marche du programme, plutôt que des messages d'erreur. Cela ressemble fort à un truisme, mais telle est la définition informatique de l'interactivité.

Aux sources de l'interactivité « grand public » : la notion de communication

Il faut à présent revenir sur un point évoqué précédemment : la définition commune, extensive, de l'interactivité, fait référence au point de vue de l'utilisateur non spécialiste d'un logiciel en cours de fonctionnement : bref, c'est le point de vue du « consommateur » de logiciels. Elle est liée à deux illusions majeures étroitement liées : l'illusion d'une communication synchrone (dite « en temps réel ») que favoriserait l'ordinateur et l'attribution illusoire d'un comportement humain à la machine (d'où la possibilité d'un « dialogue » avec elle).

Il conviendra ici de mieux situer ces deux sources du concept d'interactivité compris comme « dialogue ».

Dans son extension large en effet, l'interactivité se confond insensiblement avec la notion d'interaction. L'interaction désigne un processus d'action réciproque impliquant deux acteurs. Cette notion est donc susceptible de s'appliquer à deux grands domaines : celui des sciences physiques et celui des sciences humaines. Son acception physique est historiquement première. Un bon exemple d'interaction des corps est celui du marteau et du clou : en s'abattant sur la tête du clou, le marteau perd une grande partie de sa quantité de mouvement ; le clou, réagissant au choc, s'enfonce dans le bois mais ce faisant il agit aussi sur le marteau en lui retirant cette quantité de mouvement. Il y a donc réciprocité de l'action et de la réaction. Or, de la sphère matérielle, la notion d'interaction a ensuite glissé à la sphère sociale et informationnelle. Elle entre ainsi en jeu en psycholinguistique dans l'analyse conversationnelle, qui étudie les interactions dans les échanges entre deux ou plusieurs personnes (les actions et réactions réciproques des participants au dialogue). Pour le sociologue Erving Goffman, l'interaction est un processus de synchronisation de la relation entre plusieurs êtres : un comportement social étant toujours selon lui réévalué en fonction de l'évolution de la situation dans laquelle il s'inscrit.

Les deux glissements dont il est question ici (celui de l'interaction physique à l'interaction sociale ; celui de l'interactivité informatique à l'interaction) peuvent en grande partie s'expliquer grâce à la conception cybernétique de la communication. Selon cette conception, en effet, la communication, entendue comme processus d'interaction entre les éléments d'un système, s'applique aux humains comme aux autres êtres vivants et à certaines machines. On comprend dès lors que l'assimilation de la capacité communicante des humains à celle des machines ait pu favoriser la formation d'un concept spécifique, l'« interactivité », censé définir les modalités d'une communication homme/machine. Du même coup, cette forme de communication s'est vu attribuer une des caractéristiques essentielles de la communication intersubjective : la synchronicité, c'est-à-dire la coïncidence dans le temps (et l'espace) entre la production du message et sa réception. L'interactivité ainsi comprise comme communication « en temps réel » médiatisée par l'ordinateur, repose sur une conception erronée de l'informatique. Il est faux de prétendre qu'il n'existe pas de délai entre la transmission d'une commande et son interprétation ou son traitement par la machine ; une machine fonctionnant en « temps réel » n'est pas une machine rapide qui renvoie très vite un résultat, mais une machine qui garantit que tel type de résultat sera renvoyé dans un délai donné. De tels ordinateurs sont très complexes à mettre en œuvre. À titre indicatif, une interruption primaire de type « Control-C » sur un programme lourd peut nécessiter jusqu'à une minute avant que le programme ne s'arrête, sur une machine rapide actuelle (qui ne fonctionne donc pas en temps réel).

Mais l'assimilation, fût-elle inconsciente chez l'utilisateur, de la machine à un être humain, favorise toutes les illusions et, par conséquent, toutes les approximations conceptuelles qui caractérisent la version grand public de l'« interactivité ». Ces illusions une fois dévoilées, il n'est nullement question de nier que les ordinateurs puissent être des machines « communicantes ». En adoptant un point de vue plus général, on pourra donc proposer de définir l'interactivité comme un dispositif quasi synchrone de mise en interaction, que l'on pourra désigner comme « interactivité communicationnelle ». Si une telle définition n'évite pas le glissement de l'interactivité à l'interaction (pour mieux revendiquer leur identité première), elle a le mérite de souligner la fonction de transmission intrinsèque à la machine (stockage, transformation, transmission de données), l'ordinateur n'étant qu'un instrument, un intermédiaire, et l'interactivité une possibilité d'interaction quasi synchrone entre un *input* et un *output*. On proposera donc de désigner par « interactivité communicationnelle » l'acception généraliste du concept d'interactivité ainsi défini.

Applications « interactives »

La mise au point qui précède rend possible un classement schématique des applications « interactives » de l'informatique en général et d'Internet en particulier. Ce classement fait appel à des critères généralement appliqués à l'analyse des médias, repris ici par commodité, mais nullement dans le but d'affirmer qu'Internet est un média à part entière, encore moins un *mass media*. La distinction *one-to-one/one-to-many* (correspondance privée/communication publique) ne peut en effet rendre compte de la complexité des échanges engendrés par la technique numérique. Ces échanges s'apparentant tantôt à l'une de ces formes, tantôt à l'autre (Balle, 1999), on a choisi de conserver leur distinction, en ajoutant un troisième terme (*many-to-many*) dont on comprend aisément la signification.

Applications favorisant la communication (interaction) homme/machine

• *One-to-one* : utilisation *off-line* de n'importe quel logiciel. L'exemple le plus souvent cité est celui des jeux multimédias.

• *One-to-many* : utilisation *on-line* de n'importe quel logiciel. De façon intéressante, le *one* ici peut être tantôt l'homme, tantôt la machine. La navigation sur le Web en utilisant un moteur de recherche en est un bon exemple : l'utilisateur trace lui-même son propre chemin parmi les multiples (*many*) sites ou machines connectées au Réseau. On peut toutefois considérer le Web comme un hypertexte géant, ou hypermédia (comme *one*) destiné à faire circuler ses informations aux milliers d'internautes connectés. C'est ainsi que s'explique l'évolution des moteurs de recherche, qui deviennent portails, puis médias. Dans cette optique, les applications de la convergence appartiennent à cette catégorie : *webcasting, narrowcasting*...

Applications favorisant la communication homme/homme

• *One-to-one* : courrier électronique (*on-line*) ; lien indirect (*on-* ou *off-line*) utilisateur/concepteur du logiciel (pouvant être direct si l'utilisateur décide par exemple d'envoyer un *e-mail* au concepteur pour obtenir des renseignements ou de l'aide concernant le fonctionnement du logiciel en question).

• *One-to-many, many-to-many* : les applications créent des processus collectifs spontanés (listes de discussion, groupes de *News, chats*, MUD...) ou des processus collectifs distribués (logiciels collaboratifs permettant un travail de recherche collectif *on-line*, grâce à des systèmes d'annotations, de renvois hypertextuels personnalisés, etc.).

Question de l'interactivité machine/machine

Elle se pose au sujet des applications *on-line*. On s'accorde en effet pour dire que 80 % des échanges sur Internet sont des échanges entre machines. On peut ainsi mentionner le fonctionnement technique des listes de discussions (Majordomo, etc.) où des machines gestionnaires se chargent de répartir les messages reçus, de les orienter vers des adresses spécifiques, voire de les éliminer avant qu'ils ne soient pris en compte par les acteurs humains de la liste. Le Web est tout entier parcouru d'agents qui, comme on l'a vu, ne sont rien d'autre que des logiciels qui se chargent d'indexer le contenu de la Toile pour ensuite le mettre à disposition des machines « clientes ». À strictement parler, Internet (TCP/IP) est exclusivement une communication machine/machine.

L'interactivité est donc bel et bien une affaire de support machinique, toujours en définitive dépendante des caractéristiques techniques de ce dernier. Aussi pourra-t-on parler d'interactivité zéro si le programme lancé ou le système d'exploitation « boguent », voire quand le logiciel utilisé a été écrit de façon rigide : tout interactif que soit le « dialogue » avec la machine, il demeure impossible de la faire changer d'opinion ! Inversement, du fait des conditions de fabrication des programmes informatiques, ceux-ci sont souvent porteurs d'une interactivité potentielle à laquelle l'utilisateur n'a généralement pas accès (à moins de se pencher sur *le source* de son logiciel et de le modifier), mais qui est exploitée par les « pirates » pour transmettre des virus (*on-* ou *off-line*), se substituer à un utilisateur, etc.

Peut-être serait-il donc plus sécurisant d'avoir à ses côtés quelque petit robot, objet « intelligent », moins exigeant qu'un tamagochi de base, et plus respectueux des ordres de son maître, apprenant à prévenir ses moindres désirs à la suite d'un apprentissage moins long et plus durable que celui de la programmation de logiciels ou, plus généralement, des modalités d'utilisation d'Internet qui nous arrachent tant de cris d'impatience ! C'est tout au moins l'un des derniers avatars (en voie de commercialisation) des technologies de l'« interactivité ». Ou pourquoi faire simple, quand on peut faire compliqué.

Bibliographie

Ouvrages :

■ GANASCIA (Jean-Gabriel), *2001, l'odyssée de l'esprit à l'ère des sociétés de l'information*, Flammarion, Paris, 1999.

Internet

L'historique d'Internet et ses principes de fonctionnement sont généralement mal connus et on entretient aujourd'hui plusieurs illusions à son sujet. Pour ne citer que les plus répandues, on évoquera la confusion fréquente d'Internet avec le Web qui n'est pourtant qu'un des multiples services disponibles sur le Net. Cette confusion est étroitement liée à l'illusion rétrospective qu'Internet est une technologie récente, alors qu'il a mis une vingtaine d'années à s'imposer, d'abord au sein de communautés scientifiques spécifiques, puis au sein du grand public (c'est là que commence en fait l'histoire du Web).

Or cette appréhension faussée que l'on a du « phénomène Internet » est largement due à la vogue actuelle des discours sur les nouvelles technologies de l'information et de la communication. En vertu d'une rhétorique révolutionnaire, propre aux récits de techniques centrés sur l'innovation, Internet est présenté comme une technique majeure, entièrement nouvelle et résolument tournée vers le futur, dont il est prédit qu'elle doit le transformer socialement. Ces discours, outre qu'ils relèvent d'un déterminisme technique fort contestable, conduisent à ignorer le passé le plus récent ; les discours sur Internet occultent volontiers le système postal, le télégraphe, la radio, etc. (Edgerton, 1998).

Il convient donc d'expliquer Internet sans oublier qu'il ne s'agit que d'une technique aujourd'hui en usage, ayant mis un certain temps et ayant connu des difficultés non négligeables pour s'imposer ; technique parmi d'autres, dont la pénétration (et la médiatisation) est indéniable mais ne constitue en aucun cas la mesure de son importance ou de son impact historique. D'autres techniques auraient pu être mises en œuvre et le seront probablement, malgré le phénomène de convergence des secteurs des télécommunications, de l'audiovisuel et de l'informatique dont Internet, selon certains, devrait constituer le moteur essentiel.

Les ancêtres d'Internet

Si la naissance du réseau précurseur d'Internet est officiellement située en 1969, il peut être utile de remonter un peu plus dans le temps, fût-ce brièvement, pour mieux en rendre compte.

L'ordinateur, conçu aux États-Unis entre l'automne 1944 et l'été 1945 par le mathématicien John Von Neumann et une équipe d'ingénieurs, comme nouveau moyen de traiter l'information, va rapidement être intégré à une structure en réseau utilisant les lignes téléphoniques (comme c'était déjà le cas des machines à calcul et machines mécanographiques inventées dans la décennie précédente).

L'évolution des réseaux informatiques dans les années 1950-1960 est marquée par le recours à des supports de communication développés pour d'autres besoins (lignes téléphoniques, télex) dans un cadre de traitement localisé de l'information. Utiliser à distance un ordinateur suppose alors la connexion spécifique d'un « terminal » télétype à celui-ci.

Le premier réseau informatique à l'échelle des États-Unis fut un système de surveillance aérienne, SAGE (*Semi Automatic Ground Environment*), né à l'époque de la Guerre Froide, au début des années 1950. Il consistait en un réseau de radars surveillant les mouvements des avions et transmettant toute information détectée à un ordinateur central, qui envoyait sa réponse quasiment en temps réel, ce qui permettait une riposte rapide.

Ce système fut ensuite le modèle d'autres réseaux, civils et militaires. Le système SABRE (*Semi-Automatic Business Research Environment*) créé en 1959 était destiné à la réservation de billets d'avion.

L'ancêtre direct d'Internet a, quant à lui, des origines militaro-universitaires. En 1957 est créée au sein du *Department of Defense* américain, l'agence ARPA (*Advanced Research Project Agency*), création qui fait réponse au lancement par les Soviétiques du premier satellite artificiel, Spoutnik, l'année précédente : il s'agit d'assurer la domination scientifique et technologique des États-Unis, notamment dans les applications militaires. L'ARPA va ainsi financer un projet de constitution de réseau informatique, indirectement lié à la volonté gouvernementale de mettre au point un réseau de communications militaires capable de résister à toute attaque des Soviétiques.

D'autre part, bon nombre d'informaticiens et de scientifiques sont désireux de partager la puissance de calcul de leurs ordinateurs en les faisant communiquer. Ce besoin scientifique s'explique par ailleurs très bien si l'on considère le volume, le coût et les difficultés de manipulation d'un ordinateur à cette époque.

C'est dans ce contexte que va être développé un nouveau type de réseaux spécialisés dans la transmission de données : les réseaux à commutation « par paquets » (*packet-switching network*), dont la première théorisation remonte à 1961. La structure maillée de ces réseaux, la multiplicité des ordinateurs et des connexions, en l'absence de point central, doivent leur permettre de résister à une destruction partielle. Le premier plan de développement d'ARPAnet date de 1966. L'ARPA lance son appel d'offres en 1968 ; la firme américaine de consultants BBN décroche le contrat pour réaliser les ordinateurs IMP (*Interface Message Processor*) propres à gérer le protocole du nouveau réseau. Les IMP étaient des mini-ordinateurs Honeywell d'une mémoire de 12 Ko. En 1969, le département de la Défense dédie le réseau naissant Arpanet à la recherche en matière de réseaux. Quatre nœuds vont être constitués au fur et à mesure que sont installés les IMP : le premier est réalisé à l'université de Los Angeles (UCLA), le deuxième au Stanford Research Institute, le troisième à l'université de Santa Barbara (UCSB) et le dernier à l'université de l'Utah. C'est la naissance d'ARPAnet. Le premier RFC (*Request for Comment*) date de cette période (1969). En 1970 est défini le protocole de communication entre ordinateurs du réseau de l'ARPA : NCP (*Network Control Protocol*), premier protocole serveur-à-serveur (*host-to-host*).

Ce coup d'envoi marque le début de recherches collectives liées pour une part à la mise en place de formats de courrier électronique. Ainsi est créé en 1971 le premier programme de courrier électronique sur réseau distribué, modifié l'année suivante pour être appliqué à Arpanet (première utilisation de l'arobase dans cette fonction). Ces travaux ne cesseront d'être poursuivis au cours de la décennie. D'autre part, le début des années 1970 voit aussi la définition de protocoles utilisant la technique de commutation par paquets. En 1972 est créé Telnet (RFC 318). L'année 1973 voit arriver Ethernet et FTP (*File Transfer Protocol* ; RFC 454) ; SMTP (*Simple Mail Transfer Protocol* ; RFC 733) est défini en 1977.

Dès 1973 encore, se trouve posée la question des communications entre réseaux différents (*inter network environment*). Un programme de recherche y est consacré à l'ARPA : Vinton Cerf et Robert Kahn, membres du INWG (*International Network Working Group*) créé l'année précédente, en sont chargés. En 1974, les deux chercheurs définissent un « protocole pour l'interconnexion des réseaux à paquets » : TCP (*Transmission Control Protocol*). C'est en 1978 que TCP se scindera en TCP et IP (*Internet Protocol*). La suite TCP/IP (*Transmission Control Protocol over Internet Protocol*) qui nous est aujourd'hui familière en tant que protocole de base d'Internet, ne sera définie qu'en 1982 comme protocole d'Arpanet, par l'ARPA et la DISA (*Defense Information System Agency*). Le passage d'Arpanet de NCP à TCP/IP s'effectuera en 1983. Cette annonce, en 1982, de la « transformation » d'Arpanet, introduit l'une des premières définitions d'« Internet » comme d'un ensemble de réseaux TCP/IP connectés entre eux. La réalisation a lieu en 1983 lorsque est créée une passerelle entre Arpanet et CSnet (*Computer and Science Network*) : c'est ici qu'est réalisé l'Internet. En outre, Arpanet se scinde alors en arpanet et Milnet, réseau militaire américain qui s'intègre dans le DDN (*Defense Data Network*) ; le nouvel Arpanet devient dès lors le *backbone* (épine dorsale) d'Internet aux États-Unis.

Toutefois, pour mieux comprendre la lente émergence de ce réseau de réseaux, on présentera un bref aperçu des autres réseaux existants dans les années 1970 et 1980 ou mis en place pendant cette période.

Les concurrents d'Internet

Outre la croissance des connexions à Arpanet dans les années 1970 et notamment des connexions internationales, un autre phénomène, propre aux années 1980, mérite d'être souligné : la multiplication des réseaux ou protocoles différents de TCP/IP, qui explique qu'Internet n'ait connu de succès que tardivement. Il demeure bien évident, qu'à cette époque, tous ces réseaux, comme l'Arpanet, étaient toujours utilisés et mis en place par des universitaires, majoritairement scientifiques, et des informaticiens. Quant aux militaires, on peut dire qu'ils quitteront officiellement l'arène avec la fin d'Arpanet en 1990, bien que la scission d'Arpanet en 1983 constitue déjà un premier signe de « démilitarisation » du développement des réseaux.

Parmi les principaux réseaux non fédérés, concurrents d'Internet, on pourra citer Theorynet, UUCP, Eunet, Bit Net, Fidonet, et NSFnet. En 1977, Theorynet est mis en place sur une initiative de l'université du Wisconsin, réseau destiné à fournir l'accès au courrier électronique à une centaine de chercheurs en informatique non connectés à Arpanet. Cette initiative conduira à la création d'un réseau de recherche informatique, par cette université, la DARPA, la NSF (*National Science Foundation*, équivalent du CNRS) et les chercheurs concernés. Toujours financé par la NSF et dans le même esprit, le CSnet (*Computer Science Network*) sera créé en 1981, dans le but de fournir des connexions aux scientifiques d'universités non reliées à Arpanet.

L'histoire de UUnet a pour origine la création du système d'exploitation Unix lié au développement des mini-ordinateurs (PDP, VAX) au début des années 1970. Unix est un système d'exploitation multi-tâches et multi-utilisateurs spécialement conçu pour favoriser le partage d'outils informatiques. Ce système d'exploitation fut bientôt adapté à des machines différentes et connut ainsi un véritable succès dans le milieu de la recherche. En 1976 est mis au point le programme UUCP (*Unix to Unix copy*) permettant à toute machine Unix, *via* un modem et une ligne téléphonique, d'échanger des fichiers avec une autre machine Unix. On peut aussi citer la création de EUnet en 1982, ou *European Unix Network*. Ses deux principales fonctions étaient le courrier électronique et les services Usenet (listes de discussions). Notons en outre que Use Net a été établi en 1979 sous protocole UUCP entre l'université de Duke en Caroline du Nord et l'UNC (University of North Carolina). En 1987 apparaîtra le réseau international UUnet, reliant entre elles les machines Unix du monde entier.

C'est en 1981 que s'ouvre Bit Net (*Because It's Time Network*), financé par la NSF et par IBM qui tente ainsi de récupérer une part du marché dominé par la combinaison des machines VAX et du système d'exploitation Unix. Il permet l'échange de courrier électronique et surtout l'accès aux listes de discussion (*via* le logiciel Listserv), ainsi que le transfert de fichiers. En Europe, le réseau EARN (*European Academic and Research Network*), créé en 1983, utilise largement le protocole Bitnet : il est subventionné par IBM.

Enfin, il convient de citer la création du NSFnet en 1986, typiquement TCP/IP, comme Arpanet. Son *backbone* est alors de 56 Kbps (Kilobits/seconde). La NSF a en outre mis en place cinq centres dotés de hautes ressources informatiques, parmi lesquels le NCSA (*National Center for Supercomputing applications*, Université de l'Illinois, Urbana Champaign). La mise à disposition des ressources de ces centres engendre un accroissement considérable du nombre de connexions à ces universités. Pour répondre à cette demande, le *backbone* du NSFnet passe à 1,544 Mbps (Megabits/seconde) en 1988. La même année, plusieurs pays commencent à se connecter à ce réseau (Canada, France, Danemark, Finlande, Norvège, Suède,

Islande). La multiplication des connexions nationales et internationales ainsi que la fusion, en 1990, d'Arpanet dans NSFnet, contribuera à faire de ce réseau le nouveau *backbone* de l'Internet. Le gouvernement américain contrôle donc toujours le développement des réseaux, mais l'orientation militaire de ce contrôle a alors disparu.

Ce n'est qu'à partir de 1988 que s'amorce véritablement le succès d'Internet, qui coïncide avec le déclin de Bitnet. En effet, à cette date, IBM, trop sûr de son protocole (déjà présent sur 10 % de la totalité des serveurs), décide de le faire payer aux universités ; celles-ci s'en remettent naturellement au protocole TCP/IP (elles disposent de systèmes Unix qui les intègrent déjà). Les réseaux se convertissent dès lors massivement à ce protocole ou effectuent des passerelles pour se relier aux réseaux TCP/IP. Ce mouvement tend véritablement à faire d'Internet le réseau des réseaux, le Net. Son succès est principalement lié à deux facteurs : TCP/IP n'est pas un protocole propriétaire, il relève du domaine public ; il s'agit d'un système ouvert, prévu pour gérer jusqu'à 65 000 protocoles différents, dont aujourd'hui seulement 2 000 sont définis.

À l'orée de la décennie 1990, les principaux protocoles que l'on retiendra sont MUD (1979), Telnet, FTP, Usenet, SMTP, NNTP (*Network News Transfer Protocol*) créé en 1986, IRC (*Internet Relay Chat*) en 1988. D'autres suivront bientôt.

La croissance d'Internet

L'explosion des connexions va favoriser, au début des années 1990, l'arrivée sur Internet des réseaux commerciaux, inaugurant ainsi une nouvelle période de l'histoire d'Internet. En mars 1991, la NSF lève toute restriction à une utilisation commerciale d'Internet, et favorise ainsi la création du CIX (*Commercial Internet eXchange*). Mais il faudra attendre quelques années pour voir Internet arriver chez les particuliers (via l'ordinateur personnel équipé d'un modem ou, en France, le Minitel), bien que l'invention de PPP (*Point to Point Protocol*) date de 1990. L'Internet « grand public » tel que nous le connaissons, ne prend son essor qu'en 1996 : jusqu'en 1995, Internet reste essentiellement un service universitaire, utilisé par des chercheurs et des informaticiens.

C'est ainsi que le début des années 1990 voit se développer de nouveaux outils et de nouveaux réseaux destinés à la recherche et conçus par des chercheurs en majorité universitaires. En 1990, paraît le logiciel Archie, inventé par trois chercheurs de l'université McGill au Canada : Peter Deutsch, Alan Emtage et Bill Heelan. Il s'agit du premier moteur de recherche disponible sur Internet. Archie sert à indexer (la nuit), pour ensuite permettre à l'utilisateur de les rechercher, tous les fichiers disponibles sur les serveurs FTP. Pour l'utiliser, on se servait à l'époque du protocole Telnet : il s'agissait de se connecter à une machine où Archie était installé, puis de taper les commandes de recherche adéquates. On savait alors où se trouvaient les fichiers recherchés, on pouvait les visualiser et si nécessaire, se les faire envoyer par courrier électronique. L'accès au serveur Archie de McGill était initialement public, mais comme la totalité du trafic entre les États-Unis et le Canada se mit rapidement à passer par ce nœud, il fut bien vite limité.

En 1991 est mis en place le réseau WAIS (*Wide Area Information Servers*), inventé par Brewster Kahle et développé par l'entreprise Thinking Machines

Corporation. Il s'agit d'une extension du standard Z39.50 défini par la National Information Standards Organization. WAIS contenait à l'origine une seule base de données, qui se scinda rapidement en plusieurs bases de données constituées par catégories et réparties sur plusieurs serveurs distincts. WAIS préfigure les moteurs de recherche du Web car on pouvait y rechercher des fichiers en effectuant des requêtes par contenu (*full text*), en utilisant le programme client WAIS spécifique.

La même année est créé Gopher, par deux chercheurs de l'université du Minnesota, Paul Lindner et Mark P. McCahill, du nom du petit rongeur mascotte de l'université. Gopher est un système distribué d'information qui utilise lui aussi un protocole spécifique. Les serveurs Gopher contiennent des dossiers organisés hiérarchiquement auxquels il est possible d'accéder directement. En 1992, le système sera doté de son moteur de recherche, Veronica, inventé par l'université du Nevada. Veronica est à peu près l'équivalent d'Archie pour le réseau Gopher.

Gopher est lui-même un protocole assez semblable à HTTP (*Hypertext Transfer Protocol*) du fait de sa structure arborescente. Si l'idée de ce dernier protocole remonte à mars 1989 et est donc antérieure au lancement de Gopher, il ne sera disponible qu'avec le lancement en 1991 du programme *World Wide Web* (WWW) développé par Tim Berners-Lee. C'est l'acte de naissance du Web. Pour autant, le lancement de ce premier programme, implémenté sur les machines du CERN, à Genève, est encore quelque peu expérimental. C'est en 1993, avec l'apparition en février du *browser* Mosaic, que la situation change. Mosaic, inventé par Marc Andreessen et Eric Bina, deux chercheurs du NCSA, est en effet le premier navigateur Web à interface graphique. En septembre de la même année est diffusée une version de Mosaic pour les plates-formes X, PC/Windows et Macintosh. Entre janvier et octobre 1993, le nombre de serveurs HTTP est passé d'environ 50 à plus de 200. Cette explosion (qui n'était alors ressentie que par une minorité de spécialistes) s'explique tant par le succès de Mosaic que par la cessation par le CERN de ses droits sur la technologie WWW, aisée d'emploi, en avril 1993. Les serveurs ne cesseront dès lors de se multiplier, même si jusqu'en 1995, Gopher connaît une expansion plus grande que WWW, signe de l'utilisation majoritairement universitaire d'Internet qui caractérise encore les premières années de la décennie 1990. WWW devient le protocole le plus utilisé sur le réseau NSFnet en mars 1995, et les débuts grand public du Web se feront à partir de 1996, coïncidant avec la mise sur le marché du *browser* Navigator de Netscape et du moteur de recherche Alta Vista, en novembre 1995. C'est aussi à cette époque que la construction de sites Web va pouvoir s'émanciper de la technologie Unix traditionnellement réservée aux informaticiens.

L'essor de l'Internet commercial

C'est en outre en 1995 que NSFnet cesse d'être le *backbone* d'Internet pour redevenir un réseau de recherche distinct. Le trafic est alors pris en charge par l'interconnexion de réseaux privés, appartenant aux opérateurs de télécommunications américains spécialisés dans le transport des données. Ce changement s'explique directement par la parution de l'*US National Information Infrastructure Act* en septembre 1993, vaste projet de création d'une infrastructure de transport de l'information destinée à « connecter » l'ensemble du pays. Ce projet faisait largement appel à l'initiative et au financement privés. Par là même, le gouvernement américain arrêtait son financement au développement de la recherche sur les réseaux, qui avait caractérisé la naissance et le développement d'Internet depuis les années 1960. Le NII Act constitua donc le lancement national d'Internet destiné à favoriser sa diffusion et son ouverture à l'ensemble des secteurs d'activités, donc au « grand public ». Les médias y firent largement écho dès 1993 ; les entreprises américaines se rallièrent alors à la cause d'Internet, ce que ne devait pas tarder à faire la communauté internationale, suite au discours d'Al Gore prononcé l'année suivante, en mars 1994, devant l'Union internationale des télécommunications. Son projet était la création d'une infrastructure mondiale de l'information (*Global Information Infrastructure*) ou le principe de l'Internet américain étendu à l'ensemble de la planète. La maturité technique d'Internet, le succès du Web qui commence à se profiler et l'ouverture des réseaux aux services commerciaux et à la concurrence sont donc les ingrédients fondamentaux de la recette de l'Internet grand public.

C'est donc tout récemment, à partir de 1996, qu'Internet est entré dans une phase grand public, en fait surtout « commerciale ». Déjà, à partir de 1995, les domaines *.com sont les plus représentés sur le Web ; aujourd'hui, Internet est décrit comme le moteur de la « nouvelle économie ». La tendance actuelle tend à faire oublier l'origine scientifique et universitaire du réseau, et va même jusqu'à spolier les centres de recherche publics : aujourd'hui, les équivalents .com des noms de domaine des sites des grandes écoles françaises (École normale supérieure, École nationale supérieure des télécommunications, Université de Strasbourg) sont la propriété de personnes privées, principalement installées dans des paradis fiscaux comme Jersey.

Le succès du protocole WWW contribue bien souvent à masquer l'existence des outils spécialisés qu'étaient Gopher, WAIS, etc. Si ces derniers sont encore accessibles, notamment par WWW, leur utilisation demeure le fait d'irréductibles chercheurs en informatique. Le Web va ainsi être l'objet de la majeure partie des innovations et changements concernant Internet. Cette période se caractérise par la prolifération des outils et des services proposés sur le Web, souvent redondants, pas toujours efficaces. Contrairement aux discours des médias, le Web, mais aussi le Net, sont loin d'être d'une utilisation facile. On pourra citer la multiplication des formats de documents, en l'absence d'efficacité des organisations publiques chargées de la standardisation des techniques comme le W3C (*WWW Consortium*, créé en 1994) ou encore l'IETF (*Internet Engineering Task Force*, créé en 1986).

Parmi les outils les plus marquants, on peut citer le développement des moteurs de recherche à partir de 1995 et l'invention de nouveaux langages. Le langage de programmation Java mis au point par Sun dès 1995 vient concurrencer HTML dans la conception d'applications web ; le langage à balisage étendu XML qui apparaît en 1998 est adopté comme standard par le W3C qui recommande le développement de technologies XML propres à favoriser la gestion, la recherche et la création de documents sur le Web.

L'entrée d'Internet dans la convergence favorise en outre l'apparition de nouvelles applications sur le Web telles que le téléphone Internet (dès 1996) et surtout le *multicasting*, en 1997. Enfin en 1998 apparaissent les premiers portails, coïncidant avec la naissance de l'e-commerce.

Pour certains, l'une des conséquences les plus évidentes de l'ouverture d'Internet au grand public, outre la diversification de son contenu et des technologies qu'il met en œuvre, reste l'accroissement spectaculaire, en cinq ans, du nombre d'ordinateurs connectés au réseau et, par là même, du stock de données accessibles sur le Web et les autres services du Net. Cette croissance exigerait ainsi le développement d'une infrastructure mondiale capable de transmettre encore plus d'informations, et à une plus grande vitesse. C'est dans ce sens que l'on justifie souvent le projet de réseau Internet 2 lancé en 1999 aux États-Unis par le gouvernement et destiné dans un premier temps à améliorer le débit des transmissions pour les organismes publics et les universités. D'autres évoquent les avancées technologiques comme la chirurgie à distance assistée par ordinateur ou encore la visioconférence, pour expliquer les nouveaux besoins de tuyaux à plus haut débit qui se font jour depuis quelque temps. Ces applications, aujourd'hui suffisamment au point pour pouvoir être utilisées plus largement, nécessitent en effet de grandes quantités de bande passante. Comme souvent dans le développement d'Internet, du Web surtout, on ne sait plus vraiment si la demande fait l'offre, ou si c'est l'offre qui fait la demande...

C'est dans le même esprit qu'on pourra aborder les technologies émergentes des années 2000 que sont le format MP3 et les logiciels réseau de partage et d'échange de fichiers, regroupés depuis peu sous l'appellation P2P (*Peer to Peer*). Ces technologies sont en effet gourmandes en bande passante et tout se passe comme si l'innovation technique sur Internet devait se confondre avec la nécessité absolue d'inventer un nouvel Internet : pour plus de débit, plus de rapidité... et toujours plus de consommation. Il convient néanmoins d'examiner ces nouvelles techniques P2P, où certains s'accordent d'ores et déjà à voir le point de départ d'un nouvel âge d'Internet « après le Web ». Les logiciels P2P n'utilisent le Web que pour être téléchargés, depuis le serveur de la compagnie propriétaire (c'est notamment le cas de Napster) ; après le téléchargement, plus besoin de WWW. Pour les utiliser, aucun *browser* web n'est nécessaire : les connexions se font directement d'ordinateur à ordinateur, de pair à pair. En ce sens, elles mettent à profit le réseau IP et ses protocoles en utilisant tous les potentiels de distribution du réseau, qui devient véritablement « distribué » : il ne s'agit plus de passer par un serveur spécifique pour obtenir un document (musique, images, vidéo, etc.) mais de l'importer d'un autre ordinateur personnel. Tout client peut ainsi devenir serveur, sans hiérarchie prédéfinie. Il s'agit seulement de rendre son disque dur accessible aux autres et de signaler les documents échangeables qu'il contient. Les capacités de logiciels comme Napster, mais surtout Gnutella ou Freenet (qui font de fait appel à de nouveaux protocoles, non encore normalisés), sont importantes, à la mesure des risques de sécurité que ces outils engendrent : la forte consommation de bande passante complique l'administration des réseaux ; le partage d'une partie des disques durs personnels facilite l'accès aux données privées, stockées sur une autre partie du disque. De plus, ces techniques soulèvent la question de la propriété intellectuelle (échange de contenus protégés par les lois du *copyright*) et de la censure (problèmes de contenus illicites). Reste que toutes ces questions se posent déjà, fût-ce de façon moins aiguë, pour le fonctionnement du Web en particulier, et d'Internet de manière plus générale.

Tels sont quelques-uns des enjeux majeurs de l'utilisation et de la diffusion d'Internet toujours d'actualité au début des années 2000. Un des points essentiels que l'on retiendra dans le développement d'Internet reste la question de l'infrastructure des réseaux interconnectés. Bref, Internet a toujours été, est toujours fondamentalement une affaire de tuyaux et de débits. Et ce, bien qu'il tende le plus souvent à être pensé en terme d'immatérialité. C'est en ce sens que la réalité géopolitique d'Internet est constitutive de sa définition : en tant que réseau de réseaux d'une part (maillage global), en tant que technologie « dominante » d'autre part.

Internet et la « globalisation »

On a déjà évoqué la politique américaine relative à l'infrastructure mondiale de l'information (GII), réplique internationale du projet d'infrastructure nationale (NII) lancé un an plus tôt, en 1993. Ces deux projets faisaient apparaître la distinction aujourd'hui ressassée entre info-riches et info-pauvres, l'un au sein même des États-Unis, l'autre pour rappeler les différences en matière d'équipement informatique et de réseaux au sein de la population mondiale. La deuxième distinction, celle qui met en évidence les différences entre pays, souligne deux aspects essentiels de la diffusion d'Internet dans le monde. Un premier aspect a trait aux discours désormais typiques sur le thème du « retard national », retard technologique par rapport aux États-Unis et à d'autres pays plus « dynamiques ». Cet aspect est rarement détaillé de façon argumentée. Le plus souvent, il est lié à la diffusion d'un déterminisme technique caractéristique des discours sur la « société de l'information » dont le fer de lance a toujours été Internet.

L'autre aspect, en partie lié au précédent, semble plus particulièrement pervers, en ce qu'il fait apparaître plus crûment la rupture géopolitique Nord-Sud, bien antérieure à la rupture entre info-riches et info-pauvres, mais perpétuée par elle sous couvert d'aide au « développement informationnel ».

En effet, il est courant, depuis la fin des années 1990, de considérer que les technologies de l'information, dont Internet, doivent permettre aux pays en voie de développement de combler leur retard par rapport aux pays avancés. Or, étant donné la nature partielle de l'infrastructure matérielle et humaine de ces pays n'ayant pas connu la révolution industrielle, il est peu probable que les nouvelles technologies aient chez eux les effets qu'elles ont eus dans les pays développés. Ce discours est d'autant plus critiquable lorsqu'il veut s'appliquer aux pays les plus pauvres, qui ne disposent pas même des ressources minimales en termes de santé, de nourriture, d'éducation, ni en termes d'emploi ou de protection sociale. Dans ces pays, les infrastructures de communication sont extrêmement rudimentaires et la difficulté d'organiser la mise en réseau complexe qu'exigeraient les « autoroutes de l'information » est évidente, sans évoquer l'achat et la maintenance des machines et des tuyaux, ni leur utilisation largement diffusée au sein d'une population n'ayant pas bénéficié d'une éducation technique minimale.

Ces discours sont souvent entendus, et ont été prononcés dans plusieurs congrès internationaux traitant de la « société de l'information » dans le monde. L'inefficacité de ces discours et leur caractère idéologique peuvent être démontrés par un examen attentif des statistiques du développement d'Internet dans une partie du monde dépendant de la zone RIPE (réseaux IP européens). Le RIPE, assure depuis 1989, « la coordination administrative et technique permettant le bon fonctionnement d'un réseau paneuropéen ». Ses compétences territoriales s'étendent de fait à la Communauté européenne, à la moitié nord de l'Afrique (au dessus de l'Équateur), à la péninsule arabique et à l'Asie proche (l'Iran, le Tadjikistan, le Kirghizistan, le Kazakhstan, et la Russie constituent la limite orientale de cette zone). Or les données fournies par cet organisme mettent bien en évidence la nature du développement d'Internet entre 1992 et 2000.

Dès janvier 1995, le nombre de machines directement connectées à Internet pour 100 000 habitants dépasse 500 pour les pays qui s'affirment dans le peloton de tête de la socialisation d'Internet : Islande (1755), Finlande, Norvège, Suisse (723), Pays-Bas et Danemark (522). La France, au 11e rang, n'atteindra ce seuil que deux ans et demi plus tard. Le seuil de 2000 machines (pour 100 000 habitants) est dépassé en Finlande en avril 1995, en Islande le mois suivant, en Norvège en février 1996, en Suède en mars 1996, au Danemark en avril 1996. La Suisse et les Pays-Bas accèdent à cette limite en mai 1997, la Grande-Bretagne exactement un an plus tard, la Belgique et Israël en décembre 1998 et la France en décembre 1999. L'arrivée tardive de l'Allemagne (82 millions d'habitants) dans ce groupe, à partir de février 2000, s'explique par son développement industriel contrasté, suite à la réunification.

Mais ces statistiques témoignent aussi clairement de l'infranchissable frontière entre info-riches et info-pauvres. Tout d'abord les pays subissant l'embargo américain, tels que l'Irak et la Libye, sont exclus d'Internet. Ensuite, des pays très pauvres comme la Mauritanie, le Soudan, la Somalie sont eux aussi inexistants de ce point de vue. L'Égypte parvient à dépasser le seuil d'une machine pour 100 000 habitants en novembre 1995, mais rechute aussitôt, et se redresse trois mois plus tard, quand le Maroc arrive lui aussi à ce seuil historique. Ces deux pays arrivent en août 2000 à 3,4 machines pour 100 000 habitants pour l'Égypte, et à 6,4 pour le Maroc. Il est tout à fait possible que ces statistiques soient sous-estimées parce que les tables des DNS (*Domain Name Server*) de tels pays en voie de développement ne sont pas toujours correctement remplies ; il est aussi possible que des dictatures des pays du tiers-monde aient vu d'un mauvais œil le développement d'un réseau considéré comme capable de déjouer la censure. Mais le coût de l'infrastructure d'Internet, comme le coût de la formation d'ingénieurs, souvent passés sous silence, semblent être malgré tout des facteurs essentiels de l'impossible accès à Internet de la majorité des pays du Tiers-Monde : des pays comme le Sénégal et le Ghana, souvent cités en exemple pour leur développement économique, dépassent le seuil d'une machine pour 100 000 habitants en décembre 1998 et en janvier 1999. Le Ghana suit lui aussi quelques aléas et arrive à deux machines pour 100 000 habitants en août 2000 quand le Sénégal partage avec le Kenya le record africain, avec 17 machines, soit 700 fois moins que le Liechtenstein (Cf. http://barthes.ens.fr/atelier/cartes).

Ces quelques statistiques illustrent bien la nature géopolitique du développement d'Internet, comme les présupposés idéologiques dont sont issus les discours politico-médiatiques sur la « société de l'information ». Il est à prévoir que ce développement continuera dans le même sens au sein des mêmes pays, c'est-à-dire les pays riches, fonctionnant sur un modèle d'économie de marché. Internet reste une technologie de riches, faite pour les riches, et ce malgré toutes les bonnes volontés utopistes, qu'elles soient inspirées par la démagogie ou par une naïveté toute techniciste.

Bibliographie

Ouvrages :

- COLOMBAIN (Jérôme), *Internet*, Milan, Toulouse, 1996.
- GUÉDON (Jean-Claude), *La planète cyber. Internet et le cyberespace*, Gallimard, Paris, 1997.
- LACROIX (Guy), *Le Mirage Internet. Enjeux économiques et sociaux*, Vigot, Paris, 1997.
- WOLTON (Dominique), *Internet et après ? Une théorie critique des nouveaux médias*, Flammarion, Paris, 1999.

Revues et Rapports :

- Annales HSS, n° 4-5, p. 815-837, *De l'innovation aux usages. Dix thèses éclectiques sur l'histoire des techniques*, EDGERTON (D.), Ehess, Paris, juillet-octobre 1998.

Webographie

- http://barthes.ens.fr/atelier/cartes
- http://www.isoc.org/zakon/Internet/History/HIT.html

Internet Assigned Numbers Authority (IANA)

Organisme à but non lucratif, basé en Californie, chargé de la gestion des noms de domaine d'Internet.

Internet de deuxième génération (2G)

Réseau conçu dès 1996 et dont les débits doivent être très largement supérieurs à ceux de l'Internet dit de première génération. Inauguré en février 1999 aux États-Unis, le réseau Abilène, du nom d'une tête de ligne de chemin de fer établi au Kansas en 1860, relie 34 universités ou centres de recherche qui peuvent faire fonctionner leurs applications à des débits compris entre 155 et 622 mégabits par seconde, soit 10 000 fois plus rapidement que les modems habituels (561 kilo bits par seconde), grâce à 16 000 kilomètres de fibres optiques. Quelques mois plus tard, un autre réseau de deuxième génération était lancé aux États-Unis avec l'appui de la National Science Foundation : le vBNS+ (*Very high performance Backbone Network Service*). La même année, France Télécom, l'INRIA et le Groupement des écoles de télécommunications déployaient un réseau similaire, le VTHD (vraiment très haut débit) afin d'expérimenter de nouvelles applications : au premier rang, parmi elles, la chirurgie à distance (avec l'hôpital Georges-Pompidou), l'enseignement à distance, les supercalculs distribués et les jeux en réseau.

Ironie de l'histoire : pour Internet, c'est un retour aux sources. Il était né de ces mêmes besoins de la recherche, civile ou militaire, qui poussent désormais les investisseurs, publics et privés, à accroître considérablement les capacités du réseau.

Internet Society (ISOC)

L'ISOC est une organisation non gouvernementale dont l'objet est d'encadrer le fonctionnement d'Internet et de promouvoir la coopération et la coordination des actions en faveur de son développement à l'échelle internationale. Constitué d'administrations, de grandes entreprises, mais également d'associations et de particuliers, l'ISOC publie le bulletin trimestriel *Internet Society News* et organise les conférences INET. Les activités de l'ISOC sont mises en œuvre par des comités spécialisés, dont le plus important est l'IAB (*Internet Architectural Board*), qui gère l'évolution des protocoles de communication du réseau.

Intranet/Extranet

L'intranet désigne le réseau interne des entreprises, généralement protégé des intrusions par un *proxy* le séparant du réseau Internet, qui offre les services de courrier électronique et de communication de données en interne grâce à des logiciels similaires à ceux utilisés sur Internet.

L'extranet désigne une partie de l'intranet d'une entreprise qui est accessible à un nombre restreint de personnes extérieures à celle-ci, en particulier ses partenaires, clients ou fournisseurs.

IRC (Internet Relay Chat)

Terme désignant la possibilité de discuter (*chat*) sur Internet. L'internaute se connecte sur un serveur qui héberge en général des forums thématiques où il peut avoir un échange textuel (et non vocal) de façon publique ou privée. Le *chat* est l'un des moyens qu'offre Internet pour communiquer en temps réel.

ISO (International Standardisation Organisation)

Créée en 1946, l'ISO est une fédération mondiale dépendant de l'Organisation des Nations unies (ONU), chargée de la normalisation et regroupant une centaine de pays. Dans la haute technologie, elle encourage en particulier la promotion du protocole de communication *Open System Interconnection* (OSI), modèle de référence pour l'interconnexion des systèmes de communications ouverts.

Malgré ses déclinaisons nationales (OIN en français, pour Organisation internationale de normalisation), le groupement est en général désigné par son acronyme anglais dans le monde entier : ISO évoque le préfixe grec qui signifie « égal ».

Killer application

L'expression américaine *killer application* désigne un nouveau produit ou service dont l'effet innovant et le succès commercial sont tels qu'ils permettent à la technologie dont cette application est issue de « décoller » et de conquérir un marché de masse, bouleversant au passage les données de son environnement économique.

L'économie numérique se caractérise par une prolifération de plus en plus rapide de *killer applications*, de l'ordinateur personnel au transfert électronique de fonds, du premier programme de traitement de texte à l'*e-mail*, du CD au logiciel de navigation, le Web et le commerce électronique – lui-même combinaison de plusieurs *killer apps* – couronnant le tout.

LMDS (Local Multipoint Distribution System)

Technique utilisant les ondes hertziennes pour distribuer localement – sur une dizaine de kilomètres autour de l'émetteur – des services audiovisuels, à l'instar du MMDS, mais également des services interactifs avec voie de retour intégrée. Plus onéreux que l'ADSL ou la fibre optique là où l'on peut se contenter de mettre à niveau les réseaux existants pour accueillir des services interactifs, le LMDS est une solution alternative peu coûteuse de distribution de large bande quand les réseaux existants sont saturés ou obsolètes. Cette technique présente en outre l'avantage d'utiliser des fréquences appropriées, pour l'instant, aux seuls services de point à point. Le Venezuela fut le premier pays à avoir autorisé le LMDS, suivi par le Canada. Les services ont été commercialisés dans ces deux pays en 1998. D'autres pays les ont suivis, notamment la Colombie, la Corée du Sud, le Liban, les États-Unis et la Russie. Ces services ont été simplement expérimentés, la même année notamment en France (Rennes et Metz), en Chine, au Japon et en Suède.

Logiciel

Ensemble de programmes, de procédés et de règles nécessaires au traitement électronique de l'information. Le logiciel représente plus de la moitié de l'investissement informatique et près des trois-quarts de la dépense informatique globale (entretien, formation, mise à niveau).

Tout ordinateur ou système informatique fait appel à trois « couches » distinctes de logiciel.

Les logiciels « système » (ou de base), qui réalisent les opérations indispensables au démarrage et au fonctionnement du calculateur. Le plus important est le système d'exploitation (SE, ou OS, pour *Operating System*), appelé « système opératoire » sur les grands ordinateurs IBM. Il constitue la première « couche » de toute unité de traitement numérique : ordinateur, quelle que soit sa taille (grand système, système intermédiaire, ou micro-ordinateur) ou équipement électronique nécessitant un pilotage logique. Sa fonction se compare à celle d'un chef d'orchestre. Il a pour mission, non seulement de lancer la machine, mais également de contrôler et de gérer les informations circulant dans l'unité (entrées et sorties), la mémoire, les fichiers, et le microprocesseur. Le système d'exploitation est en général installé sur le disque dur choisi comme disque de démarrage. Sur les premiers micro-ordinateurs (Amstrad PCW, PC et Apple), il résidait sur une disquette. Cette procédure existe toujours pour tester les ressources d'un micro-ordinateur, y compris son propre système d'exploitation : dans ce cas, afin de pouvoir vérifier l'état de tous ses programmes, la machine se connecte sur un OS placé sur un périphérique externe (disque ou CD-Rom). Le système d'exploitation peut enfin résider dans un composant électronique de type Eprom (*Erasable Programmable Read Only Memory*).

Les systèmes d'exploitation peuvent être « propriétaires » ou « standard ». « Propriétaires », ils sont incompatibles avec d'autres systèmes : plus performants, souvent, que les systèmes « standard », ils présentent l'inconvénient d'attacher les clients à leurs fournisseurs par des liens d'exclusivité. Les systèmes d'exploitation « propriétaires » les plus répandus en France sont les logiciels VM-OS et MVS (IBM), VMS (Digital) et GCOS (Bull).

La grogne, dans les années 1980, des utilisateurs de systèmes « propriétaires », qui estimaient payer trop cher les remises à niveau, a ralenti le recours à ce type de programme. Elle a eu pour conséquence l'adoption, sous la pression des utilisateurs, du logiciel Unix, développé au début des années 1970, comme standard de fait (malgré de multiples versions) pour les matériels d'une certaine puissance. L'arrivée du micro-ordinateur a cependant rendu obligatoire le recours à des systèmes d'exploitation non exclusifs et généralistes, en raison de la diffusion rapide des ordinateurs personnels. Le CP-M, conçu par la société Digital Research, et utilisé par les premières machines, a été le premier système d'exploitation généraliste. Le Ms Dos de Microsoft, édité à l'origine à la demande d'IBM pour ses petits ordinateurs, est devenu ensuite le standard des ordinateurs compatibles avec le PC d'IBM. Microsoft a enfin lancé seul le système d'exploitation qui équipe aujourd'hui 95 % des ordinateurs personnels de la planète : Windows. Au départ simple interface graphique (Windows 3.1) « greffée » sur le système Dos, Windows est devenu un véritable système d'exploitation en 1995 (« Windows 95 ») et concurrence par conséquent Unix, avec sa version NT (*New Technology*) depuis 1993. Apple et son MacOS ne représentent plus que 5 % du parc mondial des micro-ordinateurs (contre près du triple il y a une quinzaine d'années).

Le logiciel intermédiaire (*middleware*), deuxième couche logicielle, assure le contrôle et la gestion du matériel ainsi que des systèmes d'exploitation et des protocoles de communication. Le logiciel intermédiaire introduit une plus grande souplesse dans le fonctionnement général d'un système informatique, notamment en assurant une bonne interopérabilité entre logiciels d'application d'origine différente. Son essor se fonde sur le développement de l'architecture « client serveur », dans laquelle le traitement des données est réparti sur des sous-systèmes.

Le logiciel d'application, « application » ou « applicatif », rend un service particulier, à la demande de l'utilisateur. On distingue deux catégories de logiciels d'application : ceux qui sont réalisés sur mesure et ceux qui sont vendus en grande série (« prêt-à-porter »), parfois appelés progiciels. Logiciels éducatifs, graphiques, linguistiques, médicaux, financiers : il est impossible de recenser tous les types d'applications existantes.

Diversité des logiciels

Quelques exemples donnent cependant une idée de la richesse des développements logiciels.

• Parmi les grands programmes réalisés sur mesure, on peut citer les logiciels de « contrôle commande », conçus pour gérer des environnements clos de diverses natures : péage d'autoroute, navire de surface ou sous-marin, métro, train, installations industrielles. Ils sont complexes et longs à mettre en place. Le logiciel de contrôle de la tranche N4 de la centrale nucléaire de Chooz, dans les Ardennes, réalisé par la société franco-britannique Sema Group en 1994, a demandé plus de quatre années de travail. Il tourne sur près d'une vingtaine d'ordinateurs et assure le fonctionnement de 35 000 organes mécaniques (valves, pompes...) et de 19 000 commandes.

• Les programmes de bureautique (traitement de texte, tableur, mise en page...) sont de bons exemples de progiciels conçus pour une vaste commercialisation. Installés sur tous les micro-ordinateurs, ils sont parfois tout aussi délicats à réaliser que les programmes d'envergure : la plupart possèdent de nombreuses fonctionnalités et tous doivent être utilisés par des non-spécialistes. L'interface homme machine (IHM) doit être étudiée avec soin, surtout dan son aspect symbolique, car ils sont maniés sur toute la planète par des clients de cultures parfois très différentes. Avec l'avènement de nouveaux périphériques (graveur de CD-rom, scanner), la bureautique s'est enrichie de nouveaux types de logiciels, comme, par exemple, les programmes de reconnaissance optique de caractères (OCR, *Optical Character Recognition*). Ils permettent, *via* le scanner, de convertir l'image d'un texte en texte (fichier de caractères), pouvant être inclus dans des documents créés par un traitement de texte. On peut alors les stocker sur peu d'espace mémoire et rendre facilement accessible une vaste documentation d'origine livresque. Traités avec un OCR, les ouvrages d'une bibliothèque tiennent sur un disque dur de quelques centaines de grammes ou sur une dizaine de CD-rom.

• La gestion de production assistée par ordinateur (GPAO) est l'un des meilleurs exemples d'applications réussies dans le monde de l'industrie. La GPAO gère, organise et synchronise tous les flux participant au processus de production. Ces logiciels traitent aussi bien les flux « informationnels » (état des stocks, comptabilité, livraisons) que les processus « décisionnels » (achats, ventes, mises en fabrication) selon les méthodes, par exemple, du « juste à temps » (production en flux tendus). Les programmes de GPAO étaient jusqu'au milieu des années 1990 l'apanage des grandes sociétés d'informatique, qui les proposaient sur mesure et sur des systèmes propriétaires. Ils ont depuis migré vers des systèmes d'exploitation « ouverts », comme Unix ou Windows NT. À l'instar des programmes de la micro-informatique, ils sont disponibles sous forme de progiciels. Les applications de GPAO intègrent de plus en plus de fonctions de gestion de l'entreprise. Elles s'inspirent des techniques de MRP (*Manufacturing Ressources Planning*) et sont commercialisées sous le nom de progiciel ERP (*Enterprise Ressources Planning*). Paramétrables, ces programmes sont si perfectionnés qu'ils remettent parfois en question l'organisation des sociétés utilisatrices, en particulier dans les domaines de la finance et de la chaîne logistique (*Supply Chain Management*).

• Les développements logiciels les plus spectaculaires concernent l'exploitation d'Internet. Le programme le plus connu est le « navigateur » (*browser*) qui permet de « surfer » sur le Net en ayant recours aux liens hypertextes fournis sur les sites. Les navigateurs peuvent inclure des petits programmes supplémentaires (les *plug-in*) qui leur procurent de nouvelles fonctionnalités (lecture de certains fichiers spéciaux, par exemple). Ils assurent également la connexion avec des moteurs de recherche qui, en fonction d'un thème ou d'un mot clé, explorent le Net pour trouver les liens électroniques des requêtes demandées par les internautes. Internet est aussi – et peut-être avant tout – un réseau de messagerie électronique. Celle-ci est gérée par des logiciels spécialisés dont les fonctionnalités sont variées : gestion du carnet d'adresses, des entrées et des sorties par types de contacts, connexion avec des ordinateurs de poche (ou PDA, pour *personal digital assistant*).

« Code source », « code objet » : l'écriture d'un logiciel s'opère en deux temps

Les logiciels sont rédigés au moyen de langages de programmation. Comme tous les langages, ils forment un ensemble de caractères, de lettres, de chiffres et de symboles qui constituent un mode de transmission de l'information. Les langages informatiques étaient à l'origine des langages dit d'« assemblage », et variaient en fonction du matériel. Ils ont été remplacés par des langages « évolués », reconnus, pour les plus répandus, par tous les types de machines. L'écriture d'un logiciel s'opère en deux temps. Le programmeur rédige d'abord le programme en respectant les règles du langage : il crée ce qu'on appelle un « code source ». Celui-ci est ensuite traduit en « langage machine » (code binaire directement exécutable par le processeur) au moyen d'outils spéciaux, interprétateurs ou compilateurs, qui créent le « code objet ».

Comme pour les logiciels, il existe un très grand nombre de langages, qui peuvent avoir une origine historique, être liés à des domaines d'application ou à des produits. Le plus connu est le Cobol, développé par IBM lors de l'essor de l'informatique de gestion pendant les années 1950-1960 : 80 % des programmes sont rédigés en Cobol en l'an 2000. Le Fortran (*Formula Translation*), issu toujours des laboratoires d'IBM, est un autre langage « historique » dédié au calcul scientifique. Le Pascal, le C, utilisé pour l'Unix, le Lisp et le Prolog, pour les programmes d'intelligence artificielle, le Postscript, pour les systèmes d'impression, et Java, lancé par la société Sun en 1995, qui se révèle très performant pour la programmation Internet, sont également des langages très répandus.

Un logiciel peut s'acquérir par différents canaux. Dans le cas d'un programme utilisé par une entreprise, celui-ci peut être créé et développé par une société spécialisée avec un objectif précis : le programme est sur mesure. Il peut également être acquis auprès d'un éditeur ou d'un constructeur, ou faire partie d'une solution « clé en mains », qui réunit matériel et logiciel (ou progiciel). La mise en place du programme peut alors être assurée par le vendeur, une société de services et d'ingénierie en informatique (SSII) ou l'utilisateur lui-même, s'il dispose d'un département informatique. Le service informatique joue un très grand rôle en France, où de grands groupes peuvent prendre en charge la totalité de la partie logicielle d'un projet informatique, de l'amont (audit, conseil) à l'aval (formation, entretien), en passant par sa réalisation (intégration de systèmes). La plus belle réussite nationale dans ce domaine est Cap Gemini, société fondée en 1967 par Serge Kampf, un jeune ingénieur de chez Bull, qui a acquis en l'an 2000 le cabinet de conseil américain Ernst & Young. Les utilisateurs professionnels peuvent également utiliser une plate-forme logicielle sans pour autant s'en porter acquéreur. Ils peuvent choisir de déléguer totalement leur informatique à un prestataire de service : c'est l'info gérance (ou *Facilities Management*), solution plus en vogue outre-atlantique qu'en Europe. Ils peuvent aussi avoir recours à des prestataires de services particuliers (ASP, pour *Application Service Provider*), qui délivrent des programmes sous forme de service applicatif à partir de leurs centres d'hébergement.

Un programme sur deux copié : le piratage est le fléau de l'industrie du logiciel

Dans la micro-informatique, outre le système d'exploitation, de nombreux logiciels sont livrés avec la machine : « pack » bureautique, pilotes de périphériques, utilitaires (programmes de réparation ou de prévention, en particulier de virus). L'utilisateur peut facilement étendre sa bibliothèque de logiciels *via* le commerce traditionnel ou en se rendant sur les sites Internet des éditeurs ou de sociétés de commercialisation. Après prise de commande et règlement, les programmes sont alors envoyés par la poste ou téléchargés. L'acquisition de logiciels pour micro-ordinateurs peut enfin prendre des formes plus originales, comme le logiciel partagé (*shareware*). Dans cette formule, l'utilisateur peut essayer un programme avant de décider de l'acheter. S'il décide de le conserver, ou d'obtenir une version plus complète, il versera un droit à l'éditeur. Le succès de ce mode de vente dépend de l'honnêteté du client : elle serait plus élevée aux États-Unis qu'en Europe. Le logiciel peut être aussi obtenu parfois gratuitement : on le qualifie alors de logiciel libre (*freeware*). L'intérêt de l'éditeur est de voir sa technologie diffusée au maximum, quitte, dans un second temps, à exiger un débours du client pour une version plus élaborée. Enfin, on peut disposer d'un programme pour beaucoup moins cher que dans le commerce, voire gratuitement, mais illégalement, en le piratant. Le piratage est un fléau pour l'industrie du logiciel. Il s'est encore amplifié depuis quelques années avec l'apparition des graveurs de CD-Rom et la multiplication des sites « pirates » sur Internet. En France, un programme sur deux est piraté. Selon la BSA (*Business Software

Alliance), le manque à gagner mondial serait de plusieurs dizaines de milliards d'euros pour tous les éditeurs.

La lutte contre le piratage est l'un des défis que doit relever l'industrie du logiciel, mais son enjeu le plus important est celui de sa propre mutation. Le logiciel doit suivre l'évolution d'un environnement qui migre vers les réseaux. Le logiciel n'est plus un élément dans un ensemble informatique, qui le partage éventuellement par un réseau, mais le réseau lui-même, à la fois système d'exploitation et application. Les portails Internet exigent, pour leurs tâches de syndication de contenu, des ressources logicielles considérables. Leur gestion, leur exploitation et, en ligne de mire, la destinée du e-commerce (commerce électronique) en dépendent. Il est difficile d'imaginer dans le détail la nature et les fonctionnalités des futurs programmes, mais il est sûr que la nouvelle maîtrise du logiciel va donner lieu à d'âpres batailles, à l'instar de celles qui ont eu lieu, jadis, autour des programmes standard.

L'ultime question est de savoir qui va écrire ces logiciels de la nouvelle génération et qui va les mettre en place. La technologie de programmation à base de composants (réutilisation de blocs de logiciel) est une perspective prometteuse. L'industrie du logiciel exige de plus en plus de capacités de développement. Industrie de matière grise, elle a besoin de nouveaux cerveaux. D'où viendront-ils ? Peut-être de pays moins développés que les États-Unis ou les nations européennes, traditionnels berceaux des technologies et des produits manufacturés. L'Inde, par exemple, forme, toujours plus nombreux, des informaticiens de haut niveau.

Bibliographie

Ouvrages :

- AMBLARD (Paul), FERNANDEZ (Jean-Claude), LAGNIER (Fabienne), *Architectures logicielles et matérielles*, Dunod, Paris, 2000.
- BARTHE (Michel), *Ergonomie des logiciels*, Masson, Paris, 1999.
- CARLIER (Alphonse), *Le développement du logiciel*, Hermes Science Publications, Paris.
- HABRIAS (Henri), *Dictionnaire encyclopédique du génie logiciel*, Masson, Paris, 1996.
- *Dictionnaire de l'informatique et de l'internet 2000*, Éditions Micro-Applications, Paris, 2000.

Webographie

- http://fare.tunes.org/libre-logiciel.html
- http://www.aful.org/presentations/libre.html
- http://webbo.enst-bretagne.fr/tig/logicielLibre/R/POjuin98.html
- http://www.legalis.net/legalnet/jurislog.htm
- http://www.anshare.com/index.htm
- http://www.isc.org/

Log-in

Nom spécifique donné à l'utilisateur d'un réseau ou d'un serveur. Couplé généralement avec un mot de passe, le *log-in* fait partie de la procédure d'identification qui garantit la sécurité d'un système. Après avoir été reconnu, l'utilisateur pourra accéder au contenu d'un site, à un programme, à un réseau ou à ses mails stockés chez son fournisseur d'accès à Internet.

Loi de Metcalfe

Loi empirique énoncée par Robert Metcalfe – fondateur de la société 3 Com et à l'origine du protocole Ethernet – selon laquelle la valeur d'un réseau (téléphone, fax, etc.) et des services et technologies qui lui sont liés est égale au carré du nombre des utilisateurs.

Cette « loi » caractérise l'économie des activités de réseau.

Loi de Moore

Loi empirique énoncée par Gordon Moore, l'un des cofondateurs d'Intel, au milieu des années 1960, selon laquelle la puissance des microprocesseurs double tous les dix-huit mois à coût constant. Cette « loi » s'est constamment vérifiée jusqu'à ce jour, même si la tendance s'est un peu infléchie depuis quelques années.

M

m-commerce

Commerce électronique à partir d'un mobile. Le développement du m-commerce dépend directement des moyens mis en place pour sécuriser les transactions commerciales ainsi que de la facilité et de la rapidité de réalisation d'une transaction. Le GPRS et surtout l'UMTS, qui autoriseront des débits beaucoup plus importants que le GSM, devraient être des accélérateurs du m-commerce.

Messagerie instantanée

Courrier électronique dont l'arrivée sur son écran est signalée à l'internaute destinataire, auquel on indique, dès qu'il le souhaite, l'identité de l'expéditeur. Les logiciels de messagerie instantanée les plus répandus sont, par ordre d'arrivée sur le marché : AIM (*AOL Internet Messenger*), ICY (*I see you*) et MSN (*Microsoft System Network*).

Métachercheur

Moteur de recherche qui explore lui-même d'autres moteurs de recherche afin d'apporter des réponses plus précises aux demandes des internautes.

Micro-informatique

Branche de l'industrie informatique, comprenant les micro-ordinateurs, également appelés ordinateurs personnels, ainsi que les logiciels correspondants, permettant soit de réaliser de la programmation, soit de gérer des informations par des applications. La micro-informatique pourrait remonter à la « machine de Von Neumann » du nom de son créateur, Johannes Von Neumann (1903-1957), mathématicien américain d'origine hongroise. Au début des années 1940, en pleine guerre mondiale, celui-ci invente un nouveau concept d'ordinateur en confiant le traitement de l'information, auparavant considéré comme un simple flux, à une unité interne placée dans la machine, qui gère les entrées et les sorties en même temps qu'elle les hiérarchise et les organise. Cette architecture préfigure le microprocesseur et le système d'exploitation du micro-ordinateur.

Si le terme informatique apparaît au début des années 1960, il faudra encore attendre une dizaine d'années pour qu'il soit précédé du terme « micro » : exactement le temps nécessaire pour faire migrer l'ordinateur d'un sous-sol climatisé, où il est manœuvré par une équipe de techniciens en blouses blanches, sur un bureau, où il pourra être manipulé par chacun sans trop de difficultés.

Le premier micro-ordinateur apparaît en 1973, quand deux ingénieurs français, André Truong Thi et François Gernelle, inventent et mettent sur le marché le Micral 8008. L'appareil ne possède pas son propre système d'exploitation (le logiciel de base de la machine, qui permet de la lancer), mais réunit pour la première fois les caractéristiques de base du micro-ordinateur : faible encombrement, unité centrale, écran et clavier. Un an plus tard, l'Américain Altaïr propose une machine en kit, dotée d'un véritable système d'exploitation, la première version du Basic.

Le « micro » fait appel à un ensemble de technologies innovantes créées dans les années 1960. Le microprocesseur, d'abord. Cette minuscule « puce » de quelques millimètres carrés de silicium est le cœur de l'ordinateur. Le premier modèle est commercialisé par Intel en 1971 et intègre l'équivalent de 2300 transistors. Selon la loi de Moore, énoncée par Gordon Moore, l'un des fondateurs d'Intel, sa puissance double tous les dix-huit mois, loi toujours vérifiée jusqu'à l'année 2000. En 1970, Intel met également au point la RAM (*Random Access Memory*), ou « mémoire vive », sur laquelle on peut lire et écrire des données. La même année, Fairchild invente la ROM (*Read Only Memory*), ou « mémoire morte », capable de stocker des données accessibles uniquement en lecture. Le lecteur de disquettes, fruit de la recherche d'IBM, arrive sur le marché en 1967. En 1968, Douglas Engelbart, du Stanford Research Institute, présente un environnement graphique avec des « fenêtres » qui sont ouvertes et fermées via un pointeur relié à l'ordinateur par un fil : la souris, première interface homme-machine. Enfin, la technologie des écrans informatiques profite du développement de la télévision (couleur, réduction de l'encombrement et du coût, fiabilité).

Le micro-ordinateur ne séduira au départ qu'une clientèle férue de programmation. Les choses changent en 1977 avec la commercialisation de l'Apple 2, dont le succès est foudroyant. La compagnie Apple a été fondée un an auparavant à l'intérieur d'un garage californien, dans ce qui allait devenir la Silicon Valley, par Steve Jobs et quelques associés qui ont tous moins de trente ans. Ils militent pour un « computer power », un peu à la façon dont les hippies soutenaient, dans la proche San Francisco, un « flower power ». Et pour diffuser ce « pouvoir de l'ordinateur », Apple dote ses machines d'un atout qu'elles conservent encore aujourd'hui : une grande facilité d'emploi.

Dès 1982, une foule de constructeurs s'engouffrent dans la brèche laissée ouverte par IBM

En 1981, le géant IBM, surnommé méchamment *Big Brother* par les dirigeants d'Apple, lance à son tour son propre micro-ordinateur. Mais IBM ne croit pas vraiment en l'avenir de ces petites machines. L'appareil, le PC (*Personal Computer*) est conçu presque en secret au sein de l'immense compagnie, dont la puissance et la fortune reposent sur les grands systèmes (*mainframes*). Le système d'exploitation est acquis, un peu par hasard, auprès de Microsoft. Il a pour nom Pc Dos (*Personal Computer Disc Operating System*) ; il deviendra par la suite Ms Dos (*Microsoft Disc Operating System*), quand Microsoft le commercialisera sous son propre label.

Les micro-ordinateurs d'IBM sont beaucoup moins conviviaux que ceux d'Apple, qui lance en 1984 son modèle Macintosh (avec son propre système d'exploitation), d'un usage simple grâce à une interface graphique perfectionnée et une souris : les fastidieux codes d'instructions difficiles à taper sur le clavier sont oubliés. IBM, toujours sceptique quant à l'avenir du « micro », autorise la fabrication de « clones » et néglige d'améliorer la facilité d'emploi de son PC. Deux erreurs qui vont lui coûter cher. Dès 1982, une foule de constructeurs indépendants produisent des appareils « compatibles IBM », comme Compaq, né uniquement de cette activité, ou Toshiba, groupe japonais qui se spécialise dans les portables. La facilité d'utilisation de l'IBM PC va se rapprocher peu à peu de celle des Macintosh d'Apple, grâce à l'interface Windows mise au point par Microsoft. D'autres fabricants de petits ordinateurs essaieront de s'intercaler entre les deux grands concurrents, avec des machines hélas toutes incompatibles entre elles : Atari – technologiquement proche du système d'Apple –, Commodore, Tandy. Aucun ne survivra.

Le marché de la micro-informatique explose au cours des années 1980. Il a défini ses standards : le PC d'origine IBM et le système Apple. Le PC, soutenu par le marketing agressif de Microsoft, représente aujourd'hui 95 % de parts du marché mondial, contre 5 % pour Apple. En revanche, les mêmes programmes sont maintenant disponibles sur les deux plates-formes, avec une offre toutefois beaucoup plus étendue pour le PC, notamment en matière de logiciels ludiques. Les avantages du système Apple par rapport au PC ont disparu au fil des années.

Le tournant de la micro-informatique se situe en 1987, quand son chiffre d'affaires dépasse pour la première fois celui de l'informatique traditionnelle. Avec une production de plus de 60 millions d'appareils, tous systèmes confondus, le micro-ordinateur a donné naissance à une industrie dynamique soutenue par la demande des utilisateurs. Ceux-ci voient d'abord dans le « micro » une machine de bureau. Les premiers logiciels de grande diffusion sont donc des traitements de texte et des feuilles de calcul. L'industrie des arts graphiques, la publicité et la presse plébiscitent les logiciels de PAO (publication assistée par ordinateur) ; les ingénieurs découvrent la micro-informatique avec de puissants programmes de CAO-DAO (conception-dessin assistés par ordinateurs). L'ordinateur entre à l'école, puis à la maison, pour les plus fortunés. En France, le gouvernement de Laurent Fabius lance en 1985 le plan IPT (« Informatique pour tous ») qui prévoit la diffusion de 120 000 machines dans les écoles. Ce sera un échec : les appareils, de conception et de fabrication française, se révèleront d'un usage délicat et vite dépassés.

Après l'électroménager, le « micro » investit les linéaires de la grande distribution

Au cours des années 1980, le micro-ordinateur évolue en devenant « station de travail » (*workstation*) pour les scientifiques dont les travaux nécessitent de fortes puissances de calcul. Mais une architecture commune à tous les micro-ordinateurs

PC se généralise. Elle s'organise autour de l'unité centrale (UC) qui a pour composant principal une carte mère, qui réunit, principalement :

– le microprocesseur, dont la puissance et la vitesse déterminent les performances de l'appareil, et qui gère de manière mathématique et logique la circulation des données ;

– plusieurs types de mémoires : ROM (« mémoire morte »), RAM (« mémoire vive »), « mémoire cache » (d'accès ultrarapide, elle facilite la tâche du microprocesseur pour les opérations les plus courantes) ;

– des systèmes de « bus », pour coordonner les échanges d'information et contrôler certains sous-systèmes comme, par exemple, l'horloge.

À la carte mère s'ajoute un disque dur, dispositif de stockage de données (mémoire de masse) sur lequel se trouvent le système d'exploitation, les logiciels d'application ainsi que les fichiers créés ou reçus. Tous les autres éléments sont qualifiés de « périphériques ». Ils peuvent être placés à l'intérieur de l'unité centrale ou être reliés à celle-ci.

• À l'intérieur de l'UC :

– livrés d'origine, pour un PC multimédia : un lecteur de disquette, un lecteur de DVD (qui lit aussi les CD-Rom), un modem, qui permet une connexion au réseau téléphonique et à Internet, une carte son, une carte vidéo, une paire de hauts parleurs ;

– en option : disque dur supplémentaire ou de capacité plus importante, graveur de CD-Rom.

• Reliés à l'UC :

– mémoire de masse supplémentaire, disque dur ou système de sauvegarde de données (sur disque optique, par exemple) ;

– imprimante, à jet d'encre ou laser ;

– scanner ;

– appareil photo ou caméscope ;

– standard téléphonique ;

– automate programmable (commande d'une installation ou d'une machine-outil) ;

– périphériques divers : Webcam, micro, crayon optique, tablette à digitaliser, écran tactile, *joystick* pour jeux vidéo, appareil de mesure.

Le micro-ordinateur se décline en deux formats : appareils de bureau ou portables. Ces derniers disposent aujourd'hui de performances comparables à celles des machines de bureau. Depuis 1995, après avoir assuré les fonctions de Minitel grâce à des logiciels *ad hoc*, l'ordinateur individuel est devenu le terminal Internet par excellence.

La micro-informatique, un peu plus de vingt ans après son apparition, fait déjà figure d'industrie « classique ». Les matériels sont tous produits selon une norme de fait (le PC), et fabriqués avec des composants standardisés. Cela ne signifie pas, cependant, qu'il n'existe qu'un seul modèle de PC. Les différences entre les matériels portent sur les performances, qui dépendent de la qualité du montage et des composants, et surtout de leur compatibilité entre eux. Le PC est fabriqué – ou plutôt assemblé – dans la plupart des pays du monde développé. La France ne compte plus aucun acteur majeur dans cette industrie. Malgré le rachat de l'Américain Zenith Data System, au début des années 1990, le groupe Bull n'a pas réussi à percer dans le micro-ordinateur, et Goupil, l'autre grand spécialiste français du PC, a fait faillite en 1991. Le micro-ordinateur a vite quitté les magasins spécialisés pour la grande distribution, où il est vendu depuis les premières années 1990 à proximité du rayon électroménager.

Matériels et logiciels consolident mutuellement la micro-informatique

La micro-informatique possède deux socles qui se consolident mutuellement. Le premier est le matériel (le *hard*), le second est le logiciel (le *soft*). À l'instar de la machine, le logiciel pour micro-ordinateur s'est également standardisé, ce qui a permis une diffusion planétaire de l'un et de l'autre. En matière de logiciel pour micro-ordinateur, le nom qui vient en premier sur toutes les lèvres est celui de Microsoft et de son président fondateur, William H. (Bill) Gates, né en 1955, devenu la première fortune mondiale d'origine industrielle. Microsoft aurait pu n'être que l'entreprise ayant eu la chance d'être retenue par le géant IBM pour concevoir le système d'exploitation du PC, ce qui lui aurait déjà valu de percevoir beaucoup d'argent sous formes de royalties versées pour tout système d'exploitation vendu par PC. Bill Gates, auquel IBM avait accordé les droits de diffusion du Pc Dos, ne s'est pas arrêté là. Il a commercialisé le Pc Dos sous le nom de Ms Dos, puis l'a enrichi d'une interface graphique très évoluée qui rend le PC aussi simple à utiliser ou presque qu'un ordinateur Apple : Windows 3.1, puis Windows 95, 98 et 2000. IBM, qui disposait d'un système comparable (OS/2), a été pris de vitesse. Comme sur le matériel Apple, le PC, désormais, se commande avec Windows *via* une souris et un systèmes d'icones et de menus déroulants. Les périphériques (imprimantes, scanner…), comme sur les appareils Apple, s'installent sans paramétrages compliqués (fonction *plug and play*). Fort de cette réussite technique et commerciale sur le système de base, Microsoft est le plus important éditeur mondial de logiciels d'application. Certains sont devenus des standards planétaires : traitement de texte Word (avec lequel ce dictionnaire a été rédigé), tableur Excel. Les autres éditeurs qui ont réussi à s'imposer sur le plan mondial proposent le plus souvent des produits spécialisés, comme Photoshop (logiciel de mise en pages, Adobe), ou plus simplement comme Norton, dans les utilitaires (maintenance et réparation de systèmes, anti-virus, Symantec).

Microsoft a peut-être été trop loin dans son agressivité commerciale. En « encapsulant » son logiciel de navigation sur Internet (« Explorer ») dans Windows, la firme a déclenché les foudres de la justice américaine, qui l'a accusée d'abus de position dominante. Pour l'instant, Microsoft n'a pour concurrents que des firmes de moindre importance. Depuis 1997, il existe un système d'exploitation concurrent de Windows, Linux, mis au point par Linus Torvalds, un jeune étudiant finlandais. Gratuit (il est téléchargeable sur Internet), aussi performant que Windows, il est cependant relativement délicat à installer par un non-spécialiste.

Performant, bon marché, il ne reste plus au « micro » qu'à devenir esthétique

La micro-informatique est une industrie solide. Jeux, applications domestiques, Internet : les logiciels « micro » se multiplient, tout comme les modèles de machines. Les utilisateurs ont appris à évaluer leurs besoins informatiques : pour des applications simples, voire une connexion à Internet, ils n'ont pas besoin d'un appareil performant. Les constructeurs leur proposent depuis la fin des années 1990 des machines d'entrée de gamme à moins de 750 euros. Parallèlement, le « micro-ordinateur » moyen et haut de gamme gagne sans cesse en fonctionnalités et en confort d'utilisation, sans augmentation de prix. Tous ses éléments bénéficient de progrès technologiques continus :

- Le microprocesseur, respectant la loi de Moore, double toujours quasiment de puissance tous les dix-huit mois. En l'an 2000, ils intègrent l'équivalent de 10 millions de transistors. L'ordinateur peut gérer des logiciels de plus en plus complexes, les plus gourmands en capacité de traitement étant les jeux.
- La mémoire vive suit également cette tendance. De 8 Mégabits (Mb) en standard au milieu des années 1980, elle est passée à 64 Mb cinq ans plus tard.
- La capacité des disques durs a considérablement augmenté, passant à 10 Mégaoctets (Mo) en standard au début de l'année 2000 contre 1 Mo cinq ans plus tôt. Les fichiers exigeant une forte capacité de mémoire, comme les images, peuvent être stockés en de nombreux exemplaires sans crainte de saturation du disque dur.
- La connectique, avec l'adoption du port USB (*Universal Serial Bus*), permet un débit très élevé (12 Mb par seconde). Les entrées et les sorties de données sont facilitées.
- La taille des écrans augmente (17 pouces de diagonale en moyenne contre 15 pouces auparavant), leur encombrement diminue (écrans plats).
- Les progrès technologiques bénéficient également aux périphériques : imprimantes, scanners, graveurs de CD-Rom, DVD, tous gagnent continuellement en performance et baissent en prix.

Un autre effort porte sur l'esthétique et la taille des machines. Le micro-ordinateur est maintenant un élément familier dans la maison. Les constructeurs tentent de gommer son aspect utilitaire en lui donnant de nouvelles formes et de nouvelles couleurs, tout en réduisant ses dimensions à celle d'une petite chaîne haute-fidélité.

La micro-informatique a connu un nouvel essor en s'intégrant à l'environnement Internet. C'est pourtant du Net que vient sa principale menace. Le réseau va-t-il se substituer à la micro-informatique ? Les spécialistes sont divisés. Certains estiment que l'utilisateur voudra toujours conserver un ordinateur disposant de capacités élevées de traitement et de stockage. D'autres, avec l'avènement des réseaux à haut débit, voient plutôt l'ordinateur placé lui-même au sein du réseau (*network computer*), comme la mémoire de masse, d'une capacité infinie ainsi que les logiciels, bien plus nombreux, rapides et intelligents que ceux offerts par la micro-informatique actuelle.

Bibliographie

Ouvrages :

- BRETON (Philippe), PROULX (Serge), *L'explosion de la communication*, La Découverte, Paris, 1996.
- FORTIER (Denis), *Les autoroutes de l'information*, Collection Explora, Pocket, Paris, 1997.

■ *Dictionnaire de l'informatique et de l'Internet 2000*, Ouvrage Collectif », Editions Micro Applications, Paris, 2000.

Webographie

■ http://www.phijvmi.com/
■ http://www.electromicro.ch/dico/Inform/EM_Dico.html
■ http://www.linux-france.org/prj/jargonf/M/micro-informatique.html
■ http://www.ldh.org/Dossiers/Normes/derapage.html

Microprocesseur

Un processeur est un système logiciel ou matériel qui exécute un ensemble d'opérations dans un ordre déterminé. Le processeur d'un ordinateur exécute les instructions contenues dans les programmes de sa mémoire centrale, notamment dans son système d'exploitation. Un microprocesseur, appelé également « puce », est un processeur dont les éléments sont miniaturisés en circuits intégrés, ce qui permet de disposer d'un grande capacité de mémoire.

Minitel

Nom donné au terminal de connexion au réseau télématique français dénommé Télétel, mis en place en 1980 et destiné au grand public par la direction générale des Télécommunications. Fruit de la convergence entre les télécommunications et l'informatique, la télématique est une technologie qui permet d'échanger des informations stockées dans des bases de données. Elle a eu pour précurseur la téléinformatique, apparue au cours des années 1960, pour des applications professionnelles. Elle a permis, notamment aux agences de voyages et aux compagnies aériennes, d'améliorer l'efficacité de leurs systèmes de réservation, aux compagnies d'assurance et aux banques d'accroître la rapidité et la qualité de leurs flux d'informations. Les bases de données sont la condition *sine qua non* de l'existence de la télématique. Leur développement a été favorisé par le gouvernement américain dès les années 1960, pour accélérer l'échange d'informations essentiellement dans les domaines militaire et spatial, l'Europe tentant de rattraper son retard au milieu des années 1970. Les plus anciennes bases de données sont à la norme ASCII (*American Standard Code for Information Interchange*), codage élaboré pour les échanges de caractères entre ordinateurs. Elles seront suivies par les bases de données vidéotex, utilisées par le Minitel, puis par d'autres systèmes de stockage de l'information, comme le CD-Rom.

Le concept d'un réseau télématique d'envergure nationale remonte à 1978 et au rapport rédigé par Simon Nora et Alain Minc sur *L'informatisation de la société*. Une expérience intéressante avait déjà été menée en France en 1973, avec la mise en place de points d'accès vidéotex (projet Titan), pour interroger l'ordinateur du CCETT (Centre commun d'études de télévision et des télécommunications). L'idée de diffuser à distance du texte, des images et des graphiques fournis par des prestataires indépendants de l'opérateur de télécommunications exploitant le réseau a été également étudiée dans d'autres pays. La Grande-Bretagne fait figure de pionnier avec son système de vidéotex Prestel, dès 1976. D'autres pays développeront leurs systèmes avec plus ou moins d'ambition : l'Allemagne avec le Bildschirmtext (BTX), les États-Unis avec le NAPLS, le Japon avec le Captain.

Le réseau Télétel est conçu pour le Minitel, mais il ne lui est pas strictement réservé. Il supporte d'autres applications télématiques impliquant des terminaux classiques ou terminaux de paiement. Pour des groupes restreints d'utilisateurs (administration ou entreprise d'une certaine taille), Télétel est aussi un outil d'échanges de données internes. L'orientation du vidéotex vers le grand public fut décidée et soutenue par la direction générale des Télécommunications (la DGT, ancienne dénomination de France Télécom) à partir de 1978-1979. Les premiers tests eurent lieu à partir de juillet 1980 à Saint-Malo. En 1981, une expérience pilote est lancée à Vélizy, dans la banlieue parisienne ; deux ans plus tard, l'annuaire électronique est lancé dans le département de l'Ille-et-Vilaine, puis le système est étendu progressivement à tout le territoire.

Un terminal facilement manipulable, distribué gratuitement

L'avènement du Minitel doit beaucoup à l'obstination des responsables de la DGT, car une partie de la classe politique n'était pas favorable au projet, lui reprochant de gaspiller des ressources financières qu'il aurait été plus utile d'affecter à la modernisation du réseau téléphonique français, à l'époque, il est vrai, notoirement insuffisant. Le Minitel était également critiqué, malgré les expériences britanniques et allemandes en cours, pour être trop innovant, trop compliqué, en un mot trop technique pour un usage grand public. Gérard Théry, directeur de la DGT de 1974 à 1981, va emporter l'adhésion du gouvernement en proposant qu'un terminal vidéotex assez simple, facilement manipulable, soit gratuitement mis à la disposition des usagers du téléphone qui en feront la demande. Ces volontaires s'en serviront consulter l'annuaire téléphonique, service géré par les PTT. L'utilité économique du Minitel est ainsi justifiée par la création d'une nouvelle source de trafic, et donc de nouveaux revenus pour l'exploitant. Les grands industriels français des télécommunications, comme Télic-Alcatel et Matra, intéressés par la fabrication d'un terminal de communication promis à une large diffusion, apportèrent leur soutien à Gérard Théry. Télic fabriquera par la suite jusqu'à 70 % des Minitels, le reste de la production se partageant entre Matra et TRT (groupe Philips). Les obstacles levés, il restait à trouver un nom à l'appareil, conçu par le CNET (Centre national d'études des télécommunications, division de la DGT depuis 1974, devenu France Télécom Développement) chargé d'investir les foyers. Deux patronymes étaient en compétition : Télétrans et Minitel, nom trouvé par le stylicien Roger Tallon. Ce sera Minitel.

Le service ne va réellement décoller qu'en 1984, avec l'ouverture du système « kiosque », promu par Jacques Dondoux, le successeur de Gérard Théry à la tête de la DGT de 1981 à1986. Le kiosque Minitel inaugure un mécanisme de facturation original : le coût de la communication, que l'usager paie en fonction de la durée de connexion, est automatiquement reversé par les PTT aux « éditeurs » des services hébergés sur les centres serveurs. Le succès est immédiat : les éditeurs comprennent vite que la facturation par un tiers, qui perçoit au passage une rémunération, va les délivrer d'une comptabilité complexe. En 1985, 2 000 services assurent déjà 10 000 heures de connexion. L'évolution du Minitel sera ensuite plus modeste, mais constante. La gamme des terminaux se complète et se perfectionne à partir de 1986. De nouveaux équipements plus performants sont proposés à la location : Minitel M 2, qui intègre un dispositif de traitement de données téléinformatiques en mode texte, Minitel 10, équipé d'un combiné téléphonique de qualité, et Minitel M 12, synthèse des M2 et M 10. Un portable à écran plat viendra compléter l'offre (Minitel M 5) ainsi qu'un modèle « Magis », équipé d'un lecteur de carte à puce pour régler ses achats à distance. Le service s'enrichit avec l'ouverture d'un kiosque multipaliers en 1987, le lancement d'un Minitel à grande vitesse (TVR, Télétel vitesse rapide), huit fois plus rapide que le Minitel classique, en 1994, et un kiosque « micro » en 1995, qui permet d'avoir accès à des services multimédias à partir d'un ordinateur personnel. Par ailleurs, des programmes permettant d'avoir accès au Minitel sont assez vite apparus sur les ordinateurs personnels (logiciels d'émulation). Les données Minitel peuvent emprunter tous les types de réseaux : réseau téléphonique commuté public (RTCP), le réseau Transpac en France, lignes privées, câbles, sans oublier le Réseau numérique à intégration de services (RNIS, commercialisé sous le nom de Numéris par France Télécom).

Environ 15 000 emplois créés

En 1986, selon une étude de la DGT, les cinq premiers domaines d'activités représentés dans les 2 340 services alors existants sont la communication et les médias (34,9 %), les loisirs, les arts et la culture (17,4 %), la banque, la finance, l'économie, et l'assurance (12, 5 %), la vie courante, les sports, la santé, et le social (11,4 %), l'éducation et le domaine spirituel (3,3 %). En quelques années, un « Minitel gris », réservé au monde industriel et aux relations d'affaires, voit le jour. Fin 1987, les constructeurs automobiles se servent du petit terminal pour animer leurs ventes, tandis que leurs concessionnaires peuvent connaître en temps réel l'état de leurs stocks et de leurs commandes. Dans le commerce de proximité, plusieurs milliers de petits magasins de matériel électrique et électronique s'approvisionnent par Minitel auprès du grand groupe qui est leur principal fournisseur. Et 10 000 clients d'un organisme financier, constitués pour la plupart d'enseignes isolées, sont reliés par Minitel à celui-ci pour le calcul de crédits et la constitution immédiate de dossiers. Sur 185 services opérationnels appartenant à des entreprises industrielles et de distribution, une étude Télétel montre, toujours en 1987, que 85 % des possibilités offertes par ceux-ci concernent la fonction commerciale, avec trois types d'applications principales : consultation, relation et gestion commerciales, messagerie. En 1988, Télétel met l'accent sur l'aspect marketing de l'outil Minitel. Dix ans après le lancement du kiosque, on compte 25 000 services et 7,5 millions de terminaux Minitel. Au total, le vidéotex français a permis de créer environ 15 000 emplois. Début 2000, si l'on inclut les micro-ordinateurs équipés d'un logiciel Minitel, le nombre de terminaux s'élève à près de 10 millions. En 1999, l'activité Minitel a rapporté plus de 750 millions d'euros à France Télécom et près de 500 millions aux éditeurs. Pour le premier semestre 2000, près de 1 200 nouveaux services ont encore été créés. Mais le Minitel perd du terrain. Il assurait 113 millions d'heures de consultation en 1993, seulement 80,5 millions en 1998, soit une baisse de 3 % par rapport à 1997, malgré une campagne publicitaire en sa faveur cette année-là. Il souffre de la concurrence d'Internet, au sein même de la maison qui l'a créé : en 1999, France Télécom gagnait autant d'argent avec son activité Internet et Wanadoo qu'avec le Minitel.

« L'Intranet français »

Internet fait l'effet d'une tenaille sur le Minitel. Du point de vue du matériel, le petit terminal apparaît désuet. Muet, incapable de diffuser des images, doté d'un petit écran en noir et blanc, il ne soutient pas la comparaison avec le confort d'utilisation du terminal actuel du Net, le micro-ordinateur. Pour moins de mille euros (à la mi-2000), ce dernier dispose d'un écran en couleur de la dimension de celui d'un téléviseur de salon de taille moyenne (17 pouces), il délivre un son de qualité hi-fi et peut, *via* son lecteur de DVD, diffuser des films avec une très haute résolution d'image. L'ergonomie du Minitel a vieilli. Pas de liens hypertextes, comme sur la Toile, qui guident l'utilisateur en cas de requête approximative : sur le Minitel, il faut poser une question précise. Face au Web, il souffre surtout de la lenteur de son affichage et de l'impossibilité (sauf avec le Minitel TVR) de télécharger des fichiers. Du point de vue de la prestation offerte, la comparaison est encore plus cruelle. Sauf pour l'annuaire international, le Minitel reste un univers franco-français. Outre-Manche et outre-Atlantique, on lui a donné le surnom d'« Intranet français ». Quasiment tous les services qu'il propose sont sur le Net ou en passe de l'être, et, pour beaucoup, gratuitement. Dès 1996, les serveurs les plus importants (plus de 300 services) avaient déjà entrepris leur migration vers Internet. Les minitélistes deviennent vite des internautes. Pour les cinq premiers mois de l'année 2000, la SNCF a vendu pour presque 30 millions d'euros de billets de trains sur son site Internet, inauguré moins d'un an auparavant (juillet 1999) contre 38 millions d'euros par son serveur Minitel.

Malgré la résistance opposée par tous les acteurs du monde Minitel, à commencer par France Télécom, son initiateur, dans les années 1992 et 1993, la Toile surclasse aujourd'hui le vidéotex français. France Télécom a désormais reporté son effort sur Internet. Les positions tenues par le Minitel se réduisent comme une peau de chagrin : annuaire électronique, services professionnels très particuliers... Il compte toujours des inconditionnels chez les rebelles à tout apprentissage de l'informatique, notamment parmi les personnes du troisième âge. France Télécom a intégré une fonction Minitel (y compris Minitel rapide) à leur intention dans ses derniers terminaux téléphoniques (modèle Sillage). Parmi les derniers atouts qu'il reste au Minitel, on note une meilleure sécurité en matière de paiement en ligne, les informations communiquées ne circulant pas sur un réseau global.

Bilan du Minitel

Le bilan du Minitel s'apprécie à la lumière du passé et de l'avenir. Sa création représente une expérience réussie de grand projet public. L'administration des PTT et les pouvoirs publics ont avec lui fait preuve d'audace technologique et, ce qui est plus rare, de sens commercial. Le Minitel aura pendant près de deux décennies apporté une réelle valeur ajoutée à l'ensemble des acteurs économiques. Sa conception, son lancement, et finalement son succès assez rapide a redonné confiance aux télécommunications françaises, peut-être un peu trop oubliées dans l'effort de reconstruction d'après la Seconde Guerre mondiale. Sans doute le Minitel a-t-il familiarisé les Français avec la recherche d'information et les transactions en ligne. Le succès de ce terminal, mis gratuitement à la disposition des abonnés au téléphone qui en faisaient la demande, n'en a pas moins considérablement freiné, en France, le développement de la micro-informatique, après 1981 et 1984, quand les États-Unis commercialisaient les ordinateurs portables d'IBM ou de Macintosh, comme il y a retardé et ralenti, considérablement, l'essor d'Internet.

L'expérience Minitel semble revivre depuis juin 2000 avec l'apparition du WAP (*Wireless Application Protocol*). Ce système permet de recevoir sur un mobile des pages Internet simplifiées. Celles-ci ressemblent fort aux pages délivrées par le Minitel : même graphisme, même durée d'affichage (les débits sont les mêmes), même type d'informations. Le WAP est la première tentative technologique d'Internet mobile ; elle n'est qu'une norme transitoire avant l'arrivée d'un système à haute vitesse compatible avec les réseaux existants, le GPRS (*General Packet Radio Service*) ou du mobile de troisième génération, l'UMTS (*Universal Mobile Telecommunications System*). À l'occasion des premières applications commerciales du GPRS, prévues pour 2001, les opérateurs téléphoniques, à commencer par France Télécom, envisagent de reprendre le modèle économique qui a si bien réussi au Minitel : le kiosque. Les sites Internet peinent à vivre avec les seules ressources publicitaires, et les éditeurs s'inquiètent des habitudes prises par les internautes d'accéder gratuitement à l'information. Le mécanisme de facturation du kiosque pourrait être étendu à tous les types de consultation Internet (à partir de terminaux mobiles ou fixes). L'accès aux sites payants serait facturé à la durée ou à la consultation, le montant étant porté sur la facture téléphonique, ce qui éviterait à l'internaute de communiquer le numéro de sa carte de crédit.

Bibliographie

Ouvrages :

- MARCHAND (Marie), *Les Paradis informationnels*, Masson, Paris, 1999.
- RINCÉ (Jean-Yves), *Le Minitel*, 2e *édition*, PUF, Paris, 1998.
- TURPIN (Etienne), *La firme et le Net, Des télécoms à l'Internet : économie d'une mutation*, Eyrolles, Paris, 1999.

Revues et rapports :

- Rapport du Sénat n° 331, *Des pyramides du pouvoir aux réseaux de savoirs : comment les nouvelles technologies de l'information vont aider la France à entrer dans le* XXIe *siècle*, TRÉGOUET (René), Commissions des Finances, 1997-1998.

Webographie

- http://www.minitel.fr/home/
- http://w1.1313.telia.com/~u131300082/Memoire_Minitel_Internet/
- http://www.mctel.fr/vtxplug/vtxservices_fr.html
- http://www.admi.net/minitel/index_fr.html
- http://www.multimania.com/uzine/ARNO/minitel.html
- http://perso.wanadoo.fr/mikael.gleonnec/minitel.htm
- http://www.landfield.com/faqs/culture-french-faq/networking/part1/section-1.html

M

MMDS (Microwave Multipoint Distribution Service)

Système de distribution de programmes de radio ou de télévision utilisant la voie hertzienne terrestre. Cette technique, qui couvre une zone dont le rayon dépasse rarement les quinze kilomètres, est souvent utilisée dans les pays pauvres ou dans les zones rurales à faible densité d'habitat, en raison notamment de ses coûts d'investissement, beaucoup moins élevés que ceux des autres techniques. Le MMDS a été adopté à la fin des années 1970 aux États-Unis pour diffuser les nouvelles chaînes de télévision, là où l'installation de câbles était impossible ou trop onéreuse. Pour cette raison, on parlait alors de « câble sans fil », de « satellite à terre » ou de télédistribution sans câble. Lorsque le système de distribution est numérisé, on désigne sous le même sigle le *Microwave Multipoint Digital Service* : le système emprunte alors la voie des hyperfréquences. Depuis 1997, on parle du LMDS (*Local Multipoint Distribution Service*) aux États-Unis, lorsque les services d'Internet s'ajoutent aux chaînes de télévision.

Mobile

Consacré nom commun après avoir été un adjectif, le mot désigne le téléphone portable relié au réseau par des ondes, le téléphone fixe, à l'inverse, étant relié au réseau par câble. Plus de cinq cents millions d'abonnés dans le monde début 2000 ; probablement plus du double à l'horizon 2005 : avec le micro-ordinateur et Internet, le mobile est sans conteste l'une des inventions qui auront marqué la fin du XXe siècle. À la différence de l'automobile et de l'aviation, autres technologies développées au cours du siècle dernier, il n'aura cependant fallu que quelques années – nettement moins d'une génération –, pour que le mobile passe de sa création à sa quasi-perfection, à la fois dans ses aspects technologiques et commerciaux. Comme si ingénieurs, équipementiers et opérateurs de télécommunications, auxquels s'ajoute le pouvoir politique, qui a libéralisé les télécommunications, avaient tous travaillé en « temps réel » pour lui assurer une diffusion aussi rapide et massive que possible.

Le mobile, encore appelé « cellulaire » (il fonctionne à partir d'un réseau de cellules implantées sur des pylônes ou sur des ouvrages d'art) est bien plus qu'un gadget ou une commodité. L'homme d'affaires, par exemple, a eu très vite la possibilité d'être joint instantanément, avec le même terminal, dans la plupart des pays développés *via* des accords de *roaming* (ou itinérance) conclus à une vitesse insoupçonnée entre opérateurs étrangers.

Le mobile a d'abord conquis les régions où il est difficile d'installer des réseaux filaires, comme les pays nordiques : il est plus facile d'implanter une structure cellulaire aérienne que de « tirer une ligne » dans un sol gelé la moitié de l'année... Avec 3,1 millions de mobiles pour une population de 5,1 millions d'habitants, soit un taux de pénétration de plus de 70 %, la Finlande est le pays le mieux équipé au monde en mobiles après l'Islande (75 % de taux de pénétration), ce qui a favorisé en outre une industrie nationale d'équipement performante, en particulier dans les terminaux (Nokia).

La facilité d'implantation et d'exploitation des réseaux de mobiles représente aussi, dans les régions du Sud, et en particulier en Afrique, un fantastique espoir d'accéder au monde de la communication et au développement économique. Avec les évolutions technologiques déjà en service (WAP) ou à venir (GPRS et UMTS), le mobile quitte son statut de téléphone sans fil et, en permettant l'accès à Internet, accède au rang de terminal pour de nouvelles formes d'échanges.

Du mobile analogique au terminal numérique

Le concept de mobile destiné au grand public naît au début des années 1980 avec le lancement de la première génération de radiotéléphones. Ils sont qualifiés d'« analogiques » car ils font appel à des technologies classiques de transmission de la voix par modulation analogique ou de phase de signal. Deux normes sont définies : l'AMPS (*Advanced Mobile Phone System*) aux États-Unis, le NMT (*Nordic Mobile Telephone*) en Europe.

D'autres systèmes, également analogiques, voient le jour dans plusieurs pays occidentaux, comme au Japon et en France, où France Télécom, alors en position de monopole, lance en 1985 son propre système de radiotéléphone (Radio Com 2000). Deux ans plus tard, le ministère des Postes et Télécommunications ouvre le secteur du mobile à la concurrence en autorisant un deuxième opérateur, la SFR (Société française de radiotéléphone), groupe privé contrôlé par la Générale des eaux (aujourd'hui Vivendi) qui se rallie à la norme NMT.

Mais le mobile perce lentement hors de l'univers professionnel en raison de terminaux coûteux et de tarifs de communications élevés. Une technologie d'origine britannique, réservée à un environnement urbain, le système Pointel, tentera sans grand succès de démocratiser un système de mobiles bon marché en Grande-Bretagne, en Allemagne, à Hong Kong et à Singapour. Elle sera exploitée de 1992 à 1997 par France Télécom, sous la marque commerciale « Bi-Bop ».

Les systèmes analogiques de première génération vont disparaître au milieu des années 1990 avec l'arrivée du radiotéléphone numérique, dont l'expansion va être bien plus rapide. Les réseaux Radio Com 2000 et SFR analogiques totalisaient en France, à leur zénith (fin 1994), à peine 500 000 abonnés. Ce chiffre sera atteint dès la fin de 1995 par les réseaux numériques GSM (*Global System for Mobile Communications*), deux ans et demi seulement après leur lancement.

Le succès de la norme GSM tient à la conjonction de plusieurs facteurs. En premier lieu, à l'inverse de la radiotéléphonie analogique, elle a dès son origine fait l'objet d'une vaste concertation internationale dans laquelle l'Europe a joué un rôle moteur. Dès 1979, les fondations de l'édifice sont déjà bâties en commun quand la Conférence administrative mondiale des radiocommunications (*World Administrative Radio Conference*), dépendant de l'Union internationale des télécommunications (UIT), ouvre la bande des 900 MHz aux mobiles. Trois ans plus tard, la Conférence européenne des postes et télécommunications (CEPT) précise l'allocation de plusieurs sous-bandes. À cet effort technique se superpose, toujours sous l'impulsion de la CEPT, une volonté de développer un radiotéléphone cellulaire paneuropéen sous la forme d'un groupe d'études baptisé Groupe spécial mobile (l'acronyme GSM changera plus tard de signification). La France, par la voix du Centre national d'étude des télécommunications (CNET), oriente l'option européenne vers un système numérique avec le lancement du projet Marathon (mobiles ayant accès au réseau des abonnés par transmission hertzienne opérant en numérique).

Le GSM, une norme européenne

En 1985, la Commission européenne préconise l'adoption de la norme conçue par le GSM comme norme commune ; en 1987, le GSM choisit la transmission numérique. La même année, treize opérateurs européens signent un protocole d'accord pour l'ouverture commune d'un réseau GSM en 1991. En 1988, France Télécom et une dizaine d'autres opérateurs européens lancent un appel d'offres international auprès du monde de l'industrie pour la mise en place de réseaux pilotes : ceux-ci ouvriront en France à la fin de 1991. En juillet 1992, les réseaux numériques tricolores sont commercialement exploités, mais leur véritable montée en puissance n'aura lieu qu'au cours de l'année 1993.

Le GSM est une norme innovante à bien des égards. Son mode de transmission numérique la rapproche de l'ordinateur. Outre la voix, le GSM peut traiter l'envoi et la réception de fichiers numériques, comportant donc des données informatisées. Ses caractéristiques du point de vue de la stricte radiotéléphonie sont très perfectionnées, gage d'un bon fonctionnement du réseau : la transmission numérique la rend moins sensible au brouillage, aux perturbations et au piratage, plusieurs communications peuvent être traitées sur le même canal (« multiplexage »), un faible débit suffit pour assurer le traitement de la parole. Une carte à puce (SIM) sécurise le terminal et permet de rendre la souscription d'un abonnement indépendante de son acquisition. La chose est capitale sur le plan commercial : le mobile GSM peut être distribué *via* des canaux de ventes non spécialisés, ou par des sociétés de commercialisation. Conséquence : on le verra très vite sur les linéaires des grandes surfaces, aux côtés du matériel électronique, ou encore envahissant les vitrines de petits magasins entièrement consacrés à sa commercialisation.

Le GSM est une norme évolutive. Moyennant quelques adaptations mineures, elle a été rendue compatible avec le système américain PCS (bande des 1 900 MHz). Et à la demande de la Grande-Bretagne, la bande a été élargie à 1 800 MHz, donnant naissance au second standard numérique utilisé en Europe, le DCS 1800 (*Digital Cellular System*). Ce dernier offre plusieurs avantages face au GSM 900 MHz. Sa largeur de bande facilite la transmission du signal, ce qui est un avantage indéniable dans les zones à forte densité de trafic (quartiers d'affaires, grandes agglomérations). Le DCS utilise également des terminaux de moindre puissance : 1 W contre 2 W ou 8 W pour la bande des 900 MHz. Il exige en revanche une couverture cellulaire plus dense. Une cellule DCS 1800 ne porte qu'à 5 km – sous réserve d'utilisation d'une antenne « intelligente » – contre une trentaine pour le GSM 900.

Les architectures des deux systèmes étant très proches, ceux-ci sont totalement compatibles : un opérateur peut utiliser pour son réseau des stations 900 MHz et 1 800 MHz, et l'utilisateur, pour sa part, glisser sa carte SIM dans les deux types de terminaux ou encore, solution plus simple, opter pour un terminal bibande, dont l'usage se généralise aujourd'hui.

Liberté d'exploitation, maturité de la technologie

Le téléphone mobile GSM est exploité en France par trois opérateurs. Les deux premières autorisations d'établissement de réseaux mobiles numériques ont été accordées en mai 1991 à France Télécom et SFR, déjà opérateurs de réseaux mobiles analogiques. Le législateur a néanmoins permis la création d'un troisième réseau courant 1994. Malgré les contraintes d'investissement et d'équipement pesant sur les deux premiers opérateurs (en particulier dans les grandes agglomérations et les axes routiers importants), il est vite apparu, d'une part, que la mise en place des nouveaux réseaux numériques devait être accélérée et que, d'autre part, cette situation pouvait donner naissance à une situation de duopole préjudiciable au consommateur.

Le 4 octobre 1994, une nouvelle autorisation est donc accordée à un troisième opérateur : Bouygues Telecom, société dans laquelle le groupe de travaux publics Bouygues est majoritaire, est choisi plutôt que la Lyonnaise des eaux et Alcatel. Le 4 janvier 1995, Bouygues lance les premiers travaux de construction de son réseau à la norme DCS 1800. En mai 1996, il ouvre son service en Île-de-France. Le groupe espérait 2,5 millions d'abonnés en 2005. Il en comptera déjà 3,2 millions à la fin de 1999 contre 10,1 millions pour Itineris et 7,3 millions pour SFR.

Partie avec retard dans la course au sans-fil (500 000 abonnés à la fin de 1993 contre un million et demi en Allemagne), la France était numéro quatre européen à la fin de 1999 avec un peu plus de 20 millions d'abonnés, derrière l'Allemagne (23,07 millions), la Grande-Bretagne (23,95 millions) et surtout l'Italie (30,42 millions). En revanche, la France se situe toujours en queue de classement pour le taux de pénétration du mobile. Avec près de 300 réseaux mondiaux, le GSM est bien devenu une véritable norme « globale » : au début de 1998, le protocole d'accord établi en 1991 était passé de treize membres à près de 250, répartis sur plus de 100 pays.

LE MOBILE EN EUROPE (2000)

Pays	Nombre d'abonnés (en millions)	Taux de pénétration (en %)
Finlande	3,60	70,6
Norvège	2,82	63,6
Danemark	2,85	54,0
Italie	30,42	53,0
Autriche	4,21	51,4
Luxembourg	0,21	49,4
Portugal	4,76	48,7
Pays-Bas	6,89	43,6
Royaume-Uni	23,95	40,8
Espagne	14,95	38,0
Suisse	2,76	37,7
Grèce	3,90	37,0
Irlande	1,36	35,8
France	20,62	34,3
Belgique	3,19	29,0
Allemagne	23,07	28,0

Le succès du GSM tient à une pluralité de facteurs. Le développement constant d'une réelle maîtrise technologique est le premier d'entre eux. La volonté politique européenne d'appuyer une norme est le deuxième. Le troisième, et sans doute le plus important, est une liberté d'exploitation des réseaux GSM encore inconnue dans le secteur des télécommunications.

Issue de la déréglementation lancée outre-Atlantique en 1984 avec l'éclatement judiciaire du géant des télécommunications AT&T, la libéralisation du téléphone a permis l'émergence d'une concurrence qui a profité à la vulgarisation de la technologie mobile. Les télécommunications, naguère encore considérées partout sur la planète comme prérogatives de puissance publique, ont échappé en moins de dix ans au giron de l'État. Témoin, le changement de statut de la direction générale des Télécommunications, établissement public administratif, devenu France Télécom en 1990. Sept ans plus tard, l'entreprise introduira une partie de son capital en bourse. En 1998, tous les services de télécommunications (transmission de la voix, de données et d'images) seront totalement libéralisés dans l'Hexagone, à l'instar de tous les pays occidentaux.

Alors que la plupart des précédentes technologies de pointe ont été d'abord diffusées dans le monde militaire, puis dans celui de l'entreprise, et enfin dans le grand public, le mobile numérique a pu, dès son invention, être orienté commercialement vers le particulier, avec le concours d'une pluralité d'acteurs – opérateurs, mais aussi sociétés de commercialisation –, ce qui a entraîné une concurrence immédiatement très vive.

La compétition entre ces intervenants a porté en premier lieu sur les tarifs d'accès au réseau. Mais la guerre des prix semble terminée : même s'ils connaissent certaines disparités pour une offre identique, les tarifs ne constituent plus le premier critère de choix du consommateur, beaucoup plus sensible à la réponse de l'opérateur à ses propres desiderata. L'utilisateur d'un mobile numérique peut actuellement fonder son choix sur :

– la couverture géographique : elle varie dans des proportions considérables selon les opérateurs. Les promesses affichées sur les brochures commerciales n'ont pas de valeur contractuelle : tel opérateur peut être très satisfaisant dans une région et médiocre dans une autre ;

– les possibilités d'évolution de l'abonnement, essentiellement dans le cas d'un forfait, et la facilité de résiliation du contrat ;

– le coût de la minute supplémentaire hors forfait ;

– les performances du terminal proposé par l'opérateur (poids, dimension, autonomie, accessoires livrés, connexion à un ordinateur ou à un assistant électronique de poche) et les conditions financières de son renouvellement ;

– la qualité globale du service, souvent évaluée par la presse consumériste : confort d'écoute, saturation du réseau à certaines heures ;

– l'étendue des accords d'itinérance (*roaming*) avec les opérateurs étrangers ;

– le nombre de services offerts, payants ou gratuits : répondeur téléphonique, renvoi d'appels, téléchargement de fichiers, accès aux SMS (*Short Messaging System*), petits messages pouvant être envoyés sur le mobile à partir d'un autre mobile ou d'un site Web.

À cela s'ajoute depuis la mi-2000 la possibilité d'accéder au WAP (*Wireless Application Protocol*), logiciel créé en 1997 par Motorola, Nokia, Ericsson et Unwired Planet qui permet à un mobile de recevoir des pages web avec une écriture simplifiée. Un an plus tard, le WAP n'avait toujours pas rencontré le succès escompté.

L'accès à Internet *via* le mobile s'esquisse peu à peu. Le GPRS (*General Packet Radio Service*), deuxième technologie permettant la réception d'Internet sur un mobile, représente une amélioration certaine par rapport au WAP, car il autorise l'émission et la réception de données à une vitesse de 115 Kbits, soit dix fois plus que le GSM de première génération. Concrètement, le GPRS permettra d'être connecté en permanence à Internet, de répondre immédiatement à certaines requêtes (recherche d'itinéraires, choix d'une place de cinéma ou de théâtre, réservation d'un taxi, d'une place de train ou d'avion), de payer une transaction, d'envoyer et de recevoir des photographies. La norme GSM a également évolué vers l'univers de la maison en intégrant les mobiles domestiques numériques (norme DECT). Les utilisateurs de ce type de terminal bimode ont la possibilité de communiquer dans tous les environnements avec un seul appareil.

L'exploitation du GSM n'est pas pour autant un parcours sans faute. Les premiers griefs à son égard sont d'ordre économique. Contrats fantaisistes comprenant des clauses illégales, tarification obscure ou injuste (toute minute commencée, chez de nombreux opérateurs, est due en entier), tarifs excessifs, en particulier à l'étranger, où l'appelé paie également une partie de la communication, comme au temps des premiers mobiles analogiques... Le matériel n'est pas non plus exempt de critiques. Les terminaux performants sont chers, leur autonomie insuffisante, leur ergonomie trop complexe, leur solidité parfois aléatoire pour un usage intensif.

On rend également le mobile responsable de nombreux accidents de la circulation : il est du reste interdit d'usage au volant – sauf équipements « mains libres » – dans de nombreux pays. On lui reproche aussi son incongruité – qui ne l'a jamais entendu retentir lors d'un spectacle ? – et d'être une « laisse électronique » (l'expression est de l'écrivain italien Umberto Eco), un lien qui ne laisse jamais les cadres tranquilles, même lorsqu'ils sont en vacances. Certains médecins accusent le mobile de provoquer des troubles cérébraux, voire des cancers. Aucune étude scientifique n'a pour le moment confirmé ces hypothèses.

L'extraordinaire développement du mobile GSM est cependant à l'origine d'un décès : celui du téléphone satellitaire direct. En août 1999, dix mois après son lancement, le projet Iridium, soutenu par l'industriel américain Motorola, fondé sur une constellation de satellites pour proposer un service de communication directe, ne pouvait plus faire face à ses engagements et se plaçait sous la protection de la loi américaine sur les faillites. Quelques jours plus tard, son concurrent ICO (projet Inmarsat) n'arrivera pas à obtenir le financement nécessaire à son lancement. Iridium espérait séduire assez rapidement plusieurs centaines de milliers de clients sur la planète : il n'en aura eu que quelques dizaines de milliers. Ses terminaux étaient, il est vrai, très coûteux (de l'ordre de 25 000 francs), encombrants et ne fonctionnaient pas en intérieur.

Une erreur de stratégie fondamentale est à l'origine de cet échec. Ses promoteurs ont sous-estimé le développement du mobile « terrestre » et surtout la capacité de ses opérateurs à conclure des accords d'itinérance lui assurant une couverture planétaire. Dès lors, le mobile satellitaire ne pouvait plus intéresser qu'une clientèle résiduelle : plates-formes pétrolières ou gazières *off-shore*, installations situées en plein désert...

Les enjeux de l'UMTS

L'émergence d'une technologie mobile de troisième génération condamne cependant à terme le GSM. Le nouveau procédé se nomme UMTS (*Universal Mobile Telecommunications System*) en Europe et IMT-2000 (*International Mobile Telecommunication-2000*) dans le reste du monde. Il s'agit en fait du même système, le premier devant être standardisé par l'organisme européen ETSI (*European Telecommunication Standard Institute*), le second par l'organisme international ITU (*International Telecommunication Union*).

L'UMTS est né en 1992, au moment du lancement des premiers réseaux GSM. La norme a été définie par l'Union internationale des télécommunications (UIT). Elle représente plus une rupture qu'un saut technologique, et, sur le plan économique et financier, elle est l'un des enjeux importants de ce début de siècle. En association avec des réseaux terrestres et satellitaires, l'UMTS et l'IMT-2000 devraient se généraliser à l'échelle mondiale à l'horizon 2003-2004, le Japon et la Finlande devant jouer un rôle de précurseurs (les premières applications sont prévues dans ces pays respectivement en 2001 et 2002).

ÉVOLUTION DU NOMBRE D'UTILISATEURS DE MOBILES ET D'INTERNAUTES (EN MILLIONS)

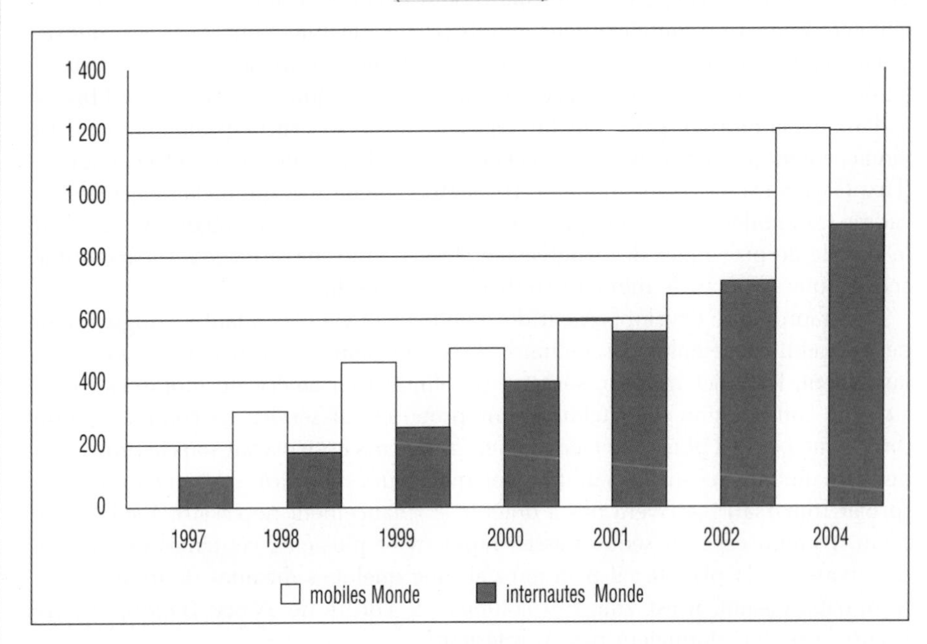

Source : Idate.

À l'inverse du GPRS, l'UMTS n'est pas une amélioration du GSM, mais une norme de transmission différente assurant des débits quarante fois plus rapides que son prédécesseur (2 Mbits/s). Elle offre la possibilité d'envoyer et de recevoir des films, de jouer à plusieurs à des jeux vidéo, ou encore d'organiser des visioconférences. Certains services UMTS seront innovants. Ainsi, le visionnage de la bande-annonce d'un film *via* un code fourni par la salle où celui-ci est projeté, ce qui permettra à l'utilisateur d'avoir un avant-goût du film qu'il compte aller voir à la porte même du cinéma.

Le mobile UMTS permettra un accès direct et instantané au client, permettant le marketing relationnel (*one to one*), tout en assurant une sécurisation parfaite de la transaction. L'UMTS assurera également au monde marchand une présence nationale illimitée et une audience mondiale. D'un point de vue macroéconomique, le m-commerce devrait encore accentuer les bénéfices que l'entreprise compte tirer du e-commerce. Parmi les principaux :

• une réduction des coûts :

– de transaction : une transaction bancaire par Internet revient près de dix fois moins cher que par l'intermédiaire d'une agence et près de quatre fois moins que par téléphone,

– des fonctions opérationnelles : logistique, impression, mise à jour, service après vente ;

• une amélioration de l'innovation (meilleure connaissance du client, réactivité augmentée face au marché) ;

• une meilleure fidélisation du client (attention personnalisée, capacité à se différencier de la concurrence, adaptation des coûts aux ventes répétitives, accessibilité permanente).

Cacophonie européenne

La quasi-totalité des acteurs de l'économie numérique sont impliqués dans l'UMTS. Les fabricants et les équipementiers du secteur des télécommunications, en particulier européens, comptent sur les terminaux UMTS pour proposer des produits à plus forte valeur ajoutée, susceptibles de leur procurer de meilleures marges, sur un marché en forte croissance. Les opérateurs de télécommunications espèrent de leur côté bénéficier de l'effet Internet pour accroître le nombre d'usagers. Les opérateurs voient aussi dans l'UMTS l'occasion de substituer à la classique facturation à la durée de connexion d'autres mécanismes de tarification : la ligne UMTS sera alors ouverte en permanence et le paiement des applications sera « à l'usage » (*pay per use*).

Le système UMTS est aussi un espoir pour les industriels de l'informatique, qui envisagent de se lancer dans la fabrication de matériels « dédiés » à l'UMTS, sur lesquels la différenciation par le marketing sera plus facile que sur des ordinateurs aux performances et aux utilisations standardisées. Les opérateurs de services informatiques perçoivent de leur côté l'UMTS comme un accélérateur du e-commerce, devenant le m-commerce avec l'Internet mobile. Enfin, les éditeurs de contenus (information, musique, audiovisuel...) y voient un nouveau mode de distribution très prometteur, justifiant les stratégies d'intégration verticale telles que celles d'AOL-Time Warner ou de Vivendi Universal.

Conformément aux dispositions du Livre vert sur les fréquences publié en 1998 par la Commission européenne, aucune procédure d'attribution unique des licences UMTS n'a été adoptée au sein de l'Union. Trois systèmes distincts ont été retenus par les États membres :

• la sélection sur dossier (ou « concours de beauté ») ;

• la mise aux enchères ;

• une soumission comparative à laquelle peut s'ajouter un dispositif financier.

L'Irlande, le Luxembourg, la Norvège, le Portugal et la Suède ont décidé d'attribuer leurs licences sur dossier. L'Italie a choisi un système plus complexe de présélection suivie d'une adjudication avec possibilité de surenchères.

Le Royaume-Uni a été le premier pays à avoir recours aux enchères. Londres a cédé ses fréquences le 12 avril 2000 à cinq opérateurs (BT, One-2-One (Deutsche Telekom), Orange (France Télécom), Vodafone, TIW-Hutchison) pour la somme de 38 milliards d'euros. Quatre mois plus tard, le 17 août, l'Allemagne accordait, pour un montant de 50,5 milliards d'euros, après 14 jours et 173 rounds d'enchères ainsi que 5 désistements (Vivendi, Talkline (TeleDenmark), MCI Worldcom, Debitel (Swisscom), et E-plus), six licences à T-Mobil (Deutsche Telekom), Viag Interkom (BT et le Norvégien Telenor), Mannesmann Mobil Funk (Vodafone), 3G (consortium entre Telefonica et le Finlandais Sonera), Auditorium (consortium entre KPN, E-plus, Hutchinson et NTT DoCoMo) et Mobil Com (détenue pour partie par France Télécom). L'Espagne a, quant à elle, reçu 12 milliards d'euros pour quatre licences accordées à Telefonica, Amena, Air Tel et au consortium Xfera (regroupant Sonera, Vivendi et Orange). Mais en Hollande, les enchères n'ont rapporté que 2,68 milliards d'euros pour cinq licences attribuées à KPN, Libertel, Dutchtone, 3G Blue (Belgacom, TeleDenmark, Deutsche Telekom) et Tel Fort. La Suisse, la Belgique, l'Autriche et le Danemark ont eux aussi initialement opté pour le système des enchères.

La France a opté pendant l'année 2000 pour la soumission comparative avec volet financier, fixant le droit d'entrée à 4,95 milliards d'euros par opérateur, soit une recette totale de 19,8 milliards d'euros (quatre opérateurs prévus). Les pouvoirs publics français, après le montant record des enchères britanniques, ont craint, en retenant cette procédure, d'assécher les capacités financières des opérateurs et de ne laisser aucune chance aux opérateurs de second rang. Le ministère de l'Économie et des Finances a précisé comment il était parvenu au chiffre de 4, 95 milliards d'euros : « L'analyse de la valeur de marché des licences en France s'est fondée sur :

– l'étude des références de prix connues à ce jour en Europe pour des licences UMTS (niveau des offres des opérateurs lors des enchères britanniques, montant du ticket d'entrée retenu comme critère de préqualification en Italie, etc.) ;

– l'application à ces références de paramètres de pondération destinés à refléter les facteurs objectifs de différentiel de valeur entre les différents pays européens.

Ces paramètres de pondération visent notamment à prendre en compte :

– les caractéristiques macroéconomiques telles que la population totale et le PIB par habitant ;

– la largeur de la bande de fréquences allouée progressivement aux opérateurs ;

– la durée d'octroi des licences (15 ans en France, soit, par exemple, autant qu'en Italie mais 6 ans et demi de moins qu'au Royaume-Uni) ;

– l'évolution des conditions de marché, et notamment des valorisations des entreprises du secteur ;

– la valeur actualisée d'investissement lié au déploiement d'un réseau UMTS en France. »

Les conditions d'octroi des licences UMTS sont certes plus avantageuses en France (230 euros par habitant) qu'en Grande-Bretagne (640 euros) ou en Allemagne (620 euros). Mais leur nombre est moins élevé (4 contre 5 et 6).

En mars 2001, deux sociétés seulement (France Télécom et Vivendi Universal) restaient candidates pour ces quatre licences. À cette date, le gouvernement français, qui compte organiser en 2002 un second appel d'offres, n'entendait toujours pas réduire les prix. Les pouvoirs publics, face à une forte pression à la baisse de la part des opérateurs, évoquent cependant d'autres possibilités : allongement de la durée des licences, rééchelonnement dans le temps des premiers versements, mutualisation des infrastructures entre opérateurs.

Les « abstentionnistes » de l'UMTS pourront se consoler avec le système EDGE (*Enhanced Data rates for GSM Evolution*), une technologie qui devrait être disponible début 2002, et dont les performances se situent entre le GPRS et l'UMTS. Nettement moins rapide que ce dernier (les débits ne sont que 2 à 3 fois supérieurs à ceux du GPRS), l'EDGE sera beaucoup moins coûteux à étendre, car il se greffe sur le GSM – qui survivra, du moins dans les zones où l'UMTS ne sera pas considéré comme rentable – et ne nécessite pas l'installation de nouveaux équipements. Certains spécialistes reprochent enfin à la Commission européenne d'avoir agi dans la précipitation en fixant des dates butoir pour l'attribution des licences en Europe et d'avoir bridé le développement de l'UMTS. Il faudra tenir compte de ces tâtonnements et de ces erreurs lors de la mise en place des 4e et 5e générations de mobiles, déjà en gestation. Le DAWS (*Digital Advanced Wireless Service*), prévu pour 2005, et le MBS (*Mobile Broadband System*), prévu à l'horizon 2010, devraient permettre des débits infiniment plus élevés que l'UMTS (respectivement 84 et 155 Mbits/s), ce qui en ferait des concurrents des réseaux filaires.

La course à la part de marché

Une course à l'abonné cellulaire a par ailleurs commencé en Europe au printemps 1999, avec l'acquisition de Cellnet par BT (ex-British Telecom). La valeur de l'abonné s'est envolée au cours des derniers mois de l'année 1999 et tournait autour de 6 000 euros à la mi-2000, avec un sommet de plus de 9 000 euros atteint lors

LA VALEUR DES ABONNÉS CELLULAIRES LORS DES TRANSACTIONS EN EUROPE DE L'OUEST (JUILLET 1999-MAI 2000)

Date	Opération	Valeur de l'abonné (en Euros) (1)
Mai 2000	France Telecom-Orange	6 056 (2)
Février 2000	Vodafone-Mannesmann	6 128
Janvier 2000	Vodafone-Airtel	5 872
Décembre 1999	KPN-E Plus	3 669
Novembre 1999	Mannesmann-Orange	9 189
Août 1999	Deutsche Telekom-One 2 One	4 571
Juillet 1999	BT-Cellnet	2 625

(1) Sur la base du ratio : montant des transactions/nombre d'abonnés cellulaires des entreprises cibles (calculé selon la méthode proportionnelle et pondéré du niveau de participation de l'acquéreur),
(2) Hors paiement à venir pour la licence UMTS au Royaume-Uni

Source : Schéma établi par Francis BALLE, *Médias et Sociétés*, Montchrestien,

de la fusion Mannesmann-Orange. Approche hautement spéculative : un abonné privé GSM européen ne rapporte aujourd'hui que quelques centaines d'euros chaque année à son opérateur. Mais le volume des communications passées depuis un portable continue de progresser. En France, lors du troisième trimestre 2000, il a augmenté de 2,8 % par rapport au trimestre précédent, alors que le volume de communications passées depuis un poste fixe reculait également de 2,8 % pendant la même période. Et si les revenus de la téléphonie fixe demeurent stables (3,76 milliards d'euros), ceux des mobiles ont progressé de 7,3 % à 2,12 milliards d'euros.

PROGRESSION DU MOBILE

Activité des opérateurs de télécommunications en France, en millions de minutes	3e t. 2000	Évolution 3e t./2e t./00
Communications depuis un poste fixe	34 968	- 2,8 %
dont Communications locales (hors Internet)	18 016	- 6,1 %
Communications d'accès à Internet	7 318	+ 6,0 %
Communications interurbaines	6 574	53,0
Communications vers les mobiles	1 941	+ 2,7 %
Communications internationales	1 119	- 3,3 %
Communications depuis un téléphone portable	8 813	+ 2,8 %

Source : ART

La géographie mondiale des télécommunications a été redessinée dès les premiers mois de l'année 2000. Pas moins de 130 opérations capitalistiques majeures ont eu lieu dans ce secteur en 1999. En août 2000, ce chiffre dépassait déjà la centaine. Les rapprochements concernant les mobiles ne représentent que près de 15 % de ce total, mais ils comptent parmi les plus spectaculaires, à la fois en termes de stratégie industrielle et du point de vue des sommes en jeu.

Un résumé des plus importantes opérations intervenues en 1999-2000 sur le Vieux Continent entre opérateurs de mobiles illustre ce phénomène. Le signal de départ de ce Monopoly sur le téléphone sans fil a été donné par le Britannique Vodafone en janvier 1999 avec la prise de contrôle de l'Américain AirTouch, transaction validée trois mois plus tard par les actionnaires de la société anglaise pour un montant de 74,7 milliards de dollars. Face à cette alliance, AT&T et BT répliquent par un accord qui, avec les participations que les deux groupes possèdent dans de nombreux opérateurs, représenterait un réseau commun de 40 millions d'abonnés.

En août 1999, Deutsche Telekom rachète pour 12,8 milliards d'euros à Cable & Wireless le numéro quatre du mobile britannique, One-2-One. Deutsche Telekom rate son projet de fusion négocié en secret avec l'Italien Telecom Italia, démarche qui provoque la rupture avec son partenaire « historique » France Télécom. Omnitel passe alors dans le giron de l'Allemand Mannesmann, qui prend par ailleurs en juillet, et pour 34 milliards d'euros, le contrôle d'Orange, dernier opérateur anglais indépendant. Mais Vodafone/AirTouch, actionnaire minoritaire de Mannesmann, lance en fin d'année une offre d'achat sur la firme allemande. Opération réussie en février 2000 : Mannesmann est absorbé par Vodafone-AirTouch pour un montant de plus de 180 milliards d'euros. Le nouvel ensemble totalise près de 40 millions d'abonnés, mais devra en contrepartie se séparer d'Orange. Ce dernier tombera deux

M

mois plus tard dans l'escarcelle de France Télécom pour 40,3 milliards d'euros, qui se console ainsi de ne pas avoir mis la main sur l'Allemand E-Plus, enlevé par le Néerlandais KPN avec l'aide de l'Américain Bell South. Deux mois auparavant, l'opérateur français avait déjà investi l'Allemagne en prenant 28,5 % dans Mobilcom pour un montant de 3,63 milliards d'euros... À la mi-2000, France Télécom possédait en Europe et au Moyen-Orient plus d'une quinzaine de participations dans des opérateurs de mobiles.

LE POIDS DE FRANCE TÉLÉCOM DANS LE MOBILE (AU 31 MARS 2000)

Pays	Sociétés	Participation en %	Abonnés en millions
France	Itinéris	100	10,9
Royaume-Uni	Orange Plc	100	6
Allemagne	MobilCom	28,5	2,2
Belgique	Mobistar	50,9	1,1
Italie	Wind	24,5	1,9
Pays-Bas	Dutchtone	80	0,5
Suisse	Orange Switzerland	42,5	0,5
Danemark	Mobilix	53,6	0,4
Portugal	Optimus	20	0,9
Pologne	PTK Centertel	34	0,7
Autriche	Connect Austria	17,5	0,7
Roumanie	MobilRom	67,8	0,7
Slovaquie	Globtel	64	0,4
Moldavie	Voxtei	53,7	0,02
Égypte	Mobinil	23,5	0,6
Liban	Cellis	67	0,3
Jordanie	MobileCOM	35,2	0

Au total 21,1 millions d'abonnés contrôlés en Europe et en zone Méditerranée. *Source* : France Télécom.

Du Monopoly à la crise

En un an, le paysage européen des opérateurs de mobiles a complètement changé. Mais il faudra une forte alimentation en capital pour déployer l'UMTS. Au total, les coûts d'acquisition des licences cumulés à ceux nécessaires au déploiement des réseaux et au développement commercial de l'activité représenteraient en Europe la somme faramineuse de 450 milliards d'euros.

LES CINQ PREMIERS OPÉRATEURS DE MOBILES EN EUROPE (EN MILLIONS D'ABONNÉS)

	Mars 1999		Mars 2000	
1	Telecom Italia	16,2	Vodafone-Mannesmann	36,8
2	Vodafone Air Touch	14,3	Telecom Italia	21,6
3	Deutsche Telekom	7,1	France Télécom	19,1
4	France Télécom	7	Deutsche Telekom	18,2
5	BT	6	BT	11,1

Source : Idate.

Où trouver de nouvelles ressources ? Début 2001, les marchés boursiers se montraient pour le moins circonspects sur le secteur des télécommunications au regard des investissements nécessaires à l'exploitation de l'UMTS. L'introduction en bourse d'Orange en janvier 2001 par France Télécom n'a reçu qu'un accueil mitigé. Profitant d'un marché obligataire solide en 2000 et début 2001 (liquidités abondantes, bas niveau des taux interbancaires qui servent de références aux émissions privées), certains grands opérateurs n'ont pas hésité à lancer d'importants emprunts obligataires. Ainsi, neuf mois après une émission obligataire de 14,6 millions de dollars, France Télécom a émis début mars 2001 le plus gros emprunt obligataire jamais osé à cette date par une entreprise : l'équivalent de 16,4 milliards de dollars en trois devises.

Les déconvenues des services Internet accessibles par les mobiles grâce au WAP n'ont pas créé, en 2001, un climat favorable à l'arrivée de l'UMTS selon le calendrier prévu par l'Union européenne. Alors qu'en France deux des quatre candidats pour l'obtention de fréquences déclaraient forfait avant de concourir, début 2001, la norme EDGE (*Enhanced Data Rates over GSM Evolution*) apparaissait comme une alternative de plus en plus crédible : simple amélioration de la norme GPRS, elle constitue une solution de continuité et non de rupture, moins risquée par conséquent, et moins onéreuse. Tandis que la technologie UMTS s'avère plus lente que prévu à mettre en œuvre, les erreurs commises dans la procédure d'attribution des licences UMTS ont saigné à blanc les opérateurs, les contraignant à un endettement sans précédent au moment même où l'économie américaine amorçait son ralentissement. Moteurs de la croissance au cours des années 1990, les télécommunications contribuent aujourd'hui à la crise du secteur technologique et au ralentissement de la croissance mondiale. L'UMTS fera-t-il perdre à l'Europe tout ce que le GSM lui avait fait gagner ?

Bibliographie

Ouvrages :

- BATTU (Daniel), *Télécommunications, principes, infrastructures et services*, InterEditions, Paris.
- HAYDEN (Matt), *Les réseaux*, CampusPress, Paris, 1999.
- LAGRANGE (Xavier), GODLEWSKI (Philippe), TABBANE (Sami), *Réseaux GSM-DCS*, Hermès, Paris, 1997.
- SHAPIRO (Carl), VARIAN (Hal R.), *Economie de l'information, guide stratégique de l'économie des réseaux*, De Boeck Université, Belin, Beuxelles, 1998.
- TURPIN (Etienne), *Des télécoms à l'Internet : économie d'une mutation*, Eyrolles, Paris.

Revues et Rapports :

- Rapport du Sénat n° 331, *Des pyramides du pouvoir aux réseaux de savoirs : comment les nouvelles technologies de l'information vont aider la France à entrer dans le XXIe siècle*, TRÉGOUET (René), Commissions des Finances, 1997-1998.

Webographie

- http://www.idate.fr
- http://www.gsmworld.com (en anglais)
- http://kbs.cs.tu-berlin.de (en anglais)
- http://www.umts-forum.org/what_is_umts.html (en anglais)
- http://www.francetelecom.com
- http://www.sfr.com
- http://www.bouygues.com

Modem (Modulateur-démodulateur)

Équipement transformant les signaux numériques en signaux analogiques et inversement, utilisé pour convertir les signaux électriques des ordinateurs en ondes électromagnétiques transportables par le réseau téléphonique. C'est l'utilisation d'un modem qui permet l'accès des utilisateurs finaux à Internet, en reliant leur ordinateur au réseau téléphonique mondial.

Mortail

Portail de services conçu spécialement pour le téléphone mobile.

MP3 (MPEG Audio Layer 3)

Norme de compression et de lecture des fichiers musicaux développée en Allemagne par le Fraunhofer Institut. Inventé par Karl Heinz Brandenburg lors de recherches sur la transmission de la musique par téléphone, le MPEG Audio Layers 3, appelé MP3 depuis 1995, est devenu le système de compression de sons utilisé sur Internet. Il a été consacré comme norme par le MPEG (*Moving Pictures Experts Groups*) et l'ISO (*International Standard Organisation*) en 1996.

Le MP3 a été lancé pour la première fois sur Internet par la société Nullsoft, éditrice du logiciel Winamp MP3 permettant d'écouter de la musique téléchargée. Le Fraunhofer Institut a développé trois « couches » ou *layers* constitutives du MPEG : la première couche ne réalise qu'une faible compression, mais permet une décompression très rapide des fichiers, même avec un ordinateur peu puissant. La seconde utilise un plus fort taux de compression, mais exige un ordinateur plus puissant pour la décompression. Avec la troisième onde, il a été possible, dès 1989, d'obtenir un taux de compression d'une grande précision, mais exigeant une puissance de calcul importante pour décompresser les fichiers. Aujourd'hui, la puissance des ordinateurs permet grâce à la « *layer 3* » une décompression quasi instantanée des fichiers musicaux, ce qui explique sa diffusion dans le grand public.

Avec le MP3, la taille numérique d'un fichier musical est dix fois moins importante que sur un disque compact habituel. Alors qu'un CD audio exige un volume de plus de 50 Mo par titre, le format MP3 permet de coder le même morceau en utilisant seulement 5 Mo, ce qui permet par exemple de réunir sur un seul CD la discographie complète d'un artiste. Mais ce gain de volume autorise surtout la circulation de la musique sur le Web.

En 2000, « MP3 » a été le premier mot clé tapé (avant le mot « sexe ») sur les moteurs de recherche d'Internet. Selon une étude du Net Research Institute, on estime que sur 200 millions de sites existants, 1,5 %, soit près de 3 millions, utilisent ou font mention de ce format. En juin 2000, les études d'audience des principaux sites montraient que 13 millions d'internautes avaient téléchargé gratuitement un morceau de musique sur Internet. En revanche, seuls 2 millions d'entre eux auraient acheté un morceau de musique en ligne, d'où les accusations de piratage.

Le téléchargement, une « consommation immatérielle » de la musique

Mais avant les éditeurs de programmes musicaux, ce sont les professionnels de la musique qui ont été les premiers à émettre des critiques à l'égard du MP3, auquel ils reprochent une déperdition en termes de qualité d'écoute. Ce système de compression ne permet pourtant pas à l'oreille humaine de déceler une différence avec une piste de CD classique. Mais la qualité d'encodage du MP3 peut entraîner des différences par rapport à la source originale. Ce problème de qualité, qui n'intéresse que les initiés, risque de ne plus en être un assez rapidement : les successeurs du MP3 devraient comporter un langage de description des sons très perfectionné qui devrait assurer le contrôle de la chaîne de reproduction d'une œuvre.

Le MP3 autorise une « consommation immatérielle » de la musique, il est à l'origine de nouvelles utilisations et de nouveaux outils. Le premier d'entre eux est le téléchargement. Il se définit comme la transmission de fichiers numériques d'enregistrements musicaux, en vue de leur reproduction, permanente ou temporaire, sur le disque dur d'un ordinateur, voire, à partir de ce disque dur, sur un support enregistrable de type CD. Le téléchargement peut être effectué à la demande du consommateur (transmission en *pull*) ou sur l'initiative de l'émetteur (mode de transmission en *push*), ce qui est un véritable mode de distribution immatérielle de la musique.

Le *streaming* est une autre formule de consultation induite par le MP3. Il consiste en l'écoute de musique en ligne, qu'il s'agisse de morceaux choisis par le consommateur ou de programmes conçus par l'émetteur. Le *streaming* implique la possession d'un logiciel permettant seulement une écoute de la musique, à l'exclusion de toute copie permanente qui équivaudrait à un téléchargement. Il existe des logiciels d'écoute en *streaming*, tels que « Real Audio », disponibles gratuitement sur Internet. Le *streaming* se décline au travers d'autres procédés, comme par exemple le *webcasting*, qui permet la diffusion de programmes musicaux en mode *streaming* exclusivement sur les réseaux numériques, et le *simulcasting* qui correspond à une utilisation du *streaming* par des stations de radio, commerciales ou non, diffusant simultanément sur les ondes hertziennes.

Après le *walkman* (baladeur à cassette), créé en 1979 à l'instigation d'Akio Morita, le président de Sony, puis le *discman* (baladeur à CD audio) et le *mini disc*, le MP3 dispose aujourd'hui de son propre baladeur. Un fichier musical MP3 est facilement (et relativement rapidement) transmissible par Internet, et tout aussi facilement stockable sur le disque dur d'un ordinateur personnel, d'où il peut être transféré sur la mémoire amovible ou intégrée du baladeur, *via* la technologie *flash*, et cela sans perte de qualité. Les baladeurs MP3 sont en outre plus légers et de plus faibles dimensions que leurs prédécesseurs. Leur fiabilité est également supérieure puisque toute mécanique a disparu, ce qui élimine les problèmes de résistance aux chocs et aux secousses propres au baladeur à CD audio.

Concrètement, un baladeur MP3 est doté d'une mémoire intégrée (32 ou 64 Mo) qui se matérialise par une petite carte amovible. L'appareil se connecte directement à un micro-ordinateur, qui joue alors le rôle d'un *juke box*, par un simple câble. Une fois les morceaux enregistrés dans la carte, un écran sur le lecteur affiche les fonctions principales telles que la durée, le titre et éventuellement d'autres informations que l'on aura programmées. Des logiciels de téléchargement et de compression sont fournis avec le baladeur MP3. Certains modèles sont évolutifs et devraient pouvoir s'adapter aux futurs formats de compression.

Une exploitation paradoxale

L'exploitation du standard MP3 s'organise, en l'an 2000, autour de deux modèles paradoxaux. D'une part, la technologie MP3 permet la communication au public d'œuvres musicales absentes des circuits musicaux habituels (radio, télévision, distribution en magasin...). Cette démarche vise à offrir à des artistes (ou leurs ayants droit) une « vitrine » sur le Web pour diffuser leurs œuvres originales afin de mieux les faire connaître du grand public.

Le second type d'exploitation est beaucoup plus controversé. Il consiste à encoder des enregistrements préexistants distribués chez les détaillants traditionnels, et à les mettre à disposition du public ou à en relayer l'accès *via* Internet. Ce type d'exploitation correspond dans la majeure partie des cas à une contrefaçon ; pour les maisons de disques et les sociétés d'auteur, il s'agit tout simplement de piraterie. Celle-ci se définit comme toute atteinte portée aux droits patrimoniaux ou moraux d'un auteur sur son œuvre ; elle est établie notamment lors de la reproduction ou de la représentation des œuvres d'un auteur sans son autorisation.

Le phénomène Napster, logiciel qui permet d'avoir accès, sur Internet, à un site d'interconnexion offrant un accès à une infinité de programmes musicaux, a sensibilisé les pouvoirs publics à l'étendue du piratage. La part des moins de 24 ans chez les utilisateurs français du MP3 serait, selon une étude du Syndicat national de l'édition phonographique (Snep) publiée en juillet 2000, de l'ordre de 40 %. Elle est identique chez les acheteurs de CD audio. Près de 80 % des 300 000 internautes français, toujours selon ce document, qui utiliseraient régulièrement le MP3 auraient déjà téléchargé des fichiers à ce format, 40 000 d'entre eux téléchargeant plus de 5 titres par mois. Parmi les internautes qui téléchargent des fichiers MP3, la moitié aurait effectué une copie sur CD, ce qui prouve que cette population s'est dotée d'un graveur de CD audio. 20 %, soit environ 25 000 personnes, réaliseraient des copies pour des tiers.

Les « majors » tentent de contrôler le phénomène

Les *majors* de l'édition musicale (BMG, EMI, Sony Music, Universal Music et Warner Music), relayées par les sociétés d'auteurs, comme, en France, la Sacem ou la SDRM, ont tenté dans un premier temps d'enrayer cette exploitation par des actions judiciaires contre les sociétés spécialisées dans la distribution de titres musicaux au format MP3 sur Internet. Mais elles envisagent désormais d'utiliser la compression numérique pour élargir la diffusion des artistes sur la Toile grâce à des formats sécurisés et négocient des accords avec les distributeurs de produits MP3. Fin décembre 2000, Warner Music a cédé, pour une durée de deux ans et sur l'Amérique du Nord, l'ensemble des droits musicaux et vidéo de son catalogue à MP3.com, société qui était jusqu'à début 2000 la bête noire des *majors*. Traînée devant les tribunaux par Universal, et condamnée à une amende de 250 millions de dollars pour violation du *copyright*, MP3.com est forte d'un catalogue de plus de 750 000 titres et comptait plus de 11 millions d'utilisateurs à la fin 2000. Vivendi Universal a fini par la racheter, en réponse à l'alliance de Bertelsmann avec Napster.

Le MP3 a révélé la difficulté d'appliquer la législation sur la protection de la propriété intellectuelle aux échanges électroniques. Le tout numérique a changé la donne, car la copie numérique est devenue incontrôlable. Son attribution est impossible, sa diffusion anonyme : il n'y plus d'usines de duplication ni de réseaux physiques de distribution. Un graveur de CD coûte environ 1 500 francs. Peut-on faire un procès aux millions d'enfants de 15 à 18 ans qui, dans le monde entier, téléchargent de la musique ? Ni la lecture des données numériques dans un périmètre sécurisé, ni la « chasse aux contrevenants » – par un codage dans l'œuvre cédée qui révèle l'origine de la copie – ne constituent des armes susceptibles d'arrêter le phénomène du copiage. Les lois sur la propriété intellectuelle sont efficaces quand la copie est chère, et exige des moyens physiques pour sa réalisation. Ce n'est plus le cas. La cassette audio a déjà posé le même problème en matière de copie. En 1985, on « légalisa » la copie en instaurant une redevance sur les cassettes vierges audio et vidéo. La loi prévoit que 25 % du montant de la collecte de cette redevance doit financer « des actions d'aide à la création, à la diffusion du spectacle vivant et à la formation des artistes », le reste étant partagé à concurrence de 50 % pour les auteurs, de 25 % pour les producteurs et 25 % pour les interprètes. À la Commission de la copie privée, qui rassemble les représentants des auteurs, des industriels et des consommateurs, a été posée au début 2001 la question de l'extension de cette taxe à tous les supports numériques utilisables pour la copie privée, quels qu'ils soient, qu'ils soient notamment amovibles ou intégrés. Taxer de la même façon un support vierge, destiné intégralement à la copie, et un disque dur ou n'importe quel support hybride, dont on sait qu'il ne servira pratiquement jamais à copier des œuvres, serait toutefois excessif et irait à l'encontre de l'objectif d'une plus forte pénétration des technologies de l'information dans la société française.

M

Bibliographie

Ouvrages :

- D'ANGELO (Mario), *Socop-économie de la musique en France, diagnostic d'un système vulnérable*, La Documentation Française, Paris, 1997.
- DESFORGE (Oliver), *MP3*, CampusPress Simon Schuster Mc Millan, Paris.
- GERTLER (Nat), *MP3*, CampusPress Simon Schuster Mc Paris, 2000.
- HACKER (Scot), *MP3, the definitive guide*, O'Reilly and Associates, Londres, 2000.
- ICHBIAH (Daniel), *La musique sur Internet*, Microsoft Press, Courtaboeuf, 2000.
- ICHBIAH (Daniel), *Enquête sur la génération MP3*, Mille et Une Nuit, Paris, 2000.

Revues et rapports :

- Hermès, *Réseaux n° 100, 77, 67, 92*, JOUET (Josiane), FLICHY (Patrice).

■ IFP Université Panthéon-Assas Paris 2, *Le phénomène MP3 : un nouvel usage de la musique ?*, SOLARI (Louis-François), Paris, septembre 2000.

Webographie

■ http://www.musikemoi.com
■ http://www.vitaminic.fr
■ http://www.thomson-music.com
■ http://www.mp3.de
■ http://www.sacem.fr
■ http://www.tv5.org/musique
■ http://www.palavista.com
■ http://www.winamp.com
■ http://antomoro.free.fr
■ http://www.napster.com
■ http://www.FranceMP3.com

Multimédia

Le terme « multimédia » fut d'abord utilisé pour caractériser les entreprises actives dans plusieurs secteurs d'activité liés aux médias : presse, radio, télévision, cinéma.

Il désigne aujourd'hui un « contenu » (produit *off-line* ou application) combinant, grâce au codage numérique, des éléments de nature différente : texte, son, images fixes et animées, etc.

On qualifie enfin de « multimédia » le secteur d'activité tourné vers la production de contenus multimédias et, plus généralement, les entreprises se situant au confluent de l'informatique, de l'audiovisuel et des télécommunications.

La généralisation du recours au codage numérique, son extension à tous les domaines de l'écrit, du son et de l'image ont, ensemble, favorisé l'essor du multimédia. Spectaculaire depuis 1990, cet essor résulte de la conjonction de plusieurs phénomènes.

Augmentation, en premier lieu, des capacités techniques des machines : capacité à faire communiquer, processeurs plus puissants et plus rapides, pouvant animer des programmes de plus en plus élaborés, indispensables pour gérer des images fixes ou animées. Extension, ensuite, des mémoires de masse, susceptibles de stocker des fichiers de tailles plus importantes. Accélération considérable, enfin, de la baisse des prix des matériels et, dans une moindre mesure, des logiciels.

On distingue deux modes d'accès aux œuvres multimédias :

– le multimédia *off line* – hors ligne – qui permet la consultation d'informations contenues sur des supports autonomes : disques durs et surtout disques compacts (CD-Rom, DVD) ;

– le multimédia *on line* – en ligne – qui permet la consultation sur un écran, grâce à la connexion à un réseau.

La frontière entre les deux notions tend à s'estomper, car les terminaux peuvent faire appel automatiquement à des réseaux, et en particulier à Internet, pour rechercher de nouvelles données et les mélanger à des informations *off-line*.

Dans les deux cas, l'utilisateur peut naviguer entre différents types d'informations, quelles que soient leurs formes ou leurs origines, s'affranchissant ainsi des méthodes de consultation linéaires : des « renvois » ou des « correspondances », sous forme, par exemple, de liens hypertextes, le dispensent de toutes contraintes de manipulation, comme les procédures rigides de consultation en arborescence, hier encore la règle dans les logiciels conçus pour les ordinateurs personnels.

Écrit, audiovisuel, informatique : le meilleur des trois mondes

Avec la réunion de l'écrit, de la radiodiffusion et de la télévision, le numérique prend une dimension fédératrice. Avec le CD-Rom et depuis 1997 le DVD, le multimédia fait figure de média universel, capable de naviguer d'une forme d'expression à une autre, grâce à l'hypermédia. Ainsi, un DVD permet de visionner un film – dans plusieurs langues – avec une qualité optique et sonore supérieure à celle d'une cassette de magnétoscope, mais également de consulter la filmographie du réalisateur, d'écouter simplement la musique du générique, d'entendre des commentaires enregistrés ou de les lire sur l'écran. Le multimédia a réinventé l'encyclopédie. Gravée sur CD-Rom ou sur un DVD, celle-ci mêle textes, dessins, photos, graphiques et commentaires, accessibles de façon linéaire, comme avec un support « papier », ou séquentielle, grâce à un système de recherche interne se fondant sur des mots clés.

Le multimédia permet à chacune de formes d'expression qu'il intègre de surmonter ses propres handicaps. Il affranchit le texte de sa linéarité grâce à l'hypertexte, libérant également la télévision et la radio de leurs grilles et de leurs chaînes, ouvrant partout des chemins de traverse. Avec la réunion de l'écrit, de l'audiovisuel et des données informatiques, il offre le meilleur de ces trois mondes.

Ceux-ci étaient à l'origine totalement étrangers l'un à l'autre. L'informatique, cantonnée au monde professionnel jusqu'à l'avènement de l'ordinateur personnel, traitait les informations. Les télécommunications transportaient l'information. L'audiovisuel, au départ fortement influencé par les techniques cinématographiques, créait de l'information. À la fin des années 1970, la télématique a rapproché l'informatique et les télécommunications. Puis, au début des années 1980, l'audiovisuel et les télécommunications, associés depuis le début des années 1970 dans la diffusion d'images et de sons, ont noué un nouveau lien avec la télédistribution : la télévision, avec le câble, a été diffusée sur des réseaux et sur de nouveaux supports, comme la fibre optique. À la fin des années 1980, l'augmentation de la puissance des ordinateurs a permis au grand public de se familiariser avec le numérique. Celui-ci, en s'étendant aux trois domaines, a donné naissance au multimédia.

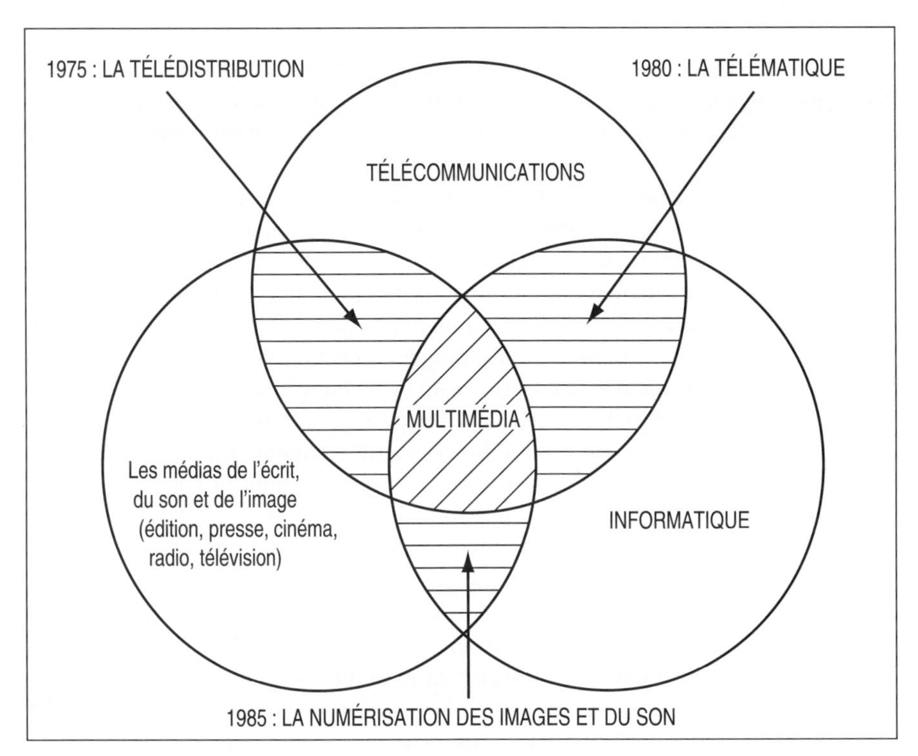

Source : Schéma établi par Francis Balle, *Médias et Sociétés*, Montchrestien, 10e éd., 2001.

Ce mélange de cultures, qui ont pour élément commun l'information, caractérise le multimédia. Mais les origines différentes des acteurs sont à l'origine d'une étrange cohabitation, qui renouvelle l'éternelle confrontation entre le géomètre et le saltimbanque : l'informatique et les télécommunications sont les domaines de l'ingénieur ; l'audiovisuel est une terre d'élection pour les créateurs. Ces différences culturelles persisteront-elles ? Les frontières s'estompent, en effet, non seulement entre les langages si longtemps étangers les uns aux autres, mais également entre le « hors-ligne » et le « en-ligne », entre les supports autonomes du multimédia et les réseaux qui en permettent la diffusion sur le Web. Après la disparition de cette frontière horizontale, la barrière verticale entre production et consommation cède à son tour, l'utilisateur pouvant créer lui-même ses propres programmes sur des supports de grandes capacités réinscriptibles comme le DVD, à partir d'informations contenues dans la mémoire de masse de son ordinateur ou dans des bases de données. Il sera alors difficile d'attribuer la part de chacun dans ce monde où l'information ne connaîtra pas de frontières. S'inscrivant dans l'évolution des formes de l'expression humaine, de l'art primitif au cinéma, le multimédia réduit le lien entre la pensée créatrice et sa concrétisation.

Une nouvelle forme d'expression fondée sur l'interactivité et la réunion d'éléments provenant de contextes différents

Au-delà de la convergence des technologies, des informations et des supports, le multimédia introduit également une rupture de nature sociologique, voire anthropologique. Le multimédia a inventé une nouvelle forme d'expression, fondée sur l'interactivité et sur une écriture nouvelle, forme d'expression originale et inédite, qui permet de réunir des éléments provenant de contextes différents. Cette forme d'expression s'est très tôt manifestée dans les premières applications multimédias, notamment dans le domaine pédagogique.

Ainsi, dans l'enseignement, le multimédia, comparé aux produits traditionnels, a vite révélé de nouvelles possibilités d'auto-apprentissage, avec une possibilité de revenir à volonté sur un point mal compris. Les progressions sont en outre facilement sanctionnées par des tests d'auto-évaluation intégrés dans le support. Dans les cours de langues, le son permet une mise en évidence des prononciations correctes. Sciences exactes ou cours d'histoire antique, même s'il ne remplace pas un cours structuré, le multimédia donne un aspect ludique à l'acquisition des connaissances avec une étonnante possibilité de naviguer au sein d'un univers interactif. Respectant le rythme de chacun, le multimédia permet par ailleurs d'apprendre les règles de la logique numérique.

L'essor du multimédia dépend pour une large part du renouvellement de la composante « réseaux ». Ceux-ci ont gagné en vitesse et en capacité, avec l'avènement, par exemple, des réseaux numériques à intégration de services (RNIS, en anglais ISDN) ou du câble. Leur accès a été facilité à la fois par une chute des tarifs téléphoniques, consécutive à l'ouverture du secteur à la concurrence, en France après le 1er janvier 1998 et aux États-Unis, depuis les années 1980, par l'arrivée de nouveaux acteurs (opérateurs téléphoniques et câblo-opérateurs) et par l'intégration dans les terminaux de nouveaux équipements (modems, cartes « sons » et cartes « vidéo ») permettant facilement l'envoi et la réception d'informations de toute nature. La compression numérique des données a permis également une meilleure exploitation du réseau téléphonique traditionnel (réseau technique commuté), conçu pour la voix, et donc limité à de faibles débits. Il est possible depuis le milieu des années 1990, en ayant recours notamment au standard de compression JPEG (*Joint Photographic Expert Group*) d'échanger quasi instantanément des fichiers « images » *via* le réseau téléphonique : leurs dimensions n'excèdent pas celles des fichiers « textes », c'est-à-dire quelques dizaines d'octets. Mais ce n'est pas suffisant. Le réseau téléphonique reste encombré, la transmission n'est pas d'une qualité constante, et les débits demeurent modestes : autant de goulets d'étranglements pour la production multimédia.

Multimédia et convergences

Le développement du multimédia, outre le perfectionnement des terminaux et des réseaux, a été dopé par le déploiement d'Internet. Depuis le milieu des années 1990, l'utilisateur, qu'il s'agisse d'un particulier ou d'une organisation, publique ou privée, a eu à sa disposition une grande diversité de banques de données, d'images et de sons, de surcroît accessibles sans bourse délier pour la majorité d'entre elles. *Via* un graveur de CD-Rom, fréquent sur les micro-ordinateurs depuis la fin des années 1990, il peut lui-même créer ses programmes multimédia *off-line*.

Le multimédia n'est donc plus réservé aux seuls fanatiques de *high tech*. Son marché s'est développé en peu d'années, chez les particuliers comme dans les organismes publics ou les entreprises privées. Sur le marché des organisations, il a, par exemple, vite investi les services de communication des entreprises. Ceux-ci ont vite compris le bénéfice qu'ils pouvaient tirer d'applications multimédias. Là où il fallait plusieurs jours à un groupe international pour porter à la connaissance de son personnel une information, quelques secondes suffisent désormais pour émettre, et de surcroît quasi gratuitement, une information de meilleure qualité. Dans le marché du grand public, les applications multimédias, disponibles sur disques compacts ou sur Internet, alimentent une industrie très dynamique.

L'économie du multimédia s'est rapidement articulée selon un mode de distribution bimodal, en ligne et hors ligne, dont le centre est en principe l'éditeur (voir schéma). Celui-ci commande des programmes (ou des jeux vidéo) au producteur, mais il peut également être lui-même son propre producteur – c'est le cas

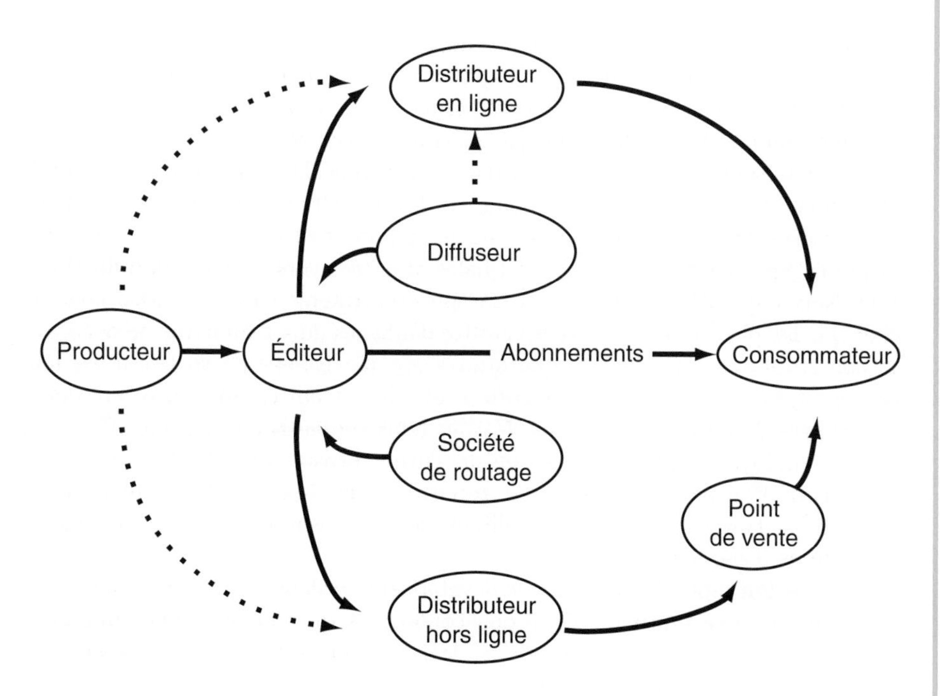

Source : J. Notaise, J. Barda, G. Dusanter, *Dictionnaire du multimédia*, 2e éd., AFNOR, 1996.

depuis longtemps de Canal+, par exemple. L'éditeur peut ensuite céder ces programmes à des distributeurs en ligne les diffusant sur un réseau. Ce schéma n'est pas figé, car les éditeurs peuvent aussi s'adresser directement au client final *via* un diffuseur, opérateur technique qui lui loue ses services, et vendre ainsi un accès direct à ses programmes sous la forme d'un abonnement ou d'un paiement à la séance (*pay per view*).

Dans la distribution hors-ligne, les éditeurs mettent sur le marché des supports physiques (cassettes vidéo, CD ou DVD). Ils peuvent, à l'instar de la presse écrite, avoir recours à un routeur dans le cas d'une vente par abonnement, ou, pour une vente directe, à des points de ventes grand public (kiosque ou vidéoclub, par exemple). Enfin, les producteurs, bien que travaillant à la commande pour les éditeurs, peuvent également créer des programmes de leur propre initiative et les céder directement en ligne ou hors ligne.

Tous ces acteurs convergent dans un vaste mouvement mondial d'intégration prenant, depuis les années 1990, la forme de fusions, alliances, coopérations. Ce processus touche essentiellement les trois secteurs à l'origine du multimédia : les réseaux, l'audiovisuel, et, dans une moindre mesure, l'électronique et l'informatique. Ces regroupements d'entreprises ont pour objectifs une intégration verticale par le rapprochement des contenants et des contenus, voire des technologies, et des économies d'échelle.

Le temps des fusions et des « cueilleurs de cerises »

La fusion d'America On Line (AOL) et de Time Warner est le premier regroupement d'envergure obéissant à cette logique. Le 10 janvier 2000, AOL, numéro un mondial du service en ligne, et Time Warner, numéro un mondial de la communication, annonçaient leur fusion par échanges d'actions – techniquement, cette fusion représentait en réalité une prise de contrôle de Time Warner par AOL, légèrement majoritaire dans le capital de la nouvelle entité. AOL, et sa filiale Compuserve, totalisaient un portefeuille de 22 millions d'abonnés à Internet. AOL disposait également de nombreuses filiales orientées vers l'exploitation du Web : ICQ, Nets Cape, AOL.com, AOL et Compuserve Interactives Networks, pour ne citer que les plus connues. Avec un chiffre d'affaires de 5,2 milliards de dollars et 12 000 employés, AOL n'avait que quinze ans d'existence (la société a été fondée en 1985 sous le nom de Quantum, et elle est entrée en bourse en 1992), contre près d'un siècle pour Time Warner (26,6 milliards de chiffre d'affaires et 70 000 employés). Après l'acquisition de Turner Broadcasting Systems (TBS) en 1995, Time Warner avait effectué un recentrage vers le câble et le numérique en 1999, possédant elle-même 21,3 millions de prises sur le câble et un total de 13 millions d'abonnés.

Cette fusion répond à un souci de développement dans les médias numériques de la part de Time Warner, éditeur de « contenus », qui trouve en AOL un nouvel outil de distribution pour ses produits. AOL acquiert, pour sa part, une offre de contenus inégalée et le deuxième réseau câblé des États-Unis.

Le rapprochement entre les groupes Vivendi/Canal+ et Universal, détenu par le canadien Seagram, intervenu début décembre 2000, est une autre illustration de cette course à la taille et à l'effet « de masse » dans l'industrie du multimédia. Vivendi, ex-Compagnie générale des eaux, est à l'origine un spécialiste du service de proximité. Devenue première compagnie mondiale de la distribution d'eau en l'an 2000, l'entreprise a poursuivi par ailleurs, à partir des années 1980, une stratégie de développement dans l'information et la communication, avec notamment Havas (édition et jeux) et Canal+, puis dans les télécommunications avec en particulier des investissements dans le câble, Cegetel et SFR (téléphonie fixe et mobile), et le portail multi-accès Vizzavi, codétenu avec le britannique Vodafone. Seagram détient pour sa part les prestigieux studios de cinéma Universal et leurs parcs à thèmes, ainsi que Universal Music, premier éditeur mondial de musique. Il compte également des chaînes de câblodistribution et de services Internet. Là encore, les deux parties ont misé sur l'intégration verticale des « contenus » (cinéma, musique, jeux) et des « tuyaux » (TV, mobiles, Internet). Vivendi Universal, lors de sa naissance, comptait plus de 260 000 salariés dans plus de 100 pays et espérait un chiffre d'affaires de l'ordre de 25 milliards de dollars lors de son premier exercice.

Pour le consommateur, ce mouvement de concentration peut aboutir à la domination de quelques grands groupes internationaux sur les industries de la culture et du divertissement, situation connue jadis dans l'informatique et les télécommunications. Outre le droit de la concurrence, les freins naturels à cette tendance sont la diversité culturelle, qui rend difficile la conception de produits standardisés, et l'impossibilité de contrôler totalement la chaîne du multimédia en raison de la multiplicité de ses acteurs. Enfin, le consommateur de « produits » multimédias n'est pas un client fidèle. Habitué à « surfer » sur le Net, il se comporte volontiers, selon le terme des spécialistes américains de marketing, en *cherry picker* (« cueilleur de cerises »), n'hésitant pas à « zapper » d'un fournisseur à l'autre.

Bibliographie

Ouvrages :

- AGNOLA (Michel), *Passeport pour le multimédia*, CFPJ, Paris, 1996.
- ALBERGANTI (Michel), *Le multimédia, la révolution au bout des doigts*, Le Monde Poche, Paris, 1997.
- BALLE (Francis), EYMERY (Gérard), *Les nouveaux médias*, PUF, Paris, 1996.
- DU CASTEL (François), *La révolution communicationnelle. Les enjeux du multimédia*, L'Harmattan, Paris, 1995.
- FORTIER (Denis), *Les autoroutes de l'information*, Collection Explora, Pocket, Paris, 1997.
- LAMIZET (Bernard), *Histoire des médias audiovisuels*, Ellipses, Paris, 1999.
- MONNET (Dominique), *Le Multimédia*, collection « Dominos », Flammarion, Paris, 1995.

Webographie

- http://www.focal.ch/cgi-bin/cf/f_biblio/lstBookSearch.cfm ?no_lng=2 (liste très complète d'ouvrages sur le multimédia)
- http://www.uco.fr/services/biblio/cdps/lexique_internet.html (lexique sur le multimédia)
- http://membres.tripod.fr/detheux_paul/UCL-Clio-biblio.html
- http://dicofr.com/
- http://www.commentcamarche.net/

Multiplexage

Technique permettant de faire passer plusieurs signaux de source différente sur un même canal de transmission et de faire circuler ainsi simultanément une plus grande quantité de données sur les différents réseaux. Les signaux sont assemblés en un seul signal composite, puis restitués grâce à l'opération symétrique de démultiplexage.

Navigation

La « navigation », appliquée au domaine de l'informatique, est une adaptation francophone du verbe anglais *to browse* (qui a donné *browser*, dont est issu notre « navigateur »). En fait, ce verbe présente plusieurs sens relativement proches: « brouter, paître », « parcourir (un livre, etc.), feuilleter », « lire seulement ». On conçoit en effet que l'utilisation d'un ordinateur, et plus particulièrement d'un ordinateur connecté à un réseau, s'apparente à une activité de lecture, voire de récolte (Montaigne « butinait » les livres pour en faire son miel). Reste que le terme de navigation fait plus directement référence à cet océan de données qu'est le Web, autrement désigné, à l'origine, par le terme de *cyberespace* évoquant l'activité du capitaine pilotant un navire. Dans cet esprit, la notion de navigation désignerait à la fois les modalités d'accès au *World Wide Web*, les modalités de son parcours par l'internaute, parfois appelé « surfeur », celles de son orientation sur la Toile. Or, s'il est donc courant de réserver l'emploi du mot pour parler du Web, la notion revêt une extension plus large. En effet, la navigation, comprise comme un mode d'accès particulier à de l'information numérisée, se définit par sa non-linéarité : elle fait appel à la notion d'hypertexte ou d'hypermédia. La navigation ne concerne donc pas uniquement le Web : elle concerne aussi de nombreux documents *off-line*, hypertextes ou hypermédias (CD-Rom, etc.). D'autre part, elle s'applique *on-line* à l'ensemble d'Internet, que le succès du seul service WWW tend trop souvent à faire oublier.

Dès lors, même s'il importe de tenir compte de la prééminence du Web dans la définition de la navigation, il sera utile de rappeler en détail et de mieux situer les diverses applications de cette notion. Celle-ci semble faire référence à une réalité déconcertante de simplicité (conformément aux discours en vogue concernant le Web « grand public »), alors qu'elle recouvre et implique de nombreuses difficultés d'ordre pratique, pour l'utilisateur comme pour le concepteur de programmes ou de sites.

N

Le browser et l'accès à l'hypertexte

Lorsque le système d'organisation des données est hypertextuel, il s'agit de comprendre quels sont les outils assurant l'accès à ces informations, et comment ils fonctionnent.

On appelle *browser* (ou *Web browser*) le logiciel d'application client qui permet la navigation sur le Web (fondamentalement : la connexion aux serveurs). On dit aussi « navigateur ». D'une part, ce logiciel permet l'accès aux données hypertextuelles, c'est-à-dire, leur visualisation. En effet, les documents sur le Web sont à l'origine écrits en langage HTML. Pour qu'ils puissent être lus et appelés par l'internaute, le texte source de ces documents doit être interprété par le *browser* : les commandes qu'il intègre sont ainsi exécutées (formatage des pages, polices de caractère, multimédia, liaisons hypertextes...). D'autre part, outre la visualisation des documents hypertextes, le *browser* permet l'activation par l'utilisateur des liens proposés (repérables par leur soulignement, généralement d'une couleur distincte du texte de base). Ces liens (pointeurs) renvoient soit à une autre partie du document d'origine, ou du même site, soit à un document différent, relevant d'un site distinct. Comme tels ils peuvent renvoyer à du texte, de l'image, du son, de l'animation vidéo... Notons que pour activer les liens hypermédias, le *browser* requiert généralement des additifs logiciels (ou *plug-ins*) que l'on doit télécharger si nécessaire.

Le premier *Web browser* disposant d'une interface graphique fut Mosaic, inventé en 1993, soit environ un an après la diffusion du protocole HTTP. Ceux qui lui ont succédé, aujourd'hui les plus utilisés, sont Netscape Navigator, et Internet Explorer. Opera est un navigateur plus récent. On pourra aussi citer Lynx, *browser* à interface textuelle, et des *browsers* moins connus qui favorisent, par exemple, la navigation pour les aveugles.

On peut noter ici que la navigation *off-line* suppose l'utilisation de logiciels hypertextuels (ou hypermédias) qui peuvent décoder le langage HTML et impliquent dès lors le recours à un navigateur web (ceux-ci fonctionnant parfaitement *off-line* à condition de disposer sur son disque dur, ou ici, sur CD-Rom, du document à utiliser). Toutefois, les applications hypertextuelles *off-line* sont le plus souvent conçues à l'aide de logiciels spécifiques d'hypertexte (tels que Macro Media Director). Une fois lancées sur un ordinateur personnel, de telles séquences tournent en *runtime*, c'est-à-dire qu'il n'est pas besoin d'avoir acheté et installé sur sa machine le logiciel qui a servi à les concevoir, ce qui les distingue d'outils hypertextuels comme PowerPoint par exemple.

En termes techniques, on définira le *browser* comme un programme client qui utilise le protocole de transfert HTTP pour effectuer les requêtes (que lui soumet l'utilisateur) auprès des serveurs du réseau. L'accès aux serveurs, donc aux documents, s'effectue par le biais des URL (*Uniform Ressource Locator*) qui constituent leur adresse sur les réseaux. C'est là ce qui permet au navigateur, initialement destiné à la seule utilisation du Web, d'offrir l'accès à presque tous les services d'Internet. Les navigateurs présentent ainsi dans la plupart des cas des fonctions complémentaires à celles de lecture et d'utilisation des documents hypertextes accessibles sur le Web (disponibles aux URL <http://>). On peut ainsi, grâce au *browser*, consulter et utiliser le courrier électronique (par exemple *via* l'URL

<mailto://>) et les messageries (<news://>). On peut aussi procéder au transfert de fichiers FTP (<ftp://>).

De façon similaire, la plupart des navigateurs Web tolèrent le protocole Gopher et permettent donc l'accès à ce service. Il n'en existe pas moins des navigateurs Gopher spécifiques à ce protocole. Enfin, en téléchargeant (*download*) un client WAIS (*Wide Area Information Servers*) et un *gateway* (« passerelle » permettant le passage d'un protocole à un autre), on peut aussi augmenter les fonctionnalités du navigateur Web pour utiliser cet autre service d'information.

Le navigateur Web peut donc servir de relai d'accès à la majorité des protocoles TCP/IP qui constituent Internet. Cette fonctionnalité est non négligeable, même si le service WWW tend à attirer à lui seul l'intérêt du grand public.

Les moteurs de recherche

Si les *browsers* assurent l'accès aux informations disponibles sur le Web et sur la majorité des services de l'Internet, ainsi que leur utilisation, il existe en outre des outils logiciels d'aide à la navigation. Accéder à l'information, notamment sur le Web, ne signifie pas en effet que l'on puisse s'y repérer, que l'on sache où la trouver, comment la rechercher. On s'intéressera donc particulièrement ici à ces outils d'aide à la navigation que sont les moteurs de recherches (*search engines*).

L'apparition du Web au début des années 1990 a contribué au développement d'Internet, aujourd'hui essentiellement lié à la croissance de ce service : croissance du nombre de personnes connectées au réseau ainsi que du nombre de textes accessibles aux utilisateurs. Si, en 1993, quelques milliers de pages étaient accessibles aux utilisateurs du Web, aujourd'hui ce nombre dépasse le milliard. Compte tenu du taux de croissance d'un tel stock (6 % par mois), des modifications chaque jour apportées aux documents existants (1 %), de l'hétérogénéité de ces documents (pages personnelles, sites commerciaux, livres, logiciels, articles en ligne, etc.) renforcée par leur écriture dans plus de 100 langues différentes et par leur structuration variable, la nécessité d'outils destinés à localiser l'information souhaitée va de soi.

Tel est le rôle, notamment, des moteurs de recherche. Ces logiciels existaient sur Internet avant la création du Web en 1991. Ainsi, le programme Archie (1990) permettait (et permet encore) de rechercher et de récupérer des fichiers sur l'ensemble des serveurs FTP (*File Transfer Protocol*) dans un domaine particulier. Le moteur de recherche Veronica (1991) est l'équivalent d'Archie sur les serveurs Gopher. Les deux logiciels parcourent leur réseau respectif en lisant les noms de dossiers et de fichiers pour ensuite les indexer. De même, WAIS (1991) possède un moteur de recherche intégré ; à la différence des deux précédents, sa recherche est basée sur le contenu des fichiers.

Ces moteurs de recherche de la première génération ont survécu et existent aussi sur le Web sous forme adaptée et améliorée. Leur principe de fonctionnement demeure globalement celui des logiciels qu'on peut maintenant définir plus précisément.

Un moteur de recherche est un programme qui indexe, sur de gros ordinateurs ou une série de « petits », le contenu de tous les documents du Web. Il met ensuite les résultats de son indexation à la disposition de l'utilisateur : une interface permet d'obtenir la liste des documents contenant un ou plusieurs mots clés correspondant à la requête de ce dernier.

Plus précisément, le moteur de recherche se compose de trois parties :

1) un programme appelé araignée (*spider*) qui lit toutes les pages de tous les sites Web pouvant être lues (et ce, en parcourant les liens hypertextes figurant dans chaque page afin de repérer et lire d'autres pages) ;

2) un programme destiné à créer un index à partir des pages qui ont ainsi été lues, à l'exception des pages dynamiques : des documents est extrait le texte, qui est ensuite découpé en mots individuels insérés dans une structure dite d'« index inversé » ;

3) un programme qui reçoit les requêtes de l'utilisateur, les compare aux entrées de l'index inversé et communique les résultats.

Plus concrètement, comment fonctionne le service des requêtes (défini en 3) ? Dans un premier temps, une fois la requête (le plus généralement effectuée par mots clés en fonction d'une syntaxe propre au moteur de recherche utilisé) reçue et interprétée, le programme extrait de l'index tous les documents satisfaisant le critère de cette requête (présence du ou des mots cités ; dans le cas d'une requête de plusieurs mots, repérage éventuel des occurrences contiguës...). Toutefois, le nombre de documents ainsi sélectionnés pouvant être considérable, on calcule ensuite leur « pertinence », en prenant en compte la fréquence d'occurrence du ou des mots de la requête, leur proximité éventuelle, leur présence dans le titre du document, etc. L'utilisateur reçoit alors les résultats les plus pertinents, classés par ordre décroissant.

Tel est globalement le fonctionnement des moteurs de recherche généralistes les plus connus, parmi lesquels on citera Altavista, Echo (www.voila.fr), Excite, Google, Hotbot, Infoseek, Lycos, etc. Ces derniers peuvent toutefois privilégier des critères variés pour déterminer les sites web les plus importants à indexer (de la même manière, l'ordre des résultats d'une requête peut être perverti par le marché publicitaire : en payant, on peut obtenir qu'une page apparaisse en priorité dans la liste des réponses). Vu la quantité d'informations disponibles sur le Web, il est en effet impossible d'en indexer la totalité et on peut dire que leur taux de couverture est aujourd'hui inférieur à 30 %. Or, même dans ces conditions, les moteurs de recherche actuels demeurent très rudimentaires et bien souvent difficiles d'utilisation : la question pour l'utilisateur n'est plus de savoir comment se repérer parmi l'immensité des données sur le Web, mais parmi la masse tout aussi hétérogène (bien que moins importante) que forment les résultats de sa requête ! Hétérogène en effet que cette masse, pouvant regrouper des liens vers des types multiples de documents (article universitaire, publicité pour un produit, page personnelle, etc.), qui en outre sont encore loin de correspondre à la nature, voire au sens exact de la demande.

Sans entrer dans le détail technique des problèmes rencontrés par les concepteurs de ces programmes, ni des nouvelles solutions en cours d'expérimentation (Bourdoncle, 2000), il apparaît nécessaire de mentionner les alternatives qui se présentent concrètement à l'internaute désireux de mieux maîtriser les modalités de sa navigation.

Les outils complémentaires d'aide à la recherche

On laissera ici de côté l'alternative que représente l'utilisation des services en ligne autres que WWW : ceux-ci constituent pour la plupart des bases de données universitaires ou des bases spécialisées entretenues par des experts, qui sont souvent utiles aux chercheurs et d'une qualité rarement contestable. Concernant la navigation sur le Web, on distinguera deux types d'alternatives d'aide à la navigation : celle que constitue l'utilisation de fonctionnalités internes au *browser* (caractérisant son interface utilisateur) ; celle de logiciels « médiateurs » disponibles sur le Web.

• Certaines fonctions du logiciel de navigation visent en effet à améliorer le confort de l'internaute. Elles sont peu nombreuses, mais méritent d'être mentionnées. La plus communément utilisée est peut-être celle que constitue le signet (*bookmark*), qui permet à l'utilisateur de mémoriser les sites qu'il consulte le plus fréquemment (*favorites*) et ceux qu'il découvre au hasard de la navigation. Citons aussi le cache, ou « mémoire tampon » dans laquelle le *browser* stocke temporairement les dernières pages consultées pendant une session, et qui permet ainsi à l'utilisateur de revenir en arrière (en théorie) sans perdre le temps d'un nouveau téléchargement de la page en question. On peut ainsi naviguer sur le chemin que l'on s'est tracé dans le Web en utilisant soit la barre de navigation, soit le menu déroulant qui permet de visualiser l'identité des sites visités. Enfin, un *browser* comme le Navigator de Netscape propose une fonction *What's related* qui permet à l'utilisateur, une fois sur un site qui l'intéresse, de se rendre sur des sites à thématique similaire.

D'autre part, il existe des programmes qui permettent à tout internaute de visualiser sa navigation en deux ou en trois dimensions ; ils peuvent s'ajouter aux fonctions d'origine du *browser* pour créer des cartes de navigation (*surf maps*) figurant la structure des sites visités et les liens existant entre eux. Tel est le cas par exemple de Internet Cartographer et de Surf Serf.

• Les « médiateurs » visent à assurer la « fonction de médiation » (Bourdoncle, 2000) nécessaire à la navigation sur le Web. L'utilisateur a besoin d'aide, on l'a vu, pour s'orienter sur le réseau. Il ne lui suffit pas d'accéder au réseau (par le biais du *browser*) : il lui faut aussi de plus en plus d'intermédiaires pour repérer efficacement l'information et la sélectionner. Bien sûr, le moteur de recherche est l'un de ces outils. Il fait partie, avec les annuaires de recherche, des premiers médiateurs. Historiquement, les annuaires ont été les premiers à apparaître. Ils proposent un classement des sites web jugés les plus intéressants. Contrairement aux moteurs de recherche, entièrement automatiques, ils reposent donc sur le jugement humain. Ils permettent de découvrir le Web de manière structurée et rendent aisé l'accès à des sites de référence sur un sujet donné. Yahoo est probablement l'annuaire le plus connu.

Plus récemment se sont répandus les méta-moteurs de recherche : il s'agit de programmes qui indexent les résultats de divers moteurs de recherche et en compilent le résultat pour répondre à la requête de l'utilisateur. Le plus connu est probablement Metacrawler. Citons aussi Ariane, méta-moteur francophone.

Plus récemment encore, ont commencé à être diffusés des intermédiaires humains d'aide à la recherche (dits aussi « moteurs à assistance humaine »), travaillant comme les méta-moteurs à partir des résultats des moteurs de recherche principaux, mais aussi des annuaires. Des « experts » de la recherche sur le Web se chargent donc de fournir à l'utilisateur les réponses les plus fines possible et peuvent à l'occasion émettre leur avis sur telle ou telle information ou produit. Ces réponses se font la plupart du temps par courrier électronique et peuvent exiger un délai allant de 10 minutes à quelques jours. Les moteurs à assistance humaine peuvent être payants, ou gratuits. Aujourd'hui, ils sont pour la plupart anglo-saxons : les questions doivent donc y être formulées en anglais, mais de façon beaucoup plus développée et fine que sur les moteurs traditionnels puisqu'elles s'effectuent en langage naturel. En attendant les algorithmes capables de traiter automatiquement (et efficacement !) les requêtes en langage naturel, certains pourront trouver quelque utilité à s'en remettre à des humains, bien que l'« expertise » de ces derniers se limite bien souvent, rappelons-le, à leur seule habitude de la cyber-navigation...

Enfin, annuaires et moteurs de recherche sont généralement aujourd'hui compris parmi les services des portails. Comme tels, les portails constituent des médiateurs de plus en plus utilisés. Ils sont en effet conçus pour correspondre le mieux possible aux attentes des internautes – il est vrai que les enjeux économiques sont ici considérables. Outre les outils traditionnels d'aide à la navigation, ils proposent donc les nouvelles du jour, un bulletin météo, parfois l'horoscope, un accès au courrier électronique, l'annuaire téléphonique, un forum de discussion, mais aussi des informations directement marchandes comme des listes de CD ou de livres nouvellement parus, etc., que l'on peut acheter *on-line*. Yahoo, AOL, Altavista, Voila sont des portails.

De plus en plus, les portails disposent d'outils spécifiques destinés à faciliter la vie comme la navigation de l'internaute. Le cas échéant, ces outils peuvent être téléchargés gratuitement à partir de sites donnés. Dérivé des techniques développées en intelligence artificielle, tel programme ou « agent intelligent » va donc pouvoir fureter dans les pages commerciales spécialisées et faire vos courses au meilleur rapport qualité-prix ; tel autre se contente de bloquer les accès à certains serveurs ; tel autre trie les adresses obtenues par un moteur de recherche en ne retenant que les plus pertinentes, ou permet d'afficher les informations qui seules sont susceptibles de vous intéresser, etc.

La navigation « intelligente » et facile serait donc pour demain...

Reste que, pour l'heure, « surfer » sur le Web est loin d'être aussi aisé qu'il n'y paraît ! La conception des logiciels utilisés pour la navigation et l'aide à la navigation posent encore problème, on l'a vu, et leur utilisation n'est pas réellement limpide. De même, la conception des sites et des pages web pose des questions d'ergonomie (rapport homme/machine) directement en relation avec les modalités de navigation.

Enfin, l'implication active de l'utilisateur semble peu favorisée par l'esprit « grand public » des entrepreneurs du Web... À défaut d'un apprentissage technique, tout au moins peut-on espérer chez l'internaute un apprentissage critique lié à ses recherches sur Internet : on a encore du mal à comprendre comment un programme, fût-il « intelligent », pourrait évaluer l'importance qualitative et pas seulement quantitative d'une information. La question de l'accès à l'information sur le Web demeure ainsi un enjeu crucial, soulevant de nombreux problèmes socio-économiques et politiques.

Bibliographie

Ouvrages :

- La Recherche n° 328, *Recherches d'aiguilles dans une botte de liens*, BOURDONCLE (F.), BERTIN (P.), février 2000.

Webographie

- http://www.larecherche.fr/VIEW/328/03280661.html
- http://www.W3.org

Netiquette

La Netiquette désigne l'« étiquette » en vigueur sur Internet, c'est-à-dire un protocole ou ensemble de règles visant à définir les conditions d'une bonne utilisation du réseau. Elle s'applique donc strictement à la transmission de données *on-line*. À l'origine, les normes d'utilisation d'Internet étaient uniquement liées aux contraintes techniques propres aux protocoles (au sens matériel) définissant la communication entre machines (par exemple, TCP/IP). La transmission des données sur les réseaux s'effectue en fonction de la bande passante disponible entre la machine émettrice et la machine réceptrice. La nécessité de préserver une bonne capacité de communication des réseaux a donc été, dès le début d'Internet, une priorité pour ses utilisateurs, essentiellement ingénieurs et universitaires informaticiens. En conséquence, les normes qui en découlaient étaient largement implicites car naturellement partagées par une communauté de pairs, appartenant à une même culture. Or la culture liée aux réseaux a évolué avec les progrès de l'informatique et la diffusion de cette technique au sein d'un plus large public. Les Américains parlent aujourd'hui de culture Internet (*Internet culture*). Cette culture intégrerait des codes de conduite locaux plutôt qu'un système organisé de règles écrites. C'est ainsi que la Netiquette s'apparenterait à une coutume, davantage liée désormais à des contraintes de sociabilité, à des règles générales de « savoir-vivre et communiquer sur le réseau », qu'à la nécessité d'en optimiser le fonctionnement matériel. Il n'en reste pas moins, à l'évidence, que les contraintes techniques demeurent : l'acception de « sociabilité » s'est seulement élargie avec l'apparition de l'informatique grand public, la communauté de culture est devenue plus abstraite pour être diffusée plus largement, voire à l'échelle du « village global ». Aussi est-il devenu courant de rencontrer des définitions philosophico-politiques de la Netiquette et des exposés de son efficacité régulatrice : efficacité qu'il convient ici de mettre en question. L'intérêt de la Netiquette réside certainement moins dans les principes d'autorégulation qu'elle énonce que dans les limites de leur applicabilité.

Telle qu'on peut la trouver énoncée, de façon toujours plus ou moins informelle puisque la Netiquette ne ressortit pas au droit, elle comprend une multiplicité d'étiquettes locales. Chaque communauté présente sur Internet peut en énoncer une variante. Pour la commodité de l'exposé, on tâchera ici de proposer une présentation systématique des règles les plus courantes de la Netiquette, à partir du RFC 1855 (*Netiquette Guidelines*).

Ces règles sont énoncées comme faisant partie des devoirs de l'internaute sur les réseaux.

Les applications *on-line* concernées regroupent essentiellement : le courrier électronique, le *talk*, les listes de discussion, les *News* (communication de personne à personne ou d'une personne à plusieurs) ; les MUD (*Multi-User Dimensions*), les MOO (*Multi-User Dimensions* orientés objets), IRC (*Internet Relay Chat*), constituant des services interactifs en temps réel. Les services d'information comme Gopher, Wais, WWW, FTP, Telnet, font quant à eux l'objet de règles (en nombre extrêmement limité) assez vagues, qui ne seront pas reprises ici, car elles sont directement liées à l'intérêt de leur émetteur (si l'auteur d'une page web y insère une image de 2 Mo, personne n'attendra qu'elle se télécharge et elle ne sera donc pas consultée).

Les acteurs concernés par la Netiquette sont principalement les utilisateurs de base. Si elle s'adresse aussi aux gestionnaires des listes de discussion ou des *News*, aux modérateurs, ou à l'administrateur des services d'information, les règles sont alors brèves et peu nombreuses, car elles sont destinées, pour la plupart, à des experts, qui ne sont donc pas les moins informés en matière de contraintes techniques (sur lesquelles les règles demeurent fondées).

Règles « communautaires » et règles « techniques »

On peut ainsi classer les différents types de suggestions faites aux utilisateurs :

Règles « communautaires »

• La plus commune est certainement celle de s'enquérir des règles locales déjà en vigueur : celles mises en place par leur employeur d'une part, celles de la communauté internettique où ils cherchent à s'inscrire d'autre part. Il s'agit donc d'une règle sur le nécessaire respect des règles.

• La maîtrise des sentiments : cette règle encourage le calme en toutes circonstances. Il faut éviter d'entrer dans un conflit, soit en y répondant, soit en l'incitant. Dans le pire des cas, on mettra entre guillemets une phrase d'humeur, en précisant qu'il s'agit d'une attaque ponctuelle (elle s'arrête à la fin de la phrase en question). Dans le même sens, on n'emploiera pas de majuscules QUI DONNENT L'IMPRESSION QUE L'ON CRIE ! On pourra mentionner ici l'utilisation – encouragée – des *smileys*, ces petits signes permettant de renseigner les autres sur le ton du message (ces signes comme le clin d'œil ;-) ou le sourire :-) ou encore la tristesse :- (figurent le ton de la voix et l'expression du visage, absents de la communication sur Internet). Il est toutefois recommandé de ne pas en abuser. De fait, à l'origine, les *smileys* permettent une communication plus rapide entre personnes soucieuses d'économiser de la bande passante. En abuser serait contraire aux principes de la Netiquette.

• Les règles qui défendent l'intrusion injustifiée dans l'intimité des autres visent elles aussi à limiter toute forme d'agression. Ainsi, on évitera de répondre à tous les récipiendaires du message précédent, si la réponse ne s'adresse qu'à une personne en particulier. De même, on ne tentera pas un *talk* avec une personne que l'on ne connaît pas ; on ne tentera pas d'envoyer un message à une liste de discussion privée, etc.

• La pertinence des messages : les règles correspondantes insistent sur la nécessité pour l'utilisateur d'être cohérent avec le thème de la discussion en cours dans une session donnée, comme avec le thème unique de certains groupes de *News* (ces groupes étant le plus généralement dédiés à un seul domaine d'intérêt commun aux abonnés). Dans le même esprit, il est souvent recommandé de lire la rubrique FAQ (*Frequently Asked Questions*) des différents services afin de ne pas poser une question sans grand rapport avec l'orientation du groupe. Cette dernière règle peut toutefois relever d'un autre type de suggestion.

Règles « techniques »

Elles sont plus directement liées à la prise en compte des contraintes techniques propres à la transmission des données, même si ces considérations ne sont pas toujours absentes des règles « communautaires ».

• Patience et réflexion : une telle suggestion pourrait à l'évidence faire partie des règles « communautaires », mais elle apparaît dans la plupart des cas présentée comme une nécessité technique. Ainsi, lire les FAQ permet éventuellement d'économiser de la bande passante en rendant inutile l'envoi d'une question déjà posée. Il est aussi conseillé de lire les messages en enfilade avant de proposer une réponse : on s'assure ainsi que l'on a bien compris le contexte, les enjeux et le sens des propos tenus, afin d'ajuster au mieux ses propres propos (en évitant les redites et les réponses hors sujet). Dans le même esprit, il est conseillé de se familiariser avec les pratiques en usage dans telle ou telle liste de discussion : on évite ainsi de faire perdre du temps aux autres en effectuant toutes sortes de tests (sans compter la mauvaise humeur des « anciens »).

• Concision des échanges : en répondant à un ou plusieurs messages, on évitera de citer l'intégralité de ce(s) dernier(s). Éventuellement, on en fera des citations précises et limitées, pour remettre dans son contexte le propos de la réponse. Il est également conseillé de poster un résumé de sa réponse, dans le cas d'un message envoyé à une liste de discussion. Il est toujours déconseillé d'envoyer de longs messages (ceux-ci ne devraient pas peser plus de 50 Ko).

• Clarté des échanges : la signature à la fin d'un message doit permettre d'identifier l'émetteur, mais elle ne doit pas prendre plus de quatre lignes. Le sujet du message doit être spécifié dans l'en-tête le plus précisément possible. Une autre règle vise à défendre l'envoi de caractères non ASCII lorsqu'on n'est pas sûr que le récipiendaire puisse les lire ; par extension, elle proscrit l'envoi de fichiers aux formats non standard.

Pour la plupart des règles que l'on a choisi d'énoncer ici, comme pour celles qui n'ont pas été citées en exemple, les justificatifs proposés sont de cet ordre : coût de la communication téléphonique (longue distance aux États-Unis, locale en Europe), économie de bande passante, du disque de stockage, de temps machine...

Pour finir ce compte rendu schématique, on pourra aussi mentionner des exemples de sanctions pouvant être prises par telle ou telle communauté du réseau contre l'internaute peu soucieux de Netiquette. La « flamme » (*flame*) est la sanction la plus bénigne et la plus banale peut-être : il s'agit de la critique souvent agacée d'« anciens » ou d'experts relevant les mauvais usages, les usages non conformes à la Netiquette, de certains internautes. Le « RTFM » en fait partie (Réfère toi au fameux – ou f... – manuel) et s'adresse à l'internaute posant sur le réseau une question technique pourtant traitée par la littérature grise. La fonction *kick* des relais de discussion permet à un modérateur de déconnecter de force un utilisateur dont la conduite est jugée non conforme aux règles locales en vigueur. D'autres sanctions existent, comme les faux dialogues par *e-mail* destinés à piéger tel utilisateur ou encore la constitution de « listes noires », mais celles-ci concernent plutôt certains publicitaires ayant œuvré dans des listes n'acceptant pas la publicité...

Un usage limité et problématique

Tout cela étant dit, il reste bien évident que ces règles demeurent des suggestions de conduite qui n'ont, en soi, aucune valeur véritablement contraignante et ne sont soumises à aucun organe de contrôle. Quelle proportion des internautes moyens connaît même l'existence de la Netiquette ? Et parmi les autres, qui se sent tenu de la respecter systématiquement ? Les pairs informaticiens de la première heure, peut-être, mais il serait malvenu de généraliser. Ces questions semblent devoir être posées tout particulièrement concernant le Web et les pratiques non réglementées qu'il favorise.

Pour commencer, on pourra citer le cas souvent discuté des entreprises sur Internet, qui généralement énoncent des règles internes d'usage des réseaux, là encore plus théoriques que mises en pratique. À lire ces règles, on a d'ailleurs l'impression qu'elles constituent plutôt un recensement de toutes les pratiques « incorrectes » existantes et qu'il serait pourtant bon (« netiquettement correct ») d'interdire. Ainsi, la « culture Internet » de l'entreprise interdit notamment le *spamming* (envois massifs de courriers électroniques non sollicités dans lesquels peut figurer le *junk mail*), la vente non autorisée d'informations sur l'utilisateur, les études de marché réalisées sans le consentement de l'utilisateur, etc. L'exemple des *cookies* sur le Web est intéressant : en principe, chaque utilisateur peut configurer sa machine de manière à les accepter ou à les refuser systématiquement (auquel cas d'ailleurs, l'accès à certains sites ne lui sera pas forcément permis). Dans le cas où il les accepte, il n'est pas plus renseigné sur la provenance desdits *cookies* : viennent-ils de la page web consultée ou du bandeau publicitaire qu'elle affiche ? Quelle utilisation sera faite des données personnelles ainsi collectées ? Pour ces raisons, les *cookies* sont en principe interdits par l'organisation W3C (*World Wide Web Consortium*), mais n'en sont pas moins imposés par les navigateurs.

Bref, de telles pratiques, dont on sait qu'elles inondent les réseaux, posent la question des droits et non plus seulement des devoirs des utilisateurs particuliers.

Plus généralement, les entreprises ne sont pas seules en cause dans la multiplication de pratiques anti-Netiquette notamment sur le Web. Ainsi, sur la grande majorité des sites (y compris universitaires) figurent des images propres à la thématique du site, en plus des publicités extérieures (qui contribuent à le financer). Or bandeaux publicitaires comme images « fonctionnelles » sont de grands consommateurs de bande passante et, comme tels, vont à l'encontre d'une utilisation équitable et raisonnée des réseaux. On peut estimer à 90 % de la bande passante la proportion d'images véhiculées sur le Web. Si l'on ajoute à cela la conception de pages web aux formats problématiques, tels que les *java scripts*, qui non seulement ne sont pas directement compris de toutes les machines, mais favorisent de surcroît le traçage invisible des activités des internautes, on met aisément en évidence le peu d'efficacité de la Netiquette ou du moins sa faible diffusion. Dans le fonctionnement du Web, le simple particulier disposant le plus souvent de peu de moyens techniques est presque systématiquement poussé à ne pas respecter la Netiquette de base s'il veut avoir accès aux services proposés : il est amené à consommer de grandes quantités de bande passante pour télécharger telle image ou tel *plug-in* devant lui permettre de lire un document au format autrement inaccessible. Il subit lui-même des dommages en tant que consommateur : coût de la communication téléphonique, perte de temps considérable... Sur le Web il n'existe donc pas de modérateur, encore moins de « législateur » en matière de Netiquette. Le W3C énonce des recommandations à l'usage de la communauté internettique internationale en vue de standardiser les technologies du Web, mais elle ne peut en garantir l'application. Le cas échéant, pourrait-elle en garantir la « bonne » utilisation ? Rien n'est moins sûr et telle n'est pas sa mission.

Netiquette et droits de l'internaute

L'échec pratique de la Netiquette tend à poser, comme on l'a vu, la question des droits de l'internaute. Parmi les règles de la Netiquette, telles qu'énoncées plus haut, peuvent apparaître ponctuellement, en toile de fond, des mises en garde « passives » concernant l'authenticité toujours falsifiable des informations transmises sur les réseaux, la sécurité limitée de toute transmission. Considérée sous cet angle, la Netiquette met donc en jeu la question des libertés individuelles. Le problème des droits du consommateur ou des droits d'auteurs, du droit en général appliqué à Internet, dépasse largement la définition et les applications de la notion de Netiquette.

Il s'agira ici de mentionner brièvement quelques points relatifs à la sécurité sur les réseaux, qui peuvent être pertinents eu égard à la Netiquette proprement dite.

Tout comme il existe des étiquettes locales, formulées par chaque communauté de l'Internet, chacune de ces communautés (organisées autour d'un serveur) édite une charte générale des conduites liée aux notions de responsabilités civile et pénale. L'utilisateur est dans la plupart des cas tenu de signer cette charte dont le gestionnaire système et au-dessus de lui, son employeur, vérifie la bonne application. Ce dispositif n'empêche pas pour autant des pratiques condamnables du point de vue légal, mais qui demeurent problématiques du point de vue de la Netiquette : tel est le cas du *hacking*. Cette pratique est en principe défendue dans le monde des entreprises et des banques en vertu du principe de non-intrusion commun à bon nombre de règles de la Netiquette. Pourtant, on ne peut éviter de citer le cas des émissions de virus informatiques (une forme de *hacking*) qui, comme dans le cas du virus *Iloveyou* au printemps 2000, profitent des points faibles des systèmes d'exploitation Microsoft. Compte tenu des bogues répertoriés de ces systèmes, de nombreux informaticiens ont vu là une saine pratique et ont pu présenter le *hacker* comme un « chevalier de la bande passante ». Les *hackers* sont en effet des experts informatiques très au fait des règles de la Netiquette (ils se distinguent en cela des *crackers* par leur « déontologie »).

On a donc pu mettre en évidence l'existence de nombreuses pratiques contraires à la Netiquette définie comme un ensemble de règles destinées au bon usage des réseaux (usage social et technique). L'existence de ces pratiques met en valeur les limites intrinsèques de la Netiquette. Celle-ci relève de la coutume, non du droit, ne peut être instaurée institutionnellement et n'est donc pas contraignante. La Netiquette reste ainsi le fait de pairs (majoritairement ingénieurs et universitaires informaticiens) et d'internautes rompus à l'utilisation des réseaux. Les limites de la Netiquette soulignent les difficultés auxquelles se heurterait une réglementation d'Internet.

Bibliographie

Ouvrages :

- MATHIAS (Paul), *La Cité Internet*, Presses de la fondation nationale des sciences politiques, Paris, 1997.

Webographie

- http://www.W3.org
- http://www.sri.ucl.ac.be/SRI/rfc1855.fr.html

Nom de domaine

C'est en 1985 qu'est enregistré le tout premier nom de domaine, « symbolics.com ». Depuis cette date, le système des noms de domaine (DNS ou *Domain Name System*) [1] est devenu l'un des éléments fondamentaux de la structure d'Internet. Le nombre de noms de domaine a littéralement explosé, servant désormais d'identifiant aux acteurs d'Internet, mais aussi de pièce maîtresse dans les enjeux commerciaux et stratégiques existant sur le réseau. Pour quelles raisons ? Les noms de domaine ont la particularité de faire fi des frontières, d'avoir une portée « globale » qui nécessite que chacun d'entre eux soit unique : une adresse comprenant une suite donnée de caractères ne correspond qu'à un seul site, là où une marque doit être déposée selon des critères d'activité et de localisation géographique.

On abordera successivement la notion de nom de domaine, la façon dont ce nom est attribué et « protégé », les conflits qu'il engendre (en particulier avec le droit des marques), et le règlement de ces conflits.

Qu'est-ce qu'un nom de domaine ?

Sur le réseau Internet, chaque ordinateur est identifié par une adresse numérique ou « IP » (pour *Inter Network Protocol*) composée d'une suite de quatre nombres séparée par des points (par exemple : 175.21.009.72). Afin de pouvoir accéder au contenu des pages d'un site sur Internet, l'utilisateur doit taper l'adresse IP concernée dans un logiciel de navigation. Toutefois, dans le but d'être plus facilement

1. Le *DNS* est une base de données qui comprend des informations nécessaires à la traduction des noms de domaine (compréhensibles par les individus) en adresses IP.

mémorisées (voire trouvées par les utilisateurs de manière simplement intuitive) et d'assurer une plus grande convivialité et une localisation plus facile des sites, mais aussi pour mieux identifier les contenus correspondant aux adresses IP, ces dernières ont été doublées par des adresses symboliques, « alphanumériques », plus connues sous le vocable de « noms de domaine ».

Le nom de domaine est composé d'un préfixe technique qui peut comporter en pratique le nom du prestataire d'hébergement. Il comprend aussi un radical et un suffixe (ou extension), soit la configuration courante suivante : « http://www.radical.suffixe ». Le radical, aussi appelé nom de domaine de second niveau, est choisi par le déposant conformément aux règles de nommage (tel que le principe du « premier arrivé, premier servi »). C'est l'élément principal d'identification du site et il correspond souvent à la marque enregistrée d'une entreprise, à son nom ou à ses caractéristiques principales. Enfin, le nom de domaine se termine par un suffixe qui correspond à une extension également appelée zone ou domaine. Celle-ci se réfère à (1) une zone ou domaine géographique de premier niveau, composée de deux lettres identifiant le pays et le territoire d'origine du site ou (2) à un domaine générique de premier niveau qui se rattache à une zone d'activités, composé de trois lettres. La zone géographique française correspond ainsi à « .fr ». En anglais, ces domaines de pays ou territoire de premier niveau sont appelés « *country-code top-level domains* » ou « ccTLDs ». Ils se sont particulièrement développés au cours des années 1990 et sont environ 245 aujourd'hui, d'après les recensements fournis par l'ICANN, soit plus que le nombre d'États existants. En effet, des territoires non étatiques, comme les Dom-Tom, disposent de leur propre domaine. Quant aux domaines génériques de premier niveau, ils sont appelés « *generic top-level domains* » ou « *generic* TLDs ».

Les zones d'activités sont au nombre de sept, dont trois ne font pas l'objet d'un enregistrement par certains organismes habilités, à savoir « .com » pour les entités commerciales, « .net » pour les services liés aux réseaux, « .org » pour les organisations non gouvernementales, « .mil » pour les autorités militaires américaines, « .gov » pour les autorités gouvernementales américaines, « .int » pour les organisations internationales et « .edu » pour les institutions liées à l'éducation.

Depuis la fin de l'année 2000, d'autres domaines ont été retenus par l'ICANN, à savoir « .aero », « .biz », « .coop », « .info », « .museum », « .name » et « .pro ». Cette extension mesurée de la liste des suffixes a pour objectif de mieux gérer l'extraordinaire développement des noms de domaine, et notamment le plus célèbre d'entre eux, le « .com » ou « dotcom ». Ce dernier regrouperait en effet plus de vingt millions de domaines, d'après un recensement effectué au milieu de l'année 2000 par une société de recensement britannique. Or, les noms de domaine sont une ressource collective mais limitée, notamment en raison du fameux principe qui régit l'obtention d'un nom de domaine : « premier arrivé, premier servi ».

D'après ce principe, l'enregistrement d'un nom de domaine générique de premier niveau (« .com » ou « .net », par exemple) est accordé au premier requérant, sans qu'un quelconque justificatif ne lui soit demandé et sans qu'aucune étude ou enquête d'antériorité ne soit effectuée pour définir si le requérant ne nuit pas au droit des tiers. En conséquence, aucun nom de domaine identique ne peut être subséquemment octroyé après l'enregistrement du « premier arrivé », qui est dès lors référencé dans la banque de données. Un nom de domaine particulier correspond à un seul titulaire : une même adresse ne peut conduire à deux sites distincts. Toutefois, comme en témoigne le nombre croissant de procédures judiciaires et administratives engagées, il s'avère que ce système *a priori* simple et ouvert engendre de par sa nature de nombreux conflits.

Au préalable, il convient de relever que les noms de domaine génériques étaient jusqu'à la fin de l'année 1999 attribués de façon monopolistique par l'organisme américain IANA (*Internet Assigned Numbers Authority*), qui gérait les adresses IP.

L'IANA avait également donné mandat d'administrer les demandes de noms de domaine génériques de premier niveau à la société privée de droit américain NSI (*Network Solutions Inc.*) en 1993. Cette situation de monopole américain sur un réseau mondial a été vivement contestée. En réponse, l'ICANN, société privée à but non lucratif, a été mise en place afin de réformer les domaines génériques et leur attribution. Elle est notamment chargée d'organiser une gestion privée de ces domaines et a accrédité plusieurs dizaines de sociétés appelées *Registrars* et habilitées à enregistrer des noms de domaine.

Les noms de domaine qui se réfèrent à des zones géographiques sont quant à eux enregistrés dans chaque pays ou territoire concerné, d'après des règles d'attribution et des procédures nationales. Leur gestion est confiée aux NIC locaux, qui appliquent leur propre plan de nommage. Pour illustration, les règles établies en France par l'entité ayant succédé au NIC-France, l'AFNIC (qui est l'Association française pour le nommage Internet en coopération, association à but non lucratif habilitée à enregistrer des noms de domaine dans la zone « .fr »), sont également basées sur le principe du « premier arrivé, premier servi », mais sont plus contraignantes dans la mesure où l'attribution des noms de domaine exige la fourniture de justificatifs.

Le nom de domaine est-il protégé au même titre qu'une marque ?

La valeur juridique des noms de domaine est une question sensible et fortement controversée dans de nombreux pays industrialisés : le nom de domaine relève-t-il en effet d'un droit nouveau ? Est-il assimilable à un signe distinctif susceptible d'être protégé par un droit de propriété, et en particulier, le droit des marques ?

S'il semble plus « confortable » de le rattacher à des régimes juridiques reconnus et bien établis, il est cependant reconnu une réelle spécificité au nom de domaine : son attribution et son utilisation ne se limitent pas au territoire national. Le nom de domaine, accessible depuis n'importe quel ordinateur connecté au réseau, bénéficie du même rayonnement international quel que soit son domaine. Cette notion de territoire est d'autant plus significative que les signes distinctifs, et en particulier les marques, sont soumis au principe de territorialité selon lequel le signe a une couverture limitée à une zone géographique définie. Ainsi, obtenir la couverture mondiale d'une marque nécessitera son dépôt pour chaque pays ou ensemble de pays, telle la marque communautaire, qui protège le signe déposé dans les quinze États membres de l'Union européenne.

Le signe distinctif permet par définition au public d'identifier et de reconnaître avec des moyens essentiellement phonétiques ou figuratifs un produit, un service ou un établissement par rapport à d'autres produits, services ou établissements présents sur le même marché. En particulier, la marque (qui peut être notamment composée sous certaines conditions de mots, de lettres, de chiffres, de sigles, mais aussi de sons, dessins, d'hologrammes, de logos, d'images de synthèse, de formes ou encore de combinaisons ou nuances de couleurs) se définit comme un signe susceptible de représentation graphique qui sert à distinguer les produits ou services d'une personne. De même, le nom de domaine constitue un élément essentiel du commerce électronique du fait qu'il permet l'identification et la localisation du site auquel il donne l'accès sur Internet et le distingue des autres sites.

L'assimilation entre le nom de domaine et la marque est souvent effectuée dans la mesure où une marque peut être enregistrée en principe comme nom de domaine, et réciproquement. Cependant, les différences entre les deux signes sont substantielles.

Alors que le nom de domaine est enregistré auprès d'un organisme chargé de la gestion des noms de domaine (tel que l'AFNIC), la marque doit faire l'objet d'un dépôt qui correspond à son inscription sur un registre public et qui est suivi d'un enregistrement. Le dépôt est effectué dans l'ensemble des pays reconnaissant les droits de propriété industrielle auprès d'un organisme susceptible d'accorder un droit privatif sur ce signe. En France, l'INPI (Institut national de la propriété industrielle) est l'organisme compétent.

Les marques sont déposées dans différentes classes de produits et services, au nombre de 42, et qui constituent la Classification de Nice, liste internationalement reconnue. Cette classification rend effective la règle de spécialité, qui prohibe le dépôt d'une marque identique, voire similaire, dans le même secteur industriel ou commercial (ou classes de produits et services) qu'une marque antérieure. Elle est cependant considérablement assouplie pour les marques notoires, particulièrement connues du public, telles que Coca Cola ou Microsoft. Il est en conséquence interdit de déposer une marque si elle risque de créer une confusion dans l'esprit du public par rapport à une marque notoire pourtant déposée pour des produits et services distincts.

Autre différence notable, le dépôt d'une marque dans un pays permet de bénéficier d'un droit de priorité de six mois pour opérer l'extension de la protection de la marque dans d'autres pays, d'après la Convention de Paris du 20 mars 1883. Ce système laisse le temps de la réflexion au déposant quant à l'opportunité d'effectuer d'autres dépôts à l'étranger, alors que l'enregistrement du nom de domaine s'effectue selon le principe de l'obtention nationale sans que le détenteur du nom ne bénéficie d'un quelconque droit de priorité pour l'enregistrer dans un autre pays, toujours au nom du principe « premier arrivé, premier servi ».

Les opérations juridiques envisageables sont également fort différentes selon qu'elles concernent une marque ou un nom de domaine. Une marque, comme tout droit de propriété, peut faire l'objet d'une cession, alors que le nom de domaine n'est pas cessible d'une personne à une autre. La charte de nommage de l'AFNIC rappelle en effet qu'il est impératif qu'une société demande l'abandon de son domaine pour qu'une autre puisse demander une nouvelle création de celui-ci. Le nom de domaine semble donc plutôt conférer un droit d'usage qu'un droit de propriété.

En outre, la validité d'une marque dépend de son caractère distinctif et arbitraire ; une marque ne doit pas en effet être la dénomination nécessaire de l'élément qu'elle sert à désigner. Sera ainsi interdit le signe qui, dans le langage courant ou professionnel, constitue exclusivement la désignation nécessaire, générique ou usuelle du produit ou du service concerné. Or, si un nom de domaine peut être arbitraire et ne pas correspondre au contenu du site auquel il permet d'accéder (l'exemple le plus célèbre étant celui d'Amazon.com, site de commerce électronique et notamment de vente de produits culturels), il n'a pas l'obligation pour être valable, d'avoir un caractère distinctif, du fait de sa nature essentiellement technique.

De même, si le signe peut servir à désigner une caractéristique du produit ou du service, et notamment l'espèce, la qualité, la quantité, la destination, la valeur, la provenance géographique, l'époque de la production du bien ou de la prestation du service, il constitue une marque descriptive, prohibée par la loi. Or, le nom de domaine peut être valablement enregistré quand bien même il serait purement descriptif d'un produit ou d'un service correspondant au site qu'il identifie et par voie de conséquence, « bloquer » l'accès à un marché. Par exemple, un site de vente de chocolats pourrait valablement avoir pour nom de domaine « http://www.ventechocolats.fr ».

Le nom de domaine est aussi assimilé à d'autres signes distinctifs que la marque, à savoir :

• la dénomination sociale, définie comme le nom qui individualise une personne morale en tant que sujet de droit dans l'ensemble de son existence et de ses activités. Le nom de domaine s'en distingue dans la mesure où il n'identifie pas forcément une personne morale ;

• le nom commercial, qui peut être la dénomination désignant la personne morale ou le fonds de commerce et sous laquelle il est connu de la clientèle. Or, si le nom de domaine peut servir à désigner un fonds de commerce dédié au commerce électronique, et donc permettre à la boutique virtuelle de se faire connaître et de fidéliser la clientèle, de nombreuses entreprises n'exercent pas à ce jour d'activités économiques sur Internet. Elles peuvent en effet se servir de leur nom de domaine dans le seul but de présenter aux utilisateurs la société, ses produits ou ses services ;

• l'enseigne, signe désignant pour la clientèle un établissement industriel ou commercial dans sa localisation territoriale. Le nom de domaine semble très proche dans sa nature de la définition de l'enseigne : il correspond aussi à un « lieu », non pas matériel mais virtuel, où la clientèle peut s'adresser pour obtenir des informations sur l'entreprise et acquérir des produits et services.

Le nom de domaine et les signes évoqués présentent donc de nombreuses similitudes, indépendamment de la reconnaissance de leur valeur économique ; ils remplissent notamment une fonction d'identification et de distinction. Toutefois, à ce jour, le nom de domaine peut être descriptif, non arbitraire, trompeur, étranger à la règle de spécialité et être pourtant valablement enregistré et utilisé, contrairement aux règles fondamentales du droit des signes distinctifs.

Protéger un nom de domaine

La procédure judiciaire

En tant qu'élément d'identification d'un site sur Internet, le nom de domaine a une valeur patrimoniale, qui suscite certaines « convoitises » ou d'autres motivations susceptibles de porter atteinte aux droits des tiers. Ainsi, le nom de domaine est au cœur de contentieux de plus en plus nombreux, qui pour la plupart, finissent par faire l'objet d'une transaction.

Depuis 1996 [1], qui marque la première jurisprudence significative relative aux noms de domaine en France [2], les juges français sont régulièrement saisis, y compris dans les litiges relatifs à un nom de domaine enregistré ou à une société localisée hors de France [3]. En effet, le juge français se déclare compétent et se prononce en appliquant le droit national dès lors que le contentieux porté devant lui intéresse d'une quelconque manière le territoire français. Les principes retenus sont donc l'application de la loi du lieu de commission et de matérialisation du délit (un acte de contrefaçon par exemple) d'une part, et la compétence du tribunal du lieu où ce fait dommageable s'est produit, en application de la Convention de Bruxelles du 27 septembre 1968 (concernant la compétence judiciaire et l'exécution des décisions en matière civile et commerciale) d'autre part.

Le phénomène de l'appropriation frauduleuse de nom de domaine ou « cyberpiratage » (également appelé *cybersquatting* ou *domain name grabbing*) constitue l'un des problèmes les plus répandus sur Internet : le titulaire d'une marque déposée qui souhaite enregistrer sa marque en tant que nom de domaine se voit opposer un nom de domaine identique à sa marque et enregistré antérieurement. Ce problème est inhérent à la règle du « premier arrivé, premier servi » : la première personne qui demande l'enregistrement d'un nom de domaine en bénéficie, sans se soucier notamment des éventuels dépôts de marques antérieurs ou à l'inverse, à seule fin de le monnayer auprès du légitime propriétaire de la marque. Il en résulte qu'un nombre très conséquent de noms de domaine correspondant à des marques – souvent notoires et donc souvent plus rémunératrices en cas de transfert du nom – a été et est toujours enregistré en dépit du droit du titulaire du signe distinctif. De nombreuses sociétés ont d'ailleurs été les victimes de ce qui est qualifié de contrefaçon, voire de racket organisé.

Aux États-Unis, en raison notamment du nombre conséquent d'actions en justice intentées suite au cyberpiratage, ce dernier a fait l'objet d'une loi adoptée le 29 novembre 1999, le *Trademark Cyberpiracy Prevention Act* (H.R. 3028), qui se réfère au *Lanham Act* du 5 juillet 1946 (15 USC §§ 1051-1127). Cette dernière permet d'engager des poursuites contre une partie qui aurait violé les droits du titulaire d'une marque et d'attaquer les personnes qui, de mauvaise foi, enregistrent à titre de nom de domaine, des marques, ou des noms suffisamment similaires à ces marques afin de les revendre à des prix élevés aux titulaires de ces marques.

Ainsi, les décisions condamnant des cyberpirates représentent une part significative des décisions de justice rendues en matière de noms de domaine, en particulier quand les marques concernées sont déposées dans des classes de services telles que la classe 38 (télécommunications) et la classe 42 (services informatiques). Ces décisions ont notamment concerné en France des entreprises

N

1. Les premières décisions relatives aux noms de domaine ont été rendues aux Etats-Unis à partir de 1994.
2. Ordonnance de référé du 22/07/96 du TGI de Bordeaux, relative à la contrefaçon de la marque *Atlantel* par un nom de domaine enregistré en « .com ».
3. Ordonnance de référé *Total-Fina* du 25 février 1999 du Tribunal de Grande Instance de Paris.

comme L'Oréal ou Sony. Aux États-Unis, de très nombreuses décisions ont été rendues à ce jour, dont celle relative à l'enregistrement par une société de plus de deux cents noms de domaine (!), dont neiman-marcus.com, crateandbarrel.com, northwestairlines.com et ramadainn.com. De même, considérant que ses marques étaient contrefaites, la société Ford a lancé une action en justice en octobre 2000 contre une longue liste de cyberpirates titulaires de noms de domaine comprenant les mots Volvo, Ford ou Jaguar, dont « jaguarsales.com », « fordshowrooms.com », « ejags.com », « drivevolvos.com », « oldfords.com », « win-a-ford.com ».

La plupart des juridictions retiennent la contrefaçon de la marque du seul fait de l'enregistrement du nom de domaine qui la reproduit en rappelant les principes de la contrefaçon de marque. Sont interdits la reproduction, l'usage ou l'apposition d'une marque pour des produits ou services identiques ou similaires à ceux désignés dans l'enregistrement, sauf autorisation du propriétaire.

Les atteintes au droit des marques sont sanctionnées par le régime de la contrefaçon mais aussi sur le fondement de la concurrence déloyale qui consiste à agir dans le but de porter préjudice au titulaire de la marque en créant un risque de confusion. Les décisions interdisent le plus souvent l'usage du nom litigieux et condamnent les défendeurs à procéder aux formalités de transfert du nom de domaine litigieux au bénéfice de l'autre partie, qui est le plus souvent titulaire de la marque antérieure. Le fondement de concurrence déloyale est également largement utilisé pour protéger d'autres signes que la marque, tels que la dénomination sociale ou le nom commercial, notamment quand l'activité des deux parties est identique ou voisine, auquel cas la volonté de s'approprier l'image, la renommée de l'autre ou de détourner la clientèle du concurrent à son profit est plus facilement sanctionnée par les tribunaux.

Pour illustration, la célèbre jurisprudence *Alice* [1] dénie l'existence de concurrence déloyale du fait de l'absence de risque de confusion dans l'esprit du public entre les activités exercées par les deux parties et de l'absence de preuve d'une notoriété dépassant le domaine d'activités de la société (une agence de publicité) qui s'opposerait à l'enregistrement d'un nom de domaine identique à sa dénomination pour des services d'édition de logiciels. Le tribunal a donc appliqué le principe de spécialité en constatant que les deux entités avaient des activités distinctes, c'est-à-dire ni identiques, ni même similaires

En outre, les conflits entre deux noms de domaine identiques ou similaires, enregistrés dans des zones distinctes (« .com » et « .fr »), voire dans la même zone (pour les noms qui présentent des similitudes visuelles, phonétiques ou d'ordre intellectuel) se résolvent essentiellement dans le cadre d'actions en concurrence déloyale, qui sanctionnent des agissements parasitaires.

• La procédure administrative

Le développement des contentieux en matière de noms de domaine a conduit à l'élaboration de règles par l'ICANN, société chargée de gérer les noms de domaine à l'échelle internationale. Ces règles n'empêchent pas de recourir à une procédure judiciaire avant, pendant ou même après les décisions de la commission administrative qui statue sur ces litiges.

Les nouvelles règles de résolution des conflits sont essentiellement limitées aux situations de cyberpiratage portant atteinte au droit des marques, pour les

1. Jugement du 23 mars 1999 du tribunal de grande instance de Paris.

domaines génériques de premier niveau (« .com », « .org », « .net ») et quelques domaines géographiques dont « .gt » (Guatemala) ou « .tv » (Tuvalu), qui ont adhéré à la procédure administrative de l'ICANN. La plupart des autres zones, dont celle en « .fr », ont pour seul recours la procédure judiciaire en cas de conflit.

Les trois conditions de fond cumulatives suivantes doivent être remplies afin que le cyberpiratage du nom du « requérant » par le « défendeur » soit reconnu :

– le nom de domaine litigieux doit être identique ou similaire au point de créer une confusion avec la marque de produits ou de services sur laquelle le requérant a des droits ;

– le nom de domaine doit avoir été enregistré délibérément et utilisé de mauvaise foi à l'encontre des droits du titulaire de la marque, auquel cas il est transféré ou radié. Cette condition est remplie dès lors que, par exemple, le nom de domaine a été enregistré dans le but de perturber les activités d'un concurrent, d'empêcher le titulaire de la marque de l'utiliser comme nom de domaine ou encore de le céder à titre onéreux au titulaire de la marque ;

– la personne ayant enregistré le nom de domaine en cause doit également n'avoir aucun droit sur le nom, ni aucun intérêt légitime qui s'y attache. En conséquence, le défendeur qui démontre avoir réellement utilisé le nom de domaine qu'il a enregistré en offrant en toute bonne foi des produits et des services peut conserver son nom de domaine et ne pas être contraint de le transférer. La solution est identique si le défendeur a acquis une certaine notoriété par l'usage du nom de domaine concerné ou s'il en fait un usage loyal sans intention de créer une confusion ou d'en tirer un avantage financier à l'encontre du titulaire de la marque.

Les institutions de règlement des conflits chargées de trancher les litiges relatifs aux enregistrements abusifs de noms de domaine sont l'Organisation mondiale de la propriété intellectuelle (OMPI), le *National Arbitration Forum* et *eResolution*, qui ont tous trois été agréés à la fin de l'année 1999. La personne qui effectue la requête choisit indifféremment l'institution de règlement qu'elle souhaite et peut introduire sa plainte en ligne. En pratique, le recours à cette procédure s'est considérablement développé, depuis la première décision rendue par le Centre d'arbitrage de l'OMPI le 14 janvier 2000 [1], essentiellement en raison de sa rapidité et de son coût peu élevé. Parmi les décisions de l'OMPI les plus commentées, on peut citer celle datant du 29 mai 2000, relative au nom de domaine « juliaroberts.com », ce dernier ayant été transféré à l'actrice de cinéma américaine Julia Roberts, après son enregistrement par un cyberpirate (Case n° D2000-0210).

Près de 1 840 plaintes (dont la moitié concernant des parties d'origine américaine) ont été déposées entre les mois de janvier et décembre 2000. D'après les statistiques de l'OMPI, parmi les litiges tranchés, il s'avère que près de 64 % des noms sont transférés, plus de 20 % font l'objet de retrait et 14 % des plaintes sont rejetées. L'ensemble des parties en présence représentent plus de cinquante pays ou territoires sur tous les continents. La plupart des décisions adoptées sont donc favorables aux propriétaires des marques, qui se voient transférer ainsi les noms de domaine litigieux ou obtiennent leur radiation, sans qu'ils puissent toutefois obtenir le versement de dommages-intérêts de la part du défendeur.

1. World Wrestling Federation Entertainment, Inc. V. Michael Bosman (Case N° D99-0001).

À l'époque des balbutiements d'Internet, c'est-à-dire il y a seulement quelques années, les noms de domaines furent créés afin de pouvoir servir d'identifiant sur Internet. Le développement du commerce électronique et l'essor du réseau ont finalement transformé les noms de domaine en actifs économiques, présents non seulement dans le monde virtuel mais aussi dans le monde « réel », par le biais des magazines ou des spots publicitaires qui font la promotion de sites web. Toutefois, comme cela a été mentionné, une telle croissance n'est pas exempte de « dérapages » et de questionnements d'ordre juridique, tels que ceux suscités par les nombreux conflits entre les noms de domaine et les signes distinctifs que certains qualifient aujourd'hui de « traditionnels », comme les marques.

Bibliographie

Ouvrages :

- BERTRAND (André), *Droit des marques et des signes distinctifs*, Cedat, Paris, 2000.
- CHAVANNE (Albert), BURST (Jean-Jacques), *Droit de la propriété industrielle*, Dalloz, Paris, 1998.

Webographie

- http://www.afnic.asso.fr
- http://www.icann.org
- http://www.wipo.org
- http://www.juriscom.net
- http://www.legalis.net
- http://www.networksolutions.com
- http://www.nic.fr
- http://www.sosdomaines.com
- http://www.lawoffices.net

Nouvelle économie

Diffusion à l'ensemble des activités économiques de gains plus ou moins importants de productivité dus à l'utilisation de certaines technologies de l'information (numérisation et communications à haut débit). En bouleversant la concurrence et l'organisation industrielle, ce processus engendre des modèles d'affaires inédits fondés sur la valorisation des flux informationnels et il s'accompagne d'une réévaluation importante et instable des actifs des firmes.

Le débat

Le débat sur la nouvelle économie naît aux États-Unis à la fin des années 1990. Son point de départ réside dans l'analyse des mécanismes de la croissance exceptionnelle de l'économie américaine, amorcée en 1992, et qui s'accélère à partir de 1995. Pour la première fois depuis les années 1960, cette croissance fait apparaître des gains de productivité très importants.

ACCÉLÉRATION DE LA CROISSANCE DE LA PRODUCTIVITÉ
DES SECTEURS NON AGRICOLES APRÈS 1995

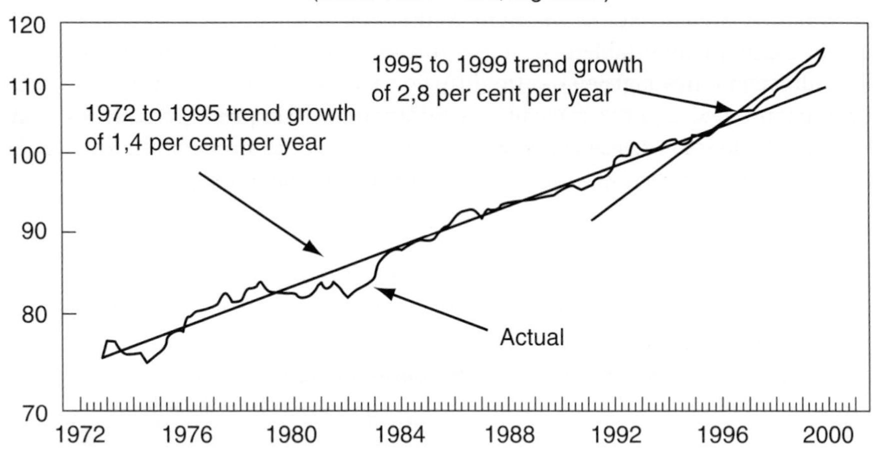

Source : U.S. Department of Labor, Bureau of Labor Statistics.
Extrait de Digital Economy 2000/www.ecommerce.gov

Le contenu du débat est le suivant :

– pour les tenants de la nouvelle économie, dont Alan Greenspan (1999), gouverneur de la Banque centrale des États-Unis, les gains de productivité élevés obtenus dans les technologies de l'information (TI) diffusent dans toute l'économie en engendrant de « nouvelles façons de faire des affaires » ;

– pour les sceptiques, notamment le statisticien Robert Gordon (1999), rien dans les performances de l'économie américaine ne prouve une extension rapide des gains de productivité des TI aux autres secteurs, qui justifierait la remise en cause des schémas interprétatifs traditionnels (compétitivité de la main d'œuvre, baisse du chômage, hausse de l'investissement, etc.).

Ce débat agite d'abord les macroéconomistes qui discutent de la réalité, de l'amplitude et des causes des gains observables dans la productivité moyenne du travail et dans la productivité totale des facteurs (PTF). La discussion porte sur cette boutade du Prix Nobel Robert Solow en 1987 [1], selon laquelle l'ordinateur serait partout, alors que les gains de productivité censés leur être associés n'apparaissent nulle part. Néanmoins, à partir de 1995, il s'avère que la croissance annuelle moyenne de la PTF connaît une accélération sensible : elle passe de 0,34 % sur la période 1973-1995 à près de 1 % après 1995. Ces chiffres sont mis en rapport avec les gains de productivité mesurés dans la production des semi-conducteurs (loi de Moore), l'accélération de la baisse des prix de ceux-ci à partir de 1995 et l'accroissement de la part relative des TI dans les biens d'investissement.

Dès l'an 2000, les observateurs et les commentateurs semblent s'accorder sur les points suivants [2] :

– le processus est trop récent pour qu'une interprétation unique s'impose : les gains de productivité de la fin des années 1990 n'ont pas encore dépassé ceux des années 1960 et du début des années 1970 ;

1. Solow (1987) lance le *productivity paradox* : « You can see the computer age everywhere but in the productivity statistics ».

2. Deux références dans ce domaine : le rapport *Digital Economy* 2000 publié par le Department of Trade et l'excellente étude de Dale Jorgenson et Kevin Stiroh (2000).

– les statistiques souffrent de l'absence d'indicateurs de production à « qualité constante », ce qui biaise la plupart des mesures ;

– sur la période 1995-1999, les TI contribuent en moyenne pour près de 30 % à la croissance du PIB américain et, pour près de 66 %, à la croissance de l'investissement en capital fixe (ou en biens d'équipement) ;

– s'il existe incontestablement une diffusion des TI dans l'économie (adoption des ordinateurs, des logiciels), cette diffusion n'a rien d'une dissémination virale transmettant aux secteurs intensifs en information (banques, services) les gains de productivité issus des secteurs de l'informatique et des télécommunications. Le processus est progressif et encore passablement difficile à apprécier.

CROISSANCE DE LA PRODUCTION DE SYSTÈMES INFORMATIQUES, ÉQUIPEMENTS TÉLÉCOMS ET SEMI-CONDUCTEURS AUX ÉTATS-UNIS

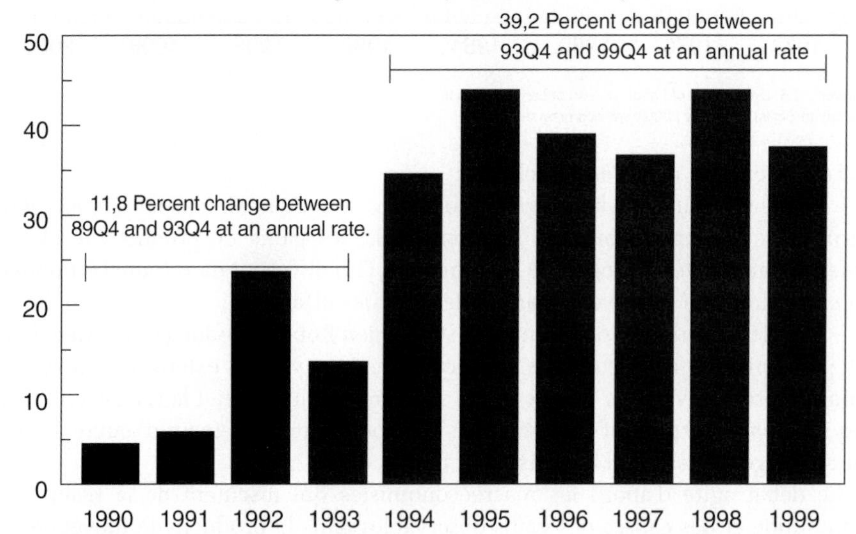

Source : Board of Governors of the Federal Reserve.
Extrait de Digital Economy 2000/www.ecommerce.gov

La nouvelle économie traite donc du processus de diffusion dans le tissu industriel des gains de productivité associés aux TI, autrement dit, de la numérisation de l'information, de son traitement dynamique et de son transport sur des réseaux à haut débit. Pour cette raison, on devrait préférer l'appellation d'économie numérique (*digital economy*), faisant référence à l'information numérisée, sans pour autant trancher la question d'une éventuelle rupture de paradigme. En outre, si la dimension macroéconomique est essentielle pour apprécier l'importance et la signification du phénomène, c'est néanmoins à l'échelle de la firme que s'opère le processus d'adoption et de diffusion des TI. C'est à cette échelle que se concrétisent les opportunités d'affaires (*start-ups*, *e-business*), les processus concurrentiels et coopératifs, les rapprochements et les destructions d'actifs. L'économie (numérique ou nouvelle) doit donc, d'une part, viser à caractériser les gains de productivité associés aux TI, et, d'autre part, pour reprendre une image schumpétérienne, analyser les processus de création-destruction par lesquels les TI transforment les chaînes de valeur et les actifs des firmes.

Source des gains de productivité numériques

Les gains de productivité associés aux TI proviennent de deux processus technologiques majeurs.

• La progression des semi-conducteurs

À partir de l'invention du transistor (1948), la capacité des circuits logiques double tous les dix-huit mois. En 1972, un processeur Intel 8008 équivalait à 2 000 transistors. En 2000, un Pentium III équivaut à 20 millions de transistors. La puissance des machines numérisantes ne cesse de s'élever, tandis que le cycle d'une opération élémentaire tombe d'une milliseconde dans les années 1950 à quelques femtosecondes (10^{-15} s) dans les années 2000. À cela s'ajoute la baisse de prix spectaculaire des ordinateurs : une machine qui valait 100 en 1987, ne coûte plus que 50 en 1995 et seulement 7 en 1999. La diffusion formidable des ordinateurs qui accompagne cette tendance engendre la numérisation de tous les vecteurs de sens : caractères, sons, images, informations de toute nature…

1995 : ACCÉLÉRATION DE LA BAISSE DES PRIX DES PC

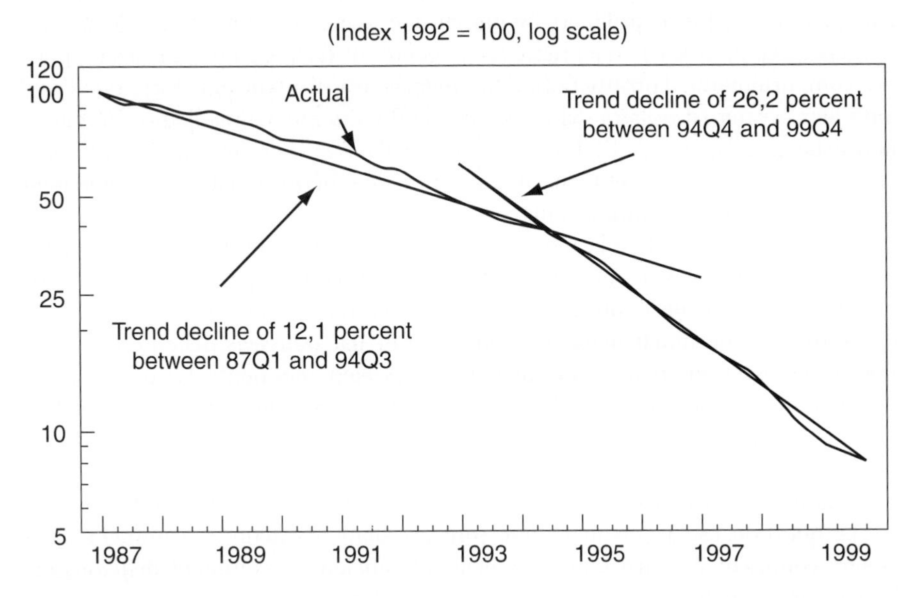

Source : U.S. Department of Labor, Bureau of Labor Statistics.
Extrait de Digital Economy 2000/www.ecommerce.gov

Le développement du transport par fibre optique

Avec l'amplificateur optique (1964), il devient possible de déployer à grande échelle des réseaux de transport numériques dans lesquels chaque fibre peut recevoir l'équivalent de dizaines de millions de conversations téléphoniques, d'où un accroissement considérable de la capacité de transport des réseaux de télécommunication, la mise en réseau des machines numérisantes et l'émergence du transport de données sous protocole IP (Internet) [1 2].

Au demeurant, ces deux processus se combinent : les ordinateurs sont mis au service de la gestion des réseaux et, réciproquement, les réseaux favorisent la connexion des moyens de saisie, de stockage et de traitement des informations. Les logiciels sont au cœur de cette articulation avec notamment le multiplexage et la commutation par paquets qui permettent, à capacité physique équivalente, le transport et l'adressage sur les réseaux numériques de flux d'informations bien plus denses que sur les réseaux analogiques. Ces gains sont encore loin d'être saturés : la capacité de transport des fibres continue d'augmenter, les protocoles de gestion de réseaux s'améliorent et les commutateurs optiques devraient supprimer des conversions optoélectroniques au sein des réseaux...

La conséquence économique principale de ces innovations est que tout contenu informationnel peut être diffusé à coût quasi nul, quelle que soit la distance. La version papier de l'*Encyclopedia Universalis* coûte à son éditeur plus de 300 €, le CD-Rom revient à 1 €, le téléchargement à partir d'un serveur est quasiment gratuit. De même, on estime qu'une transaction bancaire revient environ à 1 € en agence, à 0,45 € par téléphone, à 0,25 € sur un automate et à 0,25 € *via* Internet.

Si les technologies numériques font apparaître des coûts d'exploitation plus faibles, leur mise en œuvre systématique requiert cependant des investissements importants, lesquels concurrencent les actifs traditionnels des entreprises. L'ampleur des gains de productivité numériques constitue une menace de destruction créatrice pour les actifs antérieurs, engendrant de la part des firmes en place des comportements d'obstruction. Cette menace est d'autant plus forte que l'actif antérieur est massif et la position de marché dominante. Le meilleur exemple est la résistance à l'adoption des fibres optiques par AT&T dans les années 1970 : leur introduction aurait en effet menacé sa position de monopole naturel sur le marché américain des télécommunications [3].

Dans un texte revenu à la mode, Schumpeter décrit cette destruction créatrice comme « le processus de mutation industrielle – si l'on me passe cette expression biologique – qui révolutionne incessamment de l'intérieur la structure économique, en détruisant continuellement (*en note* : en fait par poussées disjointes) ses éléments vieillis et en créant continuellement des éléments neufs. Ce processus de destruction créatrice constitue la donnée fondamentale du capitalisme : c'est en elle que consiste, en dernière analyse, le capitalisme et toute entreprise capitaliste doit, bon gré mal gré, s'y adapter [4]... ».

La destruction créatrice constitue, à coup sûr, le processus de la diffusion des TI. La question est de savoir ce que sont les éléments neufs et comment ils se créent, comment ils s'articulent aux éléments anciens et comment disparaissent les éléments vieillis.

1. Desurvivre et Chernoy (1997).
2. Digital Economy 2000.
3. Nathan Rosenberg (1997) décrit cette obstruction dans une analyse particulièrement convaincante de l'industrie des Telecoms aux Etats-Unis.
4. Capitalisme, Socialisme et Démocratie, pages 116-117. Ce texte date de 1942 et nous semble définir avec beaucoup de clarté ce que beaucoup entendent aujourd'hui par Nouvelle Economie.

Diffusion des TI à l'échelle des firmes

Dans le débat sur la nouvelle économie, la démarche des macroéconomistes consiste à mettre en lumière des découpages sectoriels, séparant les activités productrices de TI des autres activités économiques de manière à faire apparaître des divergences et des corrélations. En raisonnant à l'échelle des firmes, on peut distinguer les firmes actrices du déploiement des infrastructures TI (télécommunications, informatique, software...), des firmes au sein desquelles les TI vont trouver à se déployer et qui constituent, en quelque sorte, le marché des précédentes. Il faudra identifier dans ces dernières les actifs numérisables, les modalités de la numérisation (interne ou externe) et l'articulation des actifs numérisés avec le reste de la firme : ce processus est communément appelé *e-business*.

Les firmes du déploiement

Un des éléments structuraux de la diffusion des TI est le déploiement des réseaux à haut débit, sorte de seconde génération pour les réseaux de télécommunication. C'est lui qui conditionne la connectivité et le rythme de la numérisation des entreprises et des ménages. Ce processus n'engage pas seulement les firmes de télécommunications, mais aussi toutes celles du secteur informatique impliquées dans la gestion des réseaux et la vente de terminaux et d'applications numériques. Néanmoins, le déploiement de ces réseaux est un processus lent et très fortement capitalistique dans lequel des segments à haut débit se substituent progressivement à des infrastructures de la génération précédente. Or, les réseaux de télécommunication de la première génération ont été développés dans le cadre de monopoles naturels réglementés et représentent des actifs industriels considérables. Ces actifs bénéficient en outre, grâce à l'interconnexion, des accroissements de productivité et de trafic résultant du déploiement d'éléments neufs dont ils peuvent freiner la pénétration. Le processus par lequel chaque pays déréglemente ces monopoles, autorise la pénétration de nouveaux entrants, arbitre la concurrence entre opérateur historique et les nouveaux entrants, est déterminant dans le rythme du déploiement et la suite du processus de diffusion des TI. La décision américaine de démanteler dès 1982 le monopole historique des télécommunications pour accélérer le déploiement de liaisons en fibre optique sur les segments longue distance est fondamentale dans le développement d'Internet et dans l'avance technologique et économique actuelle des États-Unis. Elle est souvent citée comme le point de départ de l'économie numérique. Par la suite, les modalités de mise en œuvre de l'interconnexion, du dégroupage de la boucle locale historique, de l'attribution de fréquences radio (GSM, LMDS et UMTS), constituent autant de facteurs essentiels du processus de déploiement [1].

Le téléphone a constitué la première forme de commerce électronique. C'est dans le secteur des télécommunications que les TI ont d'abord fait surgir une concurrence porteuse d'innovations techniques et commerciales radicales. C'est par les télécommunications que diffusent toutes les innovations associées aux TI. Pour ces raisons, la remise en cause des réseaux historiques par l'irruption de réseaux alternatifs préfigure les transformations des firmes de réseaux. Le processus de création/ destruction de réseaux apparu dans les télécommunications

N

1. Bomsel et Leblanc (2000).

N

constitue le paradigme des dynamiques concurrentielles ouvertes par l'économie numérique.

La diffusion au sein des firmes-réseaux : l'e-business

L'économie industrielle présente souvent la firme comme une boîte noire, un système créateur de valeur ajoutée en concurrence sur ses *inputs* et ses *outputs*. Ce dispositif ne permet pas de séparer clairement la partie informationnelle de la dimension physique des activités de la firme. Pour obtenir ce résultat et faire jouer l'analogie avec les processus apparus dans le secteur des TI, il convient d'introduire la notion de réseau, associée à celle de coût de sortie.

Qu'est-ce qu'un réseau ? En termes économiques, c'est un marché captif dans lequel le client fidélisé doit, pour changer de fournisseur, payer un coût de sortie. Ce coût de sortie (*switching cost*) dépend du mécanisme de verrouillage (on dit aussi de fidélisation, de capture) par lequel le réseau assure son exclusivité vis-à-vis du client [1].

Le fait de représenter une firme par son marché (ses clients), en y associant un degré de capture et un potentiel de croissance ne doit pas choquer *a priori* : c'est bien ainsi que sont évaluées par les analystes financiers un nombre grandissant de firmes (opérateurs télécoms, réseaux bancaires, médias, fournisseurs d'utilités, distributeurs, fournisseurs d'accès Internet, etc.).

Un réseau s'accroît par extension de clientèle, élévation de la dépense moyenne (panier moyen) et, le cas échéant, élévation du coût de sortie. Or, la notion de coût de sortie recouvre deux dimensions, l'une physique, l'autre informationnelle (numérique) :

– les coûts de sortie physiques sont liés à des effets de monopole naturel de la firme dans l'environnement géographique du client. C'est le cas d'un client prisonnier d'une zone de chalandise : celle d'un opérateur de télécommunication, d'un réseau bancaire (La Poste, Crédit agricole...), d'un hypermarché... Dans une telle zone, la firme en place empêche l'entrée de concurrents car l'investissement en infrastructures alternatives n'est pas rentable. Le client désireux d'échapper à la firme doit sortir physiquement de la zone de monopole, d'où un coût ;

– les coûts de sortie informationnels (numériques) résultent des flux d'informations échangés entre la firme et le client. Ils recouvrent des coûts d'apprentissage du client (logiciels par exemple), mais aussi de la firme vis-à-vis du client (relation bancaire, *scoring*), des coûts de portage (coût du transfert des informations liant le client et la firme), des effets de marque (représentations de la firme valorisées par le client), des effets de « bouquet » (*bundling*) exploitant les différentiels de consentement à payer entre clients et entre produits, et des externalités de réseau ou effets de club (valorisation des flux entre clients)... Le monopole de Microsoft est ainsi largement assis sur des coûts de sortie informationnels : apprentissage des utilisateurs, coûts de portage, effet de marque, exploitation des effets de club par la compatibilité et le *bundling* (offre groupée) de produits.

En présentant la firme comme un réseau, autrement dit un marché captif dans lequel le client doit, s'il veut échapper à la firme, payer des coûts de sortie, il devient possible de séparer ses actifs. On appellera donc « tuyau » ou réseau

1. Shapiro et Varian (1999)

« briques & mortier », l'actif engendrant des coûts de sortie physiques, et réseau numérique, ou parfois « click », celui engendrant des coûts de sortie informationnels. Chaque firme combine, selon des modalités particulières, des tuyaux et du flux numérique. Cette représentation permet d'apprécier les processus par lesquels les gains de productivité associés aux TI affectent les éléments et les liens d'une telle combinaison. Si la firme peut être présentée comme un réseau, l'économie industrielle, branche de l'économie dont la firme est le cœur, devient naturellement une économie des réseaux, une net-économie.

Ainsi, par exemple, un réseau de concessionnaires automobiles combine-t-il un tuyau – les concessions, ayant pour fonction d'acheminer les produits vers les clients – et un flux numérique – informations sur le produit (performances, prix), argumentaires de vente, offres de financement et d'assurance – concourant à motiver et structurer l'acte d'achat. Les concessions sont généralement en monopole naturel sur leur zone de chalandise. La numérisation, et notamment le développement d'Internet, va permettre le déploiement d'autres canaux d'échanges informationnels capables de motiver et de structurer l'achat hors de la concession, ne laissant à celle-ci que sa fonction tuyau. Aux États-Unis, 50 % des acheteurs de voitures ont préalablement consulté le Web. Quelles firmes joueront ce rôle d'intermédiaires informationnels, d'infomédiaires : banques, assurances, portails comparatifs, portails d'achats groupé ou d'enchères ? Comment, dans ce contexte, les constructeurs automobiles vont-ils restructurer leurs réseaux (tuyaux et numériques) de distribution ? Une réponse possible consiste à transformer l'acte d'achat en une relation de services (location de longue durée, abonnement) permettant d'établir un flux informationnel plus intense, élevant ainsi le coût de sortie de l'abonné client et rendant sa capture par un réseau tiers plus difficile.

Cet exemple met en évidence un certain nombre d'étapes du processus de création-destruction caractéristique de l'économie numérique :

– la numérisation, et notamment le développement d'Internet, engendre une séparation entre les flux informationnels et les tuyaux dans lesquels ils circulaient jusqu'alors. Cette séparation peut profiter à de nouveaux entrants exploitant des réseaux numériques purs (portails, fournisseurs de logiciels) [1] ou à des réseaux traditionnellement fournisseurs ou vendeurs de services liés (banques, assurances) qui peuvent désormais, grâce à la relation informationnelle, chercher à capturer le client pour le revendre au réseau initial. Ces entreprises valorisent ainsi la relation informationnelle avec leur client ;

– cette séparation des flux informationnels crée des opportunités d'entrées profitables pour des portails et des infomédiaires, autrement dit, de purs réseaux numériques capables d'adresser des clients à des réseaux tiers. Contrairement aux firmes historiques, ceux-ci n'ont rien à perdre à développer des réseaux numériques dont les modèles économiques vont dépendre des modalités de revente de la clientèle au réseau initial. De là un foisonnement de nouvelles entreprises (*start-ups*) visant à capter le plus rapidement possible des clients actuels des réseaux briques & mortier ;

– les coûts marginaux étant quasi nuls, les futurs profits et le potentiel de croissance des réseaux numériques sont proportionnels au nombre de clients, d'où la nécessité d'acquérir rapidement des parts de marché importantes et une forte notoriété. Seuls quelques acteurs parviennent à se maintenir sur des marchés

1. CarPoint de Microsoft fournit au consommateur américain un logiciel et des données pour comparer les voitures du marché selon 80 critères.

stabilisés, d'où le développement de stratégies très agressives de *winner-take-all* et *second-first-loser*[1] ;

– l'édification de nouveaux réseaux, l'instabilité de leurs modèles économiques et la nécessité d'acquérir rapidement une part de marché significative impliquent des modes de financement capables de supporter les risques d'échec. Les financements de projets traditionnels fondés sur l'anticipation de *cash-flows* actualisés sont inadaptés aux risques de ces entreprises. Le capital-risque, apportant des fonds propres contre des parts de capital libérables lors d'une introduction en bourse, constitue donc le mode de financement privilégié des réseaux numériques ;

– la menace concurrentielle suscite des ripostes inattendues des réseaux briques & mortier, contrant la pénétration des réseaux numériques purs. Dans notre exemple, l'évolution de la vente de produits physiques vers la prestation de services sous forme d'abonnement intensifie la relation informationnelle bilatérale entre le client et la firme : la vente devient personnalisée. La firme peut alors élever le coût de sortie du client par une offre de services adaptée à ses besoins spécifiques : changement du modèle à la demande, mise à disposition d'un véhicule supplémentaire, autres services de transport, de voyages, etc. En groupant des services sur la demande profilée du client, la firme (ici, le constructeur) peut, bien mieux que par la vente isolée d'un produit, dynamiser sa relation avec le client et se protéger de la concurrence des infomédiaires. Ce processus crée des incitations pour développer, cette fois au sein de la firme, des réseaux numériques (Web, plates-formes téléphoniques) pour gérer les nouveaux flux issus de la relation avec le client. La numérisation engendre ici moins une élévation de la productivité de la distribution qu'une évolution qualitative des prestations, assortie d'un accroissement des flux informationnels.

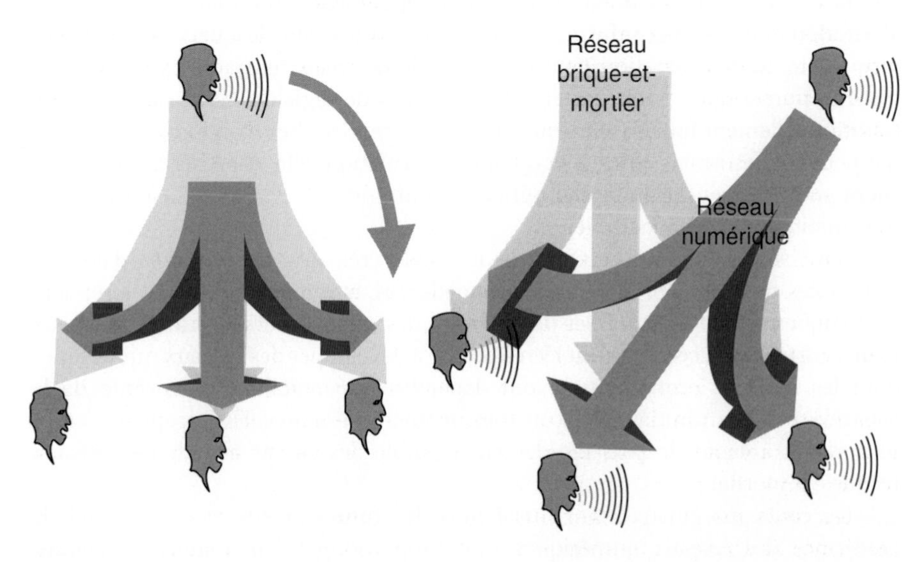

SÉPARER LES ACTIFS NUMÉRISABLES ET PROFITER DES TI POUR ÉLEVER LES COÛTS DE SORTIE INFORMATIONNELS

1. Le premier entré prend tout le marché. Le second est le premier perdant.

Cet exemple met en évidence la complexité du processus de diffusion des TI au sein des réseaux industriels, complexité encore accrue par l'effet de la mise en concurrence dans ce secteur des marques avec les distributeurs non intégrés. On voit qu'il s'agit de bien plus qu'une adoption généralisée de techniques plus productives, puisque, dans chaque cas, c'est la structure de l'industrie et de la concurrence qui sont transformées, selon la configuration technique, économique et institutionnelle des réseaux initiaux et la dynamique concurrentielle imposée par les nouveaux entrants.

Dynamiques industrielles de l'économie numérique

Le mécanisme fondamental de l'économie numérique est le potentiel d'élévation des coûts de sortie offert par l'intensification des flux informationnels sans contrainte de temps ni de distance. Les Américains parlent de *richness and reach* : richesse de l'information et extension instantanée du rayon d'action de la firme [1]. Ce mécanisme permet à une firme d'atteindre puis de capturer des clients où qu'ils se trouvent et, notamment, dans la zone où un monopole naturel les tient captifs. Il suppose la construction d'actifs numériques (de réseaux informationnels) qui constituent les éléments neufs du processus schumpétérien. Les éléments anciens (actifs historiques, briques & mortier, *incumbents*) s'interconnectent à ces éléments neufs ou leur font obstacle, en modifiant leur chaîne de valeur et en déployant leurs propres éléments. Ce processus n'élève pas mécaniquement la productivité des firmes : il accroît l'information échangée, élève la dépense moyenne des clients (en créant de la valeur ajoutée) et, dans certains cas, optimise la gestion des flux physiques et financiers.

La numérisation affecte l'ensemble des interfaces de la firme suivant les quatre axes de concurrence décrits par Michael Porter : clients, fournisseurs, employés, actionnaires. La firme échange désormais des informations numérisées – incluant parfois une transaction complète – avec chacun de ces acteurs. Bientôt peut-être, les firmes vendront-elles directement leurs titres sur leur site web et fixeront-elles les salaires en ligne par un mécanisme d'enchères. Mais, pour l'heure, les transactions en ligne et les dynamiques de formation de prix qu'elles induisent concernent avant tout les deux premières directions : l'achat d'*inputs* et la vente de produits. En fait, la numérisation s'est d'abord appliquée au maillon de la chaîne reliant le client final au produit : c'est là qu'opéraient les monopoles naturels (locaux) de la grande distribution et que le potentiel informationnel de la relation au client semblait le plus sous-exploité. Le commerce électronique est devenu le premier front de l'économie numérique :

– les grands *e-tailers* (détaillants électroniques) dont le modèle est Amazon (mais aussi Dell, 1-800 Flowers, CDNow...), ont séparé les fonctions de présentation et de vente des fonctions de stockage et d'assemblage. En établissant des liens directs avec le client, ils ont pu accumuler sur lui des informations qu'ils ont ensuite utilisées pour grouper de nouvelles offres et créer une connivence, une affinité. Ces firmes ne sont plus de simples vendeurs de livres, d'ordinateurs, de fleurs ou de CD musicaux : ce sont des infomédiaires cherchant à faire converger sur le profil du client le maximum d'offres commerciales correspondant à ses appétences,

1. Pour une discussion sur les nouveaux axes de la concurrence *richness, reach and affiliation* voir Evans & Wurster (1999)

ou encore, du point de vue du client, des navigateurs capables de le guider vers les offres les plus attractives ;

– dans les services financiers, les *e-brokers* (courtiers en ligne) ont identifié le passage des ordres de bourse comme le maillon le mieux adapté à la création d'une interface d'information intensive avec les clients les plus rentables de l'industrie bancaire. En association avec des fournisseurs de logiciels et des infomédiaires, ils ont développé des techniques abaissant le coût des ordres et améliorant la qualité de service au client final. Les clients ainsi capturés accèdent, *via* des infomédiaires, à de nouvelles offres de services financiers.

Dans ces exemples, la numérisation de l'interface attire le client et le groupement d'une offre (*bundling*) accroît sa dépense, élève son coût de sortie et le fidélise au réseau. D'autres réseaux numériques se créent sur des effets de club : portails d'enchères, de cartes de vœux, d'achats groupés, loteries gratuites, portails de communautés. Le point commun de ces tentatives est de rassembler le plus vite possible un grand nombre d'affiliés entretenant, par le truchement de la firme et sous son contrôle, des flux d'informations valorisables dans une relation marchande. C'est généralement la richesse des informations échangées qui fait le ciment du club, générateur d'externalités positives. Inversement, cette richesse peut dériver de l'adoption d'un standard. En offrant le téléchargement de musique gratuite sous format MP3, le portail MP3.com a imposé son standard et s'est créé une audience dont il a affiné les profils et valorisé le potentiel d'achat par des accords de partenariats avec des firmes marchandes (Sephora, CDNow...) dans une logique de *bundling*. Le portail Napster.com, qui permet la mise en réseau des ordinateurs de ses membres et le téléchargement d'un fichier MP3 à partir du disque de l'un d'entre eux vers un autre disque du réseau, entretient des liens informationnels très riches entre ses affiliés. Le premier effet est l'accès à de la musique gratuite et, à terme, à des offres groupées pour des clubs très ciblés. Ici, c'est l'offre gratuite de produits numériques (d'autant plus riches que les droits d'auteurs sont élevés) qui fonctionne comme produit d'appel d'une clientèle qui peut être valorisée auprès d'autres réseaux.

Le foisonnement des réseaux numériques entraîne la réaction des firmes assises sur des actifs briques & mortier. C'est sur la richesse du flux informationnel que se joue la compétition. Pour contrer les réseaux numériques et les infomédiaires, les réseaux traditionnels intensifient les flux d'information avec leurs clients. Au-delà de l'automobile, les formules d'abonnement fleurissent dans tous les domaines : téléphonie, fourniture d'accès Internet, médias, services financiers, services informatiques, conseil, recherche... En France, un des exemples les plus illustratifs est l'offre d'abonnement à l'année des exploitants de films en salle (UGC, Pathé, Gaumont et les grands indépendants), destinée à contrer l'infomédiation d'Allociné, premier portail français sur le cinéma, intégré sur la vente de billets à distance. Le risque des réseaux de salles est de voir Allociné s'approprier leurs clients et accroître ses marges sur les ventes de billets. Leur offre d'abonnement bouleverse la concurrence dans la distribution et l'exploitation des films et conduit au réexamen du dispositif institutionnel et réglementaire encadrant l'industrie du cinéma.

Dans les services financiers, le risque est de voir les nouveaux entrants (*cherry-pickers*, traduction française : écrémeurs) s'approprier les clients les plus rentables, ou encore de se faire concurrencer par des partenaires jusqu'alors simples apporteurs d'affaires : automobile, immobilier, grande distribution, etc. Ce risque pousse les réseaux bancaires à développer des canaux numériques (plates-formes téléphoniques, site web) offrant un service à distance et permettant une circulation mieux contrôlée et plus fluide de l'information sur les clients. Ces canaux bouleversent l'organisation industrielle du réseau et créent, au sein même de la banque, une concurrence avec l'actif traditionnel des agences. Une des raisons de la pénétration lente des gains de productivité numériques dans les services financiers, pourtant intensifs en information[1], tient probablement à l'ampleur des actifs physiques (réseaux d'agences) de ce secteur : les gains de productivité joueraient à plein si le transfert des opérations du canal physique vers les canaux numériques était total. Or, un tel transfert entraînerait *ipso facto* une destruction majeure d'actifs physiques et des suppressions d'emplois massives. La multiplication des canaux, assortie de l'intensification des flux informationnels et d'une exploitation commerciale progressive de ces flux, permet de temporiser le processus. L'enjeu ici n'est pas tant d'élever la productivité des facteurs que d'accroître le coût de sortie du client, par des offres valorisant l'information commerciale disponible.

Symétriquement, la plupart des entreprises vont trouver, en amont, des gains de productivité dans la numérisation des procédures d'achats, génératrices d'asymétries d'information et pouvant représenter jusqu'à 85 % du chiffre d'affaires de la firme (*e-procurement*). Des plates-formes d'achat en ligne émergent dans la plupart des filières industrielles. Ces « places de marché » numériques introduisent des informations nouvelles qui réduisent les asymétries entre acheteurs et vendeurs : appels d'offres ouverts, publication de commandes et de stocks, enchères inverses, affichage des cours des dernières transactions, etc. Elles peuvent être opérées par des infomédiaires. Mais ceux-ci dépendent de l'accord des grands donneurs d'ordres qui souhaiteront intégrer ces procédures – sans coûts de sortie insupportables – dans leur gestion automatisée de production. En outre, seuls les produits banalisés, standardisés – les commodités – se prêtent, pour l'heure, à ce genre de transactions. Les firmes acheteuses sont donc engagées dans un processus de standardisation des prescriptions d'achat visant à élargir la concurrence sur l'offre et à profiter des mécanismes dynamiques de formation de prix. Ce processus qui convoque tous les départements prescripteurs est, lui aussi, intensif en information et diffuseur de numérisation.

Pour terminer cet inventaire, il faut évoquer la concurrence active entre les marques et leurs distributeurs. Les marques sont des flux d'informations plus ou moins riches transmis par les fabricants aux consommateurs de leurs produits. Ces flux établissent non seulement la confiance du consommateur dans la firme, mais aussi des représentations valorisantes pour le produit. L'univers du sac Hermès ou de la poupée Barbie joue un rôle déterminant dans le consentement à payer du client pour ces marques, lequel constitue un coût de sortie informationnel. Ce consentement à payer fait usuellement l'objet d'un partage entre le fabricant et les distributeurs qui valorisent des monopoles locaux. La numérisation engendre ici une concurrence nouvelle. Pour le distributeur, il s'agit de résister à la menace du commerce électronique sur son monopole local, en intensifiant les flux informationnels avec ses clients pour élaborer une offre fidélisante. Pour la marque, il s'agit d'établir une interaction directe avec le consommateur afin, d'une part, d'adapter plus finement son image aux attentes individuelles (et de relever encore le consentement à payer) et, d'autre part, de canaliser le client vers le circuit de

1. Ce paradoxe est relevé dans l'analyse de Jorgenson-Stiroh (2000)

distribution laissant la marge la plus avantageuse. Ainsi, la plupart des marques de grande consommation (Nestlé, Danone, Unilever, Mattel, etc.) ont-elles mis en place des portails et des centres d'appels pour interagir directement avec leurs clients et s'établir progressivement en infomédiaires de leurs distributeurs. Les marques se numérisent en créant de nouveaux réseaux.

À travers ces exemples, le processus de diffusion apparaît plus clairement. Des réseaux numériques se créent en tant qu'éléments neufs. Ils poussent les firmes traditionnelles à numériser leurs actifs. Les déployeurs de réseaux de télécommunication eux-mêmes doivent, au-delà des nouveaux « tuyaux », intégrer des portails, des navigateurs, pour fidéliser le client et capter ses dépenses le long de la chaîne du Web. L'édification de coûts de sortie numériques est au cœur de la mutation industrielle et de la transformation des chaînes de valeur. Cette dynamique conduit à une réévaluation permanente des actifs et à des recombinaisons, soit par partenariats et interconnexions (reversement de commissions contre apport de trafic), soit par fusions et rachats arbitrés par les marchés financiers.

Bibliographie

Ouvrages :

- EVANS (Philip), WURSTER (Thomas), *Getting real about virtual commerce*, Harvard Business Review, Boston, novembre-décembre 1999.
- GADREY (Jean), *Nouvelle économie, nouveau mythe ?*, Flammarion, Paris, 2001.
- PORTER (Michael E.), *Choix stratégiques et concurrence techniques d'analyse des secteurs et de la concurrence dans l'industrie, Traduction de « Competitive strategy »*, Economica, Paris, 1985.
- ROSENBERG (Nathan), *Exploring the Blackbox*, Cambridge University Press, Cambridge, 1997.
- SCHUMPETER (Joseph), *Capitalism, Socialisme et Démocratie*, Payot, Lausanne, 1998.
- SHAPIRO (Carl), VARIAN (Hal R.), *Information Rules*, Harvard Business School Press, Boston, 1999.

Revues et Rapports :

- *Has the « New Economy » rendered the productivity slowdown obsolete ?*, GORDON (Robert J.), téléchargeable sur le site de Northwestern University, USA, juin 1999.
- La Recherche n° 297, p. 64, *Des millions de conversation téléphoniques dans une fibre optique*, DESURVIVRE (Emmanuel), CHERNOY (José), avril 1997.
- New York Review of Books, *We'd better watch out*, SOLOW (Robert), juillet 1987.
- Note de l'IFRI n° 29, « Le nouveau défi américain », *Dynamiques industrielles et réglementaires des télécoms : une comparaison É tats-Unis/France*, BOMSEL (Olivier), LE BLANC (Gilles), La Documentation française – IFRI, Paris, novembre 2000.
- Working paper, *Raising the Speed Limit : US Economic Growth at the Information Age*, DALE (Jorgenson), STIROH (Kevin), djorgenson@harvard.edu, mai 2000.

Webographie

- http ://www.bog.frb.fed.us/borddocs/speeches/1999/19990506.htm
- http ://www.ecommerce.gov

Glossaire

- Numérisation des firmes/e-business : Les firmes combinent des actifs physiques (usines, stocks, magasins, agences...) et des actifs informationnels : fichiers clients, fournisseurs, salariés, actionnaires, gestion de production... La numérisation ou e-business est l'introduction de procédures numériques (ordinateurs, plates-formes téléphoniques, web...) dans le traitement des flux informationnels l'entreprise. Ce processus est d'autant plus difficile à mettre en œuvre qu'il provoque l'obsolescence des canaux informationnels antérieurs, voire des canaux briques-&-mortier dans lesquels ils s'inséraient (destruction-créatrice). Dans certaines industries (services financiers, medias...) la numérisation affecte tant l'organisation de la production que la livraison du service proprement dit.

- Destruction-créatrice : Selon Schumpeter, le processus de l'innovation dans le capitalisme. Extraits de « Capitalisme, Socialisme et démocratie », 1942, pages 116-117, Edition Payot 1980 : « L'ouverture de nouveaux marchés nationaux ou extérieurs et les développement des organisations productives depuis l'atelier artisanal et la manufacture jusqu'aux entreprises amalgamées telles que l'US Steel constituent d'autres exemples du même processus de mutation industrielle - si l'on me passe cette expression biologique - qui révolutionne incessamment de l'intérieur la structure économique, en détruisant continuellement (en note : en fait par poussées disjointes) ses éléments vieillis et en créant continuellement des éléments neufs. Ce processus de Destruction Créatrice constitue la donnée fondamentale du capitalisme : c'est en elle que consiste, en dernière analyse, le capitalisme et toute entreprise capitaliste doit, bon gré mal gré, s'y adapter... ».
 Schumpeter met en évidence que bien plus que la concurrence par les prix, c'est l'innovation technique et économique qui bouleverse les structures industrielles. Inversement, ces mêmes structures, si elles ne sont pas régulées, peuvent faire obstacle à l'innovation, perçue comme une menace. La numérisation des entreprises constitue une menace permanente sur les actifs briques & mortier.
- Firmes-réseaux : Sur le plan économique, un réseau est un marché captif dans lequel les clients sont tenus par des coûts de sortie. Une firme-réseau capture ses clients en construisant des coûts de sortie. Elle se développe par extension de clientèle, élévation de la dépense moyenne (panier moyen) et, le cas échéant, élévation du coût de sortie.
- Briques & mortier : Actif de la firme, généralement constitué d'infrastructures physiques, établissant un monopole naturel local. Synonyme : monopole naturel, tuyau.
- Groupement d'une offre (*bundling*) : Agrégation de biens ou services dans un bouquet. Le bouquet est facturé en fonction du consentement à payer des consommateurs et du coût marginal des services agrégés. Si le coût marginal des services additionnels est faible (cas des services numériques) l'offre groupée peut être facturée à un prix nettement inférieur à la somme des prix unitaires. De là des possibilités renouvelées de capture de clientèle.
- Écrémeurs (*cherry-pickers*) : Historiquement, opérateurs miniers n'exploitant que la partie la plus riche d'un gisement, quitte à dévaluer le reste de la zone. Par extension, nouveaux entrants ciblant la clientèle la plus rentable d'un marché.
- Coûts de sortie (*switching cost*) : La notion de coût de sortie traduit le processus économique par lequel un client peut changer de fournisseur. Le coût de sortie dépend du mécanisme de verrouillage (on dit aussi de fidélisation, de capture) par lequel la firme-réseau assure son exclusivité vis-à-vis du client.
 – Le coût de sortie recouvre deux dimensions, l'une physique, l'autre informationnelle (numérique) :
 - les coûts de sortie physiques sont liés à des effets de monopole naturel de la firme dans l'environnement géographique du client. C'est le cas d'un client prisonnier d'une zone de chalandise : celle d'un opérateur télécom, d'un réseau bancaire (La Poste, Crédit Agricole...), d'un hypermarché... Dans une telle zone, la firme en place bloque l'entrée de concurrents car l'investissement en infrastructures alternatives n'est pas rentable. Le client désireux d'échapper à la firme doit sortir physiquement de la zone de monopole, d'où un coût ;
 - les coûts de sortie informationnels (numériques) recouvrent des coûts d'apprentissage (transfert d'information) du client vis-à-vis de la firme et de ses produits (logiciels par exemple), de la firme vis-à-vis du client (relation bancaire, scoring, communication de marque), et des externalités de réseau ou effets de club (transferts d'information entre clients)... Le monopole de Microsoft est ainsi pour partie assis sur des coûts de sortie informationnels : apprentissage des utilisateurs, exploitation des effets de club par la compatibilité et le bundling (offre groupée) de produits.

N

Numérique

Adjectif qui qualifie les procédés de transmission, de traitement et de stockage de l'information utilisant des signaux constitués d'une suite de chiffres représentés en mode binaire (0 ou 1).

Les systèmes de communication connaissent depuis les années 1970 une transformation technologique rappelant celle que la science physique a vécue au début du XXe siècle avec la découverte de la théorie des quanta. La mécanique quantique a proposé alors une nouvelle vision du monde, fondée sur le nombre entier et la discontinuité, alors que les théories physiques du XIXe siècle reposaient toutes sur la notion de continuité inventée par Newton. D'une façon analogue, les techniques de numérisation des messages donnent aux systèmes de communication de nouvelles fondations, construites sur le nombre entier et le calcul mathématique, et remplacent inexorablement le vieux monde analogique, basé sur la manipulation instantanée de grandeurs physiques réelles continûment variables.

La vague de la numérisation a d'abord déferlé sur la voix, c'est-à-dire sur le téléphone, dans les années 1970, offrant à l'abonné des services de meilleure qualité et moins onéreux.

Les années 1980 ont vu la conservation et la reproduction des sons et des musiques gagner considérablement en qualité, avec l'invention et le développement du disque compact. Simultanément, le numérique envahissait les systèmes professionnels, les studios et les équipements de traitement du son et de l'image. Et le mariage de l'informatique et des télécommunications numérisées donnait naissance à la télématique et au Minitel tandis que simultanément se développait le réseau mondial Internet.

Aujourd'hui, ce sont toutes les formes d'images qui sont sur le point d'être conquises. Pour la télévision, des normes ont été adoptées et les matériels mis au point au milieu des années 1990. L'Internet « haut débit » va quant à lui bientôt arriver dans les foyers, grâce aux différentes « boucles locales » à large bande. Ainsi, la numérisation de l'image est le dernier maillon de l'événement technologique majeur de ce tournant de siècle, qui vient parachever l'expansion de l'empire du numérique.

Les inventions fondatrices

Deux innovations majeures de la science de l'après-Seconde Guerre mondiale, nées toutes les deux dans les laboratoires de la compagnie américaine Bell, expliquent la nature profonde de ce processus de numérisation.

La première est le transistor, inventé en 1948 par trois ingénieurs qui reçurent pour cela le prix Nobel en 1956. Fabriqué à partir de silicium, produit très répandu dans la nature, le transistor permet d'orienter la course des électrons dans la matière en utilisant comme levier de commande un courant ou une tension électrique. Remplissant les mêmes fonctions que le tube à vide électronique, le transistor est plus facile à fabriquer, plus économe en énergie, moins volumineux et plus fiable. Il possède en outre une qualité exceptionnelle par rapport au tube à vide : sa capacité de miniaturisation. Cela a permis d'en réunir, sous forme de circuits intégrés, plusieurs dizaines sur un même morceau de silicium, puis d'en inscrire des centaines et des milliers sur un plaquette de quelques centimètres carrés, grâce à des procédés de gravure sans cesse perfectionnés. Si, selon la célèbre loi de Moore, la puissance de ces circuits intégrés double tous les dix-huit mois, c'est parce que la finesse de la gravure augmente sans cesse, les traits atteignant désormais une largeur inférieure à 0,20 micron. Le circuit intégré est un instrument de calcul, manipulant les nombres binaires, mais c'est aussi un outil de stockage de l'information. La capacité des mémoires développées sur cette base n'a cessé d'augmenter au cours des dernières années. Aujourd'hui, elles peuvent conserver dans de très petits volumes des contenus très riches en information, comme des séquences complètes d'images animées.

La seconde innovation est due à un autre ingénieur des laboratoires Bell, Claude E. Shannon, qui formula en 1949 la théorie de l'information. Cette théorie est née progressivement dans le prolongement des techniques de communication développées pour les besoins militaires lors de la Seconde Guerre mondiale (ces besoins ont de tout temps été de puissants moteurs du développement des moyens de communication, la Première Guerre mondiale a ainsi été l'occasion de l'industrialisation des systèmes de transmission analogiques). Elle s'attache à la fois à définir et à mesurer l'information portée par des messages de toutes natures, à caractériser les canaux de transmission utilisés pour son acheminement, et à fixer des critères d'optimisation permettant la meilleure adaptation possible du canal au message qu'il doit transporter. Tous les perfectionnements ultérieurs des systèmes de communication, en particulier la numérisation du signal, s'appuient sur les concepts mis au point par Shannon. Mais l'application concrète des découvertes de la théorie de l'information nécessitait l'existence d'outils capables de traiter et de stocker l'information. Les moyens analogiques traditionnels étaient inaptes à cette fonction. Le développement, dès le début des années 1950, des moyens de calculs numériques, construits sur le transistor puis sur les circuits intégrés, allait fournir l'instrument de cette révolution. Plusieurs étapes durent être franchies.

Les procédés numériques de base

Le premier intérêt identifié de la numérisation du signal était celui de la qualité. En effet, quel que soit le soin mis à capter et à transmettre le signal analogique, des imperfections existeront toujours qui détériorent le signal original à la réception, sous forme de bruit ou de distorsions impossibles à éliminer.

L'idée est donc de transmettre, plutôt que des valeurs continues variables de la grandeur physique portant le message, des valeurs discrètes de celles-ci, c'est-à-dire non pas n'importe quelle valeur entre 0 et 1 volt par exemple, mais l'une quelconque de ces cent valeurs : 0-0,01-0,02 ... 0,98-0,99-1,00 volt.

Le saut minima entre ces valeurs doit être suffisamment grand pour que le bruit qui viendra s'y ajouter au cours de la transmission ait, le plus souvent possible, une intensité inférieure à ce saut. Il sera alors possible de reconstituer à la réception, avec une très bonne chance de succès, la valeur exacte émise à l'origine. Cette technique s'applique sans difficulté, dès lors que le message est lui-même discret, c'est-à-dire s'il ne peut prendre qu'un nombre fini de valeurs. C'est le cas d' un texte composé d'un nombre limité de signes. Le télégraphe Morse est sans conteste le premier système électrique de communication numérique.

Dans le cas d'une image ou d'un son, il faut d'abord transformer le signal continu délivré par l'équipement de captation, caméra ou micro, en un signal discret. Deux opérations vont assurer cette transformation : l'échantillonnage et la quantification.

L'échantillonnage consiste à ne mesurer le signal à transmettre qu'à des intervalles de temps réguliers, en négligeant les variations du signal entre deux instants successifs de mesure. La théorie de Fourier démontre que cet échantillonnage ne réduit pas la quantité d'information portée par le signal, pourvu que son rythme soit au moins le double de celui de la plus haute fréquence contenue dans le spectre du signal originel. Ainsi, un son musical qui contient des composantes aiguës montant jusqu'à 15 000 hertz devra être échantillonné 30 000 fois par seconde.

La seconde opération est la quantification. Chaque échantillon ainsi prélevé dans le signal est comparé à une échelle fixée a priori et comportant un nombre fini de valeurs. Il est remplacé par la valeur du « barreau » le plus proche de sa valeur mesurée. Pour reprendre l'exemple cité ci-dessus, pour une valeur mesurée à 0,56747 volt, l'on transmettra 0,57. C'est donc une valeur approximative du signal qui est transmise. Ce sont les propriétés physiologiques de la perception qui autorisent une telle simplification. Les sens ne perçoivent en effet de différence entre deux stimulations que pour autant que l'intensité de celles-ci diffère entre elles d'une quantité minima. Cette quantité n'est d'ailleurs pas invariable ; elle croît avec l'intensité de la stimulation. Une loi empirique établit en effet que la sensation est proportionnelle au logarithme de la stimulation. C'est d'ailleurs pourquoi il est plus commode de mesurer les intensités sonores en décibels, qui sont un logarithme de l'énergie acoustique.

NUMÉRIQUE : ÉCHANTILLONNAGE ET QUANTIFICATION

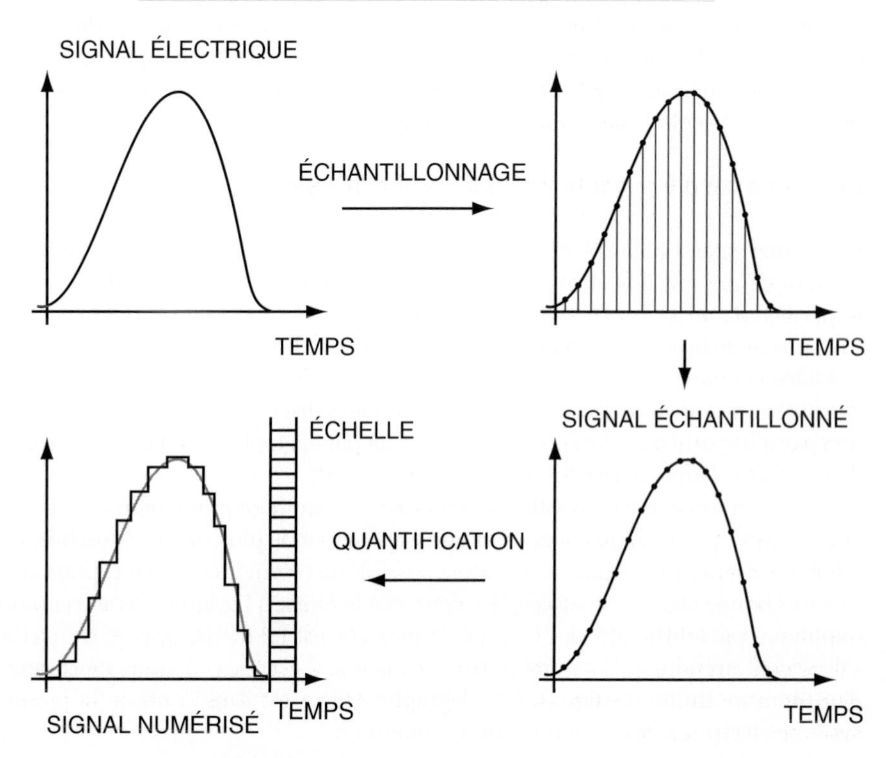

Échantillonné et quantifié, le signal audiovisuel est ainsi, pour la première fois numérisé, c'est-à-dire transformé en une suite de nombres appartenant à un ensemble fini (celui de toutes les valeurs correspondant aux barreaux de l'échelle). Il est commode de représenter ces nombres en base 2, donc sous la forme d'une suite finie de 1 et de 0. Ainsi la valeur 0,57 volt, soit 57 centièmes de volt, sera représentée par la suite 111001, soit une fois 2^5 (32) plus une fois 2^4 (16) plus une fois 2^3 (8) plus zéro fois 2^3 (0) plus zéro fois 2^2 (0) plus une fois 2° (1).

L'objectif de l'ingénieur est désormais de transmettre sans erreur cette suite au récepteur. Pour cela, il dispose d'un moyen, l'onde électromagnétique qui restera, par nature, analogique, avec son amplitude et sa fréquence. Chacune de ces deux grandeurs peut également être quantifiée à l'origine, et l'onde porteuse ne sera plus modulée continûment mais par de petits sauts quasi instantanés, portant sur l'amplitude, la fréquence ou les deux simultanément.

Le canal de transmission ajoute cependant toujours un bruit à l'onde émise par la source, c'est-à-dire un signal aléatoire plus ou moins intense et les valeurs d'amplitude et de fréquence effectivement reçues par le récepteur seront distinctes des valeurs d'origine. De temps en temps, lorsque le bruit aura été excessif, le récepteur sera trompé et détectera une valeur plus faible ou plus forte que celle effectivement transmise. Pour réduire la fréquence de ces erreurs, on utilise des techniques spéciales de codage, les codes détecteurs d'erreur qui ajoutent une redondance au signal initial. Par exemple, plutôt que de transmettre 1 pour signifier 1, et 0 pour signifier 0, on transmet respectivement 111 et 000. Le protocole de décision à la réception conduira à décider que 1 a été transmis quand on recevra 111, 011, 101 ou 110 et que 0 a été transmis quand on recevra 000, 001, 010 ou 100. Une erreur simple pourra être corrigée, mais pas une erreur double. Il n'existe aucun code qui puisse éliminer à coup sûr la totalité des erreurs de transmission. En outre, ces techniques ont un coût économique puisqu'elles nécessitent d'ajouter dans la transmission des données qui ne sont porteuses en elles-mêmes d'aucune information. L'efficacité d'un code donné peut être mesurée par le rapport entre le taux d'élimination des erreurs qu'il assure et son coût en termes de débit surajouté. De grands progrès ont été accomplis ces dernières années dans l'amélioration de l'efficacité de ces codes.

La compression numérique

Ainsi, un message aussi parfaitement identique que l'on souhaite au message d'origine peut être reçu par le récepteur du système de communication et la numérisation atteint son objectif initial : une qualité totale de transmission. Mais c'est au prix d'un incroyable gaspillage des ressources de transmission. Car ce signal numérique brut, échantillonné, quantifié et codé est incroyablement moins efficace que son équivalent analogique pour transporter l'information contenue dans le message.

Ces interminables suites de 0 et de 1 pourraient bien représenter n'importe quoi : *La Joconde*, le final de la *9e Symphonie* de Beethoven, l'intégralité des images du film *Ben-Hur* ou tout bruit confus et sans signification, aussi vain que la suite infinie des lettres tapées par le singe savant sur la machine à écrire électrique.

Pour s'en convaincre, il suffit de mesurer la quantité de symboles binaires que représente une image de télévision en noir et blanc ainsi traitée : 25 images sont transmises chaque seconde. Une image est composée de 525 lignes utiles comprenant chacune 720 points. Si l'on veut transmettre 1 024 nuances de gris pour chaque point, il faudra affecter à chaque point (pixel) 10 bits. Au total, le débit nécessaire sera de 94 500 000 bits par seconde. La norme de télévision en couleur numérique adoptée pendant les années 1980 à des fins de production professionnelle en studios est construite sur le même principe. Elle exige un débit de 270 millions bits par seconde (Mégabits/s). C'est entre 10 fois et 20 fois plus que la capacité de transport d'un canal dimensionné pour la transmission d'un signal de télévision en couleur sous sa forme analogique. Rendre le signal numérique économiquement compétitif, en réduisant drastiquement ce débit brut, devient alors l'impératif essentiel. Toute une génération de chercheurs et d'ingénieurs s'est attelée à cette tâche depuis les années 1970 en mettant au point des techniques de plus en plus raffinées de « compression » de l'information.

Comprimer le signal numérique, c'est améliorer la corrélation entre les signes qui portent le message et le contenu sémantique de celui-ci, de telle sorte que soit utilisée une quantité de signes ajustée à la richesse de contenu du message. Avec le signal numérique non compressé, une image simple, telle que la représentation d'une boule de billard immobile sur un tapis vert, nécessitera le même débit de 270 Mégabits/s que la retransmission d'un match de football très disputé pris sous de multiples angles de prise de vues.

La mise au point de ces techniques de compression suppose donc de rechercher des moyens de saisir le sens du message, ou pour utiliser des concepts plus techniques, d'évaluer l'information qu'il contient, au sens de la théorie de Shannon. L'information est, selon cette théorie, ce qui permet de réduire l'incertitude. Elle est en cela d'une nature similaire à la probabilité. Posséder une information, c'est savoir qu'un événement est survenu parmi un ensemble de possibilités *a priori*. Calculer une probabilité, c'est évaluer la chance (ou le risque) qu'un événement survienne. Plus cette chance est faible, plus l'information apportée par l'événement est grande. Lorsque deux cas d'une alternative sont également probables, l'information apportée à l'issue du choix établi est une information élémentaire, réduisant l'incertitude de moitié. Il en est ainsi du tirage au sort entre une boule noire et une boule blanche ou de celui entre le côté pile et le côté face d'une pièce de monnaie. Elle est représentable par le choix entre 0 et 1.

En revanche, la fumée qui s'échappe des toits du Vatican est déjà porteuse de plus d'information, car, l'histoire le démontre, l'élection d'un pape est une affaire délicate et sujette à controverses. Ainsi, les spirales de fumées noires, qui signifient qu'un consensus sur le choix de l'élu n'a pu être obtenu, apparaissent plus fréquemment au col des cheminées de la place Saint-Pierre que les volutes blanches qui annoncent, elles, une vraie nouvelle au peuple, à savoir la promesse d'un bon berger. Indépendamment de l'allégresse que la fumée blanche peut provoquer dans le cœur des fidèles, sa couleur est une nouvelle « véritable » dans la mesure où sa probabilité d'apparition est moindre.

Un message, sonore ou visuel, est lui aussi un événement inattendu. Il surgit lorsqu'on allume son poste récepteur de radio ou de télévision. Un son va surgir, une image va apparaître, mais laquelle ? Entendre le son, voir l'image c'est à la fois annihiler cette incertitude et la remplacer immédiatement par une autre, celle du son ou de l'image suivante. Mais l'identification de l'ensemble des images et des sons vraisemblables et réalistes, passés, présents et futurs, est bien évidemment vaine *a priori*, comme serait vaine la tentative de récapitulation de tous les textes intelligibles possibles. Nul ne peut donc mesurer avec certitude la quantité d'information (appelée aussi entropie) d'une source produisant toutes les images (ou les sons) du monde. Dans les années 1970, un professeur de l'Université de l'Utah avait proposé, non sans humour, de calculer cette entropie en évaluant le nombre total d'images que l'humanité aurait vues depuis son commencement, dans les verdoyantes vallées du Riff africain, jusqu'à sa fin, dans quelques milliards d'années, lorsque la Terre disparaîtra dans le brasier provoqué par l'explosion du Soleil se transformant en une boule géante rouge. Quelques hypothèses simples l'ont conduit à la valeur 2^{70} images, ce qui signifie que la quantité d'information contenue dans une image serait seulement de 70 bits, soit l'équivalent de soixante-dix tirages successifs dans une urne contenant une boule noire et une boule blanche. Cette plaisante méthode a au moins le mérite de fixer un minimum inaccessible.

Faute de pouvoir atteindre au cœur même de l'information contenue dans un message, l'ingénieur va s'efforcer de réduire le débit du signal numérique brut en combinant deux types de méthodes comportant une certaine dose d'empirisme : la première consiste à tirer parti des redondances spatiales et temporelles qui existent au sein du message ; la seconde s'appuie sur certaines particularités des mécanismes de perception sensorielle, qui autorisent l'élimination de certaines informations non pertinentes pour le cerveau humain.

Ainsi, dans le cas de l'image, les plages uniformément colorées comportent une grande redondance spatiale, les images faiblement animées une grande redondance temporelle et la vue s'accommode d'une moins grande finesse de détails dans une zone en mouvement rapide.

De nombreux outils mathématiques ont été développés et perfectionnés pour effectuer ces traitements de compression. Parallèlement, la puissance de calcul des circuits intégrés augmentaient de façon exponentielle. Ainsi, par une harmonie heureuse du développement conjoint des mathématiques et du silicium, l'efficacité effective du numérique, inscrite aujourd'hui dans des matériels grand public abordables, fonctionnant avec la qualité et la fiabilité requises, a été multipliée par un facteur 100 de 1970 à 2000.

Le franchissement du seuil d'équivalence à l'efficacité de l'analogique est intervenu au début des années 1990, ruinant ainsi les ultimes tentatives d'amélioration de l'analogique proposées alors pour la mise au point de la télévision haute définition. Aujourd'hui, la transmission d'une image numérique est environ cinq à dix fois plus efficace que la transmission d'une image analogique.

La normalisation

Dès lors, le numérique est devenu un enjeu économique de premier ordre. L'un de ses nombreux aspects est la question de la normalisation. La traduction d'une scène sonore ou visuelle en un train numérique de 0 et de 1 s'effectue par une succession de calculs et de codages dont les paramètres peuvent prendre un grand nombre de valeurs. La compréhension du message par le récepteur n'est cependant possible que si celui-ci connaît sans ambiguïté l'intégralité des règles adoptées par l'émetteur. Faute de quoi, c'est le message dans sa totalité qui risque d'être incompréhensible.

Il pourrait ainsi exister une multitude de systèmes numériques, chacun dotés de ses propres conventions et si les tendances protectionnistes avaient été encore vivaces au moment de la mise au point opérationnelle des systèmes numériques, nul doute que la fragmentation du monde numérique eut été encore plus forte que celle du monde analogique, encore marqué par les batailles entre le PAL et le SECAM, ou les affrontements du magnétoscope VHS contre les normes concurrentes de Sony et de Philips.

C'est en fait l'inverse qui s'est produit : les principaux acteurs économiques ont pris conscience de ce que les standards dits « propriétaires » ne procurent pas systématiquement un avantage concurrentiel sur le long terme. L'un d'entre eux finit toujours par triompher (la bataille du magnétoscope en rend témoignage), handicapant durablement la compétitivité des perdants. Le jeu est trop risqué. À l'initiative des industriels et sous la pression de la globalisation, des groupes de travail mondiaux ou continentaux ont été créés pour œuvrer à la définition de normes communes pour les traitements numériques les plus fondamentaux, de sorte que ceux-ci puissent être gravés dans le silicium de manière identique par tous les équipementiers de la planète.

Ces groupes ont parfois travaillé en marge des organismes officiels de normalisation (ETSI, ISO). Cependant, ces derniers ont fortement encouragé toutes les initiatives allant dans ce sens et ont finalement officialisé leurs travaux.

Il reste que deux grands secteurs d'activité, l'audiovisuel et l'informatique, ont simultanément et parallèlement développé des systèmes numériques aux finalités identiques, mais risquant d'être incompatibles.

Cet écueil peut être surmonté de deux façons différentes : soit l'un des métiers adopte le standard développé par l'autre, c'est par exemple le cas de la famille de normes MPEG (*Motion Picture Expert Group*), produit d'un travail essentiellement piloté par la famille informatique et finalement adopté par la télévision en devenant partie intégrante de la norme DVB et de l'ATSC américain ; soit la norme intègre le maximum de variantes possibles, ce qui permet, au prix d'une plus grande complexité, de trouver des compromis acceptables par tous. C'est ainsi que la norme américaine de télévision numérique comprend un grand nombre de formats d'image pour satisfaire aux pratiques de l'industrie informatique.

Une autre difficulté de la normalisation est que la quête d'une meilleure efficacité de la compression numérique est loin d'être achevée. Il est vraisemblable que de nouvelles étapes pourront être franchies lorsque les traitements du signal pourront porter sur des portions d'images définies en fonction du contenu de celles-ci et non plus géométriquement *a priori*. Parallèlement, les progrès scientifiques de la neurophysiologie de la vision devraient ouvrir des pistes prometteuses pour améliorer l'efficacité des procédés.

La recherche acharnée de la meilleure technique de compression fut le mot d'ordre des années 1980 et 1990. Mais, simultanément, les capacités de transport, et notamment celles des fibres optiques, connaissaient une augmentation considérable, accompagnée d'une diminution spectaculaire du coût du bit transporté. La quête de nouvelles améliorations des taux de compression pourrait ainsi devenir économiquement moins impérieuse.

L'accélération du progrès technologique de la communication conduit aujourd'hui à une situation que l'humanité n'avait jamais connue : les innovations se succèdent à un tel rythme que toutes ne peuvent pas être économiquement exploitées sur une durée suffisante pour les amortir. Ainsi, l'« évolutivité » des normes pose-t-elle le problème de la compatibilité entre générations technologiques, question qui fut au centre de l'introduction de la télévision en couleur, car il ne pouvait pas y avoir de rupture brutale avec le noir et blanc.

La question de la compatibilité entre anciennes et nouvelles normes se pose désormais en termes différents. Tout d'abord, la norme elle-même peut contenir sa propre capacité à évoluer. C'est le cas de la famille MPEG : MPEG2 a succédé à MPEG1 et aura pour successeur MPEG4, chaque génération conservant des point communs avec la précédente. Ensuite les systèmes de décodage peuvent prendre la forme de logiciels téléchargeables, ce qui permet les remises à jour sans modification du support matériel. Mais cette dernière faculté est davantage l'apanage du monde informatique que du monde audiovisuel.

En effet, en matière de télévision, le succès industriel des normes MPEG et en particulier de MPEG2 a provoqué la création d'un parc très important de terminaux équipés de circuits intégrés de décodage développés pour cette norme. Si la suprématie du DVB, dans ses différentes versions, satellite, câble et terrestre, se confirme sur d'autres continents, il est vraisemblable que des centaines de millions d'équipements basés sur cette norme seront ainsi détenus par le public dans un proche avenir.

La plus grande flexibilité d'évolution des systèmes informatiques, au moment où l'image animée de qualité apparaît sur Internet, pourrait alors conduire à une nouvelle différenciation des standards, les PC étant plus adaptés que les téléviseurs pour suivre de plus près les progrès de la compression numérique.

Les vertus du numérique

Ainsi inventés, puis normalisés, les systèmes numériques prennent une place de plus en plus importante dans les activités de communication et les bouleversements qu'ils y introduisent provoquent des transformations considérables, désormais présentées comme les multiples facettes d'un même phénomène : la convergence. Car les vertus du numérique sont nombreuses et fécondes.

• Première vertu du numérique : la qualité, déjà citée comme étant à l'origine de sa naissance

Une fois numérisé, le message peut être transmis sans être altéré. Le terminal de l'usager sait reconstituer à l'identique les symboles qui ont été émis par l'éditeur de programmes depuis son studio, d'où l'impression d'extrême perfection de l'image ou du son. Les inventeurs se sont toujours efforcés d'améliorer les procédés pour accentuer la ressemblance des représentations avec le réel perçu directement par les sens. En cela, le numérique est une étape importante dans l'histoire des techniques de communication, conférant à la représentation et au spectacle une nouvelle dimension. Les prochains exploits, en termes de conformité au réel, seront sans doute le retour de la haute définition et la représentation du relief. La qualité de la réception permet aussi le développement des équipements nomades, portables ou mobiles.

N

• Deuxième vertu du numérique : l'efficacité, obtenue grâce aux efforts de la recherche déjà décrits

Grâce à sa capacité à économiser les symboles, la télévision numérique sait transmettre entre cinq et dix images, et sans doute bientôt davantage, dans un réseau où l'analogique n'en transmettait qu'une seule. Les conséquences de cette efficacité sont la multiplication et la spécialisation des chaînes et l'apparition de nouveaux services, aux contenus variés et spécialisés, correspondant précisément aux attentes du consommateur. La technologie de compression numérique étant appelée à évoluer, son efficacité ira croissant, offrant une abondance toujours plus vertigineuse de services et de contenus.

• Troisième vertu du numérique : l'interactivité

Le message étant représenté par un code, ce dernier peut lui-même être codé, de manière à ne rendre le message accessible qu'à ceux qui possèdent la clé de décodage. D'où, dans le secteur de la télévision, la possibilité de segmenter les audiences, et de créer des offres de services spécifiques à des auditoires particuliers. Mais, à l'inverse, ce codage permet aussi au consommateur de pratiquer, grâce à une navigation dans l'ensemble des données qui lui sont offertes – exercice auquel la télévision ne l'a pas encore accoutumé –, une sélection active des programmes, des images, des textes et des sons qu'il reçoit et qu'il consomme.

Cette action possible du consommateur sur le message est l'interactivité, propriété fondamentale des réseaux de télécommunications.

• Quatrième vertu du numérique : l'universalité

Dans la mesure où tous les messages sont représentés par un code commun, il est d'abord possible de créer de nouveaux messages qui sont des combinaisons de toutes les formes de contenus (image son, texte, voix). C'est le multimédia. L'unicité du langage de base permet également de transporter les messages sur des supports et des réseaux multiples : l'image peut être envoyée sur l'Internet ou sur la radio numérique, Internet sur le câble, des données interactives sur la télévision. La souplesse et l'adaptabilité du langage numérique rend multiforme chaque média ancien, dès lors qu'il a subi les transformations adéquates de la numérisation.

Ce sont ces vertus du numérique qui sont ensemble la cause de ce phénomène de convergence, dont l'examen suppose une description plus fine des secteurs de l'économie de la communication.

Les effets du numérique sur l'économie de la communication

Pour décrire le champ de cette analyse, la figure la plus fréquemment utilisée est celle du triangle. À chacun de ses sommets se tient l'un des trois outils traditionnels du secteur de l'information et de la communication : le téléphone, le téléviseur et l'ordinateur. Mais une dimension supplémentaire doit être ajoutée au modèle pour mieux discerner la complexité des changements.

En effet, le monde de la communication peut se décrire comme la superposition de cinq couches : les composants, outils de base des processus ; les matériels, infrastructures, réseaux et terminaux ; les services ; les marchés et, enfin, les acteurs économiques. Le téléphone, c'est à la fois la membrane de l'écouteur,

L'UNIVERS DE LA COMMUNICATION

Modèle simplifié

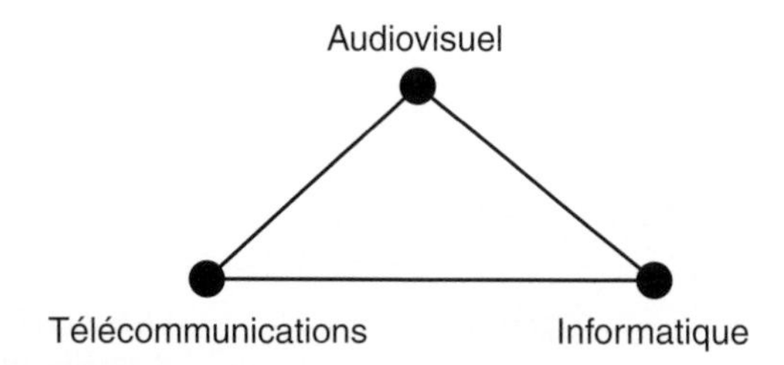

L'UNIVERS DE LA COMMUNICATION

Modèle en 5 niveaux

Avant la Convergence

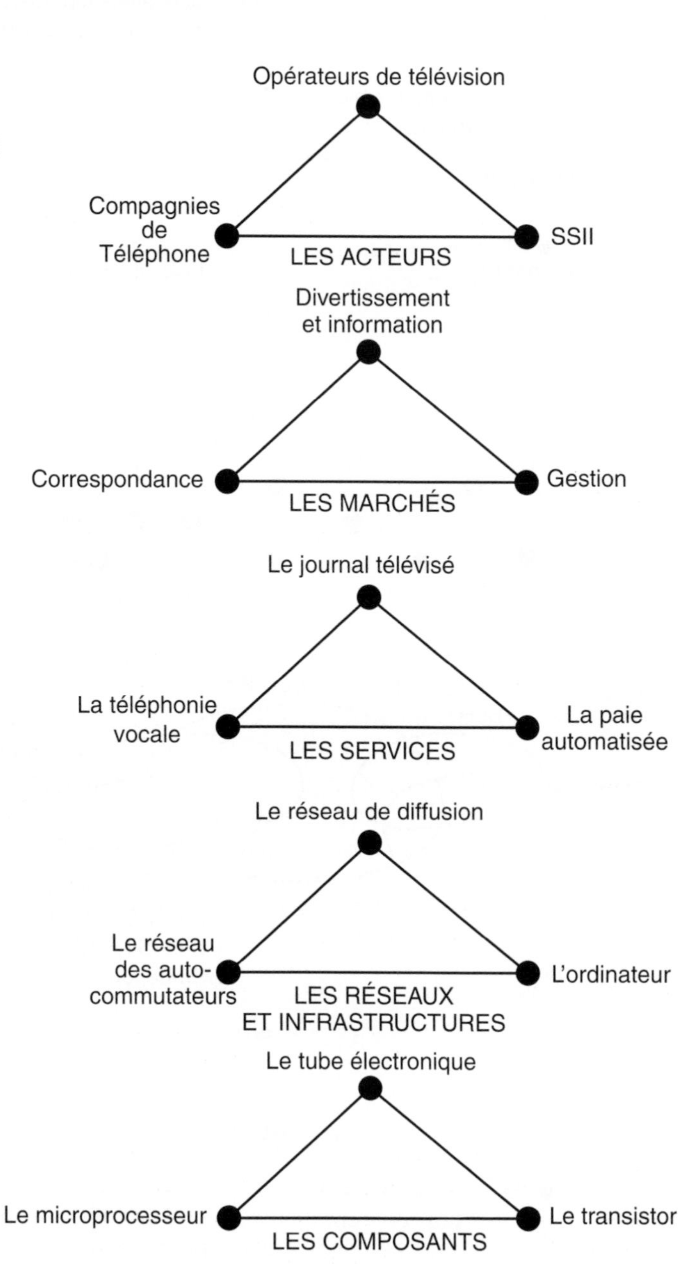

N

AOL
Time-Warmer
Vivendi-Universal
Dell
Cisco
France-Telecom
Orange
LES ACTEURS : alliances, diversification, fusions, éclatements, nouveaux entrants

Jeunes couples urbains
Professions libérales
PME
Amateurs
Multinationales
Communautés
LES MARCHÉS : segmentation

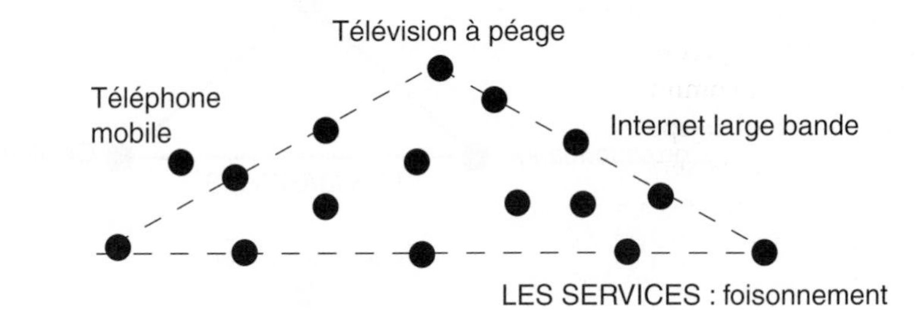

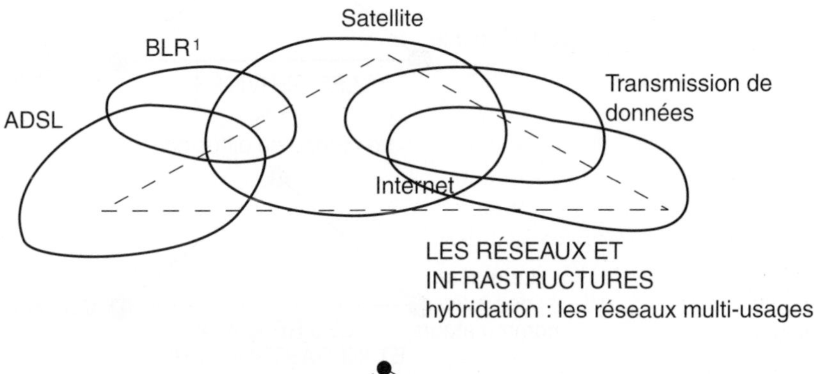

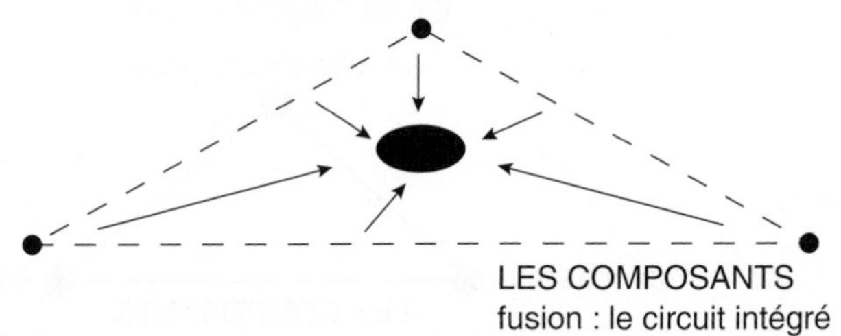

1. Boucle locale radio.

l'ensemble des autocommutateurs reliés entre eux, les transmissions intercontinentales, les abonnés dans leur diversité de statuts et de besoins et les entreprises de télécommunications. La figure du triangle doit donc être déployée dans l'espace pour faire apparaître cinq triangles dessinés sur cinq feuilles superposées.

• Le secteur des composants correspond au niveau qui est le plus transformé par la convergence, les composants étant à la fois harmonisés et généralisés. L'extension de la représentation numérique à l'ensemble des messages, et la croissance exponentielle de la puissance des circuits intégrés sont les deux moteurs qui conduisent à une banalisation de plus en plus grande des briques technologiques de base. Les dispositifs de visualisation, tubes cathodiques et écrans plats se répandent dans la plupart des appareils.

• Le deuxième niveau que sont les infrastructures est, à l'opposé, soumis à un phénomène d'hybridation des réseaux. Certains téléphones sont munis d'écrans, les micro-ordinateurs s'équipent de modems, le téléviseur intègre des dispositifs de traitement de l'information. Les réseaux de communication naguère dédiés à un service et un seul en accueillent désormais d'autres : le câble transporte la télévision, les ondes hertziennes permettent le téléphone sans fil, les données informatiques circulent sur tous les réseaux de télécommunications.

• Le troisième niveau, domaine des services, voit apparaître, quant à lui, un foisonnement sans précédent. Dans les années 1980, les trois sommets du triangle des services de la communication (informatique, télévision et téléphone) correspondaient à une offre spécifique propre, et n'offraient aucun produit en synergie. Depuis, de nombreux services sont nés, empruntant à chacun des trois services de base pour créer une nouvelle offre.

Ainsi, la télévision à péage reste de la télévision mais emprunte au téléphone son mode de paiement, par abonnement ou à la consommation.

Le micro-ordinateur s'est doté de l'image animée et il est devenu le support d'activités de divertissement. Le Minitel, peut-être le plus original des services de la dernière décennie, servait à la fois de moyen de renseignement, de système de correspondance et d'outil du commerce électronique.

Ce processus fécond ne semble pas prêt de s'interrompre. L'accès à Internet gagne les téléphones portables et la télévision. L'image animée emprunte les fils du téléphone grâce aux technologies ADSL. Les organiseurs de poche deviennent des terminaux de messagerie. Il semble que la combinatoire des usages de la communication ne connaisse pas de limite.

• Au quatrième niveau, celui des marchés, la convergence redéfinit la segmentation des consommateurs. Ce n'est plus l'utilisateur de tel ou tel média qui est ciblé, mais l'amateur d'opéra, le fanatique de retransmissions sportives, le cinéphile, le voyageur ou le boulimique d'informations. Chaque consommateur devient l'objet d'une investigation particulière de ses besoins spécifiques. Le phénomène Internet constitue une sorte d'aboutissement de cette tendance de fragmentation des marchés, en atteignant un degré de division des centres d'intérêts jamais connu jusqu'à présent.

• Enfin, au niveau supérieur, qui concerne les acteurs économiques, la force de convergence semble ne mener ni à l'unification, ni à l'hybridation, ni à la segmentation, mais à une forme plus chaotique de mouvements contradictoires. Les alliances, fusions et partenariats sont régulièrement annoncés, pas toujours concrétisés et parfois voués à l'échec.

N

Les mouvements subissent souvent l'effet balancier. Hier, le tuyau semblait être l'essentiel pour quelques acteurs ; aujourd'hui, la maîtrise du contenu est la promesse du paradis. Incontestablement, les stratégies se cherchent, les alliances se font et se défont au rythme des avancées technologiques et des prophéties annoncées. La scène mondiale est un véritable jeu de Go, dans lequel les places vont devenir de plus en plus chères.

Depuis quelque temps, cependant, la tendance semblait davantage être au renforcement au sein d'un même métier qu'à la constitution de conglomérats transversaux. En témoignaient par exemple les rapprochements récents de Time Warner et de Turner, de CBS et de Viacom, de NEC et de Packard Bell ou de Nynex et de Bell Atlantic, de MCI et de World com, ainsi que les grandes manœuvres, dans les années 2000, dans la téléphonie mobile en Europe, ou encore la multiplication des *spin-off*, c'est-à-dire des démantèlements de grands groupes en entreprises spécialisées par métier. Fin 2000, le choix d'une stratégie d'alliance entre contenant et contenus fait un retour en force : les rapprochements entre AOL et Time Warner ainsi qu'entre Vivendi, Canal+ et Universal en sont les exemples les plus spectaculaires. De plus, le bouleversement technologique s'accompagne de l'émergence fulgurante de nombreux nouveaux acteurs, conquérant avec une incroyable rapidité des positions très fortes sur le marché. Ce phénomène reproduit des changements constatés dans le passé à l'occasion de mutations technologiques dans les domaines de l'énergie ou du transport ou bien, plus près de nous, avec l'apparition du micro-ordinateur.

La convergence numérique est donc un phénomène complexe et multiforme qui semble déboucher davantage sur une floraison de moyens, d'usages et d'acteurs plutôt que sur une unification fusionnelle des trois domaines historiquement à l'origine de la communication d'aujourd'hui.

Cette phase d'éclosion bouillonnante et d'expansion désordonnée pourrait bien n'être qu'une transition vers l'hypermédia universel, surgissant à l'issue d'un processus de sélection naturelle parmi les protagonistes actuels, transition qui déboucherait sur la victoire irréversible de l'ordinateur sur la télévision et l'établissement définitif de la suprématie de l'Internet, large bande mobile. Mais l'histoire de la communication nous enseigne que cette issue est peu probable.

Si l'on regarde l'ensemble des développements depuis le télégraphe, en passant par la radio, le téléphone, la télévision, deux constantes, en forme de conjectures, perdurent en effet.

La première conjecture, c'est qu'il n'y a pas de substitution brutale d'une technologie à l'autre. Les technologies s'additionnent, se cumulent, se combinent, elles ne se remplacent pas. Il y a effectivement des évolutions, des déplacements, des synergies, des conglomérats, des altérations, mais, à vrai dire, il n'y a jamais eu de disparition totale d'un média. Même en prenant des cas extrêmes, car définitivement obsolètes, on s'aperçoit que rien ne meurt : les signaux de fumée sont une technologie primitive de communication ; ils existent encore. Le pneumatique est toujours à l'œuvre dans les grandes surfaces, pour véhiculer discrètement et rapidement les liasses de billets. Même le télégraphe Chappe est encore en usage, certes sous une forme résiduelle, sur les tarmacs des aéroports. Quant au morse, qui semble n'être plus qu'un système de signes appartenant au folklore du Far West, à l'époque de la construction des premières lignes de chemin de fer, il est en fait devenu, par son système binaire, le fondement même du langage numérique !

La deuxième conjecture est que l'usage des technologies met du temps à se dessiner et ne correspond presque jamais à la vision qu'en avait leur inventeur. Ainsi, Edison imaginait que le gramophone aurait pour fonction principale de conserver le souvenir des disparus, à travers leur voix. Le téléphone à Paris a aussi servi à la diffusion en direct de pièces de théâtre chez l'abonné.

Le câble devait être un média de contenu local, et les satellites de télécommunications, avant de devenir le vecteur des dizaines de nouvelles chaînes de télévision créées après 1985-1990, étaient destinés à servir les besoins des télécommunications intercontinentales pour lesquels les câbles sous-marins optiques redeviennent aujourd'hui très compétitifs.

C'est dans la confrontation entre l'invention initiale et l'usage qui en est fait par le marché, que s'« architecture » et évolue la technologie. L'intuition d'un processus de foisonnement issu de la convergence s'appuie également sur un célèbre précédent. En effet, la rupture épistémologique apportée par le numérique dans le domaine de la communication semble bien être l'équivalent de l'arrivée de l'électricité dans le domaine de l'énergie.

Au début du XXe siècle, les applications industrielles de l'électricité ont permis des développements fulgurants, dans des domaines très variés, le plus souvent en modernisant des outils anciens, et parfois en en créant de nouveaux. La locomotive à vapeur a cédé la place à la motrice électrique, le radiateur électrique est apparu, la lampe à pétrole a disparu au profit de l'ampoule électrique. Mais chaque besoin essentiel – se transporter, se chauffer, s'éclairer – a gardé sa réponse spécifique : la découverte de l'électricité a fait que presque tous les outils sont devenus électriques, mais elle ne les a pas confondus en un seul et même outil universel.

De la même manière, les besoins fondamentaux de la communication resteront pour longtemps encore très variés : se distraire, s'informer, se former, accéder au savoir, réserver un produit ou un service, se renseigner, échanger, assister à une représentation, travailler à distance et ceci, dans toutes les situations dans lesquelles peut se trouver le consommateur : chez lui, seul ou en famille, au bureau, dans sa voiture, dans les transports en commun, en vacances, à l'étranger, etc. Grâce à la numérisation et aux progrès des télécommunications, ces besoins seront toujours mieux satisfaits par des services plus nombreux, plus commodes, mieux adaptés et sans doute aussi moins coûteux. Ainsi, le numérique sera à l'information ce que l'électricité fut à l'énergie : un formidable accélérateur de la diversification des usages et de la démultiplication des outils, et non pas la réponse universelle et unique à tous les besoins.

Bibliographie

Ouvrages :

- BERTAUX (Pierre), *Les deux langages (analogique et numérique)*, Didier Érudition, Paris.
- HERVÉ (Benoît), *La télévision numérique MPEG1, MPEG2 : les principes du système européen DVB*, Dunod, Paris, 1998.
- NEGROPONTE (Nicholas), *L'homme numérique*, collection Pocket, Robert Laffont, Paris, 1995.

Revues et rapports :

- *La révolution du numérique dans la production audiovisuelle*, LANDAU (Olivier), DE PRESLOUAN (Gilles).

- Les Dossiers de l'audiovisuel n° 74, *Audiovisuel : vers le tout numérique ?*, La Documentation française, Paris, 1997.
- Les Dossiers de l'audiovisuel n° 81, *Les nouvelles frontières du son numérique*, La Documentation française, Paris, 1998.

Webographie

- Interactif.lemonde.fr
- http://www.Journaldunet.com
- http://www.Dvb.org
- http://www.Digitalbroadcasting.com

Octet

Unité de mesure composée de huit bits (*BInary digiTS*), permettant de coder 256 caractères numériques ou alphanumériques.

Peer to Peer (P2P)

Expression employée pour désigner l'échange de fichiers informatiques, *via* Internet, sans transit par un serveur. Ainsi, le *peer to peer* permet d'échanger des fichiers par une connexion directe sur le micro-ordinateur d'un particulier après accord préalable de celui-ci. L'application *peer to peer* la plus répandue est le programme Napster qui autorise ce mécanisme de transfert pour les fichiers musicaux MP3. La technique *peer to peer* rend encore plus difficile le contrôle des contenus circulant sur Internet, notamment du point de vue de la protection de la propriété intellectuelle. Dans le vocabulaire commercial, *peer to peer* signifie « de client à client ».

Plug-in

Logiciel compagnon ou outil complémentaire permettant d'accroître les performances d'un programme informatique ou de lui adjoindre de nouvelles fonctions. Téléchargeables, les *plug-ins* permettent de lire des fichiers audio ou vidéo ; ils sont utilisés dans les navigateurs web comme Netscape ou Internet Explorer.

Preuve et signature électroniques

La preuve représente un élément fondamental de la plupart des systèmes juridiques nationaux et, notamment, du droit français, qui consacre la prééminence de l'écrit à titre de preuve. La conception traditionnelle de la preuve veut qu'elle soit apportée par un titre original revêtu d'une signature manuscrite et dressé sur papier. Quand bien même un contrat serait valablement formé en l'absence d'un écrit, mais avec l'échange de consentements entre les parties dans le cadre d'un contrat, il s'avère souvent nécessaire de prévoir un écrit qui servira de preuve, à titre de sécurité.

Toutefois, le développement d'Internet et la dématérialisation des échanges ont contraint les législateurs de nombreux pays à faire évoluer et à assouplir les conditions de preuve ainsi que le droit relatif aux opérations commerciales.

Une directive communautaire en date du 13 décembre 1999 adapte ainsi la législation à Internet et encadre les transactions électroniques. La force probante de l'écrit électronique est consacrée et la signature électronique des actes juridiques est reconnue au niveau de l'Union européenne[1]. En France, une loi française n° 2000-230 du 13 mars 2000 (modifiant le Code civil français) portant adaptation du droit de la preuve aux technologies de l'information et relative à la signature électronique a repris de nombreuses dispositions de cette directive communautaire.

Enfin, une loi relative aux signatures électroniques dans le commerce, appelée *E Sign Act*, est entrée en vigueur aux États-Unis le 1er octobre 2000. Cette loi prévoit un standard national uniforme pour toutes les transactions électroniques et supprime les barrières légales susceptibles de freiner l'utilisation de la signature électronique.

Désormais, la définition de la preuve par écrit (appelée aussi preuve littérale) est étendue à toutes les formes d'écrits, y compris électroniques, indépendamment du support matériel (tel que le papier) ou du type de transmission (par voie postale, par exemple). Aucune échelle de valeur n'existe dès lors entre le support électronique et le support papier : la preuve par écrit résulte d'une suite de lettres, de caractères, de chiffres ou de tous autres signes ou symboles dotés d'une signification intelligible, quels que soient leur support et leurs modalités de transmission.

L'écrit sous forme électronique est admis dès lors que son auteur peut être identifié et qu'il est établi et conservé dans des conditions de nature à en garantir l'intégrité.

Jusqu'au début de l'année 2000, la signature ne faisait pas l'objet d'une définition légale, bien que souvent mentionnée comme obligatoire pour de nombreux actes juridiques. Cependant, la reconnaissance de l'écrit électronique comme mode de preuve a rendu nécessaire un éclairage sur la notion de signature. Celle-ci ne doit plus désormais être obligatoirement écrite de la main même de son auteur, sous peine de priver de toute portée pratique les nouveaux textes relatifs à la preuve.

La définition à retenir de la signature est relativement extensive puisqu'elle est nécessaire à la perfection de l'acte juridique et identifie celui qui l'appose. Elle manifeste le consentement des parties aux obligations qui découlent de cet acte. Cette approche met en évidence la double fonction de la signature : elle renseigne sur l'identité du signataire et traduit sa volonté d'adhésion au contenu de l'acte. Elle couvre également sans réserve toutes les formes de signatures, qu'elles soient manuscrites ou électroniques, c'est-à-dire composées d'une suite de lettres, de chiffres et d'autres signes divers.

D'après la loi française, la signature électronique consiste en des données résultant de l'usage d'un procédé fiable d'identification qui garantit son lien avec l'acte auquel elle s'attache[2]. Cette approche se distingue de la définition plus « technique » qu'en donne la directive communautaire, selon laquelle la signature électronique est une donnée sous forme électronique servant de méthode d'authentification et jointe ou liée logiquement à d'autres données électroniques. La signature électronique, au sens du droit communautaire, se distingue de la signature électronique « élaborée », basée sur des algorithmes de chiffrement asymétriques. Ce type de cryptographie algorithmique signifie que l'utilisateur dispose d'une clef publique (divulguée et connue de tous) et d'une clef privée (qui demeure secrète),

1. Directive 1999/93/CE du 13 décembre 1999 sur un cadre communautaire pour les signatures électroniques, *JOCE* du 19 janvier 2000, L.13, p.12.

2. La fiabilité de ce procédé est présumée jusqu'à preuve contraire, lorsque la signature électronique est créée, l'identité du signataire assurée et l'intégrité de l'acte garantie.

associées l'une à l'autre de façon unique de telle sorte que l'une « crypte » – permet à son détenteur de calculer des signatures – et l'autre « décrypte », en permettant à tous de vérifier les signatures.

De tels mécanismes cryptographiques peuvent nécessiter le recours à un « tiers de certification », en lequel chaque partie a confiance, et qui est chargé de publier les clefs publiques et leur appartenance au cocontractant.

La signature électronique bénéficie donc, dans la plupart des pays industrialisés, d'une véritable reconnaissance et d'une présomption de fiabilité nécessaires au développement du commerce sur Internet, qui ne saurait prospérer sans garantie sur l'identité du signataire ainsi que sur la sécurité (voire la confidentialité) des transactions, l'authenticité et l'intégrité des données transmises. En effet, le commerce électronique « dématérialise » fortement les relations entre les parties dans un contrat et requiert en conséquence des garanties, des preuves supplémentaires souvent jugées superflues dans le commerce traditionnel.

Bibliographie

Ouvrages :

- AUBERT (Jean-Luc), *Introduction au droit et thèmes fondamentaux du droit civil*, Dalloz, Paris, 2000.
- BOCHURBERG (Lionel), *Internet et commerce électronique*, Encyclopédie Delmas, Dalloz, Paris, 1999.
- HARICHAU, *Internet pour le droit*, Collection Connection, Recherche, Droit Montchrestien, Cahors, 1999.

Webographie

- http://www.internet.gouv.fr
- http://www.legifrance.gouv.fr
- http://www.legalis.net
- http://www.juriscom.net
- http://www.techlawjournal.com

Profilage

Technique de marketing qui consiste à effectuer une analyse comportementale de l'internaute en vue de définir son « profil » et de pouvoir mieux anticiper ses demandes, par le biais de questionnaires ou par l'utilisation de techniques plus difficilement décelables, telles que les *cookies*. Le profilage – *profiling* en anglais – donne lieu à l'application de la réglementation relative aux données personnelles dès lors que les informations collectées ne sont pas anonymes.

Protection des données personnelles

Le droit à la vie privée s'exerce pour tout traitement de données qui se rattachent à l'identité d'une personne et qui sont collectées notamment *via* Internet. Le développement rapide et la généralisation de l'usage dans les entreprises et chez les individus des technologies de l'information posent de nouveaux problèmes de protection des données, notamment en termes de volume d'informations personnelles collectées et traitées. En particulier, l'offre de services en ligne facilite le traçage des données, qui permet de dresser des profils complets de l'internaute et de connaître ses habitudes de consommation. Les entreprises peuvent ainsi mieux cibler leur clientèle potentielle pour répondre à ses exigences.

Dès lors, la protection des données personnelles devient un enjeu majeur pour les États et les individus. Un cadre réglementaire a été essentiellement établi en Europe, à la fin des années 1970 et au cours des années 1980, avec les Lignes directrices de l'OCDE [1] et la Convention du Conseil de l'Europe [2], qui ont instauré les principes fondamentaux de protection des données personnelles. C'est également à cette période que les premières lois de protection des données sont adoptées, notamment en Allemagne, au Luxembourg, au Danemark, en Suède et en France.

Une protection particulière des données personnelles est prévue en France par la loi n° 78-17 du 6 janvier 1978, relative à l'informatique, aux fichiers et aux libertés, communément appelée « Informatique et Libertés ». Dans le sillage de cette loi, la directive communautaire de 1995 [3] harmonise le cadre juridique du traitement des données et offre un niveau de protection élevé des personnes physiques à l'égard du traitement des données à caractère personnel.

Ce texte, applicable dans l'ensemble de l'Union européenne, établit un cadre réglementaire visant à assurer la protection de la vie privée des individus et de la libre circulation des données à caractère personnel au sein de l'Union européenne. À cette fin, il fixe des règles communes à observer par ceux qui collectent, détiennent ou transmettent des données à caractère personnel dans le cadre de leurs activités économiques, administratives ou associatives. La directive communautaire établit également des règles pour assurer qu'une donnée à caractère personnel ne soit transférée vers des pays hors de l'Union européenne que lorsque sa protection est garantie de façon continue. En effet, le niveau de protection prévu au sein de l'Union européenne ne doit pas être anéanti par le transfert de données vers des pays – tels que les États-Unis – où une telle protection n'est pas assurée.

Aux États-Unis, les initiatives réglementaires sont limitées, supplantées par l'autorégulation, d'où de fortes divergences entre le niveau de protection offert en Europe et celui offert aux États-Unis.

L'approche européenne, un niveau de protection élevé

Les données à caractère « personnel »

La réglementation communautaire s'applique au traitement de données à caractère « personnel », soit toute information concernant une personne physique identifiée ou identifiable. Une personne est identifiable si elle peut être identifiée, directement ou indirectement, notamment par référence à un numéro d'identification ou à un ou plusieurs éléments spécifiques, propres à son identité physique, physiologique, psychique, économique, culturelle ou sociale. Pour illustration, les fichiers logs (ou données de connexion), qui sont des outils permettant l'identification et la traçabilité de l'internaute lors de sa connexion, constituent des données indirectement personnelles. De plus, parmi les procédés de collecte invisible de données, les cookies

1. Les Lignes directrices, qui n'ont pas valeur contraignante, ont fait l'objet d'une recommandation adoptée le 23 septembre 1980.

2. La Convention du Conseil de l'Europe a été adoptée le 28 janvier 1981.

3. À la date de la rédaction de cet ouvrage, la directive de 1995 n'était toujours pas transposée en France bien que le délai de transposition ait pris fin le 25 octobre 1998.

et les applets Java sont des programmes envoyés par le serveur. Les données concernant les personnes morales sont exclues de la protection sauf si elles contiennent des informations sur certains de leurs membres, tels que leurs dirigeants.

Lors de la consultation d'un site ou en cas de participation à un forum de discussion, l'internaute est susceptible de remplir des formulaires qui requièrent l'adresse électronique, l'identité, les références postales ou téléphoniques et des informations sociales ou économiques qui lui sont relatives, et qui constituent des données personnelles entrant dans le champ d'application de la réglementation.

La notion de « données à caractère personnel » a été préférée à celle de « données nominatives » retenue par la loi « Informatique et Libertés », dans la mesure où elle est plus large que cette dernière. Elle est en effet susceptible d'inclure l'identification par la voix ou l'image, en plus des progrès techniques d'identification comme les moteurs de recherche et les logiciels de reconnaissance vocale ou morphologique.

• Le traitement des données personnelles

De nombreuses opérations peuvent être considérées comme un traitement. Ainsi en est-il pour la collecte, l'enregistrement, l'organisation, la conservation, l'adaptation ou la modification, l'extraction, la consultation, l'utilisation, la communication par transmission, diffusion ou toute autre forme de mise à disposition, le rapprochement ou l'interconnexion, le verrouillage, l'effacement ou la destruction d'informations. L'ensemble des modes de traitement de données personnelles est appréhendé par la réglementation communautaire sans trop de précisions relatives à la technologie utilisée, ceci afin de permettre une adaptation aisée aux évolutions techniques.

Le responsable de fichier et, notamment d'un site web, qui collecte des informations auprès des internautes, doit respecter de nombreuses obligations afin de ne pas porter atteinte aux libertés individuelles. Le risque de fichage portant atteinte au respect de la vie privée reste cependant considérable en raison de la dimension internationale d'Internet.

Ainsi, la directive communautaire prévoit la notification du traitement auprès de l'autorité de contrôle par le responsable du traitement, qui est la personne déterminant les finalités et les moyens du traitement de données à caractère personnel.

De plus, le traitement des données ne pourra être réalisé librement que si les données concernées n'entrent pas dans la catégorie des informations sensibles ou interdites, comprenant en particulier l'origine raciale ou ethnique, les opinions politiques, religieuses ou philosophiques ou encore, l'appartenance syndicale ou les mœurs de la personne.

• L'information des personnes

Le traitement des données sensibles peut notamment être autorisé lorsque la personne concernée a donné son consentement exprès ou quand sont mis en jeu des motifs d'intérêt public. Par exemple, les juridictions sont autorisées à conserver les données sensibles en mémoire informatisée lorsque ces données sont nécessaires à l'instruction et au jugement.

Lorsque des données personnelles sont collectées sur un site web, il est nécessaire de se conformer à une obligation générale d'information : les personnes concernées par la diffusion des données doivent être informées du caractère obligatoire ou facultatif des réponses, des conséquences à leur égard d'un défaut de réponse, des personnes physiques ou morales destinataires des informations et de l'existence d'un droit d'accès et de rectification. Toute personne a ainsi le droit d'interroger les services ou organismes chargés de mettre en œuvre les traitements automatisés afin de savoir si ces traitements portent sur des informations personnelles la concernant. Ce droit d'accès est assorti d'un droit de curiosité : toute personne a ainsi le droit de demander à tout service ou organisme s'il détient des informations sur lui.

Toute personne a en outre le droit de s'opposer, pour des raisons légitimes, à ce que des informations personnelles la concernant fassent l'objet d'un traitement informatique. La réglementation communautaire prévoit que l'existence du droit d'opposition doit obligatoirement être portée à la connaissance de la personne sur laquelle des données sont collectées.

Par ailleurs, tout transfert à l'étranger de données à caractère personnel vers un pays n'assurant pas un niveau de protection adéquat ne peut être effectué sans le consentement de la personne concernée.

Enfin, il convient de mentionner l'obligation de limiter dans le temps la conservation des informations personnelles. Il est ainsi prévu que les informations ne doivent pas, en principe, être conservées sous une forme nominative au-delà de la durée nécessaire aux finalités du traitement pour lequel elles ont été enregistrées, à moins que leur conservation ne soit autorisée par la Commission nationale de l'informatique et des libertés (CNIL).

D'autres dispositions réglementaires visent à prévenir les nombreux risques de détournement d'informations échangées par les internautes, sur les forums de discussion ou via le courrier électronique par exemple, à des fins commerciales ou encore illicites. Il existe par exemple une obligation de collecter et traiter les données à caractère personnel seulement à des fins spécifiques, explicites et légitimes, ces données devant être appropriées, exactes et à jour mais aussi non excessives par rapport aux finalités pour lesquelles elles sont collectées et pour lesquelles elles seront traitées.

La circulation des données sur Internet, par l'envoi notamment de messages électroniques, pose d'importants problèmes de sécurité, les données pouvant être facilement altérées ou détournées par des tiers. C'est pourquoi le droit communautaire étend les obligations en matière de sécurité des informations, afin de prendre en compte les progrès technologiques, et prévoit que le responsable du traitement doit mettre en œuvre des mesures appropriées au regard des risques présentés par le traitement.

En raison de la liberté de circulation de l'information et de l'absence de confidentialité sur Internet, il devient difficile de faire respecter les droits des personnes sur lesquelles des données sont collectées, tels que le droit d'accès et de rectification ou le droit d'opposition. Tout utilisateur du réseau peut en effet facilement collecter l'information qui circule sans que les personnes concernées en soient informées. La CNIL a constaté avec le développement d'Internet de nombreuses collectes sauvages ou pirates de données communiquées sur les sites et sur les forums de discussion, ou recueillies par courrier électronique. Force est de reconnaître que les techniques mises en place sur Internet, telles que les cookies, les applets Java, les formulaires ou les annuaires de forum, facilitent la collecte de profils d'utilisateurs, d'autant que les fichiers sont désormais accessibles en tout point du globe.

L'approche américaine, une autorégulation de plus en plus encadrée

Les États-Unis ont adopté une approche pragmatique face aux questions juridiques posées par Internet et le développement du commerce électronique. Cette approche, qui vise à ne pas entraver prématurément ce développement très prometteur, est conforme à une culture faisant plus volontiers appel qu'en Europe à l'autorégulation.

Aux États-Unis, la création de fichiers informatiques de données personnelles dans le secteur privé n'est pas réglementée. Ainsi, le *Privacy Act* de 1974 et le *Computer Matching and Privacy Protection Act* de 1988 comportent des dispositions visant à protéger la vie privée à l'égard du traitement informatique des données personnelles uniquement dans le secteur public. Le *Privacy Act* limite les types de fichiers informatisés que les organismes gouvernementaux peuvent constituer.

Ni le droit fédéral, ni celui des États n'obligent directement les entreprises américaines à protéger les données personnelles. En dehors de quelques initiatives législatives limitées, ce sont les opérateurs eux-mêmes qui sont à l'origine de textes (codes de bonne conduite, chartes et autres polices) aux termes desquels ils s'obligent à respecter un certain nombre de principes et de règles visant à la protection de la vie privée. Ces dispositions d'autorégulation sont généralement inspirées de recommandations émises par les diverses organisations de protection de la vie privée.

L'application des règles relatives à la détention d'informations personnelles n'est que partiellement suivie puisque selon un rapport de la *Federal Trade Commission* (FTC) datant du mois de juillet 1999, la grande majorité des sites les plus fréquentés n'appliquent pas les quatre directives « minima », dites *Fair Information Practice Principles*, qui sont les principes de notification, d'accord, d'accès et d'intégrité des données. La FTC conclut qu'il est trop tôt pour évaluer l'efficacité de l'autorégulation en matière de protection de la vie privée.

Ces manquements, l'activisme croissant des associations de consommateurs et de défense des libertés, la pression exercée par les négociations euro-américaines et la prise de conscience par les grands opérateurs et l'administration américaine de l'importance de ce sujet pour l'essor du commerce en ligne, ont entraîné un renforcement des mécanismes de protection et de contrôle, de la part des entreprises comme de l'administration.

Le débat entre entreprises et consommateurs sur la protection de la vie privée a pris de l'ampleur aux États-Unis en 2000 : plusieurs propositions de lois prévoient de donner le droit aux personnes de s'opposer à la collecte d'informations les concernant ou à ce que celles-ci soient communiquées à des tiers. Les institutions financières sont d'ores et déjà soumises à de telles obligations dans le cadre de la loi Gramm-Leach-Bliley de 1999. Celle-ci impose également l'obligation de rendre publiques les politiques de transfert de données personnelles à des tiers.

Une loi du 21 octobre 1998 traite au niveau fédéral de la protection en ligne de la vie privée des enfants (*Children On-Line Privacy Protection Act*). Cette loi s'adresse aux exploitants de sites destinés aux enfants de moins de 13 ans ou à ceux qui recueillent en général des informations personnelles auprès de ces derniers. Les exploitants s'engagent à :

– communiquer aux parents les règles qu'ils respectent en matière de collecte d'informations ;

– solliciter un accord parental avant toute collecte, utilisation et transfert d'informations ;

– donner la faculté aux parents de consulter les informations détenues ;

– donner la faculté aux parents de s'opposer à toute nouvelle collecte d'informations concernant leurs enfants ;

– limiter au strict nécessaire la collecte d'informations dans le cadre de jeux et de prix à gagner ;

– assurer par une procédure raisonnable la confidentialité des informations.

La loi prévoit également que les responsables de sites pourront se soumettre à des règles d'autorégulation à la condition d'avoir préalablement sollicité l'accord de la FTC. De ce fait, ces sites se soumettent au contrôle disciplinaire de la Commission.

Ainsi, aux termes de la réglementation communautaire, le transfert de données personnelles émanant de l'Union européenne n'est possible que vers les pays qui assurent un niveau de protection jugé « adéquat ». Or, les États-Unis ne sont actuellement pas considérés comme un pays accordant un niveau de protection adéquat des données collectées. Un arrangement a été trouvé entre la Commission européenne et certains pays, dont la Suisse, la Hongrie, mais aussi les États-Unis. Les États-Unis proposent un système original de protection des données, le *Safe Harbor* – que l'on peut traduire par « port de sûreté » ou « sphère de sécurité » – qui permet un transfert transatlantique de données personnelles vers des entreprises américaines qui adhèrent à un ensemble de règles de protection [1].

Les organisations américaines qui s'auto-certifient et déclarent publiquement qu'elles adhèrent aux principes de la « sphère de sécurité » figurent sur une liste accessible au public, gérée par le ministère du Commerce (ou un autre organisme désigné à cette fin), pour autant qu'elles relèvent de la FTC ou du ministère des Transports. Elles peuvent perdre les avantages afférents à la « sphère de sécurité » si elles ne respectent pas les principes de manière constante et fidèle.

Le cadre juridique du transfert de données personnelles de l'Union européenne vers les États-Unis apparaît aujourd'hui satisfaisant, même si peu d'entreprises ont, dans les six premiers mois de l'application du système du *Safe Harbor*, adhéré aux principes de la sphère de sécurité.

En tout état de cause, les divergences dans le niveau de protection offert en Europe et aux États-Unis témoignent de la nécessité d'une harmonisation internationale de la régulation des réseaux numériques.

Bibliographie

Ouvrages :

- HAAS (Gérard), FENOLL-TROUSSEAU (Marie-Pierre), *Internet et protection des données personnelles*, Litec, Paris, 2000.

Revues et rapports :

- Lamy droit de l'informatique et des réseaux, n° 127, *Protection des données personnelles*, 2000.
- Revue Legicom n° 21-22, *Internet et protection des données personnelles*, ANDRIEU (E.), 2000.

Webographie

- http://europa.eu.int/ISPO/legal/
- http://www.cnil.fr/
- http://www.legalis.net
- http://www.juriscom.net
- http://techlawjournal.com/

P

1. Décision de la Commission européenne en date du 26 juillet 2000 publiée au *JO* le 25 août 2000.

P

Proxy

Système informatique s'interposant entre Internet et un réseau privé. Le serveur ou l'ordinateur *proxy* assure notamment le partage d'un accès à Internet entre plusieurs machines. Il peut également constituer ou participer à l'élaboration d'un système anti-intrusions (*firewall*).

Pure player

Entreprise dont l'activité est née d'Internet et s'exerce exclusivement grâce au réseau des réseaux. Elle se définit par opposition à l'entreprise traditionnelle (*brick and mortar*, briques et mortier), qui ne doit rien aux nouvelles technologies, et par rapport à l'entreprise traditionnelle qui développe certaines de ses activités grâce à Internet (*clicks and mortar*, qui mélange les clics et le mortier).

Push technology

Logiciel téléchargeable permettant de transmettre au terminal d'un internaute les informations pour lesquelles il a exprimé un intérêt. Ces informations lui sont communiquées en vue d'être reçues « en ligne », ou pour être enregistrées sur le disque dur de son ordinateur, afin d'être consultées « hors ligne ». La technologie *push* s'oppose à la technologie dite *pull*, dans laquelle l'internaute adresse des requêtes et va chercher lui-même l'information sur la Toile. La *push technology* permet de diffuser de véritables canaux d'information, élaborés « sur-mesure » par les internautes eux-mêmes. Le *webcasting* remplit ainsi les mêmes fonctions que le *broadcasting* : il diffuse ses programmes, comme un canal de télévision, depuis un organisme émetteur vers une audience potentielle de personnes éparpillées et disposant des équipements récepteurs appropriés. Le mode de fonctionnement du Web, avec ces systèmes (*Poincast* ou *Castanet*), est donc inversé : avec les médias poussettes, on passe du *surf* au *push*. Annoncée en 1997, la révolution des informations « poussées »n'a cependant pas eu lieu. L'intégration des logiciels de cette technologie dans les logiciels de navigation de Netscape et de Microsoft a précipité la chute des entreprises les plus fragiles qui avaient misé sur l'avenir des informations « poussées ». Celles-ci, d'autre part, favorisent à la longue cette même passivité, chez l'internaute, qu'elles étaient censées combattre : leur commercialisation a souffert, sans nul doute, de cette contradiction.

Reconnaissance vocale

Procédé permettant à un ordinateur ou à un téléphone de transcrire en code numérique une commande vocale. La reconnaissance vocale est essentiellement utilisée pour des programmes de dictée ou de numérotation téléphonique. Fondée sur une empreinte vocale, elle permet seulement d'assurer l'exécution d'ordres peu complexes.

Référencement

Le référencement désigne l'enregistrement d'un site web, notamment dans les annuaires, les moteurs de recherche ou les liens hypertexte afin de le faire connaître et d'augmenter en conséquence le nombre de ses visiteurs.

Régulation

On entend par « régulation » l'appréhension d'une activité par un système de normes, qu'il s'agisse d'un corpus réglementaire spécifique ou de règles de droit plus générales, voire d'autres modes, non juridiques, de régulation, tels que mécanismes économiques ou dispositifs techniques.

La régulation d'Internet est objet de débat depuis l'accession du réseau au rang de phénomène économique et socioculturel majeur. D'un côté, Internet apparaît rebelle à toute velléité régulatrice, de par ses origines libertaires, ses liens avec la liberté d'expression, son caractère protéiforme ; de l'autre, la société de l'information et les réseaux numériques sont porteurs de différentes menaces, qui occupent de manière croissante notre actualité et appellent différentes formes de régulation.

Les réseaux numériques facilitent tout d'abord la commission et aggravent les effets d'un certain nombre de délits ou de nuisances qui n'ont rien de spécifique à la société de l'information : délits commerciaux et financiers, diffusion de contenus illicites ou préjudiciables, atteintes à la vie privée, dès lors que l'exploitation commerciale des données personnelles est au cœur de la nouvelle économie et que les technologies de l'information confèrent aux États de redoutables moyens de surveillance planétaire.

Une seconde catégorie de menaces est, elle, propre à l'environnement numérique : la cybercriminalité, c'est-à-dire les atteintes à la sécurité des systèmes informatiques, notamment par la propagation de virus, mais aussi le piratage, c'est-à-dire la diffusion ou la copie à grande échelle de contenus protégés par des droits de propriété intellectuelle : musique, films, textes...

Le droit à l'épreuve

Face à ces menaces, le système juridique lui-même se trouve mis à l'épreuve. L'environnement numérique est en effet porteur de nombreux défis aux catégories fondamentales du droit des sociétés démocratiques et de l'économie libérale.

Le droit s'applique généralement à des réalités tangibles et permanentes : personnes physiques, biens meubles et immeubles ; le numérique est le royaume de l'immatériel, de l'éphémère et du virtuel. Le droit est traditionnellement d'émanation étatique et d'application territoriale : le numérique ne connaît ni les frontières, ni même la distance géographique. L'ordre économique capitaliste repose sur le droit de propriété, qui implique les notions de sujet, d'identité, d'authenticité : le numérique subvertit ces notions en permettant la reproduction parfaite et l'appropriation ou, à l'opposé, la manipulation permanente des signes, ou encore en donnant naissance à des existences et à des relations virtuelles. Internet bouscule enfin les cadres traditionnels de la réglementation sectorielle des télécommunications et de l'audiovisuel.

Face à de tels antagonismes, l'on a d'abord redouté l'avènement d'une jungle numérique sans foi ni loi, qui autoriserait à commettre dans le cyberespace tout ce qui est illicite et réprimé dans le monde réel. Fréquente lors des débuts d'Internet, cette crainte est aujourd'hui en passe d'être dissipée, au vu des manifestations évidentes de l'appréhension des technologies numériques par le droit. Selon une deuxième thèse, le développement de l'univers numérique appellerait une remise en cause fondamentale des cadres réglementaires des industries de la communication, voire des catégories juridiques traditionnelles. Cette thèse est également dépassée : un consensus existe en effet aujourd'hui pour considérer que les nouvelles technologies ne remettent pas en cause les concepts fondamentaux du droit et peuvent au contraire être appréhendées par les normes existantes, au prix d'un certain nombre d'adaptations et d'un renforcement des mécanismes de sanction [1]. Le concept d'un « droit du numérique » ou d'une régulation spécifique d'Internet apparaît ainsi dépourvu de pertinence, le défi lancé à l'ordre juridique par le développement de l'économie numérique et de la société de l'information concernant principalement la mise en œuvre des règles de droit, le contrôle de cette mise en œuvre et, en définitive, la sanction des manquements constatés.

Les activités en ligne se trouvent donc soumises en règle générale au droit commun, comme si elles se déroulaient dans le monde « réel », et la réglementation d'Internet emprunte tour à tour à celles des télécommunications, de l'audiovisuel ou des bases de données, selon le cas, sans qu'aucune autorité ait compétence exclusive, ou même principale, sur le réseau. Cette approche « généraliste » de la

1. Voir sur ce sujet, en France, le rapport du Conseil d'État sur « Internet et les réseaux numériques », *Les Études du Conseil d'État*, Paris, La Documentation française, 1998.

régulation d'Internet va de pair avec l'adoption de textes spécifiques pour traiter des questions propres à la problématique numérique, tels que la preuve et la signature électroniques ou la cryptographie. Au bout du compte, c'est moins le vide juridique que la surabondance de règles potentiellement applicables qui est source d'insécurité.

Internationalisation et autorégulation

La généralisation des technologies numériques entraîne deux conséquences majeures sur les modes de production des normes juridiques destinées à gouverner la société de l'information : leur nécessaire internationalisation, et le recours croissant à des mécanismes d'« autorégulation » encadrés par la puissance publique. Le mouvement d'internationalisation est la conséquence directe du caractère planétaire des communications véhiculées par les réseaux numériques. L'exploitation des nouvelles technologies ignorant le plus souvent les frontières, les règles purement nationales se trouvent privées de portée pratique dès lors qu'elles n'offrent aucune protection effective face aux communications émanant de l'étranger. La coopération internationale en matière de définition des règles du nouvel ordre numérique – fussent-elles de simples adaptations ou de simples mécanismes de protection et de sanction des normes existantes – est donc devenue nécessité. Les technologies numériques renforcent ainsi la tendance à l'internationalisation du droit, et de nombreux chantiers sont aujourd'hui à l'ordre du jour des diverses enceintes internationales de régulation d'Internet : protection de la propriété intellectuelle, fiscalité du commerce électronique, protection de la vie privée, contrôle des contenus illicites, réduction du « fossé numérique », etc.

L'autorégulation consiste à adjoindre à la puissance publique et à la loi ou au règlement les acteurs privés et des mécanismes librement consentis. Les dispositions impératives générales se trouvent en effet disqualifiées par la rapidité des évolutions technologiques et de leurs prolongements économiques et sociaux, ainsi que par la difficulté pratique à en contrôler et à en sanctionner l'application. Face à ces problèmes et à la complexité des négociations internationales, l'autorégulation permet l'élaboration de normes privées (chartes, codes de conduite...), sur mesure, donc plus faciles à faire évoluer, et dont la police est surtout assurée par les intéressés eux-mêmes. Sous-jacente à cette « privatisation » partielle du droit est l'idée selon laquelle les parties prenantes à l'autorégulation ont un intérêt suffisant au bon fonctionnement du système sans réglementation contraignante pour en assurer elles-mêmes le respect. Le concept de « corégulation », préféré en France à celui d'autorégulation, exprime la nécessaire complémentarité des acteurs publics et privés (y compris les internautes eux-mêmes) dans la gouvernance d'Internet.

Au-delà de ces évolutions, la question demeure de savoir si les défis de la régulation numérique peuvent être relevés sans induire à terme la modification d'un certain nombre de pratiques constitutives de l'ordre juridique en vigueur. Il est clair que l'accession d'Internet au rang de phénomène socioculturel majeur et le potentiel économique que représente le commerce électronique conduiront les États et les acteurs privés « légitimes » à coopérer pour le domestiquer et en faire progressivement un espace parfaitement policé. Pour autant, la complexité des problèmes posés et l'ampleur des changements requis par la simple adaptation des systèmes juridiques au nouvel environnement numérique sont sans doute sous-estimées. Au terme d'une évolution qui n'en est encore qu'à ses premiers balbutiements, on ne saurait exclure que l'exploitation des technologies numériques produise de nouveaux schémas d'organisation économique, conduisant à leur tour à l'érosion de certaines catégories juridiques traditionnelles au profit de concepts inédits. Les restructurations industrielles et les batailles juridiques en cours aux États-Unis autour de l'avenir de la propriété intellectuelle dans l'ère numérique en sont sans doute une préfiguration.

Bibliographie

Revues et rapports :

- Les Études du Conseil d'État, *Rapport au Conseil d'État sur « Internet et les réseaux numériques »*, La Documentation française, Paris, 1998.
- Rapport du Premier ministre, *Du droit et des libertés sur l'Internet*, PAUL (Christian), député de la Nièvre, 2000.

R

Renater (Réseau national de télécommunication pour la technologie, l'enseignement et la recherche)

Renater est un réseau de réseaux réservé à des organismes publics établis sur le territoire français et dont les activités concernent l'enseignement, la recherche ou la fourniture d'informations ayant un intérêt public (scientifiques, techniques, médicales, voire administratives). Renater est un groupement d'intérêt public (GIP), créé en 1990 par France Télécom et le ministère français de la Recherche, en association avec dix grands organismes de recherche : le CEA, le CNES, le CNRS, EDF/DER, l'INRIA et les universités. Opérationnel depuis octobre 1992, Renater est organisé en réseaux régionaux, reliés par un réseau national d'interconnexion (RNI) qui ouvre l'accès à l'Internet français et étranger. Les Dom-Tom sont également desservis par Renater. L'architecture du réseau est répartie et modulaire. Chacun des réseaux régionaux relie les réseaux des campus et des sites d'enseignement et de recherche de la région. Ainsi, chaque université possède-t-elle un point d'entrée sur le réseaux de la région dont elle relève, et tous ses bâtiments convergent vers ce point unique. Le RNI relie les réseaux régionaux entre eux et donne accès à Internet, grâce au Nœud de transit international (NTI).

Financé par le GIP, Renater n'accepte pas de trafic exclusivement commercial. Les services du réseau sont néanmoins ouverts aux entreprises privées ou aux utilisateurs publics dont les activités ont un lien avec l'enseignement, la recherche ou l'information scientifique ou technologique. En signant la charte de Renater, chaque responsable de site connecté à Renater (laboratoire, université, campus...) s'engage à respecter certaines règles de bon usage, dans le domaine notamment de la sécurité. Le NTI de Renater accepte tous les types de trafic, sans exclusive (réseaux d'entreprises, fournisseurs de services, fournisseurs d'accès peuvent s'y raccorder), ce qui en fait une plaque tournante importante du trafic Internet européen.

Les services proposés par Renater à ses utilisateurs sont nombreux et divers : le raccordement permanent en protocole IP, à des débits minimaux de 64 kbit/s ; l'accès à l'ensemble d'Internet national et mondial, notamment l'affectation de noms de domaines, à l'intérieur du domaine national .fr, l'allocation d'adresses IP ; pour d'autres opérateurs du réseau Internet enfin, des services de point d'échange inter-réseaux.

À l'initiative du GIP qui l'a créé – à l'exception de EDF, l'un de ses fondateurs, qui s'est retiré en janvier 2000 –, Renater est devenu Renater 2 en août 2000, avec un réseau de plus de 4 000 kilomètres de fibres optiques auquel sont accordés près de 600 sites, ainsi que plusieurs milliers de lycées, collèges et écoles. France Télécom est maître d'œuvre, avec la mise en place d'une boucle centrale à 2,5 gigabits par seconde et de 24 liaisons de 34 à 155 mégabits par seconde. L'accès à l'Internet américain est assuré par une liaison à 155 Mbits/s ; une autre liaison est également établie avec Internet 2, l'Abilène américain. Évoquée déjà pour 2004, l'arrivée de Renater 3 permettra d'améliorer encore davantage les capacités de transmissions, déjà multipliées par 10 par Renater 2, ainsi que la qualité des services. Ainsi pourront se développer davantage des services qui requièrent des hauts débits : le travail en équipe, les visioconférences, les échanges entre banques de données ou bibliothèques, ou encore l'enseignement interactif à distance. En novembre 2000, la décision a été prise par la Commission européenne, à l'occasion du sommet de Nice, de réaliser le projet baptisé Géant (*Gigabit European Academic Network*). Il s'agit de relier les réseaux nationaux qui, en Europe, raccordent les centres de recherche et les universités, à l'instar du réseau français Renater. L'objectif a été atteint début 2001, avec des liaisons ultrarapides à 2,5 gigabits par seconde, en attendant la centaine de gigabits par seconde, prévue pour 2004.

Réseaux

Les réseaux de communication et de télécommunication constituent l'un des secteurs de l'économie mondiale qui a subi les transformation les plus profondes depuis le début des années 1990.

Plusieurs facteurs ont concouru à ce phénomène. En premier lieu, l'ouverture à la concurrence, pratiquement généralisée au cours des années 1990 dans les pays industrialisés, des activités de communication et de télécommunication : là où des opérateurs historiques avaient bâti des réseaux adaptés à certaines finalités et dont ils étaient propriétaires, il n'existait pas à proprement parler d'activité économique de réseaux en dehors de monopoles constitués, ni de système ouverts. Cette prémisse historique a été bouleversée avec l'ouverture à la concurrence, devenue l'un des objectifs de la politique de l'Union européenne en matière de télécommunications. Aux États-Unis, où le secteur des télécommunications était depuis toujours lié à l'activité de puissants opérateurs privés, soumis toutefois à une réglementation stricte, le desserrement des règles de concurrence a suscité une nouvelle dynamique industrielle liée à la perspective du développement des « autoroutes de l'information ».

Un deuxième facteur de mutation important a été l'investissement des technologies de réseau par l'informatique et son ingénierie spécifique. Internet, symbole de l'introduction de l'informatique dans le fonctionnement des réseaux, a considérablement modifié la physionomie, les usages, ainsi que le fonctionnement des réseaux désormais tous plus ou moins orientés vers le modèle IP (*Internet Protocol*, mode de fonctionnement d'Internet, sous la forme d'un protocole d'interconnexion de sous-réseaux ayant des caractéristiques différentes).

Le troisième facteur de mutation a été le développement de l'économie de l'information et de la communication (radio, télévision, vidéo, jeux, édition musicale, services interactifs, cinéma, etc.) entraîné par une demande croissante de services et de nouvelles consommations, qui a fait de ce secteur un de ceux qui ont connu une forte croissance (chiffre d'affaires, abonnés, services) depuis les années 1990.

Enfin, le développement des technologies de réseaux, notamment la numérisation, mais aussi l'explosion spectaculaire des services mobiles, véritable fait de société, ont également accéléré cette mutation.

Les nouveaux enjeux de l'économie des réseaux sont désormais la possession des infrastructures (les réseaux faisant plus que jamais l'objet d'opérations d'acquisition), les conditions d'exploitation d'un marché stable (sur le modèle de l'abonnement cher aux télécommunications) et les conditions de la concurrence entre les opérateurs d'infrastructures (dégroupage, accès à la boucle locale). Les concepts d'interconnexion des réseaux (détermination du prix et des modalités selon lesquels des propriétaires d'infrastructures peuvent faire transiter des signaux provenant d'autres réseaux sur leurs propres réseaux) et d'interopérabilité des terminaux (ce qui permet d'envisager l'usage indifférencié des terminaux par différents opérateurs de services) sont, à cet égard, essentiels.

Auparavant, ces problèmes n'étaient pas envisageables dans un univers de monopole public où chaque réseau avait ses fonctions propres et n'était pas censé s'en affranchir. Aujourd'hui tous les réseaux peuvent se concurrencer car ils sont de plus en plus souvent polyvalents.

Une typologie des réseaux apparaît donc nécessaire au moment où tous les types d'infrastructures font l'objet de projets de développement et où la propriété des réseaux change de mains, faisant l'objet de transactions qui atteignent des montants considérables, surtout lorsque des portefeuilles importants d'abonnés liés à l'exploitation des réseaux sont en jeu, comme dans les opérations de rachat de réseaux câblés par AT&T aux États-Unis ces dernières années, ou comme avec la fusion Vodafone-Mannesmann qui a créé le premier opérateur de téléphonie mobile en Europe.

Typologie des réseaux : les grandes familles

On distingue traditionnellement deux grandes familles de réseaux : les réseaux filaires et les réseaux hertziens. Ces deux catégories d'infrastructures renvoient à des architectures spécifiques et à des normes techniques très différentes, y compris au sein d'une même famille, même si les différences qui caractérisaient jadis ces deux familles tendent à s'estomper. Une autre distinction, proche de la première peut être faite entre réseaux fixes et réseaux mobiles, la mobilité étant un mode d'usage des terminaux de communication de plus en plus répandu dans les sociétés contemporaines comme en témoigne le succès rapide et spectaculaire de la téléphonie mobile en moins d'une décennie.

Enfin, une autre distinction peut être faite sur la base des aptitudes de chaque réseau à l'interactivité ou à la bidirectionnalité et à la fonction de commutation. De ce point de vue, la distinction entre les réseaux de télécommunication (réseau téléphonique commuté ou « paire de cuivre »), les réseaux de radiodiffusion (diffusion de services de radio et de télévision par voie hertzienne terrestre ou par satellite) et les réseaux de télédistribution (réseaux câblés) n'est plus pertinente : il est possible aujourd'hui d'offrir des services interactifs et bidirectionnels sur des réseaux câblés qui n'étaient pas conçus à l'origine pour cet usage, ou sur les systèmes de satellite de diffusion directe. De même la commutation de paquets est envisageable, sur le modèle des réseaux informatiques, sur tout type d'infrastructures, notamment pour développer les accès à Internet.

Enfin les réseaux peuvent être évalués en fonction de leur bande passante et des options technologiques ouvertes, à court ou moyen terme, pour faire évoluer leur capacité de débit. Cette appréciation des débits respectifs de chaque type de réseau est souvent complétée par une approche de leurs performances comparées, qui peuvent être liées à d'autres critères que le débit (mobilité, coût des infrastructures ou des mises à niveau, simplicité et fiabilité des technologies attenantes à chaque type de réseau, etc.). Le concept de boucle locale, qui sert désormais à désigner l'accès stratégique à l'usager (à l'abonné), puisqu'il désigne le dernier segment d'un réseau, qui rend possible le raccordement d'un foyer à ce réseau, permet aussi une approche comparative des réseaux en termes d'économie de la connexion et du raccordement de l'abonné.

Les réseaux filaires

Il existe deux grands types de réseaux filaires. Le premier est le traditionnel réseau téléphonique commuté (RTC) dont la technologie est le fil de cuivre et le principe de fonctionnement la commutation (de circuits et de paquets). La commutation consiste à mettre en relation tous les abonnés au réseau entre eux, « à la demande », dès qu'un abonné décroche son combiné téléphonique. La structure du RTC est fortement hiérarchisée et permet la gestion la plus économique du trafic, avec différents niveaux de traitement des appels par des centraux téléphoniques destinés à acheminer les appels sur le réseau. L'emprise des réseaux filaires de télécommunications dans le monde, c'est-à-dire leur déploiement géographique et l'importance de leur desserte, s'agissant historiquement des premières infrastructures déployées dans le monde entier, est incomparable puisque la téléphonie fixe touche plus d'un milliard d'abonnés à l'échelle de la planète.

Le réseau téléphonique commuté, d'abord exclusivement voué à la téléphonie vocale, a vu ses fonctionnalités évoluer au fil du temps vers la télécopie, le transport de données (sur le réseau numérique à intégration de services, RNIS, dont la capacité de transport est plus élevée que celle du réseau classique et autorise des débits de 64 Kbps), la télématique et l'Internet. Sa principale vertu est de permettre l'accès à la boucle locale, c'est-à-dire aux derniers mètres reliant le réseau à l'abonné. Son handicap majeur est son inadéquation aux hauts débits. Le problème a ainsi été posé lors des premières visions stratégiques des « autoroutes de l'information » : par quels moyens parvenir à une position aussi avantageuse que celle du réseau téléphonique en ce qui concerne le nombre d'abonnés raccordés mais avec une capacité de débit beaucoup plus élevée ?

Second type d'infrastructure filaire : les réseaux câblés. D'abord voués exclusivement à la télédistribution (et dans une moindre mesure à la distribution de programmes de radio) dont la technologie repose soit sur le câble coaxial, soit sur la fibre optique (selon l'option choisie les débits sont variables), ces réseaux ont vocation à connaître une nouvelle phase de développement, déterminante pour leur économie future. La première étape de développement des réseaux câblés a été celle de l 'offre de services télévisuels en grand nombre, captés en provenance des satellites par les têtes de réseaux et distribués aux abonnés. Cette première phase a assuré, dans certains pays, en particulier aux États-Unis, un essor rapide des réseaux câblés et des télévisions thématiques. La seconde phase de développement a été celle du numérique et de l'extension du nombre de services offerts sur ces réseaux (jusqu'à 150). La troisième phase, en cours, est la mise à niveau des réseaux câblés pour les adapter aux exigences des hauts débits et des réseaux à large bande. Ce développement passe par de lourds investissements à la fois dans les infrastructures (équipement des artères principales de réseaux en fibre optique) et par l'aménagement de leur bidirectionnalité (modem câble, fonctionnement sur le modèle des réseaux Ethernet, c'est-à-dire à la fois de l'une des architectures et du protocole le plus répandu pour les réseaux informatiques).

Une vive concurrence va désormais opposer ces deux types de réseaux filaires, actuellement les seuls à pouvoir fournir un accès à la boucle locale, segment de réseau dont les coûts d'installation sont les plus élevés (70 % du coût d'installation d'un réseau filaire).

D'où une forte tension concurrentielle, qui s'est affirmée notamment aux États-Unis s'est traduite par une revalorisation des réseaux câblés qui ont fait l'objet d'acquisitions importantes notamment par l'opérateur de télécommunications longue distance AT&T, devenu le premier opérateur mondial du câble après avoir successivement acquis les réseaux de *Liberty Media* et de *Media One*, ces derniers ayant fait l'objet d'une transaction de 58 milliards de dollars.

Les réseaux hertziens

Traditionnellement consacrés à la radiodiffusion et aux radiocommunications, les réseaux hertziens ont connu un premier développement important avec l'exploitation intensive des fréquences UHF et VHF et de la modulation de fréquence qui ont assuré la généralisation de la diffusion des services de télévision dans le monde ainsi que celle des radios dans la bande FM. Une nouvelle phase de développement de ces réseaux s'est produite dans les années 1990 avec l'apparition de la téléphonie mobile qui a largement utilisé les ressources hertziennes de terre. Enfin, le besoin de concurrence sur le segment de la boucle locale a suscité le développement de nouveaux services (boucle locale radio) qui offrent des accès haut débit libres de toute connexion filaire chez l'abonné.

Les services par satellite, originellement consacrés aux opérateurs de télécommunications pour les services de télécommunications intercontinentaux et pour le transport des images vidéo à destination des chaînes de télévision, ou à la fourniture en programmes des têtes de réseaux câblés, ont eux aussi considérablement évolué au cours des années 1990. La diffusion directe permet désormais au particulier de recevoir directement le signal émis d'un satellite avec une antenne de taille réduite (40 cm), ce qui a donné lieu à la constitution de plates-formes de services par abonnement (bouquets de programmes TV et radio et services associés). Par ailleurs, la possibilité d'un accès à Internet par satellite, moyennant l'aménagement d'une voie de retour sur le RTC, a été récemment ouverte par certains opérateurs de satellites de diffusion directe (DirecTV, Eutelsat, Astra).

Les réseaux informatiques

Sans être à proprement parler un réseau, au sens d'une infrastructure, Internet est devenu le réseau des réseaux : non seulement parce qu'il a généralisé une technique de transmission et de routage de l'information très originale et adaptée au transport de fichiers numérisés, c'est-à-dire de tous types de contenus (c'est le protocole IP, qui définit le format des données, leur taille et leur organisation dans la transmission par paquets), mais aussi parce qu'il a rendu universel le principe de fonctionnement des réseaux informatiques qui le constituaient dès l'origine et continuent d'en définir la structure de base, élargie à une boucle mondiale (*backbone* ou « épine dorsale »). Celle-ci permet de relier entre eux tous les ordinateurs (dits ordinateurs « hôtes ») membres d'un réseau informatique, qu'ils participent effectivement à une mise en réseau de plusieurs ordinateurs, ou qu'ils soient reliés à Internet, par l'intermédiaire d'un fournisseur d'accès.

Il existe trois types de réseaux informatiques : les LAN (*Local Area Network*) dont l'emprise ne dépasse pas quelques kilomètres et qui réunissent quelques centaines d'ordinateurs, généralement dans la même entreprise ; les MAN (*Metropolitan Area Network*) installés à la dimension d'une ville et qui peuvent relier entre eux des LAN ; les WAN (*Wide Area Network*) réseaux couvrant de grandes distances et pouvant regrouper plusieurs milliers d'utilisateurs.

Chacun de ces réseaux permet de partager des fichiers ainsi que des ressources informatiques et des programmes.

Dans le cas d'Internet comme des réseaux informatiques, l'infrastructure est relativement indifférente (il peut s'agir de paire de cuivre, de câble coaxial, de fibre optique, de liaisons hertziennes terrestres ou par satellite), à condition que le débit dans les deux sens (voie descendante, voie de retour) soit adapté au volume des fichiers transmis et à la rapidité de chargement requise sur les ordinateurs reliés entre eux, ce qui peut dépendre, non seulement de la bande passante du réseau, mais aussi du nombre d'utilisateurs qui y sont connectés. L'architecture du réseau varie selon le modèle (Ethernet, Token Ring, etc.) et le protocole adopté (Ethernet, *Point to Point Protocol* pour le réseau téléphonique, *Asynchronous Transfer Mode* ou ATM, le protocole IP étant compatible avec les autres protocoles installés sur des couches inférieures).

Dans le cas d'Internet le réseau fonctionne selon un schéma qui met en relation plusieurs boucles : la boucle locale qui relie l'ordinateur individuel au fournisseur d'accès, la boucle nationale qui relie le fournisseur d'accès à l'épine dorsale du réseau et la boucle internationale qui constitue l'épine dorsale du réseau. Les différentes boucles sont constituées de passerelles et de routeurs.

Désormais, le protocole IP est devenu le modèle de la communication multimédia. Ayant supplanté, par sa simplicité et son déploiement mondial rapide par le biais des réseaux téléphoniques, le principe d'un nouveau réseau universel à construire sur le modèle des « autoroutes de l'information » composé de fibre optique jusqu'à l'abonné, Internet a profondément modifié les conditions de fonctionnement des infrastructures de réseau et leur a dicté leurs conditions d'évolution à terme. En effet, si Internet a pu se développer sur la base d'un accès à débit limité (à partir de modems 14 400 bauds pour le grand public à l'origine), les besoins en bande passante, y compris pour le grand public attiré désormais par le téléchargement de musique ou d'images vidéo sur Internet, voire leur consommation en mode *streaming* et en temps réel, ont considérablement accru la demande d'infrastructures « large bande ».

La problématique est donc maintenant d'assurer la prospérité du protocole IP sur tous types de réseaux et d'offrir à un nombre croissant d'abonnés l'accès à l'Internet rapide.

Les nouvelles formes d'accès

Les réseaux traditionnels sont aujourd'hui potentiellement polyvalents. Se délivrant peu à peu des limitations imposés par leurs usages d'origine, tous les types d'infrastructures de réseau tendent à fournir des accès à toutes sortes de services large bande : téléphonie (sous IP notamment), vidéo, transfert de données, accès à l'Internet rapide, etc. Ainsi le terminal téléphonique peut-il désormais devenir indissociable de l'ordinateur personnel, voire du téléviseur, si l'ADSL (*Asynchronous Digital Subscriber Line,* technologie qui permet d'augmenter très sensiblement le débit de la paire de cuivre du réseau téléphonique, par l'ajout de filtres sur la ligne de l'abonné) transmet de la vidéo à la demande ; de même, on pourrait télécharger un film sur un téléphone mobile de troisième génération (UMTS), ou encore téléphoner à partir d'un terminal relié à la prise câble sur laquelle est branchée le téléviseur, ou avoir accès à Internet à partir de l'antenne parabolique qui permet de recevoir programmes de radio et de télévision par satellite en diffusion numérique. Toutefois, si les possibilités d'accès aux services multimédias par les réseaux, quels qu'ils soient, semblent aujourd'hui se ressembler jusqu'à devenir dans le principe équivalentes, c'est sur la base de technologies très différentes qui concernent, soit l'ingénierie des réseaux eux-mêmes (tant pour les débits que pour l'interactivité requise par certains services), soit les terminaux qui leurs sont associés.

La problématique des débits et de la rapidité

Les technologies d'accès aux services large bande peuvent être désormais comparées sous plusieurs angles. Le premier est le débit offert : actuellement la gamme des débits selon les technologies varie de 128 Kbits/s pour le RNIS (Réseau national à intégration de services) sur la paire de cuivre, à 10 mégabits/s pour un abonné ADSL sur le même réseau téléphonique, et à plus de 20 mégabits/s pour un modem câble, une fibre optique jusqu'à l'abonné permettant plus de 45 mégabits/secondes.

Les modèles d'accès en compétition renvoient tous à des typologies de réseaux spécifiques. Les technologies xDSL renvoient ainsi au réseau téléphonique, avec un équipement composé d'un modem et d'un filtre (*splitter*) installé dans le central et chez l'abonné. La technologie ADSL, qui est une des variantes des technologies DSL, permet en fait une meilleure utilisation de la ressource du réseau téléphonique en séparant le trafic de données et la commutation de la téléphonie vocale pour une optimisation de l'usage de la paire de cuivre. Le débit fourni par la technologie ADSL est variable selon l'éloignement de l'abonné du central téléphonique. L'ADSL suppose cependant une mise à niveau du réseau téléphonique et notamment de l'installation chez l'abonné où doivent être installées les terminaisons spécifiques (filtre). L'abonné doit, quant à lui, s'équiper d'un modem et d'une carte Ethernet (ou d'une interface ATM s'il s'agit d'une entreprise). L'ADSL est d'ores et déjà commercialisé en France et permet la valorisation de la boucle locale du RTC et de son immense vivier d'abonnés pour des accès à l'Internet rapide à des débits de 500 Kbps pour les particuliers et de 1,5 Mbps pour les entreprises. Mais, à terme, cette technologie pourrait permettre des débits allant jusqu'à 8 Mbps sur la voie descendante (du central vers l'abonné) et 1 Mbps sur la voie montante (de l'abonné vers le réseau).

Les accès aux services haut débit sur le câble font aussi l'objet d'une offre commerciale depuis quelques années. Le modem câble autorise un accès à l'Internet rapide et éventuellement à des services de téléphonie sous IP avec des débits allant de 500 Kbps à 2 Mbps. La technologie est celle d'un réseau Ethernet qui répartit la bande passante entre les usagers. L'immense avantage de l'accès à Internet par le câble est qu'il se conjugue, du fait des capacités de bande passante des réseaux câblés, à d'autres offres de service : programmes de télévision et de radio, vidéo à la demande, etc. L'offre d'Internet sur le câble suppose elle aussi une remise à niveau des réseaux pour les faire fonctionner sur le modèle des réseaux informatiques (technologie Ethernet) et accroître leur capacité de transport en introduisant la fibre optique sur certains segments du réseau (selon le modèle HFC, *Hybrid Fiber Coax*). En outre le modem câble n'a évidemment pas la même capacité de pénétration dans les foyers que l'ADSL, bien que certains pays soient plus câblés que d'autres.

Sur les réseaux filaires, des expérimentations récentes permettent d'entrevoir la possibilité de fournir un accès à Internet par le réseau électrique à un débit de 1 Mbps (technologie *Digital powerline*) qui pourrait être développée dans des zones où d'autres infrastructures feraient défaut.

Les accès par voie hertzienne, qui accusent un léger retard par rapport aux modes d'accès filaires, sont promis à un développement rapide. C'est le cas en particulier de la boucle locale radio (BLR), qui repose sur l'utilisation des bandes de fréquences les plus élevées du spectre (ondes centimétriques et ondes millimétriques) et a été développée à partir des technologies LMDS (*Local Multipoint Distribution Service*). La boucle locale radio, qui est destinée à se déployer principalement sur les zones urbaines pour des services aux entreprises et aux particuliers, offrira un débit de 2 Mbps pour des services à haut débit. Les émetteurs ont une portée réduite (2 à 10 km) et nécessitent donc d'être à portée de vue de l'abonné. Enfin, l'usage du spectre hertzien n'est pas exempt de risques d'interférences.

Le satellite pourrait être également une des voies d'accès aux services nécessitant un haut débit et à l'Internet rapide. Des possibilités d'accès à Internet à partir de satellites de diffusion directe ont déjà été conçues, mais le problème de l'accès par satellite est celui de la voie de retour qui n'est possible que par l'usage d'un autre réseau, le plus communément le réseau téléphonique, l'abonné n'étant pas en mesure d'émettre un signal vers le satellite. Ces systèmes d'accès autorisent des débits individuels de 500 Kbps à 1 Mbps en liaison descendante avec les inconvénients liés à une bande passante partagée entre les abonnés. L'avantage du satellite est qu'il permet une couverture de toutes les zones géographiques, notamment rurales, que celles-ci soient pourvues ou non d'autres infrastructures. La nouvelle génération de satellites dits de basse orbite et notamment le projet de réseau satellitaire de 288 satellites développé par Microsoft (projet Teledesic), a pour ambition de permettre un accès à Internet en tous points de la planète.

Les services mobiles ambitionnent aussi d'augmenter leur débit pour constituer des voies d'accès à Internet. Les réseaux UMTS (*Universal Mobile Transmission System*), dits aussi de « troisième génération », devraient permettre, dans un futur proche, le développement de la communication mobile sans fil à large bande. Le débit devrait varier en fonction des circonstances et de l'usage du terminal mobile de 64 Kbps à 384 Kbps selon la zone de réception et la mobilité du terminal, jusqu'à 2 Mbps lorsque le terminal est en zone urbaine et faiblement mobile. La bande passante sera partagée entre les utilisateurs.

Ainsi, dans un horizon de trois à cinq ans, la plupart des technologies de réseau vont permettre des accès à l'Internet à haut débit et aux services à large bande. Dès lors, la compétition entre ces différents modes d'accès va être l'un des éléments clés de l'économie des réseaux.

La concurrence entre les opérateurs de réseaux

La situation née de l'évolution des technologies et infrastructures de réseau a entraîné une libéralisation du marché des télécommunications. Celle-ci a commencé aux États-Unis, où il n'y a jamais eu de monopole d'État sur les télécommunications et où le droit a toujours posé le cadre d'une régulation de la concurrence, ravivée encore en 1996 (avec le *Telecoms Act*). En Europe, en revanche, où les monopoles d'État étaient la règle jusqu'aux années 1990, la transition de ces monopoles vers un contexte nouveau de concurrence a entraîné la définition d'un cadre juridique adapté, permettant la naissance de nouveaux entrants dans les activités de réseaux et l'offre de services, et entraînant des contraintes particulières pour les opérateurs historiques de service public, propriétaires des principales infrastructures.

Dans le contexte de la convergence des réseaux et des services, deux problématiques de la concurrence entre les opérateurs de réseaux et de services, visant toutes deux à donner accès à des services large bande, peuvent être envisagées.

Soit on se place, en effet, dans la perspective d'une concurrence entre infrastructures où des offres de connexion et d'accès à un réseau se substituent à d'autres : c'est le cas de la boucle locale radio, par exemple, qui vient concurrencer chez l'abonné lui-même la boucle locale du réseau téléphonique commuté ou celle du réseau câblé. La concurrence relève alors des investissements consentis par les opérateurs de réseaux dans de nouvelles infrastructures (dans le cas de la boucle locale radio) ou dans la mise à niveau des infrastructures existantes avec des technologies nouvelles (modem câble pour le cybercâble et ADSL sur la paire de cuivre pour accroître le débit du réseau téléphonique commuté), afin d'offrir à leurs abonnés un accès à haut débit. Dans ce cas, c'est la rentabilité et les perspectives d'amortissement des coûts d'installation ou de mise à niveau des réseaux et des terminaux qui leurs sont éventuellement liés qui déterminent les possibilités de concurrence. La boucle locale radio, technologie beaucoup moins coûteuse que l'installation d'un raccordement à un réseau filaire puisqu'elle ne repose que sur l'installation d'émetteurs et de récepteurs et n'implique pas (comme pour le câble) que l'abonné potentiel soit raccordable, permet ainsi une concurrence effective par le contournement des « infrastructures essentielles » (câble, RTC).

Toutefois, il est assez rare qu'une infrastructure de réseau soit totalement autonome, c'est-à-dire qu'elle ne dépende pas, au-delà du segment de la boucle locale, d'autres segments de réseaux appartenant à d'autres opérateurs que celui qui offre le service à l'abonné. Il est donc apparu nécessaire de réguler la concurrence sur la base d'obligations d'ouverture de leurs réseaux imposées aux opérateurs historiques notamment, propriétaires de la boucle locale du réseau téléphonique, et d'imposer des règles d'interconnexion permettant la circulation des signaux sur les réseaux. C'est la directive communautaire « ONP » (*Open Network Provision*) qui a défini ce cadre. Cette directive, complétée par d'autres (directive « Interconnexion »), a prôné l'ouverture effective à la concurrence des offres de service sur les infrastructures de réseau existantes. Ainsi en France, l'application de la directive européenne a-t-elle été transposée dans la loi du 26 juillet 1996 par l'obligation faite à l'opérateur historique de publier annuellement un « catalogue d'interconnexion », dont les tarifs doivent être approuvés par l'Autorité de régulation des télécommunications. De même, le « dégroupage » de la paire de cuivre est-il pour l'opérateur propriétaire du réseau téléphonique commuté en France une obligation, soit sous la forme du partage de la ligne, soit sous la forme d'une installation dans les centraux téléphoniques des équipements d'opérateurs concurrents, contre rémunération. Ainsi les opérateurs qui s'engagent aujourd'hui dans le développement de l'offre de services sur la base des techniques xDSL vont-ils pouvoir utiliser le réseau téléphonique pour proposer leur offre de service à ses abonnés et transformer le réseau téléphonique en réseau à haut débit. La mise en œuvre du dégroupage permet donc d'éviter que le propriétaire d'un réseau ait l'exclusivité de l'offre de services à haut débit sur ce réseau sans concurrence, et permet aussi à d'autres opérateurs d'investir dans des techniques permettant l'optimisation des capacités du réseau.

De même, la Commission européenne a-t-elle invité les opérateurs historiques de téléphone (France Télécom, Deutsche Telekom) à se défaire de leurs réseaux câblés ou, du moins, à séparer juridiquement leurs activités, afin d'éviter une concentration excessive de ces opérateurs sur les accès à la boucle locale, quels qu'ils soient et « d'encourager la concurrence et l'innovation dans le domaine des télécommunications locales et de l'accès rapide à Internet ». Aux États-Unis, il n'est pas exclu que des obligations de dégroupage de la boucle locale câble ne soient à terme imposées aux opérateurs.

En outre, le principe de l'attribution de licences aux opérateurs, par les autorités chargées de la régulation du secteur des télécommunications et de la communication audiovisuelle (Autorité de régulation des télécommunications et Conseil supérieur de l'audiovisuel en France, qui attribuent aux opérateurs privés les autorisations d'usage de fréquences qui leur sont affectées par l'Agence nationale des fréquences ; *Federal Communications Commission* aux États-Unis, compétente pour les deux secteurs) est également un outil de régulation essentiel de la concurrence entre les opérateurs, notamment par les procédures de mise en compétition organisées lors de l'attribution d'autorisations d'usages de réseaux comme la boucle locale radio (au niveau régional) ou les licences UMTS, pour les mobiles de troisième génération.

En effet aujourd'hui, c'est clairement l'objectif d'une multiplication des offres de service, des investissements dans le développement des infrastructures, et des accès aux réseaux pour les consommateurs, à des tarifs toujours plus abordables, et sans limite de consommation, que visent les politiques de la concurrence. Parallèlement, la définition d'un « service universel » des télécommunications appliquée aux services multimédias à hauts débits n'a pas pour le moment permis de définir une offre de base que le seul marché ne pourrait pas financer et qui pourrait être la tâche de l'opérateur historique.

Il est clair toutefois que dans un environnement radicalement nouveau où s'orchestre une convergence d'industries traditionnellement séparées, principalement celles des télécommunications, de l'audiovisuel et de l'informatique, c'est la première d'entre elles, c'est-à-dire l'industrie des réseaux qui est de loin la plus puissante industriellement et financièrement (745 milliards de dollars de marché mondial en 1997 contre 309 milliards pour l'audiovisuel et 290 milliards pour l'informatique). La régulation de la concurrence sur les réseaux à large bande du futur passera donc aussi par un nécessaire souci d'équilibre entre les acteurs économiques, de taille et de surface inégale, qui doivent concourir à l'offre de services multimédias, surtout pour garantir la diversité et le pluralisme de cette offre.

Bibliographie

Ouvrages :

- BATTU (Daniel), *Réseaux et services multimédias*, Editions du téléphone, Paris, 1997.
- GUILLAUME (Marc), *L'empire des réseaux*, Descartes et Cie, Paris, 1999.
- OWEN (Bruce M.), *The Internet Challenge to Television*, Harvard University Press, Cambridge, 1999.
- PUJOL (Guy), *Les réseaux*, Eyrolles, Paris, 1997.
- ROLLIN (Pierre), *Les réseaux : principes fondamentaux*, Hermès, Paris, 1996.

Revues et rapports :

- Rapport au Commissariat général du Plan, *Les réseaux et la société de l'information*, MILÉO (Thierry), dir., ESKA, 1996.
- Rapport au secrétaire d'État à l'Industrie, *Réseaux à hauts débits : nouveaux contenus, nouveaux usages, nouveaux services*, BOURDIER (Jean-Charles), Paris, 2000.

Webographie

- http.//www.telecom.gouv.fr

RNIS (Réseau numérique à intégration de services)

Le RNIS est une liaison utilisant les lignes téléphoniques existantes pour transmettre la voix, les données numériques et les images faiblement animées, avec un débit de 128 Kbits/s. La version française du RNIS est le réseau Numéris, géré par France Télécom depuis 1991, qui est interconnecté au réseau téléphonique et spécialement affecté au transport de données informatiques et multimédias. L'évolution vers les réseaux à large bande permettra de faire accéder ce réseau à des débits atteignant 100 Mbits/s, ce qui permettra d'en accroître les possibilités et d'en diversifier les utilisations.

Roaming

Ensemble des accords passés entre opérateurs de téléphonie mobile permettant à l'utilisateur de téléphoner dans un pays étranger sans changer de terminal, en se connectant à un réseau partenaire. Pour l'utilisateur, cette opération est transparente car toutes les informations concernant ces réseaux partenaires sont inscrites sur la carte SIM de son terminal. La diffusion de terminaux bibandes, voire tribandes, a permis d'étendre les accords d'itinérance entre opérateurs utilisant des normes différentes.

Satellite

Objet spatial gravitant autour de la Terre sur une orbite fermée et permettant de rediffuser un signal auprès d'un seul ou de plusieurs équipements de réception identifiés et aisément localisables. C'est avec le lancement de *Spoutnik 1*, le 4 octobre 1957, que le premier satellite est lancé dans l'espace. Dès 1945 pourtant, Arthur C. Clarke, auteur de *2001 Odyssée de l'espace*, avait imaginé la possibilité de mettre à profit des satellites géosynchrones pour communiquer. En 1962, le premier satellite de télécommunications (Telstar) est mis sur orbite, et dès ses premières rotations retransmet des images. Près de quarante années plus tard, l'orbite géostationnaire est surchargée de satellites dont les fonctionnalités et les usages sont de plus en plus divers et spécialisés.

À l'origine, les satellites de télécommunications sont essentiellement destinés aux télécommunications intercontinentales et plus précisément à compléter les dispositifs terrestres de câbles transatlantiques ou transocéaniques. Les satellites de la première génération des Intelsat au milieu des années 1960 avaient une capacité limitée à 500 lignes téléphoniques mais très vite ces capacités de transport se développent et l'usage des satellites se déploie également dans le domaine de la radiodiffusion (sons et images). Les satellites ont ainsi largement augmenté leurs capacités de transport (dès les années 1990, plus de 200 000 voies sur les satellites Intelsat), leur poids (au-delà de 5 tonnes) et leur puissance d'émission ainsi que leur durée de vie, éphémère à l'origine (17 mois environ) et qui peut désormais dépasser une décennie. Leur positionnement dans l'espace a également sensiblement évolué dans le temps, avec la possibilité de nouvelles positions orbitales inférieures à l'orbite géostationnaire, donc avec des satellites plus proches de la terre, et dont le lancement est simplifié et moins coûteux.

Aujourd'hui, l'essentiel des satellites en activité sont des satellites de communication dont les usages se sont considérablement diversifiés, couvrant aussi bien la téléphonie traditionnelle que la radiodiffusion, le transport des images vidéo, les échanges de données, l'accès à Internet, etc. À partir des années 1990 en effet, 85 % des satellites mis sur orbite étaient des satellites de communication. L'usage du satellite s'est également individualisé par le développement de la diffusion directe, à tel point que, conçu à l'origine pour être un complément des infrastructures de réseaux terrestres, le satellite est devenu une technologie de réseau parfaitement autonome et concurrente des autres infrastructures.

Principe et mode de fonctionnement d'un satellite

Le satellite est d'abord un engin spatial destiné à naviguer sur orbite. Les systèmes de lancement et leurs performances sont donc essentiels pour le fonctionnement et l'usage des satellites de télécommunication. Les avancées techniques de l'industrie aérospatiale, notamment tout ce qui a trait à la sécurisation des systèmes de lancement et de propulsion et à la réduction des coûts d'acheminement des satellites sur leur orbite, ont une incidence directe sur la place que peut tenir le satellite dans l'architecture des systèmes de communication. Les progrès rapides enregistrés par les systèmes de lancement ces trente dernières années, notamment avec le programme Ariane, ont sans doute eu une incidence décisive sur la place prise par les systèmes satellitaires dans l'économie de la communication.

Auparavant exclusivement financés par des fonds publics et par l'intermédiaire d'agences d'État, les programmes satellitaires et spatiaux sont désormais largement développés par des acteurs industriels pour des projets visant des marchés nouveaux : téléphonie mobile, Internet mobile, services numériques à haut débit, etc.

Il existe aujourd'hui plusieurs sites de lancement dans le monde, mais celui de Kourou (Guyane française), notamment avec le programme Ariane, est sans doute celui qui a joué le rôle le plus déterminant dans les lancements de satellites de télécommunication. La nouvelle fusée *Ariane 5* est actuellement l'un des systèmes de lancements de satellite les plus performants aux côtés des lanceurs Atlas, Delta, Proton, Zenith et Soyouz. Les centres de lancement les plus couramment mis à contribution sont, outre Kourou, Cap Kennedy et Baïkonour.

Placés au sommet du lanceur (la coiffe de la fusée), les satellites embarqués sont largués vers 200 km d'altitude et sont placés ensuite sur leur apogée par leur propre moyen de propulsion (moteur d'apogée).

Le satellite est composé de deux parties distinctes : la charge utile et la plate-forme. La charge utile comporte tous les composants du système de télécommunication ou de radiodiffusion embarqué, c'est-à-dire les antennes et les répéteurs (auxquels s'ajoutent amplificateurs et systèmes de multiplexage le cas échéant). Les caractéristiques principales de la charge utile se résument en particulier à la mesure de la puissance du satellite traduite par la PIRE (puissance isotrope rayonnée équivalente), qui s'exprime en décibels/watt (dB/W). La PIRE varie selon la situation du récepteur du signal satellitaire par rapport au cœur de l'empreinte au sol du satellite (*superBeam*) : ainsi plus l'on s'éloigne du centre de l'empreinte satellitaire au sol, plus la PIRE diminue. Ainsi un satellite dont la PIRE sera de 49 dB/W à Paris ne sera que de 40 dB/W à Casablanca, nécessitant une antenne de réception d'un diamètre plus grand au fur et à mesure que la PIRE décroît.

La plate-forme comprend l'ensemble du système de propulsion et de fourniture d'énergie (panneaux solaires), les systèmes de contrôle d'altitude, etc. Au total un satellite représente une masse de 5 tonnes ayant une durée de vie d'une douzaine d'années et dont le coût varie entre 400 millions et 1 milliard de francs.

S

Un système satellitaire fonctionne également avec des stations terriennes chargées de l'émission des signaux vers les satellites ou de la réception des signaux émis depuis l'orbite géostationnaire. Pour les satellites traditionnels de télécommunication, les stations terriennes (stations de télécommunications, têtes de réseaux des services du câble, régies des chaînes de télévision) sont déterminantes car c'est par elles que transite le signal, soit qu'elles émettent le signal à destination du satellite, c'est alors la liaison montante (*uplink*), soit qu'elles reçoivent le signal réémis par le satellite (liaison descendante ou *downlink*).

Les stations mobiles, miniaturisées et autonomes, se sont développées (notamment avec le système de communications maritimes Inmarsat, avec les stations embarquées sur les navires) jusqu'à donner naissance à la diffusion directe qui donne la possibilité de recevoir individuellement le signal émis par un satellite de forte puissance, grâce à une antenne de taille réduite.

Les bandes de fréquence affectées au satellite

C'est l'Union internationale des télécommunications (UIT) qui détermine et répartit les bandes de fréquence affectées aux satellites selon un plan spécifique conforme au règlement établi par la Conférence administrative mondiale des radiocommunications (CAMR) qui distingue :

– les services fixes par satellite (SFS) : définis comme un service de radiocommunications point à point ;

– les services mobiles (stations mobiles bateaux, avions, etc.) ;

– les services de radiodiffusion par satellite (SRS) qui permettent la réception directe des signaux par les usagers.

Chacune de ces catégories de services se voit attribuer des bandes de fréquence différentes. Toutefois, la distinction entre ces deux types de satellites tend à s'atténuer car certains satellites de service fixe voient leur puissance augmenter et sont utilisés pour la transmission de signaux de radiodiffusion en réception directe. Les fréquences satellitaires sont également réparties géographiquement entre trois régions principales : la région 1 qui comprend l'Europe, l'Afrique et le nord de l'Asie ; la région 2 qui couvre l'Amérique et la région 3 qui regroupe le sud de l'Asie et la zone pacifique. L'UIT affecte à chaque État des assignations de fréquences dans le respect des procédures de coordination internationale.

Les bandes de fréquence affectées au satellite sont principalement la bande C (3,7 à 4,2 GHz) qui est principalement utilisée par les satellites de télécommunication du type Intelsat, la bande Ku (fréquences comprises entre 10 et 13 GHz) utilisée notamment pour la diffusion de services de télévision en réception directe, ainsi que la bande Ka (fréquences comprises entre 20 et 30 GHz).

Les différents types de satellites

On peut distinguer aujourd'hui différents types de satellites à partir de plusieurs critères : leur emprise géographique, leur position orbitale, leur puissance et enfin leur fonctionnalité. Ces différents critères se recoupent parfois.

Une première distinction doit être faite entre les satellites selon leur emprise géographique :

– les satellites dits « intercontinentaux » sont ceux qui ont une zone de couverture globale (8 000 km de rayon) ou hémisphérique (4 000 km de rayon), c'est-à-dire que leur empreinte peut couvrir un continent. Ils utilisent la bande C et leur niveau de puissance se situe entre 27 et 39 dB. La flotte des satellites d'Intelsat entre dans cette catégorie ;

– les satellites régionaux ou domestiques qui émettent soit en bande C en Afrique, Asie et Amérique, soit en bande Ku en Europe. Leur puissance de 42 à 55 dB peut être demi-hémisphérique en faisceau large (*Wide Beam*) ou au contraire plus restreinte (à l'échelle d'un pays ou d'une région) en faisceau étroit (*Super Beam*). Les satellites de diffusion directe relèvent de cette dernière catégorie.

Les satellites peuvent aussi être classés selon leur position orbitale :

– les satellites d'orbite géostationnaire (ou GEOs, pour *Geostationary Earth Orbit Satellites*) sont positionnés à 36 000 kilomètres de la terre ; leur avantage majeur est qu'ils apparaissent fixes vus de la terre mais leur éloignement entraîne des délais de transmission de l'ordre de la demi-seconde ;

– le satellites d'orbite moyenne (ou MEOs, pour *Medium Earth Orbit Satellites*) se trouvent en position inclinée par rapport à l'équateur et tournent à environ 10 000 km de la Terre, et sont le plus souvent dédiés à des services de télécommunication ;

– les satellites d'orbite basse (ou LEOs, pour *Low Earth Satellites*), de nouvelle génération, sont situés à une altitude de 1 000 à 1 500 kilomètres ; plus légers et moins puissants, ils ont une durée de vie réduite (5 à 7 ans) doivent être en nombre suffisant pour assurer une couverture intercontinentale comparable à celle des GEOs. Mais leur avantage majeur est d'offrir un temps de réponse très réduit, de l'ordre de 20 millisecondes, soit comparable à celui du câble ou de la fibre optique. Les LEOs sont donc plus adaptés que les GEOs au transport à haut débit de données multimédias.

Les satellites de télécommunication et les satellites de diffusion directe

Peu à peu, les satellites de télécommunication ont été pour l'essentiel dédiés au transport des signaux de télévision qui représentent les trois quarts du trafic des satellites lancés après les années 1980. Les différents usages des satellites de télécommunication pour la radiodiffusion sont les liaisons de production (transport d'images et de sons depuis le lieu de prises de vues jusqu'à la régie d'une chaîne de télévision, par exemple reportages ou retransmissions sportives, etc.) et le transport des programmes des régies des chaînes jusqu'aux têtes de réseau du câble, ou pour la radio en réseau.

C'est ainsi que l'essor de la télévision thématique sur le câble, d'abord aux États-Unis, puis en Europe et dans le reste du monde s'est largement appuyé sur le transport satellitaire à destination des réseaux câblés, avant de connaître une nouvelle phase de développement avec la compression numérique qui a permis de multiplier par cinq ou six et plus le nombre de chaînes de programmes de télévision émis depuis un même transpondeur satellitaire. Les satellites de diffusion directe s'engagent aussi désormais dans la fourniture de services à haut débit, incluant l'accès à Internet avec l'utilisation complémentaire du réseau téléphonique commuté pour la voie de retour.

Une nouvelle catégorie de satellites est apparue à la fin des années 1980 : les satellites de diffusion directe. Différents des satellites de télécommunication par le type d'usagers qu'ils concernent (non plus des stations de réception ou des têtes de réseau câblé mais des foyers), les satellites de diffusion directe inauguraient un nouveau mode de transport et de réception des signaux de radio et de télévision, rendu possible par l'augmentation de la puissance d'émission des satellites et l'équipement des foyers en matériel de réception de taille réduite (antennes paraboliques de moins d'un mètre de diamètre). La diffusion directe par satellite qui permet la réception individuelle des signaux satellitaires a été conçue a partir des années 1970.

Les premières expériences ont eu lieu en Europe, avec les programmes TDF 1 et TDF 2 en France (Télédiffusion de France), TVSat 1 et TVSat 2 en Allemagne. Ces deux programmes furent des échecs commerciaux. Peu après, furent lancés deux programmes de satellites de moyenne puissance : Astra et Eutelsat, offrant les mêmes possibilités de réception avec une antenne de taille réduite pour l'usager.

Placés sur l'orbite géostationnaire, comme les satellites de télécommunication, les satellites de diffusion directe se sont particulièrement développés avec la technologie numérique. D'abord analogiques, ceux-ci n'offraient qu'une gamme de programmes limitée, mais étaient susceptibles par leur nombre de concurrencer la diffusion hertzienne terrestre et même le câble, voire de combler l'absence de celui-ci dans certaines zones. Cependant, sous le régime de la diffusion analogique, la réception d'un nombre élevé de canaux supposait de pouvoir capter plusieurs satellites placés sur des positions orbitales différentes. Ainsi la réception optimale d'un nombre élevé de canaux dépendait-elle de la situation géographique du récepteur et de la possibilité de capter les signaux émis par plusieurs satellites, notamment à l'aide d'antennes motorisées et orientables.

La diffusion en numérique a permis la réduction des coûts de diffusion et la multiplication des canaux sur les répéteurs. L'offre de bouquets de programmes numériques (Canalsatellite numérique, TPS, BSkyB, etc., en Europe, Primestar, Echostar, USSB et DirecTV aux États-Unis) lancés pour la plupart à partir de 1995 a augmenté considérablement le potentiel commercial des satellites de diffusion directe, désormais en concurrence directe avec l'offre du câble. Utilisant la bande Ku pour la plupart d'entre eux, ces satellites émettent à une puissance très supérieure à celle des satellites de télécommunication, ce qui permet la réception du signal à terre avec des antennes de taille réduite.

Les coûts d'exploitation des satellites sont élevés : un satellite de diffusion directe coûte aujourd'hui au minimum 800 millions de francs (et jusqu'au-delà du milliard de francs), auxquels s'ajoutent environ 300 millions de coût de lancement qui peuvent être partagés par plusieurs satellites. La diffusion directe par satellite suppose un coût d'équipement en terminaux et matériels de réception assumés directement par les foyers abonnés, mais les fournisseurs de services y contribuent parfois par des politiques tarifaires avantageuses.

Les principaux opérateurs de satellite

Les opérateurs de satellite, à l'origine opérateurs publics (par exemple, en France, France Télécom et sa flottille de satellites de la gamme Télécom) ou consortium d'opérateurs publics (au niveau international avec Intelsat et au niveau européen avec Eutelsat), sont maintenant aussi des entreprises privées (SES-Astra en Europe, Hughes et Pan-Am Sat aux États-Unis, etc.).

Intelsat, première organisation internationale de télécommunications par satellite, a été créée en 1964 pour les liaisons téléphoniques intercontinentales ainsi que pour les retransmissions télévisuelles. Elle regroupe près de 140 pays membres. Intelsat est actuellement le premier système satellitaire au monde par l'ampleur de son déploiement international (17 satellites géostationnaires) qui permet de transporter à destination de 210 pays des services vocaux (téléphone), des données vidéo et d'Internet. En 1965, Intelsat avait mis en place le premier satellite de télécommunication transatlantique (*Early Bird*). En 1974, le premier service de téléphone numérique par satellite était lancé et Intelsat installait une liaison sécurisée entre la Maison blanche et le Kremlin (le « téléphone rouge »). En 1978, Intelsat a pu assurer la retransmission de la coupe du monde de football dans 42 pays pour un public d'un milliard de téléspectateurs. Actuellement, 3 200 stations terriennes sont équipées pour recevoir les signaux d'Intelsat.

Eutelsat, créé en 1977 sous un régime provisoire, a été officiellement installée en 1985. À l'origine dotée de 17 pays membres fondateurs, l'organisation en compte aujourd'hui une cinquantaine. Les investisseurs de l'organisation, qui forment le conseil des signataires, sont les opérateurs nationaux de télécommunications, privés ou publics. Les pays membres utilisent les satellites pour leurs propres réseaux nationaux et internationaux et leur contribution à l'organisation est calculée à proportion de leur utilisation du système satellitaire d'Eutelsat. Les satellites d'Eutelsat sont destinés à tous types de services : télécommunications internationales et nationales, fixes et mobiles (téléphonie, transmissions de données, télévision et radio, notamment transport des chaînes de télévision à destination des réseaux câblés ou en diffusion directe mais aussi échanges de programmes entre chaînes publiques européennes et reportages d'actualités) ainsi que des services spécialisés de type radionavigation, recherche spatiale, télédétection et météorologie. La zone de couverture des satellites d'Eutelsat est l'ensemble de l'Europe septentrionale et méridionale, mais elle s'étend, avec le faisceau large de certains de ses satellites, à l'Afrique du Nord et au Proche Orient.

L'autre grand opérateur européen de satellites est Astra (Société européenne de satellites, SES), opérateur privé.

Équipement des foyers

Actuellement 11 millions de foyers américains, soit près de 11 % des foyers équipés en télévision, sont abonnés à des services de télévision directe par satellite. Les principaux services sont DirecTV (qui réunit à lui seul près de 8,5 millions d'abonnés en 2000), et Echostar, duopole né de l'abandon du marché par plusieurs opérateurs (USSB, Prime Star absorbés par DirecTV et BSKY B, le projet de Rupert Murdoch). Au Japon, avec plus de 7 millions de foyers, la proportion d'abonnés au satellite est de 17 % des foyers équipés de téléviseurs.

En Europe, la situation est plus contrastée selon les pays : on peut estimer que si, en moyenne pour l'ensemble du continent européen, 12,5 % des foyers étaient abonnés en 1998 à un service de télédiffusion directe par satellite, les pays d'Europe centrale connaissent une proportion plus élevée d'abonnés au satellite (21,6 %), tandis que les pays d'Europe de l'ouest, en particulier les pays où les infrastructures de réseaux câblés sont particulièrement développées, ont une plus faible pénétration satellitaire (16,1 %), tout comme les pays d'Europe orientale, compte tenu de leur situation économique (4,4 %).

En particulier, les pays où les réseaux câblés se sont développés rapidement et où les conditions géographiques et économiques de développement des infrastructures filaires étaient favorables, on note une faible pénétration du satellite de diffusion directe. C'est le cas notamment des Pays-Bas, du Luxembourg et de la Belgique, où la proportion de foyers abonnés au câble atteint plus de 85 % et où les foyers équipés pour la réception directe par satellite ne dépassent pas 12,5 %. Inversement, d'autres pays voient la proportion de foyers abonnés au satellite égaler, voire dépasser, celle des foyers abonnés au câble, les deux systèmes d'accès apparaissant comme concurrents à armes égales : c'est le cas de l'Autriche, du Danemark, de la France, de la Suède, du Portugal et du Royaume-Uni.

En France, deux opérateurs principaux de télévision par satellite numérique, CanalSatellite et TPS, totalisaient 2,350 millions d'abonnés en 2000, soit 10 % des foyers équipés de télévision.

Les accès à Internet par satellite

Le développement logique du marché de la diffusion directe par satellite jusqu'à l'abonné consiste à offrir l'accès à Internet comme complément aux services de télévision numérique. L'avantage du satellite sur les autres technologies (câble, réseau téléphonique) est évidemment le contournement de la boucle locale et la possibilité de couvrir des zones ou les réseaux à haut débit ne sont pas installés. Les technologies imaginées pour l'accès à Internet par satellite de diffusion directe empruntent une voie descendante dont le débit peut atteindre 400 Mbps, la voie de retour utilisant le téléphone avec un débit conforme aux standards de la paire de cuivre (Hughes Network System, DirectPC de Eutelsat, AstraNet).

Les satellites en réseau

À la fin des années 1990 une nouvelle génération de satellites a vu le jour : il s'agit de systèmes satellitaires placés en orbite basse (*Low Earth Orbite Satellites* ou LEOS), c'est-à-dire placés à 1 500 km de la terre, et destinés essentiellement aux télécommunications mobiles.

Des satellites de basse orbite ont commencé à être exploités par l'Union soviétique dans le système Interspoutnik afin de combler certaines zones d'ombre des satellites géostationnaires. Au cours des années 1980 des sociétés comme Qualcomm ont utilisé des satellites de basse orbite pour du transport de données ; cependant ce n'est que très récemment que des projets d'envergure de services de télécommunication reposant sur une flottille de satellites de basse orbite ont vu le jour.

L'avantage du positionnement en orbite basse est d'abord la facilité de lancement de satellites d'une puissance moindre que celle qui est requise pour les satellites géostationnaires, du fait de leur proximité de la surface du globe. De même, les terminaux de réception sont plus légers et l'interactivité (émission/réception) est facilitée. Par ailleurs, les délais de transmission sont très réduits par rapport à la transmission à partir de satellites géostationnaires, très malcommodes pour les transmissions en duplex et en temps réel. L'inconvénient majeur de ces systèmes tient aussi à leur proximité : les empreintes satellitaires étant d'une dimension plus réduite que dans le cas des satellites géostationnaires, le nombre de satellites nécessaire à l'exploitation d'un service de télécommunication à l'échelle d'un continent, voire de la planète, est très élevé. Ces satellites tournent en effet à une vitesse de rotation plus grande que la Terre, d'où la nécessité de basculer d'un satellite à l'autre pour permettre sur un point donné, une liaison continue. La plupart des systèmes globaux de satellites à orbite basse comprennent au minimum une soixantaine d'unités.

La caractéristique principale des systèmes de satellite en orbite basse est d'assurer une couverture planétaire globale qui donne une dimension de réseau autonome au système satellitaire. Le premier projet d'envergure dans ce domaine a été celui d'Iridium. Ce projet, d'un coût estimé à 5 milliards de dollars, élaboré et lancé par Motorola, avait pour objectif une offre de service de téléphonie mobile assurée en toute région du monde (en particulier celles ne faisant pas l'objet d'une couverture GSM) grâce à un réseau de 66 satellites disposés autour du globe en orbite basse et accessibles directement par des téléphones mobiles de conception spécifique. Après une année de commercialisation difficile, le système Iridium a finalement échoué à trouver la voie de sa rentabilité et la société a été mise en faillite. Le coût des télécommunications, ajouté à celui des terminaux, a porté un coup fatal à ce projet.

Malgré cette expérience malheureuse, plusieurs autres systèmes satellitaires positionnés sur orbite basse sont actuellement envisagés, pour des usages divers. Très proche dans ses objectifs du système Iridium, le service Globalstar a été lancé fin 1999. Initié par la société Loral Space Communications, ce projet s'appuie sur la participation d'actionnaires de renom tels Alcatel et France Télécom pour la France et Vodafone pour l'Angleterre. L'investissement dans ce service représente près de 4 milliards de dollars et repose sur une flottille de 48 satellites complétée par 38 stations terriennes puisque, à la différence d'Iridium, le service Globalstar ne repose pas sur un principe d'interconnexion des satellites entre eux, mais sur une conjugaison de liaisons terrestre et satellitaires, ce qui rend l'exploitation du système plus simple et moins coûteuse.

Mais le projet le plus audacieux de satellites à orbite basse est Teledesic, dont le lancement est prévu en 2002, qui associe Microsoft et l'investisseur américain Craig Mc Caw, déjà présent dans la téléphonie mobile. Boeing est également partie au projet. L'investissement s'élève à 10 milliards de dollars environ. Ce système, qui repose sur la mise en orbite basse de 288 satellites, a la particularité d'être conçu comme le premier réseau satellitaire à proprement parler. En effet dans le système Teledesic, chaque satellite est relié à un autre satellite, si bien que la flotte des 288 satellites fonctionne de manière autonome sans recours systématique aux stations terriennes, par la possibilité de l'interconnexion des satellites entre eux. La vocation du réseau Teledesic est ouvertement, dans l'esprit de ses promoteurs, de constituer un système d'accès à Internet à partir de terminaux mobiles, en quelque point de la planète que ce soit. Par ailleurs l'autonomie de ce réseau en fait évidemment un outil précieux pour les fournisseurs d'accès à Internet (ou de services) en les rendant moins dépendants des opérateurs de réseaux.

Le projet Teledesic est conçu pour permettre à ses abonnés un véritable accès à Internet avec voie de retour et un débit de 64 Mbit/s (voie descendante) et de 2 Mbit/s (voie de retour). Il s'agit donc de satellites de forte puissance par rapport aux précédentes générations de satellites à orbite basse, qui utiliseront la bande Ka.

Un autre projet de satellites à orbite basse de forte puissance est en préparation : Skybridge, projet associant Alcatel et d'autres partenaires (Toshiba, Mitsubishi, Sharp, etc.). Le système doit comprendre une flottille de 64 satellites légers sans interconnexion entre eux, utilisant la bande Ku et destinés à fournir un accès à l'Internet mobile comme Teledesic. Le projet devait être opérationnel dès 2001.

Dirigeables et avions

Dans une perspective comparable à celle des systèmes de satellite à orbite basse, plusieurs projets de systèmes de diffusion aériens sont actuellement en cours de conception ou d'expérimentation. Ils visent à utiliser des dirigeables, voire des avions à énergie solaire télécommandés survolant des zones urbaines à une altitude stratosphérique (20 à 30 km), pour permettre la couverture par voie hertzienne, d'une zone bien délimitée, avec des moyens de transmission plus économiques que le satellite. Un projet de dirigeables servant de relais hertziens a été envisagé sous le nom de Skystation. C'est l'ancien général américain et secrétaire d'État aux armées Alexander Haig qui est l'initiateur de ce projet. 250 villes du monde seraient couvertes par des ballons stratosphériques situés à 22 km d'altitude et dont l'empreinte terrestre serait de 75 km de rayon, destinés aux télécommunications et aux services multimédias.

La complémentarité des services par satellite – et leur compétitivité par rapport aux autres types de réseaux et modes de transport des services multimédias –, tient pour l'essentiel aux évolutions technologiques qui ont permis, par l'augmentation de la puissance des satellites géostationnaires, l'avènement dans les années 1990 de la diffusion directe de services de télévision par satellite, puis par les progrès de la compression numérique, l'augmentation du nombre de services accessibles par satellite. Pour la téléphonie mobile et les services Internet, les systèmes de satellites à basse orbite peuvent désormais concurrencer la téléphonie mobile traditionnelle hors de zones de couverture des opérateurs. Sachant qu'à terme les réseaux filaires à large bande ne couvriront jamais la totalité des populations qu'il sont susceptibles de concerner, le satellite conserve un potentiel non négligeable de développement, en dépit des problèmes que soulève son utilisation pour des services interactifs.

Bibliographie

Ouvrages :

- DUPAS (Alain), *L'âge des satellites*, Hachette, Paris, 1997.
- INGLIS (Andrew F.), LUTHER (Arch C.), *Satellite technology, an introduction*, Focal Press, Boston, 1997.

Webographie

- http://www.eutelsat.com/
- http://www.intelsat.int/
- http://www.itu.int/
- http://www.teledesic.com/

Sauvegarde

Opération informatique consistant à copier des données sur un support indépendant afin de les protéger en cas de destruction accidentelle ou intentionnelle. Si des dommages plus importants doivent être pris en compte (risque d'incendie ou d'inondation, par exemple), la sauvegarde devra s'effectuer sur un site géographiquement distinct.

Les opérations de sauvegarde peuvent être réalisées automatiquement par un programme ou à la demande. La sauvegarde diffère de l'archivage car elle ne tient pas compte du développement du projet ou de l'application en cours. Il existe trois types de sauvegardes. La sauvegarde totale concerne tous les fichiers sans distinction ; la sauvegarde incrémentale, tous les fichiers créés ou modifiés depuis la dernière sauvegarde ; la sauvegarde différentielle, tous les fichiers créés ou modifiés depuis la dernière sauvegarde totale. Les sauvegardes peuvent être réalisées sur de nombreux types de supports. La sauvegarde sur un CD-Rom, qui peut contenir plus de 650 Mo de données, se généralise chez les utilisateurs de micro-ordinateurs en raison de la diffusion massive des graveurs de CD-Rom.

Shopbot

Logiciel de recherche automatique des offres commerciales sur le Web. Le *shopbot* (en français, « robot acheteur ») est utilisé notamment par les sites qui proposent aux internautes la comparaison des prix pratiqués pour un bien ou un service donné.

S

Site, portail

Lieu virtuel d'un ensemble d'informations numérisées (textes, images, sons, logiciels, etc.) stockées sur un ordinateur connecté au réseau Internet, appelé aussi serveur. Le site peut être atteint de n'importe quel point du réseau grâce à son adresse web, ou URL (http://www...). Les informations du site sont présentées sur des pages web, ordonnées selon une certaine arborescence et liées par des liens HTML. Ces liens permettent aussi la circulation du visiteur vers un autre site et assurent ainsi la connexion du site avec d'autres points du réseau Internet.

L'internaute qui accède à un site web est appelé visiteur ; il peut être identifié (par son point de connexion au réseau) et reconnu lors de sa prochaine visite. Un site peut ainsi accumuler des informations sur ses visiteurs et les router (les acheminer) vers d'autres sites par les liens HTML.

Les sites web se comptent aujourd'hui par millions et sont en grande majorité créés par des particuliers ou des organisations non marchandes : sites culturels, sites d'institutions politiques, administratives, mais aussi milliers de sites personnels traitant de sujets variés. Un site peut également devenir le support d'une activité marchande lorsqu'il est développé et exploité par un portail.

Certains sites ont pour vocation d'attirer des flux de trafic web en vue d'une exploitation commerciale. Ces sites s'assimilent ainsi à des « portes » du Web par lesquelles les internautes sont captés puis valorisés par l'acheminement vers d'autres sites (Yahoo !, MSN, Voilà...) ou vers des offres marchandes (Amazon, Cdnow, Marcopoly, etc.). On utilisera donc pour les caractériser le terme de « portail [1] », consacré par l'usage.

Les portails sont les firmes dont le modèle économique est fondé sur l'exploitation du trafic web, c'est-à-dire des flux de consommateurs circulant sur la Toile. Leur création et leur développement sont directement liés à la numérisation des flux informationnels et aux dynamiques d'infomédiation qui caractérisent l'économie numérique.

Pourquoi et comment ces firmes apparaissent-elles ? Comment se structure leur économie ? Quelles sont les dynamiques industrielles à l'œuvre ?

L'acte d'achat n'est pas spontané. Il procède d'un échange d'informations entre le consommateur et la firme. L'économie décompose cet échange en diverses tâches plus ou moins complexes : reconnaissance du besoin ou du désir du consommateur, information du consommateur (marque, publicité), évaluation des offres commerciales, décision d'achat, mise en œuvre et règlement de la transaction. Les flux informationnels attachés à ces différentes tâches circulent traditionnellement à l'initiative des vendeurs dans des canaux « briques et mortier [2] » et *via* des médias univoques (réseaux de production, de distribution, publicité...). La numérisation de ces informations et leur disposition sur des sites interconnectés permet leur sortie des canaux traditionnels et la création d'un chemin virtuel sur lequel l'internaute pourra les collecter. La mise en œuvre de cet échange d'informations sur le Web prend alors la forme d'une « navigation » du consommateur vers le lieu de réalisation de son acte d'achat, soit en ligne, soit hors du Web. La création de ces chemins et le guidage de l'internaute sur les sites instaurent des opportunités d'affaires pour des intermédiaires informationnels, des infomédiaires, capables de prendre en charge tout ou partie du processus, et de s'insérer entre les consommateurs et les vendeurs.

Les portails sont donc les infomédiaires du Web et visent à capter une recette sur une ou plusieurs des étapes de la « navigation » du consommateur vers l'acte d'achat. Un portail attire des visiteurs, enclenche une navigation grâce à des échanges informationnels, puis les transfère avec une commission, soit à un autre infomédiaire, soit directement sur un lieu de transaction. Ces réseaux purement numériques s'interconnectent entre eux et ils sont également connectés à des réseaux traditionnels dits « briques et mortier ».

Modèles économiques de portails

Les modes d'acheminement et de valorisation du trafic sont nombreux. Ils font l'objet d'innovations constantes. On peut distinguer de prime abord :

• Le routage publicitaire : il s'agit de l'acheminement de flux de trafic à partir de portails diffusant des contenus généralistes (Yahoo !, Lycos, Voilà, etc.) ou thématiques (iVillage, Multimania, CineOnline, etc.), grâce à des supports publicitaires dotés de liens HTML : bannières, boutons... Ce type de valorisation permet

1. Le terme de *portail*, qui s'est imposé dans le vocabulaire du Web, est souvent décliné de manière confuse en portails généralistes, portails communautaires, portails marchands, portails verticaux, etc.

2. On qualifie de « briques et mortier » les canaux dans lesquels circulent des biens non numérisés.

l'amorce de la navigation des internautes : capture d'audience, qualification ou profilage des internautes (thématique, démographique, comportemental) et diffusion de l'information sur les marques du Web.

• L'acheminement vers des offres marchandes est ensuite assuré par des portails qui présentent sur leur site l'offre commerciale d'infomédiés. Ainsi Yahoo ! présente l'offre de sites marchands dans sa zone de *shopping*, les portails *shop bots* [1] (Kelkoo, MySimon, bizrate.com) proposent des tableaux comparatifs de prix et de produits. Des portails proposent également l'infomédiation vers des vendeurs « briques et mortier » : Autobytel met en contact les internautes avec des concessionnaires automobiles, eLoan et CreditOnline permettent de choisir un organisme de crédit, etc. Ces portails acheminent un flux d'internautes parvenus au stade de la décision d'achat.

• Enfin, une dernière catégorie d'infomédiaires intègre une fonction de distribution sur le Web. Ce sont les portails marchands, qui capturent des flux d'internautes provenant des deux catégories de portails et qui assurent la fin du processus d'achat. Ces portails créent de véritables marques de distribution (Amazon, Cdnow, 1800-Flowers, etc.), les fournisseurs des produits infomédiés perdant ainsi tout contact avec leur réseau de clients.

Ces modèles d'infomédiation ne constituent pas des catégories étanches, mais se combinent et interagissent au sein de modèles économiques complexes :

– Yahoo ! a développé une offre de routage publicitaire, puis d'acheminement vers des offres marchandes dans sa zone « Yahoo ! Shopping » ;

– Amazon, créé en portail marchand, propose à présent l'infomédiation vers les offres de Drugstore, Greenlight.com, etc.

Le modèle économique d'un infomédiaire s'appuie donc sur les éléments suivants :

• La capture de trafic. Celle-ci nécessite la création d'une marque ou l'acheminement d'internautes depuis un autre portail. Le coût d'acquisition du flux d'internautes, qui constitue un *input*, dépend de la phase de navigation sur laquelle se positionne le portail et du contenu offert aux visiteurs.

• L'échange informationnel avec les visiteurs sur le site du portail. Il s'agit essentiellement de la livraison de contenus et de services (moteur de recherche, forums, etc.), mais aussi d'interfaces interactives qui permettent au portail d'accumuler des informations sur ses visiteurs et de les fidéliser en leur constituant des coûts de sortie numériques [2]. La production de ces flux d'informations est réalisée à coût marginal nul : un visiteur de plus sur un contenu ou la consommation d'un contenu supplémentaire par un visiteur n'engendrent pas de surplus de coût pour le portail.

• L'acheminement du trafic valorisé (l'*output*) ou la transaction avec les consommateurs. La rémunération de l'acheminement est fonction du nombre de visiteurs routés, estimé ou constaté, du degré de valorisation de ce flux ou encore, en fin de navigation, des commissions sur l'achat du consommateur routé. Pour les portails marchands, le panier moyen d'un nouveau client ne couvre que rarement son coût d'acquisition : c'est donc la valeur de long terme d'un client fidélisé qui est prise en compte.

1. Les *shopbots* ou « robots acheteurs » sont des logiciels de recherche automatique des offres commerciales sur le Web.

2. Pour un développement sur le mécanisme de coût de sortie numérique, voir l'entrée « Nouvelle Economie ... »

Chaîne de valeur du Web

Les portails s'enchaînent en suivant le routage des flux de trafic et selon des séquences qui correspondent au trajet de navigation des consommateurs en ligne. Ces séquences se composent de nombreuses étapes de portails. Elles sont instables et varient au gré des accords de routage et des partenariats entre portails. Elles subissent les évolutions rapides des modèles économiques de ces firmes.

Dès 1995, des portails généralistes, structurés autour d'un service de recherche ou d'annuaire du Web, se sont attribué le rôle de portail d'accueil et capturent ainsi le plus grand nombre des internautes dès leur entrée sur le Web. L'instauration de marques fortes (Yahoo !, AltaVista, Excite, Lycos, etc.) leur assure la capture des flux de visiteurs, qui peuvent ensuite être acheminés par routage ou infomédiation vers les portails marchands.

En 1998 et 1999, la demande très forte en trafic entraînée par l'essor des portails marchands (commerce électronique) a suscité le développement d'infomédiaires s'insérant entre les portails généralistes et les portails marchands. On a ainsi assisté à une prolifération de modèles économiques innovants, notamment en matière de contenu (egroups.com propose des services de communication au sein de communautés d'internautes) ou de routage (Alladvantage.com a développé une bannière permanente, visible par l'internaute, quel que soit le site sur lequel il se trouve).

Jusqu'ici, les portails se sont donc développés le long d'une chaîne de valeur soutenue presque exclusivement par les dépenses en achat de trafic des portails marchands (sites de commerce électronique).

LES MODÈLES ÉCONOMIQUES DES PORTAILS
S'INTERCONNECTENT SUR UNE CHAÎNE DE VALEUR INSTABLE

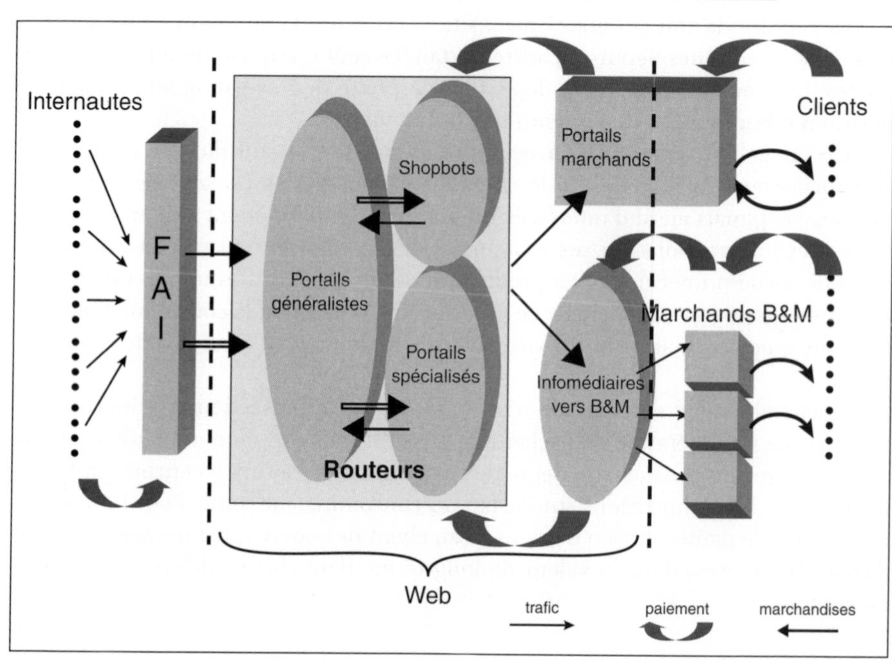

Or, cette chaîne de valeur est assurément précaire. Les défaillances croissantes des portails marchands depuis le début de l'année 2000 se sont propagées aux portails routeurs et l'on voit mal comment les seules dépenses des consommateurs en commerce électronique pourraient soutenir la croissance et la pérennisation des portails de navigation.

Cette chaîne de valeur devrait donc subir des mutations profondes sous l'influence de plusieurs facteurs, notamment le rôle croissant des fournisseurs d'accès à Internet (FAI), qui accueillent les visiteurs en ligne et de leur partenariat avec, en amont, les fournisseurs de liaisons de télécommunication et, en aval, la distribution « briques et mortier » de biens et services.

• On constate une évolution des modes de valorisation du trafic par des interconnexions croissantes des portails aux réseaux « briques et mortier ». Ainsi, parallèlement au commerce électronique, l'infomédiation vers des vendeurs hors-web se développe : dans de nombreux secteurs, de nouvelles firmes vont profiter de l'opportunité d'infomédiation sur des produits à forte valeur ajoutée (le crédit et l'épargne-action dans le domaine bancaire, par exemple). D'autre part, de nouveaux modes de navigation des consommateurs vers des offres commerciales sont expérimentés (communautés de consommateurs, coupons en ligne...) où portails et vendeurs traditionnels s'associent. Ainsi, UniLever investit 200 millions de dollars dans un portail de promotion, en partenariat avec le portail féminin iVillage.com.

• Ensuite, le rôle grandissant des FAI dans l'économie du Web est un facteur majeur de modification de la chaîne de valeur. En effet, la croissance des bases d'abonnés des FAI leur permet de valoriser eux-mêmes le trafic issu de leurs abonnés. Intégrant en aval un portail (wanadoo.fr, libertysurf.fr, etc.), ils se posent tout d'abord en concurrents des grands portails généralistes. De plus, ayant un contact direct avec le consommateur auquel ils fournissent un service tangible, ils sont capables d'établir une relation marchande pour lui fournir des services et contenus spécifiques payants, voire d'agréger les paiements des achats sur des portails marchands partenaires ou intégrés. Les FAI pourraient ainsi être à l'origine d'une restructuration de la chaîne de valeur du Web, dans laquelle ils joueraient un rôle de redistribution de la valeur ajoutée à l'ensemble de la chaîne.

• Enfin, le développement des connexions à haut débit (par DSL ou câble) devrait modifier les comportements des internautes, les lieux d'attraction et les modes de valorisation du trafic.

L'économie des portails : une économie en chantier

Parallèlement, on observe des mutations rapides des modèles économiques de portails, qui sont pour la plupart encore déficitaires. En effet, les portails sont à la recherche de modèles dynamiques stables autour d'une croissance de leurs réseaux.

Création et extension du réseau de visiteurs

La croissance importante du marché et la possibilité de fidéliser les nouveaux internautes par des marques ont entraîné les portails dans une course à la part de marché, qui s'est manifestée par une escalade des dépenses d'acquisition de nouveaux visiteurs. Les portails n'ayant pas atteint une masse critique disparaissent après avoir brûlé leur capital, asphyxiés par le manque de liquidités, ou se consolident par concentration autour des grandes marques du Web.

• Augmentation de la valeur ajoutée

Les portails intensifient leur exploitation du trafic par croissance interne ou intégrations horizontales. De nouvelles offres sont dirigées vers les internautes profilés et fidélisés. Les flux informationnels entre le portail et son réseau de visiteurs s'en trouvent enrichis, accroissant encore le verrouillage et le profilage des membres du réseau. Ainsi, Yahoo ! propose un service de communauté depuis l'acquisition de Geocities en 1999, puis de egroups en 2000, et a développé son propre service d'enchères entre particuliers.

Les dynamiques industrielles des portails tendent donc vers une concentration progressive du marché autour de quelques grandes marques. Les formes de la concurrence et la structure même de la chaîne de valeur pourraient s'en trouver également modifiées.

Or, le développement des portails nécessite des investissements considérables pour la création d'un réseau, donc de marques, et de nouveaux modes d'exploitation du trafic. La question du financement, constitué presque exclusivement de fonds propres, est donc cruciale. La capitalisation des portails leur permet de financer la création et la croissance de leur réseau, c'est-à-dire la construction dynamique et déficitaire de leur actif industriel. Or, cet actif est purement informationnel, fortement volatil et non immobilisable. En effet, les dépenses en achat de trafic et en construction de marque apparaissent comme de véritables investissements dans l'hypothèse où le modèle se stabilise. Mais avant, elles sont comptabilisées en dépenses d'exploitation et peuvent aussi révéler le caractère déficitaire à long terme des modèles économiques de portails.

Cette ambiguïté alimente le débat sur le financement et la valorisation des portails. L'enjeu est de taille puisqu'il s'agit à court terme de la restructuration de l'industrie du Web. En effet, la pénurie croissante de financement due à la baisse des valeurs Internet du Nasdaq, depuis le début de l'année 2000, est la première cause des faillites de portails. D'autre part, la valorisation de ces firmes conditionne les consolidations entre portails ou leur rachat par des valeurs « briques et mortier ».

La question sous-jacente est celle de la pérennité d'actifs purement informationnels. Yahoo !, qui représente actuellement la plus grosse capitalisation de portail non intégré, pourra-t-il soutenir à long terme sa capitalisation en tant que firme de Web « pure » ?

L'économie des portails est une économie de l'infomédiation. Les possibilités d'affaires liées à l'infomédiation ont suscité l'apparition de nouvelles firmes, fondées sur des actifs purement numériques. L'apparition de ces réseaux numériques capables de fidéliser leurs clients provoque la réaction des firmes traditionnelles. Celles-ci, fondées sur des actifs financiers plus stables que les portails, sont en mesure de créer leur propre réseau numérique ou de réaliser des acquisitions parmi ces nouvelles firmes. L'économie des portails est une économie en chantier : le processus de stabilisation de la chaîne de valeur des infomédiaires demeure ouvert.

Bibliographie

- EVANS (Philip), WURSTER (Thomas), *Blown to Bits*, Harvard Business School Press, Boston, 1999.
- GODIN (Seth), *Permission Marketing*, Simon & Schuster, Boston, 1999.
- SHAPIRO (Carl), VARIAN (Hal R.), *Information Rules*, Harvard Business School Press, Boston, 1999.
- WARD (Hanson), *Principles of Internet marketing*, South Western College Publishing, Cincinnati, 2000.

Revues et rapports :

- Journal of Product and Brand Management, *Internet Shopping, consumer search and product branding*, WARD (Michael), LEE (Michael), 1999.
- US Department of Commerce, *Digital Economy 2000*, juin 2000.

Webographie

- **Portails généralistes**
- http://www.yahoo.com
- http://www.lycos.com
- http://www.voilà.fr
- http://www.altavista.com
- http://www.excite.com
- Téléchargeable sur http://www.ecommerce.gov
- **Portails spécialisés**
- iVillage : http://www.ivillage.com
- Multimania : http://www.multimania.com
- CineOnline : http://www.cineonline.com
- **Shopbots**
- Kelkoo : http://www.kelkoo.com
- MySimon : http://www.mysimon.com
- Bizrate : http://www.bizrate.com
- **Autres Infomédiaires**
- Autobytel : http://www.autobytel.com
- **Portails marchands**
- Amazon : http://www.amazon.com
- 1800-Flowers : http://www.1-800-flowers.com
- Cdnow : http://www.cdnow.com
- Drugstore : http://www.drugstore.com

Smiley

Les *smileys*, appelés en français binettes ou frimousses, sont des combinaisons de caractères permettant d'agrémenter et de donner une tonalité à un message (dans un courrier électronique ou sur un forum de discussion). Les *smileys* représentent des expressions faciales, des petits visages qui, vus de côté, la tête généralement penchée à gauche, soulignent l'état d'esprit ou les émotions de l'expéditeur du message, rendu ainsi plus expressif. Le sourire est représenté par le symbole suivant « :-) », avec deux points pour les yeux, un trait pour le nez et la parenthèse pour la bouche. D'autres *smileys* expriment le doute, le mécontentement, la fatigue, le rire, la complicité, etc.

SMS (Short Messaging Service)

Service d'informations ne comportant que des messages courts et accessibles par un téléphone portable ; ces messages, d'un maximum de 160 caractères, concernent la météo, l'actualité politique ou sportive, l'état de son compte en banque, voire la dernière blague ou la soirée à ne pas manquer. L'échange de « mini-messages » constitue actuellement l'application la plus populaire en matière de transmission de données sur les mobiles.

Société de l'information

Le concept de « société de l'information » tend communément à désigner une nouvelle « ère » socio-économique, postindustrielle, qui transformerait les relations sociales du fait de la diffusion généralisée des nouvelles technologies de l'information et de la communication (NTIC). Il est néanmoins rare que les experts de toutes sortes, journalistes, ou hommes politiques qui emploient l'expression « société de l'information », en donnent une définition. Peut-être conviendrait-il donc de s'interroger sur la pertinence de ce concept. On se contentera ici d'en retracer l'historique pour mieux saisir les implications socio-économiques de l'emploi d'une telle expression.

La diffusion croissante des TIC constitue un phénomène socio-économique propre à l'époque contemporaine. Sans pour autant considérer leur expansion comme la marque de l'avènement d'une nouvelle société « de l'information », on relèvera ici leurs caractéristiques majeures. Celles-ci tendent à expliquer, d'une part, l'ampleur des enjeux liés à l'industrie des TIC et, d'autre part, les glissements conceptuels liés à la terminologie de l'« information ».

Les technologies de l'information et de la communication

Ces technologies sont à considérer sous l'angle de leur infrastructure et de leur contenu. On pense tout d'abord aux innovations des années 1970 à 1980 : fibre optique, microprocesseurs, satellites de communication, téléphone cellulaire, Internet. Mais l'éventail des produits est large et s'étend en fait sur une période plus longue. De façon générale, on pourra citer les applications de l'électronique dans l'ordre de leur apparition : radio puis télévision dans les premières décennies du XXe siècle, radar (*Radio detection and ranging*), ordinateur (inventé en 1945). Ainsi s'inscrivent parmi les TIC tous les types de terminaux informatiques ainsi que tous les appareils multimédias (jeux électroniques, CD, caméras, appareils photos...).

Parmi ce qu'il est convenu d'appeler les nouvelles technologies de l'information et de la communication, on citera plus particulièrement le Web, protocole récent d'Internet (apparu dans les années 1990). Au Web et au perfectionnement des ordinateurs personnels sont liées, parmi les NTIC, les versions numériques des appareils multimédias cités précédemment. Mais on lui associe surtout l'essor de l'industrie de la convergence. La convergence date de la fin des années 1960, mais se voit depuis quelques années amplement médiatisée, coïncidant en cela avec la croissance généralisée de l'industrie électronique dans les TIC. Elle intègre en effet les trois secteurs à l'origine bien distincts des télécommunications, de l'audiovisuel et de l'informatique, et définit aujourd'hui leur unification au sein du « paradigme digital » (Breton & Proulx, 1996). Elle constitue dès lors l'un des pôles majeurs du développement des technologies de l'information et de la communication.

Avec l'exemple du Web notamment, il est intéressant de noter que l'économie des TIC peut être fondée sur une pratique de verrouillage, où les grands conglomérats cherchent à assurer à la fois l'accès physique, le transport, et les services liés à l'information ; à maîtriser à la fois l'infrastructure et le contenu des TIC. Au sein même du marché des services fournis par le Web, c'est aussi la fusion qui prédomine : loisirs, éducation, culture, communication, le Web propose des services extrêmement diversifiés sous une unique forme technique. La vogue récente des portails (apparus en 1997) rend particulièrement bien compte d'un tel phénomène puisqu'un seul site regroupe les principaux types de services existants. On peut aussi citer la création de néologismes anglo-saxons, tels qu'*infotainment*, contraction d'information et d'*entertainment* (divertissement), ou *edutainment*, formé à partir d'éducation et *entertainment*.

Or, l'essor des NTIC et des stratégies économiques qui s'y rattachent amène à confondre différents types d'« information » théoriquement irréductibles les uns aux autres. Par exemple, on ne peut réduire les exposés de connaissances que propose tel site universitaire à l'information marchande que constitue la liste des disques compact disponibles sur tel site commercial.

Dans le même sens, la convergence technique et économique des trois secteurs des télécommunications, de l'audiovisuel et de l'informatique tend à masquer, derrière leur unification, plusieurs réalités différentes. L'information pour les médias n'est pas l'information que traite l'informaticien, ni celle que connaît l'ingénieur en télécommunication : support technique, traité et stocké (le bit de l'informaticien) ou acheminé et restitué dans les deux derniers cas ; représentation du réel dans le cas des médias, sous forme de discours humains ; information qualitative ou quantitative, voire les deux à la fois dans le cas des télécommunications.

De façon moins technique et plus traditionnelle, on pourra rappeler que les TIC (et parmi elles essentiellement les médias et Internet) font intervenir plusieurs niveaux d'information :

– les données (relevés de quantité) ou *data* ;

– les faits (énoncés en langage naturel) ou *news* ;

– les connaissances (théoriques ou concrètes concernant un sujet donné) ou *knowledge*.

Toutefois, de telles distinctions n'ont de sens que si elles s'insèrent dans une dichotomie plus générale : celle qui sépare l'information du savoir, dichotomie qu'il importe d'autant plus de rappeler dans la perspective d'une définition de la « société de l'information », que l'expression a parfois eu pour équivalent celle de « société du savoir ». Or le savoir est le résultat des processus cognitifs liés à l'assimilation et à l'interprétation d'informations. L'information, par conséquent, ne présuppose pas le savoir, pas plus qu'elle ne l'implique ou se confond avec lui. C'est au contraire le savoir qui présuppose l'information. Le savoir s'élabore lors de processus cognitifs complexes, l'information n'est jamais que donnée, présentée, brute de toute élaboration cognitive de la part du récepteur.

En ce sens, et peut être seulement en ce sens, parler de société de l'information semble pertinent, davantage que de parler de société du savoir.

Origines socio-économique et technique du concept de « société de l'information »

Pour autant, nombreuses sont les critiques que l'on pourra adresser à cette expression.

L'expression « société de l'information » relève en grande partie du registre socio-économique : elle est construite sur le modèle terminologique de « société industrielle » et ferait ainsi référence à un modèle sociétal à la fois postérieur au modèle dit industriel et fondamentalement différent du point de vue structurel. C'est la raison pour laquelle on l'appelle aussi « société postindustrielle ». On pourrait disserter à loisir sur les différences censées opposer ou distinguer ces deux modèles : on préférera ici critiquer la fausse évidence de leur mise en parallèle. Parler de société de l'information est loin d'être équivalent au fait d'évoquer une société industrielle. « Société de l'information » met l'accent sur un contenu, alors que « société industrielle » désigne l'infrastructure économique de cette société. A-t-on jamais parlé de société du transport, de société de l'alimentation, de société du loisir, sous prétexte que les loisirs, l'alimentation, le transport étaient les produits de techniques industrielles ?

Ce qui apparaît donc ici évident, c'est que les discours sur la société de l'information visent à distinguer radicalement l'industrie de l'information de l'industrie « traditionnelle » du secteur secondaire (manufacturière, d'électricité, des travaux publics, etc.) de même qu'ils distinguent les services d'information des services du tertiaire.

Certes, l'information en tant que « produit » (produit industriel ou service) apparaît plus complexe, mais cette complexité suffit-elle à définir l'avènement d'une nouvelle « société » ? L'information n'est-elle pas, comme les véhicules automobiles, comme certains produits alimentaires, en partie issue d'une production industrielle (celle des composants électroniques, etc.) et donc ne relève-t-elle pas en partie du secteur secondaire ? Ne relève-t-elle pas aussi, et peut-être en plus grande partie encore, d'une infrastructure de services, au même titre que les transports publics ou les loisirs ?

Pour ces raisons, proposer l'alternative terminologique de « société informationnelle » (Castells, 1998) ne semble guère plus pertinent. Cette expression, comme la précédente, ne fait que mettre en évidence « la simple observation que l'information est importante pour nos sociétés. » En effet, la société industrielle, définie comme société « où les formes sociales et techniques de l'organisation industrielle imprègnent tous les domaines d'activité, depuis les activités dominantes, implantées dans le système économique et la technologie militaire, jusqu'aux objets et aux habitudes de la vie quotidienne », inclut bien évidemment le secteur tertiaire (secteur des services : administration, commerce, finances, informatique, tourisme, transports, etc.). Or c'est bien à ce secteur économique que se rattache essentiellement l'« information », telle qu'elle figure dans l'expression « société de l'information ». La notion revêt bien sûr ici une acception très large, englobant toute production individuelle ou collective faisant intervenir l'intelligence humaine et prenant la forme d'un service, donc pouvant être communiquée.

Si la tendance, chez les économistes américains, est de distinguer un quatrième secteur d'activités économiques, le secteur de l'information, précisément, sa définition reste celle d'un secteur de services, regroupant l'ensemble des activités de collecte, de traitement ou de communication de renseignements et de connaissances divers. L'information ainsi définie tient à l'évidence une place prépondérante dans la structure économique de nombreux pays à l'heure actuelle et depuis plusieurs années, notamment grâce à la croissance des technologies de l'information et de la communication ; il n'en reste pas moins que ce sont des infrastructures industrielles et de service qui y contribuent : l'information ne se propage pas, ne se produit pas toute seule. Dès lors, pourquoi voir dans un phénomène économique quantitatif l'explication d'un bouleversement socio-économique d'ordre qualitatif, en l'occurrence, l'entrée dans une ère « post-industrielle » ? L'appartenance socio-économique de la notion de « société de l'information » n'en résulte pas moins d'un tel glissement.

L'expression « société de l'information » ne relève pas seulement du registre socio-économique ; elle trouve son origine la plus marquée dans le domaine de l'informatique. On en attribue souvent la paternité à Norbert Wiener, inventeur de la cybernétique. Il l'emploie en effet en 1948, pour désigner l'avènement d'une démocratie universelle rendue possible par l'apparition des ordinateurs. Son discours est néanmoins pessimiste et Wiener finit par mettre en garde ses contemporains contre un contrôle social favorisé par les ordinateurs : l'accès à l'information reste subordonné au pouvoir politique.

C'est l'un de ses disciples, Claude Shannon, qui invente en 1949 la célèbre théorie mathématique de l'information. Shannon est ingénieur au laboratoire de Bell Telecom aux États-Unis ; sa définition de l'information sera entièrement physique, quantitative. Son but n'étant autre que de déterminer les conditions optimales de la transmission des messages ou signaux (coût et vitesse), l'information est mesurée en unités appelées bits (*binary digits*, chiffre binaire, pouvant revêtir une valeur de 0 ou de 1). C'est précisément cette définition de l'information qui entre en jeu dans l'« informatique », désignant l'ensemble des techniques automatisées relatives aux informations ainsi conçues (collecte, mémorisation, utilisation, etc.). En ce sens, l'information, bit transitant dans les circuits d'un ordinateur ou les tuyaux d'un réseau, constitue donc un support physique, matériel.

C'est à partir d'une telle conception que s'est constituée historiquement la notion de société de l'information où « information » n'est plus cependant qu'un terme passe-partout...

« Société de l'information » et idéologie

La « société de l'information » relève peut-être essentiellement d'une idéologie propre aux discours actuels des gouvernements et des organisations internationales, idéologie étroitement liée aux deux usages précédemment cités de cette expression, et dont il convient de souligner les implicites. Historiquement d'abord (et paradoxalement), les discours sur la société de l'information ont proclamé la fin des idéologies. Citons seulement ici les sociologues américains Daniel Bell, Seymour Martin Lipset et Edward Shils, dont les écrits les mieux connus datent des années 1960-1970. D'autres discours, venus des milieux de l'expertise provisionnelle et de la géopolitique, empruntaient la même veine (Mattelart, 2000).

Dès 1975, coïncidant avec la crise économique mondiale, la « société de l'information » faisait son apparition à l'OCDE, comme remède pour sortir de la crise. En 1978, le rapport Nora-Minc sur l'« informatisation de la société » mettait à la mode la même terminologie de l'information. L'« âge de l'information » était né, ou mieux, proclamé. 1993 est l'année du lancement par les États-Unis du projet de *National Information Infrastructure* (infrastructure nationale de transport de l'information), se donnant pour but de rapprocher les Américains et d'éviter la création d'info-riches et d'info-pauvres au sein du pays. En mars 1994, le projet est présenté au niveau mondial : dans son discours, le vice-président Al Gore étend le principe de *Information Superhighway* (super-autoroute de l'information) à l'échelle du monde entier et propose la création d'une *Global Information Infrastructure*. Ce projet fait entrer la société de l'information dans l'âge de la « globalisation », en l'associant étroitement à la notion naissante de *new economy*. Il s'agit là d'une véritable offensive idéologique que les médias s'empressent de véhiculer : les autoroutes de l'information, grâce à la mise en réseaux d'ordinateurs du monde entier, vont mettre fin à la crise et aux problèmes sociaux. Le succès d'Internet (dû essentiellement à la découverte du Web, plus « grand public »), fera le reste. C'est Internet, parmi les TIC, qui symbolise désormais l'entrée des pays avancés dans la « société de l'information ».

En février 1995, les pays les plus riches, au sein du G 7, entérinent à Bruxelles le concept de *global society of information*. Ils décident aussi d'accélérer la libéralisation des marchés des télécommunications, conformément au plan des États-Unis et malgré les traditions nationales peu adaptées à un tel bouleversement. Parallèlement, les rapports sur le développement des nouvelles technologies de l'information se multiplient. Tous reprennent le discours de la « révolution de l'information », puisant dans l'innovation technique la solution des problèmes sociaux.

Un concept relevant du « déterminisme de l'innovation »

Cette idéologie porte un nom : « déterminisme technique » ou, mieux, « déterminisme de l'innovation » (Edgerton, 1998). C'est elle qui sous-tend la notion si floue de société de l'information. Elle est véhiculée par l'ensemble des discours publics lancés dans la course à l'information ou à l'informatisation, vue comme une fatalité politique et sociale, alors qu'il ne s'agit que de volontarisme techniciste.

Autant le dire dès l'abord : cette idéologie est le fait de grandes puissances occidentales ou fonctionnant selon un modèle de développement occidental. Cela implique que la « société de l'information » comme du reste la « société industrielle », n'ont pour bénéficiaire qu'une partie minoritaire de l'humanité, qui se distingue en cela de l'ensemble des pays en voie de développement. Ces derniers ne disposant pas même d'une infrastructure industrielle, ni humaine (en matière de services) solide, il paraît illusoire de proclamer que la diffusion massive de technologies de l'information fera d'eux des pays développés. Or ce type de discours est plus que fréquent et tend même à abolir la coupure Nord-Sud en distinguant de façon beaucoup plus générale et moins politisée les info-riches et les info-pauvres, comme si la misère se réduisait à ne pas avoir accès à un ordinateur connecté à Internet...

D'autre part, l'essor des discours sur la « société de l'information » s'appuie sur le développement tout à fait indéniable des nouvelles technologies de l'information et de la communication ; mais ces discours deviennent erronés lorsqu'ils associent au caractère « irrémédiable » de la « révolution » de l'information une inéluctable révolution sociale.

Les techniques et le marché de l'information et de la communication vont-ils résoudre les problèmes sociaux contemporains, les problèmes de développement, la répartition mondiale et nationale des richesses ?

Un certain messianisme technologique ambiant le voudrait, comment le lui reprocher ?

Bibliographie

- BRETON P. et PROULX S., *L'Explosion de la communication*, Paris, La Découverte, 1996.
- BRETON Ph., Contre le messianisme technologique, in *Le Monde diplomatique*, 1996.
- CASTELLS M., *La Société en réseaux*, Fayard, 1998.
- COURRIER Y., Société de l'information et technologies (cf. Webographie).
- EDGERTON D., De l'innovation aux usages. Dix thèses éclectiques sur l'histoire des techniques, in *Annales HSS*, juillet-octobre 1998, n°4-5, Paris, Armand Colin ; p. 815-837.
- MATTELART A., Archéologie de la société de l'information. Comment est né le mythe d'Internet, in *Le Monde diplomatique*, août 2000

Webographie

- http://www.monde-diplomatique.fr/livre/crac/43.html
- http://www.unesco.org/webworld/points_of_views/courrier_1.shtml
- http://www.monde-diplomatique.fr/2000/08/MATTELART/14116.html

Spamming

Envoi de courriers électroniques non sollicités, souvent de nature publicitaire, qui encombrent les boîtes aux lettres électroniques et les forums de discussion. Le *spamming* est une pratique sanctionnée en France par la loi Informatiques et Libertés du 6 janvier 1978.

Start-up

Expression désignant une entreprise récemment créée *ex nihilo* (*start up company*). Le terme doit sa fortune à l'essor des activités liées à la nouvelle économie. « Jeune pousse » en français, il désigne une entreprise née dans ce secteur particulier d'activité et caractérisée par son mode de financement (capital-risque, puis introduction en bourse), par une croissance rapide et une perspective de gains importants. Les déboires de certains projets élaborés à la hâte et sans débouchés prévisibles ont donné naissance à l'expression ironique *start-down*, pour désigner une jeune pousse condamnée à la faillite avant d'être parvenue à maturité.

Streaming

Technique de transfert de données audiovisuelles permettant de traiter ces données (les écouter ou les visionner) comme un flux continu et soutenu alors que le débit, *via* Internet, est le plus souvent discontinu.

T

TCP/IP

De l'anglais *Transmission Control Protocol over Internet Protocol.*

IP (*Internet Protocol*) désigne l'adresse permettant d'identifier un ordinateur connecté à Internet, grâce à une suite de quatre nombres séparés par des points ou à leur équivalent sous forme de texte. TCP (*Transmission Control Protocol*) désigne le protocole qui régit la circulation des « paquets » d'informations sur Internet.

TCP/IP désigne l'ensemble des protocoles communs de communication permettant l'interconnexion généralisée entre réseaux hétérogènes, grâce au découpage par paquets des données numériques (chaque paquet empruntant les lignes disponibles) et au réassemblage des paquets à l'arrivée. Ces protocoles permettent une communication entre tous les ordinateurs reliés aux réseaux constituant Internet.

Téléchargement

Le téléchargement (*downloading*) est l'opération consistant à enregistrer des données provenant d'Internet sur son ordinateur personnel. L'opération inverse (*uploading*) consiste à mettre des informations contenues sur un ordinateur personnel à la disposition des personnes connectées à Internet. Ces techniques sont utilisées tout particulièrement pour conserver des fichiers lourds que l'on souhaite réutiliser, tels que des images, animées ou non (fichiers JPEG), ou de la musique (MP3).

Télécommunications

Les relations entre Web et télécommunications, acteurs d'Internet et opérateurs téléphoniques, sont placées sous le double signe de la coopération et de la compétition. La coopération s'impose puisque les deux activités sont étroitement imbriquées et dépendantes l'une de l'autre. La force d'Internet et du Web tient à la capacité de ce protocole de connecter les multiples réseaux de communication existants pour transmettre des informations de nature diverse entre des ordinateurs-serveurs. L'étendue, la capacité et les performances des réseaux de télécommunication sont donc des variables décisives de son bon fonctionnement. À l'inverse, la progression très rapide de l'utilisation d'Internet et du Web par les entreprises et les particuliers signifie que le trafic des données – encore marginal en 1990 – représente une fraction sans cesse croissante du trafic des télécommunications au détriment de la voix. Les estimations convergent pour estimer qu'il a dépassé le seuil des 50 % entre 1999 et 2001 selon les régions. Les revenus liés à Internet s'élèvent désormais à plus de 20 % du chiffre d'affaires des opérateurs téléphoniques historiques comme France Télécom.

Dans le même temps, les conflits entre le monde d'Internet et celui des télécommunications sont permanents depuis 1995, pour deux raisons principales. Internet a permis l'entrée massive et très rapide de nouvelles firmes sur des marchés voisins et parfois inclus dans ceux des télécommunications ; par ailleurs Internet bouleverse les flux et les chaînes de valeurs des télécommunications. Après avoir ignoré, puis sous-estimé, ce nouveau phénomène, les acteurs traditionnels des télécommunications y ont vu une menace très sérieuse, d'autant plus que la commercialisation d'Internet coïncide partout avec le processus d'ouverture à la concurrence dans les télécommunications (*Telecom Act* américain de 1996, ouverture du marché des services fixes en Europe en 1998). Réciproquement, les nouveaux acteurs du Web, au premier rang desquels les fournisseurs d'accès, considèrent que les opérateurs de télécommunication freinent, volontairement ou non, la diffusion d'Internet avec des prix d'accès trop élevés.

Pour démêler ces relations complexes entre Internet et les télécommunications et pour évaluer le rôle du processus mondial d'ouverture à la concurrence dans les télécommunications, il faut distinguer deux niveaux d'analyse : celui des infrastructures longue distance et des réseaux à haut débit qui constituent le cœur d'Internet, et celui de l'accès proprement dit à Internet.

Internet et les réseaux à haut débit

Le cœur du Web est composé des multiples réseaux en fibre optique qui interconnectent à très haut débit, à travers les océans et les continents, les grandes villes où sont localisés les principaux points d'entrée à Internet. Ces réseaux de nouvelle génération apportent la numérisation des communications et les capacités de transmission et de routage requises par la diffusion à grande échelle d'Internet. Leur déploiement est indissociable du processus d'ouverture à la concurrence dans les télécommunications. Les modalités spécifiques selon lesquelles chaque pays a déréglementé le monopole historique des télécommunications, autorisé l'entrée de nouveaux opérateurs, arbitré la concurrence, ont en effet largement déterminé la chronologie, le rythme et l'étendue de la construction de nouvelles infrastructures en fibres optiques. La comparaison des situations française et américaine est très éclairante sur ce point (Bomsel, Le Blanc, 2000).

Aux États-Unis, le démantèlement d'AT&T, en 1982 (selon une séparation local/longue distance), a ouvert une période de vive concurrence sur le marché des communications longue distance et internationales. Cette décision va concentrer sur ce segment particulier l'entrée de nouvelles firmes, les efforts de recherche et d'innovation, ainsi que les investissements en infrastructures. Il s'ensuivra un déploiement très rapide de réseaux intercontinentaux en fibres optiques (figure 1), tiré par la multiplication des acteurs (50 opérateurs et plus de 500 revendeurs de services longue distance en 1998) et surtout par les immenses gains de productivité dus à une succession ininterrompue d'innovations. Si la dynamique prix-performances des microprocesseurs nous est désormais familière, celle des fibres optiques n'est pas moins spectaculaire. De nouvelles générations de fibres optiques sont commercialisées tous les 20 mois et les performances augmentent au rythme historique de 29 % par an. Résultat : entre 1990 et 2000, le coût unitaire de transport par Gbit/s et par *mile* a chuté de plusieurs millions de dollars à quelques dizaines de dollars et devrait être inférieur à 1 dollar en 2005 [1].

Cette évolution s'explique par les performances croissantes des commutateurs et la mise au point de nouveaux protocoles de communication, qui ont permis d'augmenter sans cesse le nombre de circuits pouvant être multiplexés sur une même fibre optique, et donc le débit transmis. La grille des standards de transmission SONET utilisés par les opérateurs dans les boucles centrales de leurs réseaux illustre cette prodigieuse progression : de l'OC-1 à 52 Mbit/s jusqu'au OC 768 à 38 Gbit/s. Début 2000, les nouvelles générations de commutateurs et d'amplificateurs optiques associées au mutiplexage en longueur d'onde ont permis de dépasser à titre expérimental le seuil du *terabit* par seconde (l'équivalent de 15 millions de lignes téléphoniques !) sur une seule fibre optique et sur une distance de 1 000 km. Ces innovations se succèdent si rapidement qu'elles conduisent les opérateurs à déployer des réseaux reconfigurables pour exploiter au fur et à mesure les nouveaux protocoles et les nouvelles technologies. La solution consiste à enterrer, lors de la construction, de nombreux conduits vides, à côté de ceux effectivement utilisés par des fibres optiques, de manière à pouvoir tirer facilement dans le futur de nouvelles fibres et exploiter les dernières technologies en installant les équipements opto-électroniques requis. Ces techniques permettent aussi à des opérateurs comme Level 3 ou Sprint de déployer des réseaux en fibres utilisant de bout en bout le protocole IP pour fournir une gamme complète de services web et de services de télécommunications.

À coup sûr, cette stratégie de déploiement extensif de capacités de transport a bénéficié de la formidable croissance du trafic de données sur la période. Encore négligeable au début des années 1980 et largement absent, aussi bien du débat *antitrust* qui se concentre sur les seuls marchés téléphoniques, que des *business plans* de la première génération des opérateurs alternatifs (MCI, Sprint), ce segment enregistre une croissance explosive la décennie suivante, tirée par l'informatisation des entreprises et de l'économie américaine. Lorsqu'Internet débute sa spectaculaire expansion, l'intensification des échanges de données a déjà largement permis de rentabiliser les investissements massifs dans les infrastructures centrales des réseaux longue distance. La diffusion du Web dans les entreprises et le grand public va donc d'abord tirer profit des capacités de transmission haut débit existantes sur le territoire, avant de déclencher à son tour, conjuguée à l'environnement réglementaire favorable suscité par l'adoption du *Telecom Act* de 1996, une nouvelle phase d'investissements (figure 1). Elle se poursuit aujourd'hui puisque le cumul des projets en cours des opérateurs de

1. Pour une liaison de référence de 1 000 miles, cf. Level 3, 2000.

réseaux globaux (AT&T, MCI Worldcom, Global Crossing, Sprint, Qwest, IXC, Level3, Williams) prévoit une multiplication par 75 des capacités totales entre 2000 et 2003, dépassant ainsi le million de Gbit/s. Cependant, il n'est pas certain que cela soit suffisant pour faire face à la croissance prévisible du trafic des données, appelé à croître encore plus rapidement sous l'effet combiné du déploiement des accès à haut débit (DSL, câble), de la croissance du nombre d'utilisateurs, de l'allongement du temps passé en ligne et de la baisse du prix de transport des données.

FIGURE 1. DÉPLOIEMENT DES RÉSEAUX EN FIBRES OPTIQUES PAR LES OPÉRATEURS LONGUE DISTANCE AUX ÉTATS-UNIS

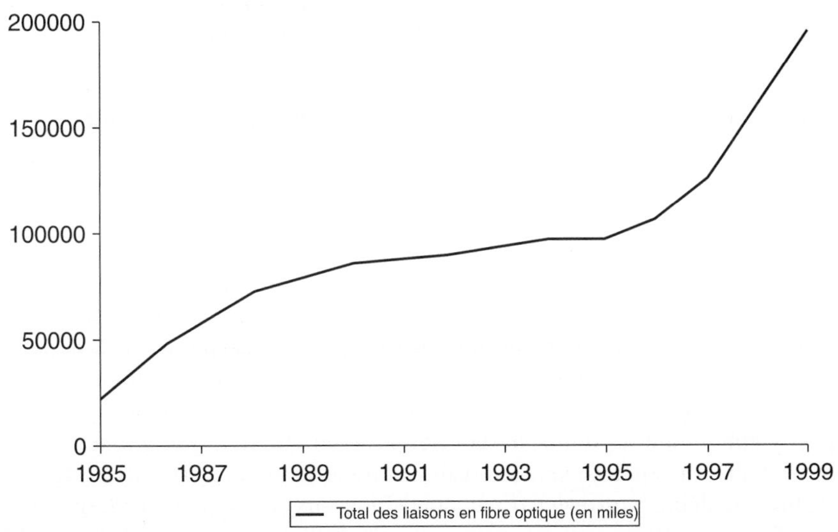

Données : FCC, 1999, Table 1.

Cette rétrospective met en relief les particularités du processus francais de déréglementation et ses conséquences sur la diffusion d'Internet. Pour des raisons diverses, le choix a été fait dans les années 1980 d'organiser l'ouverture à la concurrence autour du nouveau marché des mobiles. Cette décision a eu pour effet d'orienter en priorité les investissements des nouveaux entrants ainsi que ceux de l'opérateur historique vers les réseaux mobiles, c'est-à-dire la couverture du territoire par des bornes terminales d'émission/réception hertziennes aux dépens des cœurs de réseaux (*backbones*) à haut débit. Délaissés pendant cette période charnière qui précède immédiatement la diffusion du Web dans le grand public, ceux-ci se retrouvent donc en nombre insuffisant, de trop faible capacité et pas assez denses pour faire face à la croissance spectaculaire d'Internet. D'où la congestion des réseaux nationaux et le phénomène de contournement pointé par la mission sur le commerce électronique, qui note que de 50 % à 70 % des connexions entre un internaute français et un site européen transitent par les États-Unis (Bourdier, 2000).

Pour conclure cet examen des relations entre Internet et les réseaux de télécommunications à haut débit, on peut noter un phénomène récent, étroitement lié à la densification des infrastructures *backbone* vitales pour Internet : la « commoditisation » du transport de données, d'où la formation de bourses de commodités de bande passante sur le modèle du cuivre ou du pétrole (marché spot, *futures*), et l'apparition de courtiers spécialisés (Enron Bandwidth Services, Band-X, RateXchange...) échangeant des volumes de minutes de voix commutées, des espaces de colocalisation, de la bande passante et, depuis 2000, des capacités IP et de connectivité Internet. Les transactions s'opèrent au sein de points de regroupement (*pooling points*), où les connexions sont réalisées entre les réseaux du vendeur et du client, et où la qualité du service est contrôlée. Des normes techniques et des conditions contractuelles standardisées sont en cours de définition par l'industrie pour simplifier et stimuler la commercialisation du transport des données. En outre, un second marché des droits sur les capacités de liaisons internationales (comme les câbles sous-marins), auparavant exclusivement détenus par les opérateurs historiques nationaux, s'est développé, augmentant encore les capacités de transmission concurrentielles.

Économie de l'accès résidentiel à Internet

Pour accéder à Internet, un particulier a besoin, outre d'un ordinateur équipé d'un modem, des services fournis par deux acteurs :

– un opérateur de télécommunication qui assure la connexion physique et le transport des signaux entre l'ordinateur du particulier et le point d'accès à Internet ;

– un fournisseur d'accès (FAI) qui assure la passerelle vers Internet, et possède les serveurs et routeurs pour transmettre les appels de ses abonnés vers les réseaux longue distance (*backbones*) et, en retour, réacheminer les informations cherchées.

Dans le cas le plus courant, la connexion est réalisée par un modem utilisant la ligne téléphonique du domicile (boucle locale en cuivre). Configurée pour offrir un débit allant jusqu'à 56 kb/s (en réalité entre 20 et 40 kb/s effectifs), cette liaison est dite bas débit (*narrowband* par opposition aux accès câble, DSL ou hertzien qui offrent des débits supérieurs *broadband*) et *dial-up* (pour souligner qu'il faut composer un numéro comme dans un appel téléphonique classique pour se

FIGURE 2. L'ACCÈS RÉSIDENTIEL À INTERNET PAR MODEM (DIAL-UP)

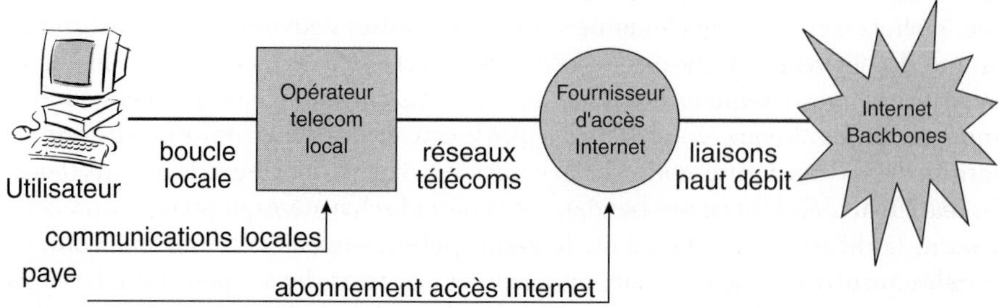

connecter). Le prix de l'accès à Internet comprend donc deux parties : l'abonnement versé au founisseur d'accès et les charges téléphoniques locales, car généralement le fournisseur d'accès dispose d'un point de présence dans la zone d'appel locale ou de numéros géographiques tarifés à l'identique. Ces deux services (télécommunications et accès à Internet) peuvent être intégrés. Mais le plus souvent, le particulier s'abonne directement à un FAI et recourt à son opérateur local traditionnel (c'est-à-dire, dans l'immense majorité des cas, l'opérateur historique) pour les liaisons de télécommunications.

On mesure donc que la structure de marché et le degré de compétition dans l'industrie des FAI et des opérateurs locaux de télécommunication seront les deux variables clés de l'économie de l'accès résidentiel. Le contexte réglementaire joue un rôle décisif, à la fois bien sûr pour le marché des télécommunications local, mais également pour celui des fournisseurs d'accès. Ceux-si sont en effet à l'interface du monde des télécommunications et du réseau Internet. Le FAI est à la fois le dernier maillon de la chaîne reliant l'utilisateur résidentiel aux sites et serveurs du Web et le premier et indispensable portail de navigation de l'internaute, donc l'un des acteurs de la chaîne de valeur du Web. En plus de l'accès, les FAI peuvent proposer d'autres services (hébergement de pages personnelles, comptes *e-mail*) et contenus (moteur de recherche, informations, liens), d'où la possibilité de recettes de télécommunications (liées à l'accès Internet, à la transmission de données) et de type web (directement liées aux diverses utilisations du Web, comme des commissions sur le commerce électronique ou indirectement liées au nombre total d'utilisateurs potentiels du FAI-portail comme la publicité en ligne). Logiquement, l'entrée sur le marché de l'accès pourra donc se faire soit à partir d'une spécialisation et d'actifs de télécommunication (opérateur téléphonique historique ou nouvel entrant), soit par intégration verticale d'une firme présente sur le Web (comme un portail ou un important fournisseur de contenus).

Avant d'examiner concrètement la situation de l'accès Internet dans trois pays différents, revenons sur deux conséquences économiques des propriétés techniques d'Internet. En premier lieu, Internet correspond à des protocoles techniques ouverts et adaptables, qui permettent l'interconnexion de toutes sortes de réseaux différents. Ce découplage de l'infrastructure et des services a pour conséquence d'abaisser les barrières à l'entrée sur la fourniture de services : introduire un nouveau service ne requiert pas la construction *ex nihilo* d'un nouveau réseau spécifique, ni de changer de protocole de transmission, ni de remplacer les nombreux équipements répartis sur le réseau. Cet abaissement des barrières à l'entrée explique les nombreuses entrées de firmes sur le marché de l'accès et les changements incessants de la structure de cette industrie. Le second point à souligner est la nouvelle géographie du réseau. La transmission par paquets marque la fin des liaisons dédiées et autorise une intensification de l'utilisation des infrastructures physiques existantes. Le trafic local de connexion Internet, après avoir doublé en France entre 1998 et 1999, a triplé l'année suivante. Le trafic global restant stable ou en croissance lente, Internet est donc avec les mobiles le segment de marché le plus dynamique, et devrait représenter d'ici 2002 50 % du trafic fixe total. Ce nouveau trafic bouleverse l'équilibre économique antérieur des réseaux de télécommunications et soulève trois grands problèmes.

Quelle réglementation lui appliquer ?

Le trafic destiné aux fournisseurs d'accès doit-il être assimilé au trafic téléphonique ou faut-il concevoir un traitement spécifique ? En particulier, comment gérer l'interconnection entre un opérateur de télécommunication et un FAI ? Doit-elle donner lieu à des compensations monétaires comme pour le téléphone et si oui, à quel taux ? Les enjeux économiques de ces questions sont considérables puisque les réponses vont déterminer la validité et la profitabilité des modèles économiques des fournisseurs d'accès et des opérateurs de télécommunication locaux et, au bout du compte, la tarification d'Internet pour l'utilisateur final.

• Comment prévenir les menaces de congestion ?

Comme tout réseau, Internet offre des externalités positives (*e-mail* par exemple) et négatives (congestion). Il y a donc un risque classique de « tragédie des communs », car chacun sera tenté d'accroître son usage pour son bénéfice individuel, au risque de saturer collectivement (voire détruire) le réseau. Il faut distinguer deux niveaux de congestion : les artères (*backbones*) et le réseau téléphonique utilisé pour accéder à Internet. La congestion des artères résulte de la croissance exponentielle du trafic global de données, ainsi que de la nature décentralisée du réseau Internet. La réponse des opérateurs d'infrastructures est d'augmenter de façon continue les capacités et d'introduire des mécanismes économiques de différenciation qualité et de tarification à la priorité. En ce qui concerne l'accès, les problèmes de congestion se posent principalement au niveau du commutateur connectant le fournisseur d'accès au réseau téléphonique, là où se concentrent simultanément les appels des abonnés. Or, le dimensionnement des réseaux téléphoniques repose sur des hypothèses de trafic construites à partir de l'expérience et des données accumulées sur l'utilisation passée. Ainsi, aux États-Unis, on sait qu'un appel téléphonique dure en moyenne 2-3 minutes et que la distribution des appels selon leur durée obéit à une courbe bien connue et fiable. Les opérateurs ont défini à partir de ces informations la capacité de leurs commutateurs et ils ont fixé des ratios allant de 4 à 8 sur 1 entre le nombre total d'utilisateurs potentiels (qui ne se connectent jamais en même temps) et le nombre de circuits accessibles simultanément. Or les caractéristiques des appels Internet sont très différentes. En particulier, la durée d'appel moyenne est multipliée de 5 à 10 fois. Une forte utilisation locale d'Internet peut donc aboutir à la saturation du commutateur. Les programmes traditionnels de modernisation des réseaux téléphoniques par l'addition modulaire de processeurs et de mémoires plus puissantes dans les commutateurs sont ici insuffisants. C'est en effet le nombre de circuits ouverts par commutateur qui pose problème. L'amélioration des performances intrinsèques ne résout pas la difficulté : il faut soit déployer de nouveaux équipements et infrastructures pour gérer ce trafic, soit détourner le plus tôt possible le trafic Internet du réseau téléphonique, soit enfin introduire des tarifications décourageant la sur-utilisation du réseau.

• Comment tarifer le service d'accès : à l'usage (selon la durée, le volume d'informations transmis, les services utilisés) ou sur la base d'un forfait (soumis ou non à conditions) ?

A priori, la première solution est la plus efficace économiquement, puisqu'elle traite le problème de congestion et évite des gaspillages de ressources et des transferts indirects entre les utilisateurs (de ceux qui consomment peu vers les consommateurs plus intensifs). Cependant, sa mise en œuvre est difficile pour trois raisons. D'abord, en freinant la croissance de la demande et la diffusion nationale de l'utilisation d'Internet, elle se heurte à l'objectif politique et social de favoriser l'utilisation la plus large, la plus égalitaire et la moins coûteuse d'Internet. Ensuite, elle introduit une incitation négative à la modernisation du réseau par les opérateurs, puisque ces derniers, en tirant des revenus d'accès proportionnels à la durée d'utilisation, n'ont pas vraiment intérêt à investir dans des solutions structurelles qui remettraient en cause ces mêmes revenus. Enfin, les consommateurs expriment une forte préférence pour le forfait, pour deux raisons : sa simplicité (tarif indépendant du jour, de l'heure, de la durée de la communication) et la réduction des asymétries vis-à-vis du fournisseur du service qu'il permet (assurance contre les risques de dérapage de la facture...). L'expérience américaine a montré l'importance de ce dernier facteur. Initialement, Internet était facturé au service (paiement des *e-mails* transmis et des minutes passées en ligne). Ce n'est qu'en 1996, face à la mutiplication des nouveaux fournisseurs d'accès, que les firmes en place ont introduit le forfait d'accès à Internet. La figure suivante souligne l'augmentation immédiate de l'utilisation d'Internet (exemple des abonnés d'AOL).

FIGURE 3. EFFETS DE L'INTRODUCTION DU FORFAIT INTERNET PAR AOL À L'AUTOMNE 1996 AUX ÉTATS-UNIS

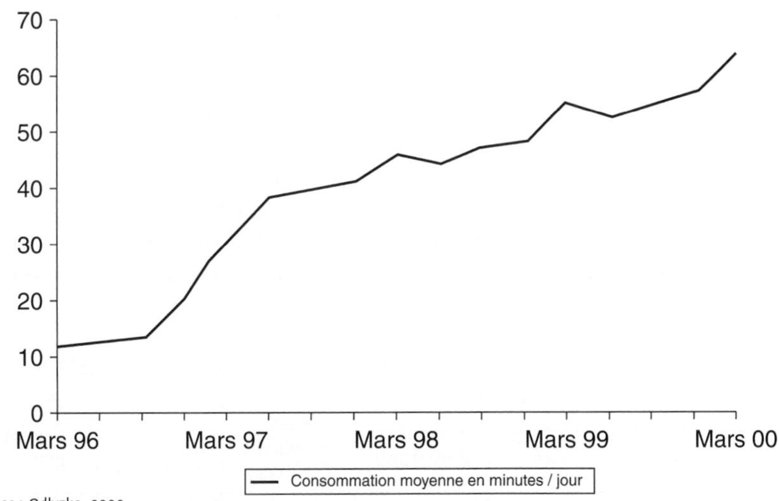

Données : Odlyzko, 2000

Les réponses apportées à ces différents problèmes, variant selon les pays et les périodes, vont façonner la structure de l'industrie de l'accès Internet, orienter les formes de concurrence et d'innovation et finalement rythmer la chronologie du développement d'Internet.

L'accès à Internet aux États-Unis, au Royaume-Uni et en France

Les États-Unis occupent bien sûr une place à part dans Internet : ils en sont à la fois le berceau et l'acteur dominant incontesté (plus du tiers des utilisateurs d'Internet dans le monde en 2000). La diffusion de l'accès Internet y fut exceptionnellement rapide : le nombre d'utilisateurs a triplé entre 1996 et 1999 pour dépasser au printemps 2000 les 80 millions, soit un taux de pénétration de 42 % de la population (USIC, 2000). Une des caractéristiques de la situation américaine est l'émergence et la croissance d'une industrie concurrentielle de l'accès. À la période des « pionniers » et de la multiplication rapide des offreurs d'accès succède une phase de consolidation autour des fournisseurs ayant les plus importantes bases de clientèle et de solides ressources financières. En 1993-1995, on assiste d'abord à une véritable « ruée vers l'accès Internet » : à côté d'America OnLine qui devient rapidement le premier FAI du pays, des centaines d'entreprises se créent pour servir des segments de marché spécialisés (une ville, une région, une catégorie socio-professionnelle), en tirant parti d'une bonne connaissance du contexte local, du tissu industriel et des préférences des consommateurs. Il faut souligner que, à quelques rares exceptions près, les opérateurs de télécommunication traditionnels sont absents de cette phase de décollage du marché de l'Internet. Principalement parce qu'ils restent focalisés sur le marché de la voix et sous-estiment longtemps l'ampleur du phénomène. Pourtant, sur le plan réglementaire, les restrictions d'activité interdisant aux RBOCs (les sept compagnies téléphoniques locales issues du démantèlement d'AT&T) d'offrir des services d'information sont levées en 1991 et une fenêtre d'opportunité est donc ouverte pour pénétrer le marché de l'accès, avant que de nouvelles contraintes leur soient imposées par le *Telecom Act* en 1996. Au total, on compte plus de 5 500 fournisseurs d'accès aux États-Unis en 1999, pour un chiffre d'affaires total de 23,7 milliards de dollars américains[1]. Au-delà de cette fragmentation apparente, le millier de FAI ayant une couverture nationale représente en réalité 85 % du marché. Très vite, en effet, l'industrie a entamé un mouvement de concentration, qui s'accélère encore à partir de 1999. En avril 2000, les dix premiers fournisseurs regroupent 83 % des abonnés contre 66 % six mois plus tôt. La compétition sur le marché de l'accès est très intense, comme l'illustre le tableau suivant. Certes, AOL continue de dominer largement, mais en l'espace de seulement six mois, la structure des dix premiers FAI améri-

TABLEAU 1. LE MARCHÉ DE L'ACCÈS RÉSIDENTIEL INTERNET AUX ÉTATS-UNIS

	Fournisseur d'accès	Rang Oct. 99	Abonnés* Avril 2000	Part de marché Oct. 1999	Part de marché Avril 2000	Payant P gratuit G
1	America Online	1	23	39,7 %	40 %	P
2	Earthlink/MindSpring	2	4,2	6,2 %	7,3 %	P
3	NetZero	5	4	2,9 %	7 %	G
4	Alta Vista (1stUp)	10	3,5	1,5 %	6 %	G
5	Juno Online	N	3	-	5,2 %	P
6	MSN Internet	3	2,6	3,4 %	4,5 %	P
7	Freeinternet.com	9	2,2	1,5 %	3,8 %	G
8	Spinway	N	2	-	3,5 %	G
9	Prodigy	6	1,7	2,3 %	3 %	P
10	AT&TWorldNet	4	1,5	3 %	2,6 %	P

* En millions. *Source* : ITResearch (2000) *Consumer Internet Service Provider Market Share Update*, 1999 ; Fusso (2000) *Top 12 ISPs by Subscriber – July 2000*, ISP Planet.

1. Données : Cahners In-Stat (2000) *The US ISP Industry : revenues and service*, Report, Newton.

cains a été bouleversée : deux sorties et deux entrées (dont l'une correspond à une entreprise, Spinway, créée quatre mois plus tôt) ; le seul opérateur de télécommunication de la liste, AT&T, chute du quatrième au dixième rang ; enfin, le poids relatif des fournisseurs gratuits (on expliquera ce concept dans le paragraphe consacré au Royaume-Uni) grimpe de 6 % à 20 %.

Ainsi, l'accès à Internet s'est-il développé aux États-Unis comme un service indépendant et il est donc sorti du champ « naturel » et exclusif de l'opérateur téléphonique historique, à l'opposé d'autres services avancés comme la mise en attente ou l'identification du numéro du correspondant. Les explications de cette dynamique concurrentielle du marché de l'accès à l'Internet sont multiples : des entrepreneurs visionnaires ayant anticipé la diffusion grand public d'Internet et construit très tôt une marque pour capturer les futurs utilisateurs, la tarification forfaitaire des communications téléphoniques locales très favorable à la navigation sur le Web, l'existence enfin de nombreuses capacités concurrentielles de transport de données à haut débit. L'évolution de la réglementation des télécommunications, sans s'appliquer directement à Internet, a également contribué à créer un environnement favorable à la concurrence sur l'accès. Deux décisions de la FCC (le régulateur américain des télécoms) ont joué un rôle décisif en clarifiant les différentes interrogations liées au trafic Internet.

Leur origine remonte en fait à la fin des années 1960, lorsque la pénétration des ordinateurs dans l'économie et la croissance des échanges informatiques pose la question du régime réglementaire à appliquer aux équipements et aux flux de données utilisant le réseau téléphonique. En 1968, la FCC décide d'abord, dans le célèbre arrêt *Carterfone*, d'autoriser la connexion au réseau téléphonique des terminaux fabriqués par des constructeurs indépendants, mettant fin au monopole de Western Electric, la filiale du monopole AT&T. C'est sur cette base qu'une industrie concurrentielle des équipements s'est alors développée vigoureusement, et que les entreprises et les particuliers ont pu relier librement les modems de leurs ordinateurs à leur ligne téléphonique pour se connecter à Internet. La seconde décision, en 1983, conclut la réflexion sur le traitement réglementaire des services de traitement de données. La distinction a d'abord été introduite (Computer I, 1971 ; Computer II, 1980) entre service standard et service élaboré (*basic* et *enhanced*). La première catégorie, réglementée, correspond à la simple offre physique d'une capacité de transmission. À l'inverse, les services élaborés utilisent des applications logicielles qui agissent sur le contenu de l'information transmise (que ce soit de façon automatique ou suite à une interaction avec l'utilisateur). En 1983, la FCC décide d'exempter les firmes fournissant des services avancés de charges d'accès. Introduites après le démantèlement d'AT&T, ces sommes sont payées par les opérateurs longue distance aux réseaux téléphoniques locaux pour couvrir le coût d'accès (initiation ou terminaison) des appels. Cela signifie que, même s'ils fournissent formellement des services de communication longue distance, les fournisseurs d'accès à Internet doivent, selon la FCC, être traités comme des utilisateurs finaux semblables à n'importe quelle entreprise cliente des opérateurs téléphoniques locaux et consommant du service local pour ses activités productives. Ils n'ont donc pas à payer de charges de terminaison des appels, ni à contribuer au fonds de service universel abondé par tous les opérateurs de télécommunication agréés. Leurs coûts opérationnels ont pu ainsi être maintenus à un niveau suffisamment bas pour autoriser et susciter les offres forfaitaires d'accès illimité à Internet à partir de 1996. Dans les deux cas (équipements terminaux et services d'accès), l'argument développé par le régulateur était de préserver la concurrence sur un nouveau marché émergent, et d'éviter toute distorsion de concurrence de la part des opérateurs télécoms en place (subventions croisées entre services données et téléphoniques, discriminations) qui entraverait le développement du marché et l'innovation.

En Europe, les fournisseurs d'accès Internet ont dû initialement affronter deux principaux obstacles : d'une part, le prix élevé des liaisons louées, conséquence d'une ouverture à la concurrence encore récente et inachevée ; d'autre part, la tarification à la durée des appels locaux. Le premier problème a progressivement perdu de son importance avec l'ouverture complète des marchés de télécommunications en 1998, le déploiement de nouveaux réseaux et l'intensification de la concurrence, mais le second est resté un frein majeur à l'utilisation d'Internet. L'histoire de la diffusion de l'Internet résidentiel dans les pays européens correspond donc à la recherche d'offres forfaitaires de plus en plus complètes, soit par des modes de financement innovants (modèle de l'Internet dit « gratuit »), soit par l'intégration accès/télécoms portée par l'opérateur historique qui devient donc l'acteur principal du marché de l'accès. On illustrera chacune de ces trajectoires avec les exemples du Royaume-Uni et de la France.

Le cas du Royaume-Uni est particulièrement intéressant puisque le marché de l'accès s'y est développé autour du schéma d'abonnement illimité et gratuit à Internet (les appels restant payants). Cette offre innovante a été introduite par des nouveaux entrants (issus de grand groupes industriels comme le pionnier Freeserve, filiale du distributeur d'électronique grand public Dixons, ou encore VirginNet, et du monde des télécommunications comme World Online) qui ont ainsi marginalisé l'opérateur historique dans l'accès Internet (sa part de marché est inférieure à 10 %). Le modèle de financement des fournisseurs d'accès dits gratuits consiste à substituer aux abonnements des utilisateurs, le produit de reversements entre opérateurs de télécommunication au titre de l'interconnexion, ainsi que les recettes de publicité en ligne. Pour comprendre ce mécanisme, il faut reprendre le schéma de l'accès Internet de la figure 2 et introduire entre la boucle locale et le FAI un opérateur alternatif qui assure la concentration et le transport des appels. Cet acteur bénéficie, au titre de la réglementation sur l'interconnexion, d'un versement de terminaison d'appels de la part de l'opérateur local, qu'il peut ensuite partager avec le FAI : tout dépend alors du montant du taux d'interconnexion. Relativement élevé au Royaume-Uni en 1998, celui-ci a permis la création et la croissance fulgurante de nouveaux fournisseurs d'accès, qui ont tiré la diffusion d'Internet dans le grand public (voir, figure 4, l'accélération de la pénétration en 1999).

Pour consolider leur position concurrentielle (tableau 2), plusieurs opérateurs gratuits ont étendu en 2000 le modèle du forfait pour proposer des offres d'accès illimitées incluant les appels téléphoniques locaux, assorties ou non de conditions d'utilisation (heures creuses, montant minimum de dépenses téléphoniques). Leur mise en place à grande échelle soulève encore de nombreux problèmes techniques

FIGURE 4. NOMBRE DE FOYERS CONNECTÉS À INTERNET AU ROYAUME-UNI (EN MILLIONS)

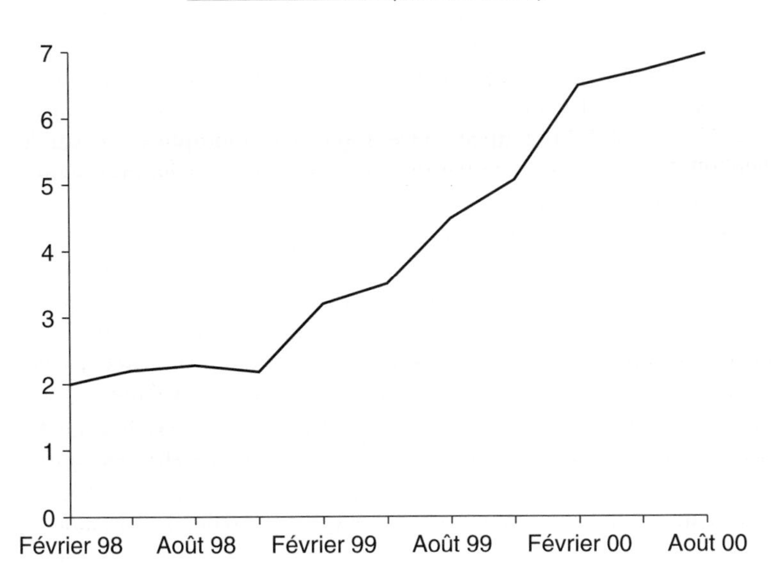

(capacités insuffisantes), mais il est vraisemblable que l'accès forfaitaire bas débit (illimité ou heures creuses) constitue une tendance de fond amenée à se généraliser en Europe. À l'été 2000, 25 % des utilisateurs britanniques ont adopté ce type d'accès. 60 % ont un fournisseur à abonnement gratuit et appels payants. L'ancien modèle abonnement et appels payants ne représente plus que 15 % de l'accès résidentiel (Oftel, 2000).

TABLEAU 2. LE MARCHÉ DE L'ACCÈS RÉSIDENTIEL INTERNET AU ROYAUME-UNI

	Fournisseur d'accès	Rang Oct. 99	Abonnés* Avril 2000	Part de marché Oct. 1999	Part de marché Avril 2000	Payant P gratuit G
1	Freeserve	1	2	39,7 %	40 %	G
2	World Online	2	1,8	6,2 %	7,3 %	G
3	AOL	5	1,2	2,9 %	7 %	P
4	LineOne	10	1,1	1,5 %	6 %	P
5	VirginNet	N	0,5	-	5,2 %	G
6	Genie	3	0,45	3,4 %	4,5 %	G
7	BT Click	9	0,45	1,5 %	3,8 %	P
8	BT Internet	N	0,5	-	3,5 %	P

* En millions. *Source* : ISP Planet (2000) *Top U.K. ISPs by Subscriber*, Janvier & Septembre 2000.

En France, l'organisation industrielle de l'accès a suivi une trajectoire très différente. L'offre y est, dès le début, dominée par les opérateurs de télécommunication (AOL France étant contrôlé par Cegetel). Comme aux États-Unis, ceux-ci sous-estiment le potentiel d'Internet et s'interrogent sur son articulation avec leurs activités traditionnelles. De plus, leur priorité est alors l'ouverture imminente à la concurrence de tous les marchés des télécommunications et la croissance accélérée du téléphone mobile. Il faut attendre 1999 et la multiplication, sur le modèle anglais, d'offres forfaitaires et gratuites par les nouveaux entrants (Free, Liberty-Surf), pour que le marché décolle (figure 5).

Contrairement au Royaume-Uni, l'éclatement de l'oligopole initial laisse la place à un marché dominé par l'opérateur historique. Fin 1998, quatre opérateurs fournissent 88 % de l'accès Internet. Un an plus tard, ils ne détiennent plus que 72 % d'un marché multiplié par 2,5. Entre-temps, la multiplication des FAI gratuits a radicalement modifié l'industrie (tableau 3). Seul Wanadoo a pu accroître sa part de marché face à cette concurrence et tirer ainsi profit de la croissance spectaculaire d'Internet en 1999. L'opérateur historique a donc réussi (comme en Espagne et en Allemagne) à étendre sa position dominante sur la boucle locale au marché émergent de l'accès. En effet, le principe de l'économie du *dial-up* est que le FAI perçoit une commission du réseau auquel il permet de terminer des appels. Lorsque la demande a crû fortement et que la concurrence s'est intensifiée, tirant vers le haut les dépenses d'acquisition de nouveaux clients payants, les fournisseurs d'accès intégrés à un opérateur ont perdu l'avantage de ce reversement. Le FAI de l'opérateur historique a pu, seul, faire face aux dépenses correspondantes par des transferts des bénéfices de la boucle locale (qui profite mécaniquement de la croissance du trafic Internet car les appels locaux sont tarifés à la durée) et des services d'annuaire.

FIGURE 5. DIFFUSION DE L'ACCÈS ET DE L'UTILISATION D'INTERNET EN FRANCE

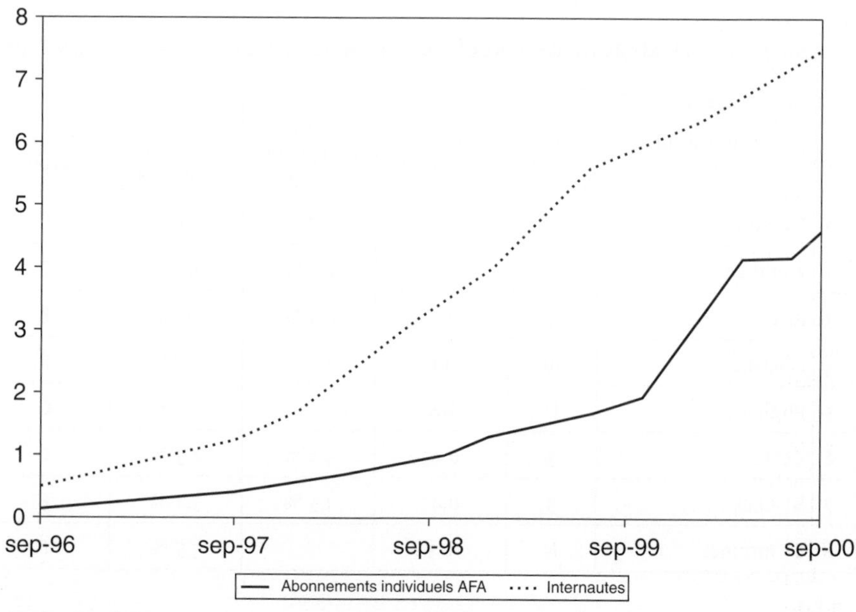

Données : AFA, DiGITIP

TABLEAU 3. LE MARCHÉ DE L'ACCÈS RÉSIDENTIEL INTERNET EN FRANCE

Fournisseur d'accès* *données en milliers*	Abonnés fin 98*	Part de marché	Abonnés fin 99*	Part de marché	Progression abonnés	Progression part de marché
Wanadoo	475	36 %	1 100	39 %	+ 132 %	+ 8 %
AOL/Compuserve	320	25 %	450	16 %	+ 41 %	- 36 %
Club Internet	215	17 %	300	11 %	+ 40 %	- 35 %
Infonie	125	10 %	185	6 %	+ 48 %	- 35 %

Perspectives : le déploiement de l'accès à Internet à haut débit

L'analyse des caractéristiques économiques, industrielles et réglementaires de l'accès résidentiel à Internet est volontairement centrée sur la connexion par modem dite *dial-up* qui correspond à la situation de l'écrasante majorité des utilisateurs d'Internet dans le monde. Cependant, la diffusion de l'accès à haut débit (déjà entamée aux États-Unis avec 10 % des foyers connectés fin 2000) va profondément transformer les relations entre les télécommunications et le Web au cours des prochaines années. D'abord, l'objectif politique affiché par la plupart des États d'un accès à haut débit généralisé et bon marché oblige à redéfinir complètement l'agenda réglementaire des télécommunications. Il ne s'agit plus seulement d'ouvrir à la concurrence des marchés existants, mais d'inciter au déploiement d'une nouvelle infrastructure haut débit. Ce déploiement doit être à la fois le plus rapide possible, car il conditionne la compétitivité de l'économie, et couvrir l'ensemble du territoire, pour éviter le développement d'une « fracture numérique » dans le pays. Le dégroupage, initialement pensé dans un contexte téléphonique, devient désormais le levier du déploiement rapide d'une offre haut débit par les technologies DSL, qui permettent de multiplier de vingt à cinquante fois le débit d'une boucle cuivre sur une distance limitée. Le débat réglementaire se déplace ainsi vers les modalités techniques et tarifaires du dégroupage et de l'échéance de janvier 2001 fixée par la Commission européenne aux États membres pour sa mise en œuvre effective.

La seconde caractéristique du haut débit est d'ouvrir une compétition entre plusieurs technologies (câble, DSL, satellite, radio, UMTS), qui correspondent chacune à une infrastructure locale d'accès particulière. Dans l'accès *dial-up*, l'opérateur de télécommunication reste généralement en monopole sur la boucle locale. La concurrence se concentre donc, comme on l'a vu, sur le service d'accès et l'industrie des FAI. Le haut débit offre l'opportunité de déverrouiller cette situation, en permettant de nouveaux modèles d'entrée sur les marchés, contournant la boucle locale téléphonique pour fournir des services télécoms/Internet intégrés. Cette pression concurrentielle – des opérateurs du câble dans tel pays, de boucle radio ou satellite dans tel autre – peut inciter en retour l'opérateur historique à accélérer le déploiement de son offre DSL, éventuellement avec le concours d'opérateurs et de FAI concurrents par le dégroupage. Se dessine ici ce qui pourrait enclencher dans un proche avenir le cercle vertueux des nouvelles relations entre le Web et les télécommuncations à l'heure du haut débit.

Bibliographie

Ouvrages :

- CANNON (R.), *The Internet at the FCC : Cybernauts vs. Ma Bell, Internet Telecom Project*, mimeo, Washington, 1997.
- HUET (Jérôme), *Droit de l'informatique et des télécommunications*, Paris, 1989, supplément 1991.
- ODLYZKO (Andrew), *The history of communications and its implications for the Internet*, AT&T Labs-Research, Florham Park, 2000.
- OXMAN (Jason), *The FCC and the Unrelugation of the Internet, OPP Working Paper N 31*, FCC, Washington, 1999.
- WERBACH (Kevin), *Digital Tornado : The Internet and Telecommunications Policy, OPP Working Paper N 29*, FCC, Washington, 1997.

Revues et rapports :

- DIGITIP, *Tableau de bord de l'innovation, 4e édition*, Ministère de l'Economie, des Finances et de l'Industrie, Paris, 2000.
- FCC, Common Carrier Bureau, *Deployment of Advanced Telecommunications Capabilities : 2nd Report*, Washington, août 2000.
- FCC, Common Carrier Bureau, *Fiber Deployment 1998*, Washington, septembre 1999.
- Level 3, Nadasq Tech Conference, *International Presentation*, Londres, novembre 2000.
- Note de l'IFRI n° 29, « Le nouveau défi américain », *Dynamiques industrielles et réglementaires des télécoms : une comparaison É tats-Unis/France*, BOMSEL (Olivier), LE BLANC (Gilles), La Documentation française – IFRI, Paris, novembre 2000.
- Office of National Statistics, *Internet Access 1st Quarter 2000*, Londres, juillet 2000.
- Oftel, *Consumer's use of Internet, Summary of residential survey Q2 August 2000*, Londres, octobre 2000.
- Rapport au Secrétaire d'État à l'Industrie, *Réseaux à hauts débits : nouveaux contenus, nouveaux usages, nouveaux services*, BOURDIER (Jean-Charles), Paris, 2000.
- United States Internet Council, *State of the Internet 2000*, Washington, 2000.

Télématique

Croisement des termes « télécommunications » et « informatique », la télématique est une technologie permettant d'échanger des informations stockées dans des bases de données. Utilisée à l'origine aux États-Unis pour les informations de type militaire, elle connaît sa première application à vocation grand public en France avec la création du Minitel.

Terminal

Appareil électronique ou informatique permettant d'accéder, par le truchement d'une connexion, à un système informatique ou à un réseau. Il existe deux catégories de terminaux. Les premiers sont de simples instruments de consultation (d'une base de données, par exemple) ou d'exécution (envois de fichiers vers un ordinateur central). Ils s'inscrivent dans une organisation de type maître/esclave, comme, par exemple, un système centralisant les réservations aériennes. Les seconds disposent d'une capacité de traitement intégrée qui leur permet de gérer des données de manière autonome. Le micro-ordinateur est un terminal généraliste, pouvant être à la fois terminal de consultation (fonction Minitel, par exemple) et terminal de traitement (gestion de données multimédias).

Depuis le milieu des années 1990, le terminal est entré dans une course à la miniaturisation. À commencer par le micro-ordinateur, qui, en passant sous la barre des trois kilos, est devenu un terminal portable capable d'assurer le traitement et le stockage d'informations multimédias (données, voix, images et sons). Cette miniaturisation a permis l'avènement d'une nouvelle génération de terminaux portables « dédiés » à la gestion de l'univers personnel : l'assistant numérique personnel (en anglais, *personal digital assistant*). Cet appareil tient dans la poche et ne pèse que quelques centaines de grammes. Doté au départ de fonctions assez simples (gestion d'un carnet d'adresses, d'un agenda, prise de notes), ses performances rejoignent peu à peu celles du micro-ordinateur portable.

Les assistants numériques personnels les plus perfectionnés possèdent de plus des capacités de communication très étendues. Ils peuvent échanger aisément des informations avec d'autres machines comparables, souvent au moyen d'une liaison sans fil. Cette possibilité permet, par exemple, d'envoyer en toute discrétion des messages au cours d'une réunion ou d'échanger des cartes de visites électroniques. Ils communiquent également avec un ordinateur personnel, avec lequel ils peuvent échanger des données automatiquement (fonction de synchronisation) une fois posés sur un support *ad hoc*. Enfin, certains possèdent un modem intégré qui leur permet une connexion au réseau téléphonique, donc l'accès à Internet. Leurs interfaces et leur ergonomie se rapprochent de celles de micro-ordinateur. Les plus petits, qui n'ont pas de clavier, se manipulent via un stylet et possèdent une fonction de reconnaissance de l'écriture. L'assistant numérique personnel peut être intégré dans un téléphone mobile : il prend alors le nom de *smart phone*.

Les services nés de l'univers de l'information se retrouvent déjà dans une multitude de terminaux, comme le *Web phone*, qui permet de téléphoner par Internet, et évidemment dans le téléphone mobile. Avec le WAP, apparu sur le marché début 2000, l'utilisateur d'un téléphone portable peut naviguer sur Internet *via* un logiciel de navigation simplifié. Le GPRS, puis l'UMTS lui permettront bientôt d'utiliser toutes les ressources du Web à partir d'un mobile. De nombreux services issus à l'origine de l'informatique ou de la télématique, en migrant vers l'univers de la télévision, notamment par la voie satellitaire, pourront aussi conférer au téléviseur un statut de terminal interactif.

Tiers de certification

Face au manque de sécurité sur Internet, réel ou simplement perçu comme tel par l'utilisateur, le débat sur la protection des données se déplace, en particulier pour les transactions du commerce et de la monnaie électroniques, sur le terrain du « tiers indépendant », responsable du contrôle de l'accomplissement des transactions et chargé d'en conserver la trace, et pouvant, en cas de litige, jouer un rôle capital en matière probatoire de « tiers indépendant », qui doit être un prestataire dont la neutralité et l'indépendance sont indiscutables, recouvre deux personnages distincts : le tiers de certification et le tiers de confiance.

Le tiers de certification est une personne physique ou morale chargée par un ou plusieurs utilisateurs (tel qu'un gestionnaire de site web) d'émettre et attribuer les clés publiques (cryptographie) et les certificats électroniques d'authentification.

Le tiers de certification (ou plutôt « prestataire de services de certification », d'après l'expression retenue dans une directive communautaire du 13 décembre 1999)[1] est considéré comme un « huissier » ou un « notaire » électronique susceptible de restituer l'historique des messages. Il a le pouvoir de vérifier, par des moyens appropriés, l'identité, voire les qualités spécifiques de la personne à laquelle le certificat électronique est délivré.

Si l'activité du tiers de certification est libre, celui-ci doit cependant présenter certaines garanties, comme celle de pouvoir présenter à tout moment aux autorités les documents (certificats) en sa possession.

En outre, cet « acteur » d'Internet offre des garanties de sécurité et vise notamment à développer la confiance dans les communications électroniques. Les prérogatives qui lui sont accordées laissent penser qu'il peut devenir un réel garant de la preuve sur Internet, dans la mesure où son champ d'activités s'étend aux services d'archivage, d'horodatage (en veillant à ce que l'heure et la date d'émission et de révocation d'un certificat puissent être précisément définies) ou encore de consultation d'informations par le biais d'un service d'annuaire rapide et fiable.

Le tiers de certification se distingue du tiers de confiance, également appelé tiers de séquestre, qui est un organisme public ou privé, agréé en France par la direction centrale de la Sécurité des systèmes d'information (DCSSI), et donc par l'État. Le tiers de confiance doit être en mesure de remettre les clés de chiffrement à l'autorité judiciaire dans le cadre d'éventuelles investigations. Actuellement, trois grands types d'acteurs jouent le rôle de tiers de confiance : les grandes entreprises, qui ont créé en leur sein des entités dédiées, les sociétés de service et d'ingénierie informatique (SSII) ayant une expérience dans le domaine de la sécurité et enfin, les groupements interbancaires. L'autorisation de chiffrement, subordonnée au dépôt de ce double chez un tiers agréé par la puissance publique, a été combattue dès le milieu des années 1990 aux États-Unis au nom de la liberté d'expression et du risque de contrôle étatique sur les activités des personnes privées.

Webographie

- http://www.scssi.gouv.fr/index.html
- http://www.uncitral.org/
- http://europa.eu.int/ISPO/legal/

Tracking

L'expression désigne le « pistage » des visiteurs de sites web en vue d'effectuer une analyse discrète de leur « profil » commercial, destinée à aller au-devant de leurs attentes.

1. Notion définie dans les travaux de la CNUDCI, de la CCI et de l'Union européenne.

U

UMTS (Universal Mobile Telecommunications System)

Homologue de l'américaine W-CDMA, cette norme dite de 3e génération permet à un mobile de recevoir les services multimédias d'Internet. Avec des taux de transfert de données beaucoup plus rapides que le GSM (2 Mbits/s contre 14,4 kbits/s), l'UMTS permettra notamment un accès à des services interactifs. Le succès de cette nouvelle technologie représente un enjeu économique primordial pour la majorité des grands opérateurs de télécommunication.

Unix

Système d'exploitation en langage C, multi-utilisateurs, développé par AT&T en 1970, particulièrement adapté au fonctionnement des gros ordinateurs, des réseaux téléinformatiques et au travail collectif à distance (*groupware*). Par la suite sont apparus des systèmes d'exploitation plus conviviaux destinés aux utilisateurs de micro-ordinateurs, tels que *Windows* et *Macintosh*.

URL (Uniform Resource Locator)

Ce terme désigne une méthode d'adressage uniforme de l'information sur Internet, permettant de retrouver un document grâce à l'indication du protocole d'accès du serveur (http, ftp...), du nom du serveur où se trouve le document et de la référence du document, ces éléments étant séparés par des points. Ainsi, l'URL « http://www.art-telecom.fr/communiques/index.htm » permet-elle d'accéder aux communiqués de l'Autorité de régulation des télécommunications.

Virtuel

La diffusion d'Internet au sein d'un large public, phénomène récent apparu avec le succès du Web vers le milieu des années 1990, a entraîné la vogue du terme *cyberespace* et plus généralement du préfixe *cyber* accolé à de nombreuses expressions. Cet usage actuel ne porte plus vraiment trace des origines linguistique et contextuelle des termes en question. On a oublié en effet que, étymologiquement, *cyber* signifie « contrôle » et que c'est en ce sens qu'a été formé le mot *cyberespace*, apparu chez le romancier américain William Gibson, dans son roman de 1984, *Neuromancer*. Il y désignait la représentation graphique des données issues de toutes les banques de tous les ordinateurs gérés par l'homme et mis en réseau : une véritable « hallucination collective ». Les réseaux informatiques prenaient l'aspect inquiétant d'un univers virtuel en passe de devenir autonome par rapport au monde réel, autonomie toute relative, qui devait mettre en place une nouvelle forme de pouvoir, un contrôle politique systématisé, absolu, et « invisible ». Aujourd'hui, ce pessimisme cyberpunk n'a plus grand chose à voir avec l'optimisme « branché » des discours sur Internet où le cyberespace reste mystérieux, surtout en raison du flou terminologique censé décrire ses modes de fonctionnement.

Ce qui demeure d'actualité, en revanche, c'est la notion d'« hallucination » appliquée à la pensée d'Internet : tout se passe comme si cette technique était pensée en termes d'illusion, c'est-à-dire, qu'elle relevait d'une forme particulière de représentation du réel. C'est le sens de l'emploi, lui aussi popularisé aujourd'hui, du terme « virtuel » (nom ou adjectif) appliqué à l'informatique ; ou du terme « immatériel », employé de la même façon quoique avec des implications légèrement distinctes. Tous deux se définissent par une forme d'abstraction et désignent ainsi implicitement le réel en tant qu'ils s'y opposeraient ou, pour le moins, s'en distingueraient, de la même façon qu'Internet ou l'informatique constitueraient un rapport nouveau avec le réel. Leur emploi, qu'il faudra préciser, ne touche pas seulement Internet (applications *on-line*), il se rapporte aussi à l'informatique de façon plus générale (applications *off-line* et constitution de l'ordinateur). Tout se passe comme si, en effet, la numérisation favorisait une forme de « dématérialisation » des données traitées informatiquement.

Or, si la terminologie généraliste ambiante reflète une telle vision des choses, il convient assurément d'en vérifier le bien-fondé technique. Dans quelle mesure le cyberespace, l'informatique en général, peuvent-ils être pensés en termes d'abstraction ?

On pourrait distinguer, avec Jean-Louis Weissberg, deux emplois majeurs du terme « virtuel » qui ont peu à voir, à première vue, avec le sens qu'il revêt dans tout dictionnaire généraliste (« ce qui est en puissance »). Le premier emploi fait coïncider le virtuel et la modélisation numérique : « De la réalité de premier ordre, empirique, on passe à une réalité de deuxième ordre, construit selon les règles de la formalisation physico-mathématique » (Weissberg, 1999). Le second emploi s'applique au transport par réseau.

Reste que cette distinction, chez Weissberg, tend à définir la notion de « téléprésence », qui implique en fait la conjonction des deux emplois du mot « virtuel ». Or le domaine des techniques du virtuel proprement dit ne forme qu'une des applications possibles de la téléprésence. En outre, ce domaine est aussi plus large, puisqu'il recouvre des applications qui ne sont pas forcément *on-line*.

On préférera donc restreindre ici l'emploi de « virtuel » au domaine technique de la « réalité virtuelle » et aux techniques d'utilisation des images de synthèse. Dans ce sens, il paraît plus juste de dire que le virtuel peut désigner, d'une part, une technique de représentation (d'élaboration d'images, de sons, etc., par ordinateur) et, d'autre part, les représentations ainsi élaborées (celles-ci pouvant être transportées sur les réseaux sous forme de bits, ou accessibles *off-line* à un seul utilisateur ou opérateur via les interfaces adéquates). Les deux acceptions sont à l'évidence liées.

La « réalité virtuelle »

On s'attachera donc, tout d'abord, à présenter une forme de technique et de représentation : la « réalité virtuelle ». L'expression, devenue courante, semble pourtant malvenue, si l'on s'en tient au sens généraliste du virtuel (celui de la potentialité) : tout au plus, cet oxymore (contradiction pouvant devenir réelle) fait-il image en suggérant que des phénomènes artificiels (constructions de l'ordinateur) confèrent à la perception que nous en avons une illusion de réalité. Si cette illusion s'explique en termes techniques, on pourra d'ores et déjà noter qu'une telle terminologie favorise en outre tous les glissements conceptuels.

L'expression « réalité virtuelle » fait référence, historiquement, à la technique de l'immersion dans l'image, dont on peut situer l'origine en 1966 avec les expérimentations sur différents types de visiocasques menées au MIT par Ivan Sutherland. Celui-ci les poursuivit à l'Université d'Utah et c'est en 1970 que devint opérationnel le premier dispositif d'immersion : l'expérimentateur pouvait voir flotter un cube de 10 cm de côté, demeurant stable indépendamment de ses mouvements de tête. D'autres techniques se sont ajoutées à celle de l'immersion et sont en vogue au début des années 1990. Toutefois, peu au point et extrêmement coûteuses, elles ont été rapidement simplifiées pour être mieux diffusées au sein du grand public.

La définition technique de la réalité virtuelle fait appel à quelques notions, au premier rang desquelles figurent l'image de synthèse et l'interactivité.

• L'image de synthèse

Celle-ci est à distinguer de l'image numérique qui n'est principalement que la traduction sous forme de chiffres d'une image « classique » en deux dimensions. L'image de synthèse, quant à elle, est engendrée par l'ordinateur à partir d'un modèle numérique en trois dimensions. Lors de la modélisation, l'objet se présente sous la forme de surfaces géométriques (ou facettes) juxtaposées (on parle alors de structure en fil de fer).

La caractéristique véritablement distinctive d'une telle modélisation est de permettre la représentation de l'objet en trois dimensions (3D). Bien évidemment, l'image sur l'écran est toujours en 2D (sur un plan défini par une longueur et une largeur). Reste que l'objet modélisé, base de l'image de synthèse, peut être vu sous tous les angles parce qu'il est décrit en volume (surfaces juxtaposées) : l'image de l'objet tourne en fonction des points de vue.

Enfin, le calcul du « rendu » peut conférer à l'image de synthèse divers degrés de réalisme. Il s'agit de l'aspect visuel de l'objet, qui doit prendre en compte les propriétés caractéristiques de la matière à représenter (texture, réflexion des lumières, couleur, etc.).

• L'interactivité

Il existe des images de synthèse qui tendent essentiellement à créer l'illusion de la réalité. Leur calcul par l'ordinateur peut être très long, dans la mesure où le but recherché est la perfection graphique. L'application la plus connue de telles images est celle des « effets spéciaux », dans le domaine audiovisuel. La réalité virtuelle proprement dite implique des images de synthèse interactives, en tant qu'elle vise l'immersion globale d'un opérateur dans l'image, ce qui suppose le déplacement et l'intervention de ce dernier. Pour que l'image de synthèse soit dite interactive, il faut donc qu'elle soit recalculée en fonction des ordres donnés par l'opérateur à l'ordinateur, dans un délai minimal (illusion du « temps réel »). Cette nécessité tend naturellement, en contrepartie, à diminuer la perfection graphique de l'image.

Tant pour la visualisation des images de synthèse que pour leur utilisation interactive, des interfaces homme-machine spécifiques à la réalité virtuelle sont nécessaires. Dans ce cas, on les appelle « périphériques » : ce sont eux qui assurent la transmission des commandes de l'opérateur à la machine. On citera essentiellement le visiocasque, les gants de données (ou de capture), la combinaison de données. Le visiocasque est muni de lunettes spéciales semblables à deux écrans miniaturisés présentant à chacun des deux yeux l'image correspondant à son point de vue. Le principe de la vision stéréoscopique permet ainsi aux deux images planes de restituer une image globale en trois dimensions (profondeur, volume). La haute définition des écrans est indispensable à la création de l'effet de réel, de sorte que les pixels ne soient plus perçus comme multiplicité de points lumineux organisés, mais comme unité de perception (ensemble de couleurs et d'intensités lumineuses). D'autre part, l'image de synthèse n'est pas seulement calculée en fonction de l'objet (existant ou non) que l'on veut donner à percevoir (forme, dimensions, orientation) : son calcul prend aussi en compte les mouvements de tête de l'opérateur, grâce au capteur spécifique dont est doté le visiocasque. Ces mouvements doivent correspondre à la variation dynamique du point de vue.

Le gant de données (*Dataglove* puis *Cyberglove*), doté de nombreux capteurs, fournit à l'ordinateur des informations sur la position de la main, son orientation et ses mouvements articulatoires. La combinaison de données (*Datasuit*) fonctionne sur le même principe, pour le corps entier.

Les recherches les plus récentes s'attachent, enfin, à créer des interfaces de retour d'effort, attachées au canal gestuel et permettant de restituer le poids, le mouvement, toutes les propriétés sensibles au toucher d'un objet réel.

Reste que l'état actuel de la technologie des capteurs gestuels laisse encore à désirer, notamment en matière de locomotion. Pour illustrer les achoppements de telles expérimentations visant à l'immersion intégrale de l'individu dans la réalité virtuelle, qu'il suffise ici d'évoquer l'exemple attendu du *cybersex*, dont il n'est pas difficile d'imaginer le principe et les dispositifs de mise en œuvre.

Bref, pour des raisons évidentes, la diffusion au grand public de ces applications n'est pas pour demain ; on y a d'ailleurs en grande partie renoncé depuis quelque temps.

En revanche, la tendance actuelle et depuis quelques années, est de simplifier les outils de la réalité virtuelle. On tend ainsi à commercialiser des écrans de taille normale à très haute définition, propres à favoriser l'immersion. D'autre part, la souris ou le *joystick* restent des interfaces privilégiées, permettant même parfois le retour d'effort.

Domaines d'application des images de synthèse

On pourra proposer à présent un bref exposé des principaux secteurs d'application des images de synthèse, interactives ou non, plus ou moins grand public, et essentiellement *off-line* : audiovisuel, jeux, apprentissage, médecine.

• Dans le domaine du cinéma, l'utilisation des images de synthèse est mieux connue sous le nom d'effets spéciaux. On en distingue communément deux types : visibles et invisibles (Huriet, 1998).

Les effets visibles constituent la version numérique des trucages autrefois réalisés mécaniquement. Ils peuvent consister à fusionner des images de synthèse aux images réelles et sont alors principalement utilisés dans les films de science-fiction ou les films « catastrophe ». Ils consistent aussi à déformer ou métamorphoser les images (*warping, morphing*).

Les effets invisibles ne sont généralement pas perçus par le public car ils visent à améliorer de façon réaliste certaines scènes. On parlera ainsi de *final effects* pour des effets visuels comme la pluie, la neige, les éclairs, ou d'autres effets plus spectaculaires comme des explosions ou incendies. Il s'agit majoritairement d'incruster dans un plan des images réelles numérisées ou des images de synthèse.

La télévision, dans ses génériques, ses publicités, ou encore le déroulement de ses émissions (variétés, bulletin météo), emploie aussi toutes ces possibilités de mélanger réel et virtuel grâce aux images de synthèse.

• Les jeux constituent aujourd'hui un domaine important de diffusion des images de synthèse au sein du grand public. Il s'agit probablement de l'application grand public la plus ancienne. La première console date du début des années 1970 et, à partir des années 1980, le marché s'est développé très rapidement. Depuis 1996, des consoles 64 bits permettent de faire l'expérience de jeux en 3D. À la différence de la réalité virtuelle, les images intervenant dans les jeux sont précalculées et stockées dans la console ou l'ordinateur ; elles ne font donc que réapparaître en fonction des manipulations du ou des joueurs, ce qui explique la qualité de l'interactivité dans les jeux : la réponse de la machine est extrêmement rapide.

• Certains de ces jeux (jeux de combat ou de tir notamment) apparaissent d'autre part extrêmement proches de logiciels utilisés dans un autre domaine : celui de l'apprentissage et de la formation. L'utilisation des images de synthèse dans ce contexte est mieux connue sous l'appellatif de « simulation ». L'exemple des simulateurs de vol est sans doute le plus répandu. C'est le cas du programme *Super Cockpit* financé par l'armée de l'air américaine dès 1977 et développé dans le laboratoire de recherches en médecine aérospatiale Armstrong. Il s'agit d'un dispositif de visualisation associant aux images réelles perçues dans un cockpit d'avion de chasse, des informations destinées à l'apprentissage du pilote (données géographiques, présentation d'objets non perceptibles réellement tels que des missiles, etc.). De telles applications sont aujourd'hui militaires ou civiles.

• Il convient aussi d'évoquer le domaine médical où, plutôt que de réalité virtuelle, on parle parfois de « réalité augmentée ». L'utilisation de l'imagerie numérique « traditionnelle » (endoscopie, images par résonance magnétique, scanérisation) a connu un développement important depuis plusieurs années. L'utilisation des images de synthèse, plus récente, aurait déjà commencé, elle aussi, à prouver son efficacité, en matière de diagnostic comme d'intervention chirurgicale (les recherches actuelles portent essentiellement sur la chirurgie osseuse et la chirurgie digestive). Comme dans certaines applications audiovisuelles, on a recours à la technique de l'incrustation (ou juxtaposition) d'images réelles et d'images de synthèse (l'image de l'organe malade et celle de son « double » virtuel). Dans le cas de programmes d'assistance en chirurgie, l'organe à opérer est donc reconstitué virtuellement ; le chirurgien est assisté par l'ordinateur et les outils de la microrobotique. Ici, la qualité de l'image est essentielle, de même que celle de l'« interface opératoire ». On pourra en outre noter que les recherches actuelles tendent à mettre au point des programmes de ce type applicables à la chirurgie à distance.

• À l'évidence, la liste précédente n'est pas exhaustive. On pourra, pour la conclure partiellement, évoquer une application *on-line* de réalité virtuelle (comprise ici au sens large) : les MUD (*Multi-User Dimension*), qui font partie de ce qu'on appelle parfois les « services interactifs en temps réel » disponibles sur Internet. Le principe du MUD est proche de celui des jeux de rôle. Comme tel, il n'implique pas nécessairement le recours aux techniques sophistiquées de la réalité virtuelle : le premier MUD, apparu en 1979, s'en passait très bien – il suffisait que les participants conversent et définissent ensemble les espaces de leur interaction. Toutefois, la diffusion assez récente (vers 1995) de l'écriture VRML (*Virtual Reality Modeling Language*) a ouvert le chemin aux « environnements virtuels » sur Internet, permettant ainsi l'accès à de nombreux MUD. VRML permet en effet de décrire (avec du texte) des séquences d'images 3D d'une part, et les modalités d'interaction de l'utilisateur avec ces images, d'autre part. Les applications VRML peuvent être lues par un *browser* spécifique ou après téléchargement d'un *plug-in* à intégrer au navigateur web utilisé.

Grâce à de nouveaux outils comme VRML, les applications collectives *on-line* utilisant les images de synthèse tendent aujourd'hui à se multiplier, avec plus ou moins de bonheur.

Critique de la terminologie du virtuel

La liste des expressions composées du terme « virtuel » serait pourtant encore plus longue que celle des domaines d'application spécifiques qui précède. Tout se passe comme si, en définitive, toute production issue d'un ordinateur ou d'un réseau devait être définie par sa « virtualité ». C'est plus particulièrement le cas des productions graphiques dont on a vu que, pour certaines seulement (les images de synthèse), le qualificatif « virtuel » était correct. Reste que, par exemple, les « communautés virtuelles » dont on parle communément, sont loin d'être systématiquement des utilisatrices de ces techniques.

La terminologie du virtuel est abusive, on l'aura compris, et cet abus revêt la plupart du temps le masque d'une philosophie que l'on pourra qualifier de « postmoderne ». Sans aller trop loin dans le sens de cette critique, on peut, d'une part, montrer comment les emplois théoriques de la notion de virtuel ont détourné le concept physique de dualité. En effet, l'« image virtuelle » des physiciens du XIXe siècle n'a jamais été virtuelle au sens « philosophique » contemporain. Elle est la représentation d'un objet réel, au travers d'un miroir ou d'une lentille ; en tant que telle, elle dispose elle aussi d'une « image virtuelle » qui n'est autre que l'objet réel initial.

D'autre part, cette justification pseudo-scientifique et pseudo-philosophique de la dématérialisation du réel prétendument engendrée par la numérisation, tend à rendre compte de l'emploi tout aussi erroné du terme « immatériel » appliqué aux productions informatiques. Si l'on applique la formule bien connue de Einstein ($E=mc^2$), et si l'on se rappelle que les ordinateurs consomment de l'énergie, on ne peut accepter que leur fonctionnement relève de l'immatériel.

Le mot « immatériel » désigne certes une forme de réalité, mais celle-ci serait toute spirituelle (conformément en cela aux thèses du philosophe Berkeley, par exemple). Plus précisément, l'origine de cette conception de l'informatique est bien à rechercher... chez les informaticiens (notamment les théoriciens). Outre la réalité matérielle de ses composants électroniques, de son support physique, on peut en effet considérer l'ordinateur d'un point de vue conceptuel : en se situant au niveau logique de sa constitution (un ordinateur étant constitué de différentes strates, dont une dite logique).

Ce niveau logique, c'est celui des suites de 0 et de 1. À ce niveau, toutes les opérations qu'effectuent les ordinateurs portent uniquement sur des 0 et des 1 dont les séquences (ou « mots ») ont une signification au niveau supérieur (et totalement indépendant de ce niveau logique). On comprend ici en quoi d'aucuns voient dans le principe de la numérisation (traduction de tout en 0 et 1) une forme d'immatérialité liée à la fonction première des ordinateurs : le traitement automatique d'informations (collecte, conservation, communication, interprétation).

Cette conception, relevant pourtant de concepts scientifiquement exacts, n'en rejoint pas moins le discours « postmoderne » précédemment cité à propos du « virtuel ». Tous deux en effet se sont diffusés dans le grand public et ont contribué à l'essor d'une terminologie presque totalement coupée des réalités techniques essentielles à la bonne compréhension des phénomènes dont on prétend parler...

Outre les quelques rappels techniques précédents concernant la réalité virtuelle, on n'oubliera pas d'insister sur la réalité matérielle, physique, des composants électroniques d'un ordinateur : jusqu'à preuve du contraire, les ordinateurs fonctionnent avec des ventilateurs intégrés destinés à en prévenir la surchauffe. Réalité des tuyaux aussi, dans le cas des réseaux : les bits qui y circulent ne sont pas des entités abstraites mais des impulsions électroniques, sinon, à quoi bon les tuyaux ? En ce sens, on hésitera notamment à parler de l'« immatérialité » des flux d'information circulant dans Internet, au même titre qu'on ne parlera pas de l'« immatérialité » des technologies du virtuel. Tout au plus peut-on parler de progrès industriels et scientifiques : miniaturisation, flux opto-électro-magnétiques, approche de certaines limites physiques des composants, vitesse de commutation des états (avec le méga-hertz comme unité), etc.

Nombreux sont les discours qui découlent de cette conception quasi « magique » d'Internet et de l'informatique. Si leurs préoccupations s'avèrent justifiées, ils n'en reposent pas moins sur une compréhension inappropriée des techniques en question. Ainsi, les discours reposant sur le principe que le domaine du droit, sur Internet, change radicalement de nature en devenant « intangible », n'en demeurent pas moins pertinents lorsqu'ils avancent la nécessité d'une régulation des échanges sur le réseau. D'autres sont moins lucides en prétendant qu'une telle régulation est « par nature » impossible.

Les discours sur l'immatériel deviennent en effet ambigus lorsqu'ils versent dans ce déterminisme pseudo-numérique. D'un côté on y retrouve une forme de libertarisme oublieuse des origines pessimistes du cyberespace et, bien avant, des mises en garde de la cybernétique ; de l'autre, une forme de libéralisme. Et tous deux sont à même de favoriser les formes de pouvoir les plus insidieuses liées à l'absence de régulation sur les réseaux, qui pourrait mener, paradoxalement, à l'abus de contrôles « policiers » et aux ségrégations de tous ordres.

La prétendue nature virtuelle, voire immatérielle, des techniques numériques dans leur ensemble n'est pourtant rien d'autre, en dernière analyse, qu'un vague argument oxymorique (« rationnel-religieux ») mis à la mode techniciste, pour mieux masquer une attitude magique de croyance en la technique, liée précisément à l'incompréhension technique des progrès ainsi portés aux nues.

Bibliographie

Ouvrages :

- CADOZ (Claude), *Les réalités virtuelles*, Flammarion, Paris, 1994.
- WEISSBERG (Jean-Louis), *Présences à distance. Déplacement virtuel et réseaux numériques : pourquoi nous ne croyons plus à la télévision*, L'Harmattan, Paris, 1999.

Revues et rapports :

- Rapport d'information n° 169, *Images de synthèse et monde virtuel. Techniques et enjeux de société*, HURIET (C.), 1997-1998.

Webographie

- http://hypermedia.univ-paris8.fr/Weissberg/presence/presence.htm

Virus

Série d'instructions ou de codes informatiques conçus pour modifier ou infecter des données, perturber le fonctionnement d'un ordinateur, à des fins souvent malveillantes. Un virus présente l'aspect d'un programme classique mais, dès qu'il est installé dans un système, il déclenche certaines procédures qui provoquent des actions dommageables. Les effets des virus sont très variables. Les plus inoffensifs ne provoqueront, par exemple, qu'un simple tremblement temporaire de l'écran. Les plus dangereux peuvent se propager à l'échelle de la planète et détruire complètement données, logiciels et même matériels. Seul un anti-virus régulièrement mis à jour permet de protéger un système contre l'intrusion de ces données parasites.

WAP (Wireless Application Protocol)

Technique permettant, grâce au langage *Wireless Mark-up Langage* (WML), d'accéder aux services Internet à partir d'un téléphone portable de type GSM. Développé au sein du forum WAP, fondé en décembre 1997 par Nokia, Motorola, Ericsson et Unwired Planet, ce protocole a été conçu en tenant compte des limitations techniques du système GSM, tels que le débit, la taille de l'écran du mobile, les difficultés de saisie (clavier de faible dimension), la vitesse de connexion relativement lente ainsi que les faibles capacités de mémoire du terminal.

La commercialisation du WAP n'a pas connu le succès escompté.

Web

Le mot « Web » est couramment employé comme abréviation de l'expression *World Wide Web*, signifiant littéralement « toile d'araignée mondiale ». En tant que tel, il a aussi pour équivalents WWW ou W3. On le trouve parfois traduit en français par la « Toile ».

Le Web est l'un des protocoles d'Internet. Comme Gopher ou WAIS, il s'agit d'un service d'information en ligne, mais celui-ci est le plus largement utilisé par les internautes, au point que son succès l'amène bien souvent à être confondu avec le réseau Internet lui-même. Du fait de la richesse de ses applications comme de la souplesse de sa structure, le Web est, d'autre part, le point d'ancrage du secteur informatique dans la convergence et, bien plus, joue dans ce phénomène un rôle moteur en contribuant à dynamiser les industries de la communication : audiovisuel et télécommunications.

Une définition essentiellement technique du Web permet de mieux saisir sa spécificité en tant que réseau comme en tant que contenu.

L'historique du Web est bien connu. Par convention ou par habitude, on considère que le Web est né à Genève, en 1989. En effet, le protocole a été imaginé au CERN (Centre européen de recherche nucléaire) par deux informaticiens, le Belge Robert

Cailliau et le Britannique Tim Berners-Lee. Une note interne du Centre le décrit sommairement en mars 1989. Il est donc précédé de quelques mois par les lancements de Gopher et WAIS. Pourtant, les débuts du Web ont été très discrets. En octobre 1990, Tim Berners-Lee développe son premier programme *World Wide Web* ; le premier navigateur est disponible en mars 1991 pour certaines machines Unix, mais sa version stabilisée, qui date de 1992, reste inconfortable. La situation va changer de façon considérable avec l'apparition en février 1993, du premier navigateur web « convivial », Mosaic, développé au NCSA (*National Center for Supercomputing Applications*) par Marc Andreessen et Eric Bina. À partir de là, les sites web vont se multiplier. En 1994, Andreessen quitte le NCSA et va commercialiser une version améliorée de Mosaic : c'est le fameux Navigator de Netscape, disponible en 1995. De même, l'apparition de l'annuaire Yahoo ! en 1994, et surtout du moteur de recherche Alta Vista en novembre 1995 va être déterminante : le Web dispose désormais d'un système de repérage solide.

En octobre 1994, le Web étant déjà devenu un phénomène technique de grande importance, même si l'on ne comptait que quelques milliers de serveurs web dans le monde, est fondé le *World Wide Web Consortium* (W3C), mis sous la responsabilité du MIT (*Massachussetts Institute of Technology*) aux États-Unis et de l'INRIA (Institut national de recherche en informatique et automatique) en France, en collaboration avec le CERN. Celui-ci a abandonné ses droits sur l'invention du Web en avril 1992 et a ainsi permis au W3C de développer le protocole dans un esprit de « service public » favorable à sa plus grande diffusion. Le W3C a ainsi pour mission de diriger l'évolution technique du Web en émettant des recommandations favorables à une standardisation à l'échelle internationale. Mais, depuis le début et aujourd'hui encore, nombreuses sont les recommandations du W3C qui entrent en compétition avec le développement de formats propriétaires par certaines entreprises privées. Pour aborder ce point, on s'attardera à définir plus en détail les principales caractéristiques du protocole WWW.

Le fonctionnement du Web

En tant qu'élément constitutif de l'Internet, le Web utilise le protocole TCP/IP qui rend possible la communication entre machines connectées : citons FTP (*File Transfer Protocol*), Telnet, SMTP (*Simple Mail Transfer Protocol*) et, bien sûr, HTTP (*Hypertext Transfer Protocol*), qui est le protocole propre au Web. Ces protocoles fonctionnent tous sur un mode de communication appelé « client/serveur » : une machine « cliente » peut demander un service à une machine « serveur » ou « hôte » sur le réseau, qui le lui fournira.

Dans ce sens, un serveur web est un programme qui transmet des fichiers à l'ordinateur client qui en a fait la demande *via* le protocole HTTP. Le programme appelé navigateur ou *browser* est ainsi le programme client qui permet à l'utilisateur d'avoir accès au contenu du Web. Il permet en outre l'accès aux autres protocoles d'Internet, par le biais des URL (*Uniform Resource Locator*). Mais, surtout, le navigateur permet l'accès à l'hypertexte et son utilisation par l'internaute. Car tel est le sens de HTTP : ce qui circule dans le Web, ce sont des documents hypertextuels.

La notion d'hypertexte est en effet fondamentale pour comprendre la spécificité du fonctionnement du Web. Le Web peut en effet se définir comme une énorme masse d'informations reliées entre elles par un nombre gigantesque de liens « hypertextuels », liens internes (reliant des documents à l'intérieur d'un même site) ou externes (reliant entre eux des sites différents). D'une part, HTTP rend possible leur circulation. D'autre part, les documents circulant sur le Web sont écrits dans un langage commun : HTML (*HyperText Mark-up Langage*), langage de balisage hypertextuel.

La structure hypertextuelle est en effet étroitement dépendante de la notion de balisage. À l'origine, HTML est dérivé de la norme SGML (*Single Generalized Mark-up Language* ou langage unique de balisage généralisé), qui constitue une DTD (description de type de document) permettant de définir la structure d'un document (mais non son langage même). Les balises (séquences de caractères ou autres symboles), insérées à des endroits précis dans un texte, permettent donc d'indiquer la structure logique ou compositionnelle d'un fichier, ainsi que son apparence sur l'écran de l'utilisateur ou imprimé sur papier. HTML ajoute à ces fonctions celle de relier certaines parties du fichier à d'autres parties de ce même fichier ou à un fichier différent. Notons d'ailleurs que les liens peuvent renvoyer à du texte, mais aussi à du son, à de l'image. On parle alors d'hypermédia. En théorie donc, HTML permet de composer un document tel qu'il apparaîtra à l'écran, quel que soit le type d'ordinateur connecté au réseau. En pratique, notons toutefois que l'aspect du document peut varier en fonction des systèmes d'exploitation, de la largeur de l'écran client ou de la version du navigateur (plus ou moins récente) utilisée.

Enfin, si le navigateur permet à l'utilisateur de visualiser un document, il permet aussi d'en voir le « source » (qui explicite les balises, les liens, etc.), et, de plus en plus fréquemment, de composer une page web et de voir immédiatement le résultat de sa composition (il existe de nombreux éditeurs ou programmes quasi« Wysiwyg » (*what you see is what you get*) qui permettent à l'auteur d'élaborer une page ou un site web).

HTML a largement contribué au succès du Web, tout d'abord du fait de son universalité (ce langage est indépendant du système d'exploitation). D'autre part, il est libre de droits et toutes les sources (le balisage du document) sont accessibles à la lecture. Le Web a donc dès l'origine favorisé non seulement les pratiques de lecture et d'utilisation des documents hypertextuels *on-line*, mais aussi la création de pages et de sites web.

Un autre langage mérite en outre d'être mentionné : XML (*Extensible Mark-up Language* ou langage à balisage extensible), lui aussi sous-ensemble du standard SGML. Il constitue une recommandation du W3C tendant à favoriser le partage, la gestion et la création d'information sur le Web (même s'il est applicable à l'ensemble des protocoles d'Internet) grâce à une description standardisée des données. Comme HTML, il contient des balises permettant de décrire le contenu des pages web (texte et graphiques) : HTML permet de définir l'affichage et l'utilisation de la page web ; XML, grâce à des balises en nombre illimité et non prédéfinies, décrit la nature même des données pour différentes classes de documents. En ce sens, un fichier XML pourra être affiché tout comme un fichier HTML, mais il pourra aussi être simplement stocké avec des données similaires ou traité comme simple ensemble de données.

L'emploi de ce langage devrait ainsi faciliter l'accès aux informations fournies par Internet de même que leur traitement, notamment par les moteurs de recherche, dont l'efficacité est grandement limitée par le caractère non-structuré des informations à indexer. HTML et XML devraient dans un futur proche être utilisés conjointement dans la création de nombreuses applications sur le Web.

Si le W3C s'attache donc à orienter le développement du Web dans le sens d'une plus grande simplicité et d'une plus grande universalité d'application, ses recommandations (voir www.W3.org) se heurtent de manière générale à la diffusion de formats propriétaires par les entreprises. La coexistence de ces formats divers, propriétaires et publics, vient donc complexifier, d'un point de vue technique, à la fois l'accès aux documents disponibles sur le Web et leur utilisation. On abordera donc ici les implications techniques de la navigation.

Le Web et ses formats

La diversité des formats de documents sur le Web amène à poser, dans un premier temps, le problème du téléchargement (ou transmission de fichier). Tout navigateur assure en effet l'accès de l'internaute, *via* les URL de type <http://>, aux pages web de base, écrites en HTML. En faisant la requête auprès d'un serveur, le logiciel de navigation assure donc le téléchargement « simple » de telles pages. Il arrive cependant que des pages web comprennent des fichiers image ou multimédia qui, bien qu'ayant leur place dans le document spécifiée par les balises HTML, ne sont pas directement visualisées par l'utilisateur en raison du format dans lequel ces fichiers sont numérisés.

En général, le téléchargement d'un fichier qui n'est pas au format HTML nécessite un outil logiciel spécifique. L'exemple le plus connu est donné par les rapports disponibles sur Internet que leurs auteurs n'ont pas pris la peine de convertir d'un format Word pour WindowsXX vers l'HTML. Si l'on n'a pas acheté le logiciel de traitement de texte, on ne peut lire le document. Dans d'autres cas (son, image, animation), l'outil de lecture est gratuit (alors que son équivalent pour la production est payant), mais doit être téléchargé par l'utilisateur. Et souvent, l'utilisateur est surpris d'être obligé de télécharger une application (comme Ghostscript ou Acrobat Reader) ou un *plug-in* (comme Shockwave) de plusieurs mégaoctets pour réussir à visualiser un document de quelques kilo-octets. Parfois même, des sites entiers, réalisés en formats propriétaires, ne sont pas lisibles si on ne dispose pas de ces compléments.

Si ces formats, propriétaires et non normalisés, ont parfois des avantages par rapport à l'HTML ordinaire (respect de la mise en page, animation, etc.), ils poussent l'utilisateur à consommer de la bande passante quand l'auteur doit payer la licence du logiciel.

Cette obligation d'acquérir des compléments logiciels se dilue en théorie, puisque les navigateurs, au fil du temps, finissent par intégrer ces *plug-in* et logiciels complémentaires, ce qui les rend encore plus volumineux. Mais la course aux formats propriétaires reprend ses droits : il suffit qu'un fournisseur de *plug-in*, voire l'entreprise qui conçoit le navigateur, promeuve un nouveau « standard ». Actuellement, de nombreuses pages web, lisibles avec un navigateur donné, le sont partiellement avec un concurrent.

Enfin, l'utilisation des pages web, c'est-à-dire l'« interactivité » caractéristique de la navigation sur le Web, pose la question des modalités techniques de la communication entre client et serveur.

Au niveau public, une forme d'interaction sur le Web est assurée par le standard CGI (*Common Gateway Interface*), qui fait partie du protocole HTTP. Le CGI récupère une question posée à un serveur web, la traite avec un programme particulier, et produit la réponse, le plus souvent sous format HTML, qui est alors renvoyée par le serveur à l'utilisateur. Cela n'est pas la même chose, pour le serveur, que de simplement transmettre une page web dont l'utilisateur a tapé l'URL, ou qu'il a cherché à atteindre en activant un lien hypertexte. Dans ce dernier cas, la page web est déjà créée. Dans le cas du CGI, il y a la plupart du temps constitution de pages web à la volée, qui ne seront pas stockées sur un disque dur. On dit de ces pages qu'elles sont « dynamiques ». Un exemple typique de CGI est la réponse d'un moteur de recherche à une question. L'interactivité est donc ici plus complexe (elle ajoute un « acteur » à la communication homme/machine : l'application), bien que le fonctionnement en soit relativement simple. Un langage très communément utilisé pour développer des programmes CGI est le PERL (*Practical Extraction and Reporting Language*) en raison des facilités de manipulation textuelle qu'il offre.

Contrairement au CGI, les applications en langage Java (développé par Sun Microsystems en 1995) ne font pas travailler le serveur mais la machine cliente. Cela peut être intéressant en termes d'économie de bande passante comme en termes de simplicité d'utilisation : non seulement on limite le délai de transfert de fichiers, mais on facilite aussi les manipulations des documents telles que le zoom ou le changement de couleur sur un fichier image, qui ne nécessitent pas l'utilisation d'une application spécifique. Bien que Java soit « privé », ce format est aujourd'hui compatible avec la majorité des systèmes d'exploitation, qui intègrent une « machine virtuelle » Java : celle-ci interprète le *bytecode* du programme en code émis par le serveur et l'exécute. La rapidité d'affichage de la page dépend donc de la puissance de la machine cliente.

Mais Java est un langage complexe, dérivé du « C » ; malgré son universalisme, il est peu utilisé dans les domaines où il est tout indiqué, comme la gestion de base de données, car peu de développeurs pensent directement à un usage Internet de telles bases.

C'est la raison pour laquelle de véritables hybrides sont créés, à l'instar des « javascript ». Ces derniers ont été développés par les navigateurs et, malgré leur quasi-homonymie, n'ont rien à voir avec Java. Un javascript développé par Netscape risque fort d'être incompréhensible pour le navigateur de Microsoft et inversement. Ces « scripts » sont de plus en plus diffusés sur les pages web car ils sont aisément copiables : ils nécessitent peu de compétences techniques. Tout en utilisant l'idée de Java (faire travailler la machine cliente), ils font aussi de plus en plus fréquemment travailler le serveur. Mais s'ils apparaissent aujourd'hui comme le *must* de l'écriture interactive, ils constituent une source d'effroyables casse-têtes pour les programmeurs : le retour en force des formats propriétaires (version et marque du navigateur comme du système d'exploitation) interdit de concevoir un produit industriel utilisant ces scripts, tant il faut intégrer de variantes dans les programmes.

D'autres formes de communication s'établissent sur le Web entre client et serveur, dont l'une prend la forme bien connue des *cookies*. Ayant trait à la navigation, celle-ci implique nécessairement le *browser*, mais aussi le disque dur de la machine cliente.

Le succès du Web est dû aux capacités multimédias de ce protocole, à sa facilité d'écriture, à son universalité, à la simplicité des adresses manipulées (les URL). Le rapide enrichissement des contenus et l'apparition de moteurs de recherche ont amplifié cette dynamique et le Web est aujourd'hui la référence en matière d'interaction (homme/machine ou homme/homme) comme en matière de multimédia. Cependant, la multiplication des pages dynamiques et la surenchère des producteurs de formats propriétaires menacent actuellement son développement. Sauf si on s'accorde à penser, comme cela s'est produit lors de l'invention de l'écriture, qu'il n'y aura plus un Web, mais une multitude de toiles, dédiées à des communautés d'usages, d'expertises, et d'outillages spécifiques.

Webographie

- http://www.W3.org

Web bug

Image invisible, présente sur une page web, et activée à l'insu de l'internaute, lorsque ce dernier affiche la page concernée sur l'écran de son ordinateur. Le *Web bug* révèle l'adresse à laquelle l'internaute s'est connecté, la page qu'il a affichée ainsi que les différents *cookies* mémorisés par son ordinateur. Ainsi, le *Web bug* garde en mémoire non seulement la page dans laquelle il a été installé, mais également toutes les pages et tous les sites ayant été visités auparavant par l'internaute. Le *Web bug* et le *cookie* sont les deux outils qui permettent de connaître, à leur insu, à la fois l'identité des internautes et leurs comportements sur le Web. La troisième technique (*profiling*) consiste à demander aux internautes de remplir un formulaire, le plus souvent directement sur leur écran.

Webmestre

Personne responsable de la gestion d'un site web. Cette responsabilité concerne l'une ou plusieurs des fonctions suivantes. D'une part, le bon fonctionnement technique du site : le webmestre (de l'anglais *Webmaster*) veille, par exemple, à ne pas allonger la durée des téléchargements, en limitant le nombre des photos ; il coordonne le travail des graphistes avec celui des développeurs, afin de faire évoluer les pages du site. D'autre part, la responsabilité du contenu éditorial du site : le webmestre participe à la détermination de la politique de communication externe ou interne de l'entreprise ou de l'organisme concerné. Enfin, les relations avec les visiteurs du site, qu'ils soient ou non occasionnels : le webmestre est attentif à leur fidélité, à leur satisfaction, à leurs centres d'intérêts. L'étendue des fonctions assumées par le webmestre, ainsi que leur diversité, varient par conséquent en fonction de la taille et de l'organisation du site concerné.

Webzine

Nom donné à un magazine édité uniquement sur le Web, sans version papier.

Le webzine est pour le Web ce que représente le fanzine dans le monde des journaux : l'un et l'autre, le plus souvent, veulent se distinguer de leurs concurrents en offrant des informations et des commentaires moins « institutionnels » ou moins conformistes que les autres revues ou sources d'information.

Ouvrages généraux

BALLE (Francis), *Médias et Sociétés,* 10e éd., Montchrestien, 2001.

BENENSON (James), JUANALS (Brigitte), *Dictionnaire bilingue Internet & multimédia,* Langues pour tous – Pocket, 2000.

CASTELLS (Manuel), *L'ère de l'information,* 3 vol., Fayard, 1998-1999.

Code de la communication, Dalloz, 2001.

COHEN-TANUGI (Laurent), *Le nouvel ordre numérique,* Odile Jacob, 1999.

DENIEUL (François), *Internet et les sept piliers du XXIe siècle. Concept clefs pour la nouvelle économie,* Connaissance partagée éditions, 1999.

Dictionnaire de l'informatique et de l'internet 2001, Micro Application, 2000.

GUSDORF (Florent), WISDOM (John), *Guide bilingue anglais-français du cybermonde,* Ellipses, 1998.

L'infosphère : stratégies des médias et rôle de l'État, Commissariat général au plan, 2000.

NOTAISE (Jacques), BARDA (Jean), DUSANTER (Olivier), *Dictionnaire du multimédia. Audiovisuel, informatique, télécommunications,* 2e éd., AFNOR, 1996.

SUSBIELLE (Jean-François), *Internet. Multimédia et temps réel,* Eyrolles, 2000.

Index alphabétique

A

B

C

D

E

J

K

L

M

N

P

V

W

X

Index des auteurs cités

Glossaire anglais-français

Le glossaire comporte les mots et les expressions anglais d'usage courant du vocabulaire numérique : nous en donnons la traduction française ou, à défaut, le sens.

Anglais	Français
@, at	Arobase, n.m. ; arobace (rare) ; arrobe (Délégation générale à la langue française)
AA (After April)	Qualifie une jeune pousse née après le krach boursier d'avril 2000
Access provider, Internet access provider (IAP)	Fournisseur d'accès à Internet (FAI)
ADSL (Asynchronous Digital Subscriber Line)	Raccordement numérique asymétrique (RNA)
AMPS (Advanced Mobile Phone System)	Système avancé de téléphonie mobile
Analog	Analogique, adj.
Applet	Appliquette, n.f.
ASAP (As Soon As Possible)	Le plus tôt possible (acronyme)
ASCII (American Standard Code for Information Interchange)	Code standard américain pour l'échange d'information (lit.)
ATM (Asynchronous Transfer Mode)	Mode de transfert asynchrone
B to B (Business To Business), B2B	Commerce électronique inter-entreprises
B to C (Business To Consumer), B2C	Commerce électronique de grande consommation
B4	Avant (acronyme)
Backbone	Dorsale, n.f.
Back-up	Sauvegarde, n.f.

Banner	Bannière, n.f.
Binary digit	Bit, n.m.
Bitmap	Carte de bits, n.f.
Block cipher	Cryptage par bloc, n.m.
Bookmark	Signet, n.m.
Brick and mortar	Entreprise traditionnelle (faite de briques et de mortier)
Broadband	Bande passante large, n.f.
Browser	Navigateur, n.m. ou fureteur, n.m. (can.)
Browse (to), browsing	Parcourir, surfer, naviguer ; navigation, n.f. ; flânerie, n.f.
Bug	Bogue, n.m.
Bundling	Offre groupée, n.f.
Business angel	Investisseur providentiel, n.m.
Business plan	Plan d'affaires, n.m.
Byte	Octet, n.m.
C to A (Consumer to Admistration), C2A	Transaction du particulier à l'administration
CD-Rom (Compact Disc - Read Only Memory)	Cédérom, n.m. ; CD-Rom
CD-Rom-XA (Compact Disc - Read Only Memory - eXtanded Architecture)	Mémoire morte sur disque compact, architecture avancée, n.f. (lit.)
Cell phone	Téléphone mobile, n.m.
Chat	Causette, n.f. ; site de discussion
Chip	Puce, n.f. ; microprocesseur, n.m.
Click (to)	Clic, n.m. ; cliquer, v.
Click and mortar	Entreprise traditionnelle utilisant Internet (associant les clics et le mortier)
Compact Disc	Disque compact (CD), n.m.
Computer art	Infographie, n.f.
Computer image	Image de synthèse, n.f.
Content	Contenu, n.m. ; programme, n.m., service, n.m.

Cookie	Mouchard, n.m. ; témoin de connexion, n.m.
Copyright	Droit d'auteur, n.m. ; propriété littéraire et artistique, n.f.
Cracker	Pirate informatique, n.m.
Cyberspace	Cybermonde, n.m.
Cybersquatting	Appropriation abusive de nom de domaine
Data mining	Extraction de données, n.f.
Database	Base de données, n.f.
Digital	Numérique, n.m. et adj
DTH (Direct To Home)	Télédiffusion par satellite, n.f.
DNS (Domain Name System)	Système d'adressage par domaine ; annuaire des domaines
Domain name	Nom de domaine, n.m.
Dotcom	Jeune pousse de la nouvelle économie
Dotcorp	Filiale, pour ses activités Internet, d'une entreprise traditionnelle
Downlink	Liaison descendante, n.f.
Download (to)	Téléchargement, n.m. ; télécharger, v.
DVD (Digital Versatile Disc)	Disque numérique polyvalent, n.m.
E-book	Livre électronique, n.m.
E-broker	Courtier en ligne, n.m.
E-commerce	Commerce électronique, n.m.
Educational software program	Didactitiel, n.m.
Edutainment	Divertissement éducatif
Electromagnetic wave	Onde électromagnétique, n.f.
E-mail	Courrier électronique, n.m. ; mél (fr.) ou courriel (can.)
Encoding	Codage, n.m.
Entertainment	Divertissement, n.m.
E-publishing	Edition électronique, n.f.
E-shopping arcade	Galerie marchande virtuelle, n.f.

E-tailer	Détaillant électronique, n.m.
FAQ (Frequently Asked Questions)	Foire aux questions, n.f. (acronyme)
File	Fichier, n.m.
Firewall	Pare-feu ou coupe-feu, n.m.
Flame bait	Attrape-flammes, n.m., piège à flamme, n.m.
Flooding	Raz-de-marée informatique
Freeware	Logiciel gratuit, n.m. ; gratuiciel (can.)
FTP (File Transfer Protocol)	Protocole de transfert de fichiers, n.m.
FTTH (Fiber To The Home)	Fibre jusqu'au domicile
Full Service Network	Réseau de services complet
FYI (For Your Information)	Pour information (acronyme)
Gateway	Passerelle, n.f.
Global Information Infrastucture	Infrastructure globale d'information
GPRS (General Packet Radio Service)	Service de radiotéléphonie par paquets
GPS (Global Positioning System)	Système de radiolocalisation
Groupware	Logiciel de travail en groupe ; collecticiel (can.)
GSM (Global System for Mobile Telecommunications)	Système global pour les communications mobiles
Hacker	Fouineur, n.m. ; passionné d'informatique, expert en programmation
Hacktivism	Hacktivisme, n.m.
Hardware	Matériel, équipement, n.m.
High speed	Haut débit, n.m.
Home page	Page d'accueil, n.f.
Host	Hôte, n.m. ; hébergeur, n.m.
Hosting	Hébergement, n.m.
Hotlist	Liste de signets, n.f.
HTML (Hyper Text Mark-up Language)	Langage de documents hypertexte
HTTP (Hyper Text Transfer Protocole)	Protocole de transmission de documents sur la Toile

Hub.	Plaque tournante, n.f.
Icon	Icone, n.f.
In My Humble Opinion (IMHO)	À mon humble avis (acronyme)
Information highway, information superhighway	Autoroute de l'information
Information Society	Société de l'information, n.f.
Instant Messaging	Messagerie instantanée, n.f.
Integrated home system	Domotique, n.f.
IP Spoofing	Maquillage d'identité électronique
ISP (Internet Service Provider)	Fournisseur de services sur Internet
IRC (Internet Relay Chat)	Application permettant de communiquer en temps réel
ISDN (Integrated Services Digital Network)	Réseau numérique à intégration de services (RNIS)
Killer application	Innovation à succès ouvrant un nouveau marché
Local Area Network (LAN)	Réseau local
Local Multipoint Distribution System (LMDS)	Système de distribution en étoile
Log-in	Procédure d'identification
Mailbox	Boîte aux lettres électronique, n.f.
Mailing list	Liste de diffusion
Marketplace	Place de marché, n.f.
M-commerce	Commerce par téléphone mobile
Meta-search engine	Métachercheur, n.m.
Micro computing	Micro-informatique, n.f.
Middleware	Logiciel médiateur, n.m.
MMDS (Microwave Multipoint Distribution Service)	Service de diffusion par ondes décamétriques, n.f.
Modem	Modem, n.m. ; modulateur-démodulateur, n.m.
MP3 (MPEG Audio Layer 3)	Format de compression pour fichiers musicaux
MPEG (Mouving Picture Expert Group)	Norme de compression et de lecture d'images vidéo
MSOs (Multiple System Operators)	Opérateurs multi-systèmes

Multicasting	Multidiffusion, n.f.
Multiplexing	Multiplexage, n.m.
Narrowband	Bande passante étroite, n.f.
Narrowcasting	Diffusion étroite ou restreinte
Network	Réseau, n.m.
New economy	Nouvelle économie, n.f.
Newsgroup	Forum ; groupe de discussion, n.m. ; babillard électronique (can.)
On-line data service	Serveur, n.m.
OSI (Open System Interconnection)	Interconnexion de systèmes ouverts (ISO)
P2P (Peer to Peer)	D'internaute à internaute, d'utilisateur à utilisateur
PDA (Personal Digital Assistant)	Assistant numérique personnel, n.m.
Permission marketing	Technique de promotion commerciale par le Web nécessitant l'accord préalable de l'internaute
PGP (Pretty Good Privacy)	PGP, logiciel de chiffrement
Phreaking	Piratage des centraux téléphoniques pour appeler gratuitement
Plug-in	Logiciel additif, n.m.
Portal	Portail, n.m.
Profiling	Profilage, n.m.
Proxy server	Ordinateur relais ; serveur mandataire, n.m, serveur de délestage, n.m.
Pull technology	Technique permettant le téléchargement d'informations sollicitées par un internaute
Pure player	Entreprise opérant exclusivement sur Internet
Push technology	Technique permettant l'envoi systématique d'informations recherchées par un internaute
Query	Requête

Referencing	Référencement, n.m.
Right to privacy	Droit à la vie privée, n.m.
Roaming agreement	Accord d'itinérance entre opérateurs de téléphonie mobile
Sample	Échantillonnage, n.m.
Search engine	Moteur de recherche, n.m.
Server	Serveur, n.m.
Shopbot	Robot de recherches, acheteur de produits
Single Generalized Markup Language (SGML)	Langage SGML
Smiley	Frimousse, binette, n.f. (fam.), émoticon, n.m.
SMS (Short Messaging Service)	Service de messages courts par téléphone mobile
Software	Logiciel, n.m.
Spam, spamming	Message non sollicité reçu par courrier électronique ; envoi de messages non sollicités
Speech recognition	Reconnaissance vocale, n.m.
Standard	Norme, n.f.
Start-up	Jeune pousse, n.f.
Streaming	Diffusion en continu de sons et d'images
System Network Architecture (SNA)	Architecture de système en réseau
Taskbot	Agent intelligent spécialisé dans l'exécution de certaines tâches
TCP/IP (Transmission Control Protocol over Internet Protocol)	Protocole de commande de transmission sous protocole Internet
Tracking	Repérage, n.m.
Trojan horse	Cheval de Troie, n.m.
Unbundling	Dégroupage, n.m.
Uniform Ressource Locator (URL)	Adresse sur le réseau
Universal Mobile Telecommunications service (UMTS)	Norme de transmission pour téléphones mobiles de troisième génération

Upload (to)	Envoi de fichiers par l'internaute ; action consistant à envoyer des fichiers
Waplock, wap-lockage	Verrouillage d'un téléphone mobile au profit de certains sites web
Wave	Onde, n.f.
Web	Web, n.m. ; Toile, n.f.
Web page	Page web
Web site	Site web
Webcam	Caméra de petite dimension permettant de capter des images et de les transmettre par Internet
Webcasting	Transmission de sons et d'images par le Web
Webmaster	Webmestre, n.m. ; administrateur de site, n.m.
Webzine ou Web-zine	Magazine électronique, n.m.
Wide Area Information Servers (WAIS)	Robot de recherche sur Internet
Wide Area Network (WAN)	Réseau à longue portée
Window	Fenêtre, n.f.
Wireless Application Protocol (WAP)	Protocole WAP, n.m.
Wireless Local Loop (WLL)	Boucle locale radio (BLR), n.f.
xDSL (Extended Digital Subscriber Line)	Technologie DSL
XML (Extensible Mark-up Language)	Langage d'accès rapide à des documents hypertextes

Conception graphique : Atelier 33
6, rue Béranger
92240 Malakoff

Cet ouvrage a été composé par
I.G.S. Charente Photogravure à L'Isle-d'Espagnac (16)

704418-(1)-CSB-G80g-IGS
Dépôt légal : Septembre 2001
Imprimé en France par I.M.E. 25110 Baume-les-Dames
N° imprimeur : 15291